VISION DU FUTUR

LA SAGA DE LA GUERRE DES ÉTOILES
AUX PRESSES DE LA CITÉ

Timothy Zahn, *L'Héritier de l'Empire*
Timothy Zahn, *La Bataille des Jedi*
Timothy Zahn, *L'Ultime Commandement*
Kathy Tyers, *Trêve à Bakura*
Dave Wolverton, *Le Mariage de la princesse Leia*
Vonda N. McIntyre, *L'Etoile de cristal*
Barbara Hambly, *Les Enfants du Jedi*
Steve Perry, *Les Ombres de l'Empire*
Kevin J. Anderson, *Le Sabre noir*
Kristine Kathryne Rusch, *La Nouvelle Rébellion*
Barbara Hambly, *La Planète du crépuscule*
Timothy Zahn, *Le Spectre du passé*
La Magie du mythe - Album Star Wars
Terry Brooks, *La Menace fantôme*

AUX ÉDITIONS OMNIBUS

Star Wars, tome 1
Star Wars, tome 2

AUX ÉDITIONS HORS COLLECTION

Laurent Bouzereau et Jody Duncan, *Star Wars, le making
Episode I - La Menace fantôme*

Timothy Zahn

La Guerre des étoiles

VISION DU FUTUR

Traduction de Gérard Haren

Roman

Titre original : *Vision of the Future*

© Lucasfilm Ltd, 1998.
Edition originale : Bantam Books.
© Presses de la Cité, 1999, pour la traduction française
ISBN 2-258-05042-1

Imprimé au Canada

Aux Reines des Etoiles, aux Rois de l'Espace
Aux Fous de Jade, et à mes Cavaliers Bothans...

Et tout spécialement à
Tish Pahl,
Ministre de l'In et de la Désin-formation...

1

Avec pour seule compagnie Pesitiin, une gazeuse géante, le Destroyer Stellaire Impérial *Chimaera* s'enfonçait dans la noirceur infinie de l'espace.

A la proue, l'Amiral Pellaeon observait l'astre mort.

Il tourna la tête quand le Capitaine Ardiff fit son apparition sur le pont.

— Amiral, rapport du Major Harch, déclara le Capitaine abruptement. Les avaries consécutives à l'attaque des pirates sont réparées. Votre navire est de nouveau en parfait état de marche.

— Merci, Capitaine, répondit Pellaeon avec un petit sourire.

Depuis l'attaque sur le *Chimaera*, trente heures plus tôt, Ardiff avait changé plusieurs fois d'opinion. D'abord convaincu que le coup venait du Général Garm Bel Iblis, de la Nouvelle République, il avait ensuite accusé des dissidents de l'Empire, puis des Rebelles, selon lui tout aussi dissidents. A présent, il semblait certain de la culpabilité d'une bande de pirates...

Pour être juste, durant ces trente heures, Ardiff avait eu tout le loisir de ressasser ses théories. Et les comptes rendus préliminaires des techniciens sur les débris du Croiseur de type Kaloth détruit par le *Chimaera* avaient sûrement influencé ses réflexions.

— Les patrouilles ont découvert quelque chose ? demanda Pellaeon.

— Rien du tout, Monsieur, répondit Ardiff. Aucune indication d'activité dans le système. Les navettes d'assaut que vous avez envoyées sur le vecteur de fuite de nos agresseurs viennent de faire leur rapport. Toujours pas de traces de l'ennemi...

Pellaeon hocha la tête. Il ne s'attendait pas à moins. Toute personne capable d'acheter et d'armer un Croiseur connaissait une ou deux astuces quand il fallait dissimuler une flotte.

— Ça valait le coup d'essayer, dit l'Amiral. Ordonnez aux navettes de sonder un système de plus. A cette distance, nos transmissions sont assez puissantes pour fonctionner sans relais. Si aucune piste n'est repérée, que les pilotes reviennent au vaisseau...

— A vos ordres, Monsieur, murmura Ardiff.

Sans avoir à le regarder, Pellaeon devina les hésitations de son subordonné.

— Une question, Capitaine ? demanda-t-il.

— Le *black-out* des communications me gêne, Monsieur. Je n'aime pas être coupé de tout. C'est à se croire sourd et aveugle. Franchement, ça me rend nerveux.

— Je n'apprécie pas non plus, admit Pellaeon. Mais pour entrer en contact avec le reste de l'univers, nous n'avons que deux solutions : utiliser une station-relais de l'Empire ou nous servir de l'HoloNet. A la minute où nous le ferons, de Coruscant à Bastion, la galaxie entière saura que nous sommes ici. Alors, nous aurons davantage à redouter que quelques bandes de pirates. Tout le monde voudra nous prendre pour cible !

Et je n'aurai plus aucune chance d'avoir un entretien discret avec Bel Iblis.

A condition que le Général soit disposé à parlementer.

— J'ai conscience de tout cela, Amiral, dit Ardiff. Mais vous est-il venu à l'esprit que l'attaque d'hier n'était peut-être pas due au hasard ? Qu'il ne s'agissait peut-être pas d'une escarmouche isolée contre un navire Impérial isolé ?

Pellaeon haussa un sourcil.

— Suggérez-vous que c'était le prologue d'une attaque massive contre l'Empire ?

— Pourquoi pas ? insista Ardiff. Je veux bien admettre que ce n'est pas la Nouvelle République qui a armé nos adversaires. Mais comment savoir si les pirates n'ont pas un plan en tête ? L'Empire n'a jamais été tendre avec eux. Ils ont pu s'unir et décider que l'heure de la vengeance avait sonné.

Pellaeon se mordit pensivement la lèvre inférieure. A première vue, l'hypothèse était ridicule. Même agonisant, l'Empire restait trop puissant pour qu'une « confédération » de pirates puisse le vaincre. Mais certains de ces hors-la-loi de l'espace étaient assez fous pour essayer...

— Une question reste ouverte, souligna l'Amiral. Nous ignorons toujours comment l'ennemi connaissait notre position.

— Nous ne savons pas ce qui est arrivé au Colonel Vermel, rappela Ardiff. Si les pirates l'ont enlevé, il leur a peut-être parlé de Pesitiin...

— Pas de son plein gré. S'ils l'ont torturé assez sauvagement pour qu'il craque, je ferai des guirlandes avec leurs tripes !

— Oui, Monsieur... approuva Ardiff. Cela nous ramène à l'éternelle question : combien de temps resterons-nous ici ?

Pellaeon regarda les étoiles. C'était la question essentielle ! Combien de temps devaient-ils attendre au milieu de nulle part, avec l'espoir que la lente déliquescence de l'Empire serait enrayée ? Tout était là : pourraient-ils cesser de combattre la Nouvelle République, conserver leur dignité et obtenir quelque chose qui ressemble vaguement à un territoire ?

La paix était-elle possible ?

— Deux semaines, décida Pellaeon. C'est le délai que nous laisserons à Bel Iblis pour répondre à notre offre.

— Et si notre message ne lui est jamais parvenu ?

— Il l'a eu, affirma l'Amiral. Vermel est un officier compétent et plein de ressources. Quoi qu'il lui soit arrivé, je suis sûr qu'il aura *d'abord* rempli sa mission.

— Bien sûr, Monsieur, dit Ardiff. (Son ton indiquait qu'il ne partageait pas la confiance de Pellaeon.) Et si Bel Iblis ne s'est toujours pas montré au terme du délai ?

— Nous déciderons à ce moment-là, conclut l'Amiral avec une moue dubitative.

Ardiff hésita, puis il fit un pas vers son supérieur.

— Vous pensez vraiment que c'est notre meilleur espoir, Monsieur ?

Pellaeon secoua la tête.

— Négatif, Capitaine... souffla-t-il. Je suis persuadé que c'est le *seul* !

La formation de patrouilleurs Sienar IPV/4 se scinda impeccablement en deux. Le Destroyer Impérial *Implacable* se positionna entre les petits vaisseaux, qui reprirent leur configuration initiale, et se dirigea vers les coordonnées orbitales prévues.

— Très impressionnant, dit le Moff Disra à l'homme élancé debout à côté de lui.

Le Moff entendit le sang battre à ses tempes quand un monde bleu-vert apparut derrière la baie d'observation de proue.

— Je subodore que vous ne m'avez pas fait venir là pour regarder manœuvrer les forces défensives Kroctariennes ?

— Un peu de patience, Votre Excellence, dit le Major Grodin Tierce. Je vous ai promis une surprise et vous l'aurez !

Disra sentit ses lèvres frémir. Oui, c'était bien ce que lui avait dit Tierce. C'était même *tout* ce qu'il avait dit !

Et avec Flim dans le coup...

Disra tourna la tête vers le fauteuil de l'Amiral et ses lèvres frémirent davantage. Un vulgaire imitateur occupait le siège, fier comme un Twi'lek avec sa peau pigmentée en bleu, ses implants de contact qui lui faisaient des yeux rouges et son uniforme de Grand Amiral.

Un sosie parfait de Thrawn qui devait tout au miracle du maquillage. Ce simulacre abusait tous les Impériaux de l'*Implacable*, du Capitaine Dorja au dernier soldat.

Hélas, il n'y avait pas l'ombre d'un Impérial sur la planète dont ils approchaient. Loin de là ! Kroctar, capitale du secteur de Shataum et centre de ses activités commerciales, était nichée au cœur du territoire de la Nouvelle République. Elle possédait toute la puissance de feu qu'on pouvait attendre de ce type de planète. Rien ne garantissait que ses habitants se laisseraient abuser par les yeux, l'uniforme et les talents d'acteur de Flim.

S'ils ne l'étaient pas, le confortable triumvirat que Disra avait formé avec ses complices risquait de lui exploser à la figure ! Car bien que ressemblant beaucoup à Thrawn, Flim avait autant de génie tactique qu'un parasite vivant dans un puits à ordures ! Ancien soldat d'élite et Garde Royal sous le règne de l'Empereur Palpatine, Tierce était le véritable chef militaire de leur groupe. Mais si le Capitaine Dorja voyait un vulgaire Major donner des conseils au Grand Amiral, la mascarade exploserait comme une bulle de savon. Quel que soit le bluff que Tierce avait en tête, mieux valait prier pour que ça marche !

— Une transmission de la surface, Amiral, annonça l'officier des communications dans la fosse de l'équipage. Elle vient du Seigneur Supérieur Bosmihi, le chef des Factions Unifiées.

— En audio, Lieutenant... Seigneur Supérieur Bosmihi, ici le Grand Amiral Thrawn. J'ai reçu votre message. Que puis-je pour vous ?

Disra attira l'attention de Tierce.

— Ce sont eux qui ont appelé ? souffla-t-il.

Un petit sourire satisfait sur les lèvres, Tierce hocha la tête.

— Silence...

— Nous vous saluons, Grand Amiral Thrawn, déclara une voix nasillarde de non-humain. Et nous vous félicitons de tout cœur pour ce retour triomphal !

— Merci, répondit Thrawn. Si je me souviens bien, vous étiez moins enthousiaste lors de notre dernière rencontre...

Disra interrogea Tierce du regard.

— Quand l'Amiral a traversé ce secteur, il y a dix ans... murmura le Major. Ne vous inquiétez pas, il sait de quoi il parle...

Le non-humain éclata de rire.

— Votre mémoire ne vous trompe pas, admit-il avec jubilation. En ce temps-là, la crainte de la puissance Impériale et la liberté qu'on nous promettait — un leurre, bien entendu ! — influençaient nos esprits.

— Ces mensonges ont encore de l'emprise sur beaucoup de malheureux, approuva Thrawn. Dois-je déduire de vos propos que les Kroctariens ont revu leur position ?

Un reniflement écœurant sortit des haut-parleurs.

— Nous avons mesuré combien ces promesses étaient fallacieuses, dit le Seigneur Supérieur. Aucun ordre ne nous parvient de Coruscant. Il n'y a plus d'objectifs définis, de structures identifiables ni de discipline ! Un millier d'espèces différentes tirent la galaxie dans un millier de directions divergentes !

— C'était inévitable, dit Thrawn. L'Ordre Nouveau que voulait instaurer l'Empereur Palpatine visait à étouffer dans l'œuf l'anarchie qui règne désormais sur l'univers.

— Se fier aux promesses de l'Empire ne valait pas mieux, rappela Bosmihi. L'histoire Impériale est une longue suite d'exactions commises contre les non-humains.

— Cela date du règne de Palpatine, dit Thrawn. L'Empire s'est affranchi de ses pulsions xénophobes, car elles étaient autodestructrices.

13

— Le poste que vous occupez dans la hiérarchie Impériale semble le prouver, admit Bosmihi, prudent. Mais certains prétendent que la haine des non-humains est toujours présente dans vos rangs...

— On colporte nombre de contrevérités sur l'Empire, rappela Thrawn. Mais je ne vous oblige pas à me croire sur parole. Demandez leur avis aux quinze espèces non humaines qui vivent aujourd'hui sous l'égide de l'Empire. Elles se réjouissent de la protection et de la stabilité qu'il leur apporte !

— La... hum... protection... (Le Seigneur Supérieur sembla trébucher sur ce mot.) On dit que l'Empire est faible. Pourtant, je constate que la puissance ne vous manque pas. Quelle garantie proposez-vous aux systèmes qui se rallient à vous ?

— La meilleure garantie de la galaxie, répondit Thrawn.

Disra lui-même frissonna quand il entendit la puissance contenue de la voix du faux Thrawn — et la menace subtile qui l'accompagnait.

— Je jure de châtier quiconque oserait vous attaquer, continua le Grand Amiral.

On entendit un bruit de déglutition difficile.

Le coup avait porté !

— Je vois, dit sobrement Bosmihi. Je sais que cela peut paraître trop soudain, voire incongru, et je m'en excuse, mais voici ce qu'il en est : au nom des Factions Unifiées du peuple Kroctarien, j'ai l'honneur de requérir la réintégration de notre système dans l'Empire.

Bouche bée, Disra regarda Tierce.

— Réintégration ? souffla-t-il.

— Ne vous avais-je pas parlé d'une surprise, Excellence ? triompha Tierce.

— Au nom de l'Empire, j'accepte votre requête, répondit Thrawn. Et je parie qu'une délégation Kroctarienne est prête à discuter du traité...

— Vous connaissez bien mon peuple, Grand Amiral Thrawn, répliqua sèchement le Seigneur Supérieur. De fait, une délégation se tient à votre disposition...

— Eh bien, vous pouvez leur transmettre que nous les attendons, dit l'Amiral. Par un heureux hasard, le Moff Disra est à bord de l'*Implacable*. Spécialiste des questions politiques, il se chargera des négociations.

— Le rencontrer sera un grand honneur, déclara Bosmihi. Même si je doute que sa présence soit une coïncidence...

Merci beaucoup, Grand Amiral Thrawn. Nous nous verrons pendant la conférence...

— C'est ça, Seigneur Supérieur. Pendant la conférence...

L'Amiral fit un signe à l'officier des communications.

— Transmission terminée, Amiral, confirma celui-ci.

— Merci, répondit Thrawn. (Il se leva de son fauteuil avec des gestes voluptueux.) Que les intercepteurs TIE se tiennent prêts. Ils escorteront la navette du Seigneur Supérieur dès qu'elle aura quitté l'atmosphère de la planète. Une garde d'honneur, avec tout le décorum ! Capitaine Dorja, vous accueillerez la délégation et la conduirez jusqu'à la salle de conférences 68, où le Moff Disra vous attendra.

— Compris, Amiral, répondit le Capitaine.

Il traversa le pont, adressa au passage un sourire satisfait à Disra, puis entra dans un turbolift.

— Vous auriez pu me prévenir, souffla le Moff tandis que les portes se refermaient sur Dorja.

L'ex-Garde Royal haussa imperceptiblement les épaules.

— Je n'étais pas certain des intentions des Kroctariens, dit-il. (Il invita Disra à prendre un autre turbolift.) Mais nous avions de bonnes chances... Kroctar a beaucoup de voisins dangereux. De plus, les Renseignements étaient formels : les Factions Unifiées sont déçues par l'incapacité de Coruscant à gérer les conflits inter-systèmes. Kroctar est la première planète qui nous rejoint, continua Tierce tandis que la cabine se mettait en mouvement, et ce ne sera pas la dernière. Nous avons reçu des messages en provenance d'une vingtaine de systèmes. Leurs gouvernements aimeraient recevoir la visite de Thrawn pour... bavarder un peu !

— Ils veulent effrayer leurs ennemis ! ricana Disra. C'est tout !

— Probablement, admit Tierce. Qu'importent leurs motivations, s'ils se rallient à nous ? L'essentiel, c'est qu'ils le fassent. L'onde de choc atteindra Coruscant, vous pouvez me croire.

— Jusqu'à ce que la République réagisse...

— Que peut-elle faire ? objecta Tierce. Sa Constitution spécifie que les systèmes membres ont le droit de se retirer à tout moment.

Le comlink du turbolift bipa :

— Moff Disra ?

— Oui ?

15

— Nous avons une communication pour vous, Excellence. Brouillage privé Usk-51...

L'estomac de Disra se contracta. De tous les crétins qui...

— Merci, dit-il, d'un ton aussi calme que possible. Transférez-la en salle de conférences 68 et assurez-vous qu'il n'y a personne à l'écoute.

— Bien, Excellence.

— N'est-ce pas notre ami... ? commença Tierce, sourcils froncés.

— Evidemment que si... coupa Disra. (Les portes du turbolift s'ouvrirent.) Venez avec moi. Mais restez hors de vue.

Deux minutes plus tard, une fois dans la salle, portes verrouillées, Disra activa l'écran placé au centre de la table, sélectionna la carte de décodage idoine et la glissa dans le lecteur. Puis il activa la réception.

— Il était temps ! cracha le Capitaine Zothip, des éclairs dans les yeux. (Sa barbe blonde broussailleuse frémissait d'indignation.) Ignorez-vous que j'ai mieux à faire que...

— A quoi pensez-vous ! explosa Disra. (D'instinct, Zothip recula ; sa tirade lui resta coincée dans la gorge.) Espèce... de... débile ! Comment osez-vous prendre un risque aussi insensé ?

— Je me fiche de votre image de marque ! lança Zothip, dont l'insolence naturelle revenait au galop. Si frayer avec des pirates vous embarrasse...

— La question n'est pas là, l'interrompit Disra, glacial. Je pensais à nos *deux* têtes et au meilleur moyen de les garder sur nos épaules. Vous savez par combien de relais transite cette communication ?

— Sans blague ? riposta Zothip. Je pensais que vos super équipements radio Impériaux déraillaient, comme d'habitude ! Où êtes-vous donc ? Dans votre maison de campagne, en train de compter vos sous ?

— Raté ! répliqua Disra. Je suis à bord d'un Destroyer Stellaire Impérial !

Zothip se rembrunit.

— Si c'est censé m'impressionner, vous vous fourrez le doigt dans l'œil. J'en ai ras le bol de vos précieux Destroyers !

— Vraiment ? lança froidement Disra. Laissez-moi deviner... Vous avez joué les fiers-à-bras, foncé la tête la première, et l'Amiral Pellaeon vous a botté les fesses ?

— Ne vous foutez pas de moi, Disra ! grogna Zothip. N'essayez jamais ! J'ai perdu un croiseur de classe Kaloth et huit

16

cents hommes contre ce *katchni*. Le fric qui remboursera mes pertes doit sortir de la poche de quelqu'un ! Celle de Pellaeon ou la vôtre !

— Ne soyez pas absurde ! rétorqua Disra, méprisant. Et n'essayez pas de me faire porter le chapeau. Je vous avais dit de ne pas vous frotter au *Chimaera*. Votre mission était de faire croire à une attaque traîtresse de Bel Iblis...

— Et comment étais-je supposé y parvenir ? s'énerva le pirate. En insultant la famille de l'Amiral ? En éructant sur son canal radio un chapelet d'anciens jurons Corelliens ?

— Vous avez asticoté un Impérial et il vous a rendu la pareille, dit Disra. Prenez ça comme une leçon douloureuse mais salutaire. Et espérez ne pas la recevoir une *deuxième* fois !

Zothip écarquilla les yeux.

— Est-ce une menace ?

— Non, un avertissement ! Notre association a été profitable pour tout le monde. J'ai pu semer le trouble dans l'approvisionnement de la Nouvelle République et vous avez amassé un joli butin... De quoi nous plaindrions-nous ?

— C'est moi qui ai pris tous les risques, rappela Zothip.

Disra haussa les épaules.

— Même si c'est vrai, je m'inquiète de voir une raison aussi triviale menacer de réduire à néant notre partenariat...

— Disra, gronda Zothip, si notre « partenariat » était un jour réduit à néant, vous auriez une *multitude* de raisons de vous inquiéter.

— Je vais commencer à en dresser la liste... railla Disra. A présent, allez donc lécher vos blessures ! Et la prochaine fois que vous voudrez me parler, passez par le canal approprié. Celui-ci est un des plus sûrs que je connaisse, mais rien n'est jamais inviolable.

— Le brouillage est top niveau ? ricana Zothip. Je m'en souviendrai. Si j'ai besoin de me renflouer, j'en tirerai un bon prix au marché noir. Salut, Disra. On reste en contact !

Zothip fit un geste à un technicien et l'écran redevint noir.

— Idiot ! cria Disra au moniteur muet. Triple crétin décérébré !

A l'autre bout de la table, Tierce sursauta.

— J'espère que vous avez l'intention d'être... hum... un peu plus diplomate avec les Kroctariens ?

Disra abandonna l'écran et foudroya son complice du regard.

17

— D'après vous, j'aurais dû le laisser pleurer sur mon épaule ? Ou le consoler et promettre de lui acheter un nouveau Croiseur ?

— Les Pirates Cavrilhu seraient des ennemis dangereux, rappela Tierce. Pas d'un point de vue militaire, mais parce qu'ils en savent long sur vous...

— Zothip est le seul à détenir des informations, marmonna Disra.

Pourtant, Tierce avait raison : il aurait dû jouer la partie plus finement. Mais aussi cet imbécile de Zothip ne devait pas le contacter comme ça ! Surtout quand il n'était pas dans son bureau.

Mais il était hors de question d'admettre devant son complice qu'il avait fait une erreur.

— Ne vous inquiétez pas... Zothip tire trop de bénéfices de notre association pour tout saborder à cause d'un vulgaire Croiseur.

— Ce n'est pas si sûr... fit Tierce, pensif. Il ne faut jamais sous-estimer ce que la fierté pousse les gens à faire...

— Exact. Idem pour l'arrogance !

Tierce plissa les yeux.

— Comment dois-je prendre cette remarque ?

— Vous êtes allé trop loin ! lâcha Disra. Bien trop loin ! Au cas où vous l'auriez oublié, le travail de Flim était de galvaniser les militaires de l'Empire pour qu'ils marchent avec nous. Provoquer ouvertement la Nouvelle République ne figurait pas au programme !

— Comme je l'ai déjà dit, Coruscant n'a aucune base légale pour...

— Vous pensez que ça suffira ? s'emporta Disra. Croyez-vous que des arguties juridiques feront une différence pour des non-humains terrifiés de sentir sur leur nuque le souffle glacé du Grand Amiral Thrawn ? Il est déjà regrettable que vous m'ayez convaincu de laisser Flim se montrer au Sénateur de Diamala. Mais cette nouvelle aventure... !

Il fit un geste éloquent en direction de la planète.

— L'affaire de Diamala a eu les résultats escomptés, se défendit Tierce. Le doute et la consternation règnent dans la galaxie. Les vieilles animosités sont plus fortes que jamais et les rares pacifistes que comptait encore la Rébellion sont réduits au silence...

— Formidable ! fit Disra, moqueur. L'ennui, c'est que votre nouvelle idée de génie a ruiné les résultats de la précédente. Quand une planète entière aura vu Thrawn, qui doutera encore de la parole des Diamalas ?

Tierce sourit de toutes ses dents.

— Justement ! La planète entière n'aura pas vu Thrawn ! Seuls le Seigneur Supérieur et les membres de sa délégation le rencontreront. Les autres devront les croire sur parole quand ils affirmeront que le Grand Amiral est de retour. Quant aux systèmes voisins, apprendre que les Kroctariens sont sous la protection de Thrawn les laissera sceptiques, croyez-moi. Ainsi, son *apparition* sera aussi suspecte que dans l'affaire de Diamala.

— Pour rationaliser, vous êtes un champion, marmonna Disra. Mais je suis sûr que vous ne me révélez pas tout. Que me cachez-vous, Tierce ? Je veux savoir !

— On dirait bien une menace... grogna l'ancien Garde Royal.

— Une demi-menace, corrigea Disra. Dont voilà l'autre moitié... conclut-il en portant la main au mini-blaster caché sous sa tunique.

Mais il n'eut pas l'occasion de viser. Avant qu'il ait dégainé, Tierce se jeta à plat ventre sur la table de conférence et glissa à toute vitesse sur le bois poli, emporté par son élan.

Disra bondit vers la droite pour échapper à ce projectile vivant. Hélas, au moment où il braquait enfin son blaster, Tierce roula sur lui-même, saisit l'écran de l'ordinateur et s'en servit comme d'un pivot pour changer de direction et se retourner.

La manœuvre prit Disra par surprise. Avant qu'il ait rectifié sa visée, le pied droit de Tierce percuta son blaster et l'envoya voler dans les airs.

Disra recula, les jambes tremblantes, le goût amer de la défaite dans la bouche. Quand Tierce sauta de la table, le Moff leva les bras, conscient du ridicule de son geste. Il avait eu une chance d'éliminer son acolyte — qui lui dérobait un plan grandiose — et il l'avait laissée passer.

A présent, il ne lui restait plus qu'à accepter la mort.

Une fois encore, Tierce le déconcerta :

— C'était stupide de votre part, Excellence, dit-il calmement. (Il traversa la salle et ramassa le blaster.) Le bruit de cette arme aurait attiré une escouade de Soldats de Choc qui vous auraient proprement... écrabouillé.

Disra respira profondément et baissa les bras.

— Ça vaut aussi pour vous, rétorqua-t-il.

C'était bien tenté, même si le Moff comprit que Tierce, pour le tuer, n'aurait pas eu recours à un engin aussi vulgaire et bruyant qu'un blaster.

Tierce se contenta de secouer la tête.

— Vous multipliez les malentendus... dit-il.

— C'est faux ! Vous faites vos petites affaires derrière mon dos ! Gagner un système ou deux à notre cause ne vaut pas le coup si ça pousse Coruscant à agir. Que me cachez-vous, Tierce ! J'insiste pour le savoir !

Son complice le défia du regard.

— D'accord. Avez-vous déjà entendu ces quatre mots : « la Main de Thrawn » ?

— Non.

— Une réponse remarquablement rapide !

— Je travaillais à ce plan longtemps avant que vous n'entriez en scène, lui rappela le Moff. Dans les archives Impériales, j'ai consulté tout ce qui se rapportait de près ou de loin à Thrawn.

— Y compris dans les fichiers secrets de l'Empereur ?

— Oui, dès que j'ai pu les violer... (Disra se tut, car une idée venait de lui traverser l'esprit.) C'était ça, la véritable raison de votre voyage sur Yaga Mineure, le mois dernier ?

Tierce haussa les épaules.

— Mon premier objectif restait celui que nous avions déterminé : modifier le Document de Caamas pour qu'il soit identique au faux que vous avez fabriqué dans le système de Bastion. Mais une fois dans le réseau, j'en ai profité pour chercher des références...

— Bien entendu... souffla Disra.

Tierce était beaucoup trop malin pour mentir. Omettre une partie de la vérité lui semblait plus judicieux.

— Et ? insista Disra.

— Chou blanc ! Dans les archives, on ne trouve pas trace de « la Main de Thrawn ».

— En quoi cela vous étonne-t-il ?

Tierce chercha le regard du Moff.

— J'ai entendu Thrawn en parler à bord du *Chimaera*. Dans le contexte d'une victoire ultime et totale de l'Empire !

A ces mots, Disra frissonna.

— Une arme absolue ? demanda-t-il. Comme l'Etoile Noire ou le Broyeur de Soleil ?

— Je n'en sais rien, admit Tierce, mais je ne crois pas... Ce genre d'armes était davantage dans le style de l'Empereur ou de l'Amiral Daala. Ça ne ressemble pas à Thrawn.

— Il a réussi de grandes choses sans recourir aux machines infernales, concéda Disra. Maintenant que j'y pense, les conquêtes l'ont toujours plus intéressé que les massacres. Et s'il existait une nouvelle arme absolue, les Rebelles l'auraient déjà localisée...

— C'est plus que probable, convint Tierce. Mais nous ne pouvons en être sûrs. Au cours de vos recherches sur Thrawn, avez-vous rencontré ces deux noms : Parck et Niriz ?

— Parck était le Capitaine Impérial qui a découvert Thrawn sur une planète déserte, à la frontière des Régions Inconnues, et qui l'a ramené à l'Empereur. Niriz commandait l'*Admonitor*. Quelques années plus tard, Thrawn est retourné dans les Régions Inconnues à bord de ce Destroyer. Pour une mission de cartographie, officiellement...

— *Officiellement ?*

Disra ricana.

— Inutile d'être un génie pour comprendre que Thrawn a essayé de se mêler de politique et qu'il s'y est brûlé les ailes. Quel que soit le nom qu'on lui donne, son affectation dans les Régions Inconnues était une forme d'exil. Ni plus ni moins !

— A l'époque, cette thèse prévalait parmi la Garde Royale, fit pensivement Tierce. Aujourd'hui, je me demande si c'était aussi simple que ça. Mais l'important n'est pas là ! Savez-vous que Parck et Niriz — et l'*Admonitor* — ne sont jamais retournés au service de l'Empire ? Même quand Thrawn est revenu ?

Disra haussa les épaules.

— Le vaisseau a dû être détruit ! Et les officiers sont sans doute morts au combat...

— Et s'ils étaient vivants, mais qu'ils se cachent quelque part ? avança Tierce. Imaginons qu'ils protègent la Main de Thrawn ?

— Qui serait quoi ? demanda Disra. Vous pensez que ce n'est pas une arme ? Alors, de quoi est-il question ?

— Ai-je *affirmé* qu'il ne s'agissait pas d'une arme absolue ? s'enquit Tierce. Non, j'ai simplement souligné que ce n'était

21

pas le style de Thrawn... Pour moi, il n'y a que deux possibilités. Avez-vous entendu parler de Mara Jade ?

Disra réfléchit.

— Je ne crois pas...

— Aujourd'hui, elle travaille avec le contrebandier Talon Karrde. Au temps glorieux de l'Empire, elle était le meilleur agent secret de Palpatine. Et on l'appelait... la Main de l'Empereur.

La Main de l'Empereur... la Main de Thrawn...

— Une possibilité intéressante, concéda Disra. Si la Main est une personne, où se cache-t-elle depuis toutes ces années ?

— Elle est peut-être morte et enterrée, dit Tierce. Mais la seconde possibilité est encore plus intrigante. N'oubliez pas que Thrawn était un maître stratège. Laisser derrière lui un plan génial pour assurer la victoire de l'Empire lui ressemblerait bien...

— Voilà dix ans que nous allons de déroute en déroute... Aussi brillant soit-il, ce plan ne nous servirait à rien.

— Ne concluez pas trop vite, Disra. Un tacticien comme Thrawn ne réfléchit pas qu'en termes d'équilibre des forces et de position des défenses. Il s'intéresse aux données géopolitiques, aux valeurs culturelles, aux points aveugles psychologiques...

— Les points aveugles ? s'étonna Disra.

— Si vous jouiez aux échecs, vous comprendriez ce que je veux dire. Les plus grands maîtres peuvent ne pas voir un mat élémentaire parce qu'ils sont trop concentrés sur des variantes complexes... Mais laissez-moi continuer ! Un génie tient compte des données historiques telles que les rivalités ancestrales... Bref, il se préoccupe de *tous* les facteurs potentiellement exploitables.

L'air absent, Disra massait le dos de sa main droite, là où le pied de Tierce l'avait frappé.

A première vue, l'hypothèse du Major était absurde. Mais le Moff avait consulté les archives, où on ne tarissait pas d'éloges sur les exploits du Grand Amiral. L'homme était réellement un génie. Pouvait-il avoir imaginé un plan applicable après dix ans de défaites humiliantes ?

— Et la campagne de cinq ans dont on parle dans les dossiers ? s'enquit Disra. Un point important m'aurait-il échappé ?

Tierce secoua la tête.

— Non... J'ai enquêté en ce sens. C'est simplement l'esquisse de ce qu'il entendait faire après la bataille de Bilbringi. Si la Main de Thrawn est son chef-d'œuvre stratégique, il l'a cachée ailleurs...

— Avec le Capitaine Niriz et son *Admonitor* ? suggéra Disra.

— C'est possible... A moins que l'instrument de la victoire ne soit entre les mains de l'individu qui porte le fameux surnom. Dans tous les cas, quelqu'un détient des informations qui nous seraient utiles...

Disra esquissa un sourire. Soudain, tout était aussi clair que du transparacier !

— Pour faire sortir cet individu de sa cachette, vous exhibez partout notre doublure de l'Amiral !

Tierce salua la déduction d'un hochement de tête.

— J'estime que le risque vaut d'être couru...

— Peut-être... marmonna Disra. Si tout ça n'est pas simplement du vent !

— J'ai été sur le *Chimaera* avec le Grand Amiral. Plusieurs mois... Auparavant, aux côtés de l'Empereur, j'ai observé Thrawn pendant près de deux ans. Jamais je ne l'ai entendu faire une promesse qu'il était incapable de tenir ! S'il a dit que la Main était la clé de la victoire, on peut le croire sur parole. J'en mets ma tête à couper !

— Espérons que le détenteur des informations sortira de l'ombre avant que Coruscant vous prenne au mot, ronchonna le Moff. Quelle est la suite des événements ?

— Pour vous, c'est assez simple. Préparez le retour des Kroctariens au sein de l'Empire. Et ne ratez pas votre coup !

Il posa le blaster de Disra sur la table et sortit de sa tunique une datacarte qu'il plaça à côté de l'arme.

— Voilà des informations sur cette espèce et sur le Seigneur Supérieur Bosmihi. (Il se dirigea vers la sortie.) C'est tout ce que nous avons dans nos banques de données...

— Ça fera l'affaire, dit Disra, en prenant la datacarte. Où allez-vous ?

— Tenir compagnie au Capitaine Dorja. J'escorterai la délégation avec lui. Vous n'imaginez pas combien j'ai hâte de voir votre génie diplomatique en action !

Sans attendre de réponse, le Major sortit.

— Histoire de savoir si un Garde Royal et un ancien escroc ont vraiment besoin d'un Moff ? grogna Disra.

Mais ça n'était pas grave ! Que Tierce en prenne plein les mirettes ! Et Flim aussi, si ça lui chantait ! Il allait leur faire voir de quel bois il se chauffait !

Quand la délégation partirait, ces deux minus seraient convaincus que Disra n'était pas un vieux politicien fatigué et hors du coup.

Disra était une pièce essentielle du triumvirat, pas une quantité négligeable. Surtout si la victoire finale restait envisageable.

Le plan « Thrawn » était son œuvre. Par le sang de l'Empereur, il serait là jusqu'au dernier acte de la pièce !

Le Moff récupéra son blaster et le rengaina. Puis il entreprit de lire la datacarte.

Sur le pont du Destroyer Stellaire *Tyrannic*, on n'apercevait pas de planète. Aucun astéroïde, pas de vaisseau... et pas d'étoiles.

Rien ! Sinon une obscurité uniforme...

Sauf à un endroit. A tribord, à la limite du champ de vision du Capitaine Nagol, dansait un disque grisâtre. Un peu de la lueur de la tête de la comète près de laquelle il volait traversait le bouclier de camouflage du *Tyrannic*.

Voilà un mois que le vaisseau voyageait ainsi, fermé au reste de l'univers. Un monde clos !

Pour Nagol, ce n'était pas vraiment un problème. En sa qualité de cadet, il était affecté à l'un des avant-postes les plus isolés de l'Empire, et cela ne le dérangeait nullement. Mais tous les hommes d'équipage n'étaient pas aussi endurcis. Les vidéosalles et les gymnases d'entraînement ne désemplissaient pas ; on murmurait que les pilotes des navettes-sondes touchaient des fortunes pour embarquer un passager ou deux lors de leurs missions de reconnaissance.

Au temps où l'Empire régnait sur l'univers, les équipages de Destroyers étaient l'élite de la galaxie. Mais il ne restait rien de cette splendeur. S'il ne se passait pas rapidement quelque chose, Nagol se retrouverait bientôt avec un sérieux problème de ressources humaines sur les bras.

Dehors, un éclair lumineux déchira la noirceur de l'espace. Lumineux, mais sans excès, constata Nagol avec satisfaction. Cela provenait des moteurs d'une navette-sonde, soigneusement camouflée pour ressembler à un navire minier fatigué.

Nagol regarda le petit vaisseau décrire une courbe autour de la proue en forme de flèche puis se diriger vers le sas du hangar principal.

Ni l'obscurité ni la solitude ne troublaient le Capitaine. Pourtant, il dut reconnaître que se *dégourdir* les yeux de temps en temps ne faisait pas de mal.

Un bruit de pas résonna sur la passerelle de commandement.

Nagol se retourna.

— Monsieur, j'ai le rapport préliminaire de la sonde 2, annonça Oissan, le chef des Renseignements du navire.

Ce type parle toujours comme s'il était en train de claquer des talons ! songea Nagol. *C'est énervant !*

— Cinquante-six vaisseaux sont en orbite autour de Bothawui.

— Cinquante-six ? répéta le Capitaine. (Il prit le databloc des mains d'Oissan et le consulta. S'il se souvenait bien du rapport d'hier...) Quatre nouveaux vaisseaux Diamalas ?

— Trois Diamalas, un Mon Calamari... Probablement pour compenser les six navires Opquis arrivés il y a deux jours.

Muet d'étonnement, Nagol secoua la tête. Depuis le début, il avait des doutes sur le bien-fondé de cette mission. L'idée que la planète-mère des Bothans était le point focal d'une quelconque activité militaire — sans parler d'une confrontation majeure — semblait ridicule. Mais elle venait du Grand Amiral Thrawn en personne...

Bon sang, le génie aux yeux rouges ne s'était pas trompé !

— Très bien, Oissan, dit enfin Nagol. Je veux le rapport complet de la sonde 2 dans moins de deux heures !

— Compris, Capitaine. (Oissan hésita.) Je n'ai pas l'intention de fourrer mon nez dans ce qui ne me regarde pas, Monsieur, mais pour bien faire mon boulot, je dois en savoir plus long sur ce qui se passe...

— J'aimerais vous aider, Colonel, répondit Nagol. Mais je ne sais pas grand-chose non plus...

— Pourtant, dans le palais du Moff Disra, vous avez assisté au briefing de l'Amiral Thrawn ! insista Oissan.

— Briefing est un bien grand mot... L'Amiral nous a demandé de lui faire confiance, puis il a distribué les affectations. (De la tête, il désigna la comète. Trois Destroyers sous camouflage volaient avec elle.) Notre mission est simple :

attendre que les vaisseaux ennemis se soient affrontés et qu'ils aient ravagé la planète, puis nous montrer et finir le travail !

— Détruire Bothawui ne sera pas un jeu d'enfant, commenta sèchement Oissan. Je doute que les Bothans aient lésiné sur les boucliers planétaires. Thrawn vous a dit comment il comptait s'y prendre pour les traverser ?

— Non... Mais je pense qu'il sait ce qu'il fait...

— Je suppose... marmonna Oissan. Je me demande comment il s'est débrouillé pour que deux armadas pareilles soient face à face.

— A mon avis, l'explication, c'est la rumeur communiquée par vos agents de la Frange avant que nous passions sous camouflage. Vous savez, cette histoire sur un groupe de Bothans impliqué dans la destruction de Caamas...

— Rien qui vaille qu'on se casse la tête dessus, grogna Oissan. Surtout après si longtemps.

— Les non-humains se cassent la tête sur les choses les plus étranges, rappela Nagol avec une moue méprisante. Au vu du résultat, admettons que Thrawn a su les gratter là où ça les démange...

— On dirait bien, concéda Oissan. Comment saurons-nous quand abandonner le camouflage et attaquer ?

— Les deux armadas nous donneront le signal quand elles commenceront à se battre. De plus, le dernier message de Thrawn était explicite : un commando débarquera bientôt sur Bothawui et nous fera parvenir des messages par l'intermédiaire des vaisseaux-sondes.

— Ce sera très utile, fit Oissan, pensif. Si Thrawn est égal à lui-même, il a sûrement programmé la bataille pour le moment où la comète sera le plus près de Bothawui. C'est-à-dire dans un mois...

— Ça paraît logique, admit Nagol. Mais j'ignore comment il compte contraindre nos adversaires à respecter son planning...

— Je l'ignore aussi, avoua Oissan avec un petit sourire. C'est pour ça qu'il est Grand Amiral et nous pas !

Nagol se détendit un peu.

— Assurément ! renchérit-il.

Admettre cette évidence fit fondre ses derniers doutes. Par le passé, Thrawn avait plus d'une fois prouvé sa valeur. Quel que soit le secret de sa « magie », elle semblait toujours présente.

Grâce aux *sortilèges* de Thrawn, l'Empire redresserait bientôt la tête. C'était tout ce qui comptait pour le Capitaine !

— Merci, Colonel, dit-il avant de lui rendre son databloc. Retournez au travail. Au passage, demandez aux responsables des navettes-sondes si nous pouvons passer à deux sorties par jour sans attirer l'attention de nos adversaires...

— Compris, Monsieur. (Oissan sourit de nouveau.) Pas question de manquer notre entrée en fanfare, pas vrai ?

Nagol regarda de nouveau le « ciel » noir.

— On ne la manquera pas, promit-il. Vous pouvez me faire confiance.

2

Une suite de bips insistants résonna au fond du cerveau de Luke Skywalker et le tira de sa transe d'hibernation Jedi.

— Ça suffit, R2 ! dit-il au petit droïd en forme de tonneau.

Luke sauta de sa couchette. Il eut besoin d'un instant pour retrouver ses marques.

Puis tout lui revint. Il était à bord du *Feu de Jade*, le vaisseau de Mara, et il se dirigeait vers le système de Nirauan où la jeune femme avait disparu deux semaines plus tôt.

— Je suis réveillé, R2 ! déclara le Jedi. (Il fit jouer ses doigts et ses orteils et saliva pour s'humidifier la bouche.) On est presque arrivés ?

Tandis que Luke enfilait ses bottes, le droïd trilla affirmativement. Dans le cockpit, des bips tout aussi affirmatifs résonnèrent. C'était la réponse de V1, le droïd-pilote de Mara, aux commandes du *Feu de Jade* depuis que Luke et R2 étaient montés à bord, au point de rendez-vous de Duroon.

Pendant le voyage, V1 avait refusé que ses passagers s'approchent du tableau de bord. Un protectionnisme qui touchait à sa fin...

— R2, dit Luke, va dans le hangar principal et prépare notre Aile-X au décollage. Je prends les choses en main.

Une minute plus tard, installé au poste de pilotage du *Feu de Jade*, Luke vérifia une dernière fois les écrans de contrôle. V1 s'était abstenu d'argumenter. Peut-être avait-il reconnu sur le visage du Jedi une expression qui lui rappelait la détermination de Mara Jade dans ce genre d'occasions...

— Prépare-toi, dit Luke au droïd.

Il posa les mains sur les commandes.

Quand le compteur arriva sur zéro, le Jedi poussa à fond la manette de l'hyperpropulseur. Le *Feu de Jade* sortit de l'hyperespace aux coordonnées prévues.

V1 bipa une question.

— C'est là, confirma Luke quand il avisa le petit soleil rouge qui brillait dans le lointain.

Mais Nirauan n'était nulle part en vue.

— Nous cherchons la deuxième planète, dit Luke. As-tu des données disponibles ?

V1 bipa affirmativement.

L'écran de navigation s'alluma.

— Destination repérée, dit Luke.

Il lui restait un sacré chemin à faire.

C'était volontaire, bien sûr. Question armement et boucliers, le *Feu* avait tout ce qu'il fallait, mais une mission de secours remplie à grands coups de lasers ne ferait sans doute pas de bien à Mara, aussi délicate que fût sa situation. Adepte de la discrétion, Luke laisserait le vaisseau sur ces coordonnées pendant que R2 et lui finiraient le voyage dans leur Aile-X.

Il contacta le droïd par l'intercom.

— R2, tout est prêt ?

R2 trilla une confirmation.

— Parfait, dit Luke, les yeux de nouveau baissés sur l'écran de navigation.

En vitesse subliminale, l'Aile-X mettrait sept heures pour atteindre la planète. Un long moment à passer dans le cockpit exigu du Chasseur Stellaire. Et suffisamment de temps pour qu'un ennemi éventuel calcule le vecteur d'arrivée du *Feu* à partir de la trajectoire de l'Aile-X.

Mais il y avait une autre manière de procéder.

— R2, commence à calculer nos sauts, dit Luke. (Il pianota sur le clavier du système d'armement automatique.) Moins de cinq minutes pour les deux. Pas question de perdre plus de temps que nécessaire.

R2 bipa et se mit au travail.

— Tu as enregistré ce que tu dois faire ? demanda Luke à V1.

Il programma la puissance minimale et mit le *Feu de Jade* en mouvement. Non loin de là, un amas d'astéroïdes ferait une cachette idéale pour le vaisseau.

— Je vais dissimuler le navire parmi ces rochers, récapitula Luke. Ta mission est de rester assis et de te prendre pour l'un d'eux. Compris ?

A contrecœur, le droïd acquiesça.

— Super ! approuva Luke.

Il fit slalomer le vaisseau entre les astéroïdes.

Un petit rocher frôla la coque.

Luke grimaça. Le *Feu de Jade* était le bien le plus précieux de Mara, qui le couvait plus jalousement encore que V1. Une bosse sur la coque — voire une simple éraflure — et il en entendrait parler jusqu'à la fin de ses jours.

Avec une prudence exagérée, mais compréhensible, Luke acheva sa manœuvre sans collision malvenue.

— Nous y sommes !

Le Jedi déboucla sa ceinture et rendit les commandes à V1.

— N'oublie pas le code que je t'ai donné... Nous le transmettrons pendant notre trajet de retour pour que tu nous identifies. Si quelqu'un d'autre approche, ne laisse l'armement automatique tirer que si on canarde le vaisseau. Pas de bataille rangée avant qu'on sache ce qui se passe sur cette planète...

Deux minutes plus tard, un œil rivé sur les astéroïdes, Luke fit sortir l'Aile-X du hangar du *Feu* et s'en éloigna.

Comme R2 avait déjà programmé le cap, le chasseur fila comme une flèche.

Luke avait précisé «moins de cinq minutes» et le droïd l'avait pris au mot. Cent vingt secondes après le départ, selon les instructions de R2, le pilote fit sortir son Aile-X de l'hyperespace. Après avoir modifié le cap, il repassa en hyperdrive.

Deux minutes plus tard, il en ressortit.

R2 trilla doucement.

— On y est, tu as raison ! confirma Luke. (Il étudia la planète sombre qui tournait devant eux.) Exactement comme les images rapportées par le *Glacier Etoilé*...

Mara était quelque part sur ce monde. Coincée, peut-être blessée... et peut-être prisonnière.

Ou morte.

Luke chassa cette pensée de son esprit et fit appel à la Force.

Mara ? Mara ? Tu m'entends ?

Pas de réponse.

R2 trilla une question inquiète.

— Je ne la localise pas, admit Luke, mais ça ne veut pas dire grand-chose. Nous sommes encore loin. Elle est peut-être trop faible pour communiquer à cette distance. Et si elle dort...

Le droïd ne fit aucun commentaire. Luke devina qu'il ruminait des pensées aussi sombres que les siennes.

Le Jedi se souvint de la vision qu'il avait eue trois semaines et demie plus tôt au centre médical de Tierfon. Une image de Mara qui flottait sans vie dans une étendue d'eau...

— S'inquiéter ne sert à rien, déclara Luke, pressé d'enfouir cette horreur au plus profond de son esprit. R2, fais un balayage senseurs discret. Rien qui puisse alerter leurs senseurs, du moins s'ils réagissent comme les nôtres...

R2 bipa affirmativement. Puis une question s'afficha sur l'écran de l'Aile-X.

— Nous allons suivre la même trajectoire que Mara, répondit Luke. Nous descendrons dans le canyon jusqu'à la grotte où elle a disparu. Puis nous y entrerons avec l'Aile-X et nous verrons ce qui se passera...

La réponse de R2 indiqua à quel point ce plan le laissait dubitatif.

Les yeux sur le plan de vol de Mara, un cadeau de Talon Karrde, Luke plongea vers la planète. Un instant, il regretta que Leia ne soit pas avec lui. Si les créatures qui détenaient Mara étaient intelligentes, les pouvoirs d'un Jedi ne suffiraient pas à traiter avec elles. En revanche, un peu de finesse diplomatique ne ferait pas de mal...

Un talent de Leia que son frère était loin de posséder.

Luke fit la grimace. En y réfléchissant, qu'il soit parti sans prévenir personne n'avait sûrement pas plu à ses amis. Alors emmener Leia... !

La Nouvelle République avait tellement besoin d'elle...

Je saurai bien assez tôt quelles aptitudes sont requises pour tirer Mara de ce pétrin...

L'Aile-X n'était pas encore dans l'atmosphère de la planète quand ses senseurs détectèrent deux vaisseaux qui venaient de décoller et se dirigeaient vers elle.

— Bravo pour la discrétion... marmonna Luke.

Il étudia les relevés des senseurs. Les deux navires ressemblaient à celui que R2 et lui avaient repéré dans le champ d'astéroïdes de Kauron, quand ils s'éloignaient du repaire des Pirates Cavrilhu.

Ce navire-là avait rompu le contact et fui avant que le Jedi puisse l'observer. Avec les deux nouveaux, c'était différent : ils approchaient à toute vitesse !

Luke put vérifier ses premières impressions. Environ trois fois plus gros que l'Aile-X, les vaisseaux étaient un mélange étrange — mais curieusement esthétique — de technologie inconnue et de chasseurs TIE à la conception si familière. A la proue, sous des cockpits en verre fumé, Luke distingua des casques qui lui rappelèrent ceux des pilotes Impériaux.

R2 trilla nerveusement.

— Du calme ! lui conseilla Luke. Ça ne veut pas dire qu'ils sont alliés à l'Empire. Ils ont pu trouver une épave de chasseur TIE et lui emprunter des pièces...

Le droïd signifia qu'il n'en croyait pas un mot.

— Bon, d'accord, c'est peu probable...

Luke ne quittait pas des yeux les deux vaisseaux qui arrivaient très vite sur lui.

Les pilotes se placèrent légèrement au-dessus de l'Aile-X, la prenant quasiment en étau.

— Armement prêt ? demanda Luke.

R2 trilla affirmativement. Un schéma tactique s'afficha sur l'écran.

Les deux ennemis étaient armés jusqu'aux dents !

— Super ! murmura Luke.

Il recourut à la Force pour évaluer la situation, mais ne parvint qu'à capter les émotions brutes des trois membres d'équipage de chaque navire. Des cerveaux inconnus qui produisaient des pensées étrangères. Aucun point de référence disponible...

Cela dit, prendre position sur les flancs d'un vaisseau évoquait une manœuvre d'escorte, pas celle d'une attaque.

Et les perceptions de Jedi de Luke ne lui signalaient aucun danger immédiat.

Pour le moment, il n'y avait rien à craindre.

L'heure de se montrer amical avait sonné.

— Voyons si on peut leur parler, dit Luke.

Il tendit une main vers son unité de communication.

Ses « compagnons » furent plus rapides.

— *Ka sha'ma'ti orf k'ralan*, dit une voix étonnamment mélodieuse dans le casque de Luke. *Kra'miral sumt tara'klisko mor Mitth'raw'nuruodo sur pra'cin'zisk mor'kor'lae*.

Skywalker sentit sa gorge se nouer.

— R2 ?

Le droïd bipa sa réponse. Luke devina qu'il n'était pas le seul à s'inquiéter : c'était la langue captée par Jade et par Karrde quand un vaisseau inconnu avait failli éperonner l'*Aventurier Errant* de Booster Terrik. Dans cette transmission, à en croire Mara, on trouvait le nom complet du Grand Amiral Thrawn, que fort peu de gens connaissaient.

— Ici l'Aile-X AA-589 de la Nouvelle République, répondit Luke.

Si ses interlocuteurs ne parlaient pas le basic, son initiative ne le mènerait pas loin. Mais il ne pouvait pas garder le silence comme si de rien n'était...

— Je recherche une amie qui s'est peut-être écrasée sur votre monde...

La réponse ne vint pas immédiatement. Après un coup d'œil à droite et à gauche, Luke eut le sentiment que les deux vaisseaux s'étaient rapprochés.

— Aile-X de la Nouvelle République, annonça alors la même voix dans un basic convenable, suivez-nous jusqu'à la surface. Au premier écart de trajectoire, nous vous abattrons.

— Compris, répondit Luke.

Un « clic » signala la fin de la communication. Sans crier gare, les deux vaisseaux inconnus plongèrent vers la surface.

Luke les suivit et reprit sa place dans la formation.

— Espèce de frimeurs...

Il n'avait encore rien vu. Une seconde plus tard, les deux vaisseaux s'écartèrent brusquement, reprirent un peu d'altitude puis piquèrent à tribord toute. R2-D2 bipa frénétiquement quand le navire de gauche passa juste au-dessus de sa tête. Lorsque Luke vira à son tour pour s'adapter à la manœuvre, l'indignation du droïd atteignit son comble.

Et ce n'était pas fini ! L'Aile-X venait à peine de se stabiliser quand les deux vaisseaux répétèrent leurs acrobaties dans la direction opposée.

R2 émit ce qui ressemblait à un grognement électronique.

— Je ne sais pas ce qu'ils font ! avoua Luke tandis qu'il bataillait avec les commandes pour suivre son « escorte ». La planète a peut-être un système de défense automatique qui impose une trajectoire d'approche spécifique si on ne veut pas se faire désintégrer. Comme la base des pirates, dans le champ d'astéroïdes... Tu te souviens ?

La réponse du droïd, catégorique, s'afficha sur l'écran de contrôle. Selon les archives du *Glacier Etoilé*, Mara ne s'était pas livrée à de pareilles fantaisies.

— C'est peut-être une nouvelle configuration du système adoptée depuis l'intrusion de Mara, suggéra Luke. A moins que nous abordions la planète sous un autre vecteur géographique qu'elle. Après tout, les éléments de comparaison nous manquent...

R2 grogna de plus belle.

— D'accord, d'accord... Ils cherchent sûrement un prétexte pour nous désintégrer ! Mais peux-tu me dire pourquoi ils en ont besoin ?

Les deux vaisseaux se livrèrent par trois fois à des manœuvres surprises qui ne parvinrent pas à tromper le Jedi.

Une fois dans la haute atmosphère, ils semblèrent se lasser du jeu et foncèrent vers l'ouest en droite ligne. Luke les suivit sans aucune difficulté, un œil sur les navires et l'autre sur le sol de la planète. Il eut recours à la Force pour détecter un danger éventuel.

R2 fournit à son pilote une comparaison entre le plan de vol de Mara et la topographie des lieux qu'ils survolaient. Tout concordait.

Soudain, un fourmillement familier avertit Luke que quelque chose n'allait pas.

— Nous avons un problème, R2. Je ne sais pas encore lequel, mais il est de taille ! Affiche un rapport général !

Du coin de l'œil, Luke consulta les données. Les senseurs de l'Aile-X n'avaient repéré aucun autre engin volant. Dans les armes de leur escorte, aucune fluctuation de puissance ne signalait l'imminence d'une attaque. Quant aux systèmes de l'Aile-X, ils étaient pleinement opérationnels.

— Quand atteindrons-nous la forteresse découverte par Mara ?

Dans moins de quinze minutes, à en croire R2.

— Ça va chauffer dans les dix prochaines minutes, le prévint Luke. Prépare-toi !

Skywalker inspira profondément et, les mains calées sur les commandes, il s'immergea dans la Force.

Quand ils furent à six minutes de la forteresse, le canyon où Mara avait plongé apparut à l'horizon.

Alors, comme l'avait prévu Luke, ça chauffa !

Avec un bel ensemble, les vaisseaux d'escorte inversèrent la poussée pour se laisser dépasser par l'Aile-X. Une position idéale pour attaquer...

Des canons à demi dissimulés sur les flancs de leur cockpit crachèrent une salve de rayons bleus.

Mais leur cible n'était déjà plus là. Au moment où les deux vaisseaux ralentissaient, Luke avait capté une subtile perturbation dans la Force.

Avant que ses adversaires tirent, il fit remonter abruptement son Aile-X et décrivit une boucle serrée pour passer derrière eux et être à son tour en position d'attaque.

En théorie, la manœuvre était exécutée dans ce but. Mais Luke avait une autre idée en tête. Au lieu de se stabiliser au niveau de ses adversaires, il garda le nez de son chasseur pointé vers le sol. Une fraction de seconde avant de s'écraser, il redressa — une acrobatie à vous retourner l'estomac — et fit une vrille complète pour reprendre son vol en rase-mottes sur une trajectoire perpendiculaire à la précédente.

— Que font les autres ? demanda-t-il à R2.

Le Jedi était trop occupé à fixer le sol et les obstacles qui se dressaient devant lui pour lever les yeux...

Les bips affolés du droïd et un subit picotement dans la Force lui donnèrent la réponse. Derrière lui, on tirait de nouveau. La plupart des rayons ratèrent leur cible, mais quelques-uns rebondirent sur les boucliers déflecteurs arrière de l'Aile-X.

— Nos ennemis ont des renforts ?

R2 trilla un non catégorique.

C'était déjà ça... Mais les deux vaisseaux étaient sacrément maniables et leurs équipages semblaient très compétents. A un contre deux, Luke n'aurait pas la partie facile. D'autant plus que...

Une question de R2 tira le Jedi de sa réflexion.

— Non, ne touche pas aux Feuilles S. Nous ne riposterons pas !

Le droïd montra clairement son incrédulité.

— On ne sait pas qui sont ces gens, ni ce qu'ils veulent ! expliqua Luke, les yeux toujours rivés au sol.

Derrière le canyon, le terrain était fortement accidenté, alternance mortellement dangereuse de crevasses et d'éperons rocheux...

— Je ne tuerai personne sans savoir pourquoi, insista Luke.

R2 s'égosilla de plus belle quand un nouveau tir ennemi fit une longue éraflure à la Feuille S de tribord.

— Ne t'inquiète pas ! Nous sommes presque arrivés ! cria Luke avec un bref coup d'œil à l'écran de contrôle.

L'Aile-X n'était pas encore endommagée, mais dès que les deux vaisseaux auraient gagné un peu de terrain ça ne tarderait pas.

La seule façon de s'en sortir indemnes était donc de les tenir à distance.

Derrière Luke, R2 bipa dubitativement.

— C'est pourtant là qu'on va, mon vieux ! répondit le Jedi.

Ils approchaient de la zone accidentée. A bâbord, Luke repéra une gorge qui lui sembla parfaite.

— Calme-toi, R2 ! Nous avons connu pire au bon vieux temps ! (Il orienta le chasseur vers la gorge.) De toute façon, nous n'avons pas le choix. Accroche-toi, on y va !

Sur Tatooine, le Canyon du Mendiant, avec ses tournants raides et ses culs-de-sac, représentait un défi dangereux mais familier. En comparaison, la tranchée de l'Etoile Noire aurait pu passer pour un boulevard, n'étaient les tirs de turbolasers et les chasseurs TIE qui le poursuivaient. La gorge de Nirauan plaçait la barre plus haut encore : un terrain inconnu, des tournaints impossibles à anticiper, des rochers en saillie, des murailles imprévisibles et des arbres aux branches traîtresses...

Une jeune recrue rebelle fraîchement débarquée sur Yavin aurait évalué les risques au premier coup d'œil.

Même l'adolescent fougueux que Luke était sur Tatooine aurait hésité à se lancer pleins gaz dans ce labyrinthe.

Le Jedi expérimenté qu'il était devenu sut qu'il n'aurait aucun problème à s'en sortir vivant.

Et il avait raison. L'Aile-X se joua des premiers obstacles avec une facilité déconcertante. Le génie du pilotage de Luke, combiné aux qualités du chasseur et à l'aide précieuse de la Force, lui permit de laisser ses poursuivants loin derrière lui.

Il venait de traverser une vallée, en direction d'un autre canyon, quand un rayon bleu frôla son fuselage, manquant lui faire perdre le contrôle de l'appareil.

— Tout va bien, dit Luke à R2.

Malgré cette affirmation, il n'était pas très content de lui. Cela lui était déjà arrivé : mobiliser son attention — et la Force — sur un point unique avait tendance à le rendre aveugle à ce qui se passait alentour. Dans le cas présent, un des deux pilotes ennemis s'était montré suffisamment malin pour abandonner la chasse, survoler la gorge et attendre sa proie à la sortie.

C'était bien joué, mais ça n'avait pas marché ! Engagé dans un nouveau canyon, Luke se jura que ses adversaires n'auraient pas une seconde chance de le tromper.

L'Aile-X déboucha dans une seconde vallée, plus étroite que la précédente, puis s'engouffra dans un autre ravin.

Luke laissa la Force guider ses mains. Il regarda les falaises qui l'entouraient à la recherche de l'endroit idéal...

... et il le trouva ! Devant l'Aile-X, la paroi rocheuse, abruptement inclinée vers celle qui lui faisait face, formait une arche naturelle. Des buissons et des racines jaillissaient par endroits de la roche ; sous Luke, le sol était couvert d'arbres et de broussailles marron. Aux deux extrémités, le canyon s'incurvait nettement. La partie centrale évoquait une sorte de bulle d'espace entourée de rocs.

L'endroit parfait où se poser !

R2 n'émit pas un son quand le Jedi eut recours à une technique de contrebandier pour faire pivoter son chasseur de cent quatre-vingts degrés. Tandis qu'il inversait au maximum la poussée, Luke se fit la réflexion que le droïd devait être trop occupé à s'accrocher à la vie...

Le chasseur menaçait de partir en vrille. Durant quelques longues secondes, Luke lutta pour le stabiliser. Dehors, les parois du canyon défilaient beaucoup moins rapidement. Encouragé, Luke activa les répulseurs. L'effet de décélération qui le plaquait à son siège s'estompa.

Le Jedi fit de nouveau pivoter son Aile-X de cent quatre-vingts degrés et jeta un coup d'œil devant lui, là où deux arbres flanquaient le lit asséché d'un cours d'eau. L'écartement des troncs convenait parfaitement au pilote.

Après avoir coupé le dernier propulseur du chasseur, Luke piqua pour passer entre les arbres.

Et réussit au millimètre près !

— Et voilà ! triompha le Jedi. (Il désactiva les répulseurs.) Ça n'était pas si difficile, après tout !

Un bip étouffé résonna derrière lui. Apparemment, R2 avait du mal à retrouver sa voix.

Souriant, Luke souleva la verrière de son cockpit et fit la grimace quand il entendit des dizaines de feuilles garnies d'épines produire un atroce grincement en glissant sur le transparacier avant de tomber sur son casque et sur ses gants.

L'air était frais et sentait vaguement la mousse.

Luke fit appel à la Force pour augmenter ses perceptions. Les sens aux aguets, il chercha à déterminer si on le poursuivait toujours. Il n'entendit rien, sinon le bruit du vent dans les feuilles, le bourdonnement lointain de quelques insectes et des pépiements d'oiseaux.

— Je crois qu'on les a semés, R2 ! Au moins pour un moment... Tu as une idée de notre position ?

Quand le droïd répondit, il semblait toujours un peu sonné. Pourtant, une carte s'afficha sur l'écran de contrôle.

Luke l'étudia. Si la situation ne se présentait pas si mal que ça, il n'y avait pas de quoi crier au miracle.

Ils étaient à une dizaine de kilomètres de la grotte de Mara. Mais le terrain était semé de falaises et de crevasses semblables à celles qu'ils venaient de traverser. Il faudrait au mieux un jour de marche, voire deux. Trois si ça se passait mal...

Unique consolation, la configuration du terrain les rendrait quasiment indétectables. Un avantage à ne pas négliger...

A condition que des adversaires ne leur tombent pas dessus avant qu'ils se soient mis en route !

— Viens, R2, dit Luke.

Il sauta sur le sol.

Malgré sa précision légendaire, il ne parvint pas à éviter toutes les épines et écopa de quelques égratignures...

— R2, on s'occupe du chasseur, puis on file !

Il fallut quelques minutes pour déployer et mettre en place le filet de camouflage fourni par Talon Karrde. Pour plus de précaution, Luke coupa des branches et des buissons et les éparpilla sur l'Aile-X. Le résultat n'était pas parfait, surtout de près, mais il manquait de temps pour faire mieux.

Les hommes de Karrde avaient préparé les paquetages de survie pendant que Luke se chargeait des calculs indispensables pour fuir Cejansij.

Confirmant ce que Luke pensait depuis des années sur l'efficacité des contrebandiers, ils avaient fait du très bon travail. Les deux sacs contenaient des barres nutritives, des gourdes d'eau autofiltrantes, des médipacs, des lampes-torches, une bonne longueur de corde synthétique, une tente de survie avec sac de couchage et une série de grenades dites « silencieuses ».

— Je m'étonne qu'ils n'aient pas essayé d'y fourrer un landspeeder, plaisanta Luke.

Il hissa un des sacs sur son épaule. Le paquetage n'était pas léger, mais l'excellente répartition des masses le rendait assez facile à porter.

— On va devoir laisser l'autre là, R2... Prêt à escalader, mon vieux ?

Le droïd trilla une question tandis que son dôme pivotait vers la droite du canyon, puis vers la gauche.

— Ni l'un ni l'autre, répondit Luke. Nos adversaires risquent de nous attendre à la sortie... (Il désigna une paroi rocheuse.) Nous irons par là...

R2 s'inclina sur ses répulseurs pour regarder vers le haut et lâcha un bip sceptique.

— Ne t'affole pas ! Nous ne grimperons pas jusqu'au sommet. Tu vois cette brèche, aux deux tiers du chemin ? Si j'ai bien interprété les photos aériennes, c'est un raccourci qui nous conduira en douceur jusqu'en haut.

Têtu, R2 regarda de nouveau à droite et à gauche.

— On ne peut pas passer par là ! Et ce n'est pas le moment de polémiquer. Même si leurs vaisseaux sont trop gros pour venir ici, nos adversaires en ont sans doute de plus petits dans la forteresse. Et ces gens sont sûrement capables de marcher ! Tu veux attendre qu'ils nous tombent dessus ?

Le droïd capitula. Il pivota sur lui-même et roula martialement vers le pied de la paroi indiquée par Luke.

Avec un sourire, le Jedi le suivit, son sac sur l'épaule.

Avec la Force, il fit léviter R2 pour qu'il ne s'empêtre pas dans les broussailles.

Puis il se mit en chemin.

L'escalade se révéla moins périlleuse que prévu. Bien que raide, la paroi n'était pas le mur parfaitement vertical qu'on pouvait craindre, vue d'en bas. Les prises ne manquaient pas, que ce soient des arêtes rocheuses, des petites niches ou des racines...

R2-D2 restait un problème, mais Luke eut vite fait de trouver une solution acceptable. Dès qu'il atteignait une position stable, le Jedi recourait à la Force pour hisser le droïd sur la corniche suivante où il l'encordait à un buisson ou à un rocher. Puis il grimpait jusqu'à la prochaine étape.

Et ainsi de suite.

R2 détesta la procédure, comme Luke s'y attendait. Par bonheur, à la moitié de l'ascension, ses gémissements électroniques se tarirent.

Ils avaient presque atteint la brèche quand le Jedi entendit le murmure d'une voix.

Il s'immobilisa, agrippé à une racine, écouta et ne capta rien sinon le pépiement désormais familier des oiseaux.

Quand il eut amplifié son ouïe grâce à ses pouvoirs de Jedi, il n'entendit rien de plus. Le pépiement était plus fort, voilà tout.

Avait-il rêvé ?

Un bruit aigu transperça les tympans du Jedi. Ça n'était qu'un bip de R2, amplifié au maximum.

— J'ai cru entendre quelque chose, souffla Luke. (Ses propres mots explosaient dans sa tête comme des grenades. Il ramena son ouïe à la normale.) C'était comme une voix qui...

Un flot de bips l'interrompit.

— Que se passe-t-il ? demanda Luke.

Il suivit le « regard » du droïd.

Et se figea. Trois mètres en dessous de lui, perchée sur un buisson d'épineux, une petite créature ailée marron clair le regardait.

— Du calme, R2 !

Luke prit le temps d'étudier l'animal. Haut d'une trentaine de centimètres, il avait une peau étrangement lisse. Ses ailes semblaient de la même texture. Comme elles étaient pliées, le Jedi eut du mal à estimer leur envergure. Il nota cependant qu'elles formaient une bosse sur le dos de leur propriétaire.

Sur la tête de la créature, petite et profilée, des yeux noirs étaient nichés derrière des replis de peau. Sous les yeux, deux fentes horizontales rappelaient la forme d'une bouche. La plus haute pulsait au rythme de la respiration de l'animal. La plus basse était quasiment fermée.

Les serres du volatile agrippaient le buisson comme si les épines n'existaient pas...

L'animal ressemblait à un croisement entre un Mynock et un Makthier. Luke se demanda s'il avait un lien avec une de ces deux espèces.

R2 bipa nerveusement.

— Je ne crois pas qu'il nous veuille du mal, le rassura Luke, sans quitter la créature des yeux. Et nous faisons un trop gros déjeuner pour un prédateur de cette taille !

Sauf si ces animaux chassaient en meute !

Luke utilisa la Force pour apprendre ce qu'il en était. Le résultat le rassura. Il y avait d'autres représentants de cette espèce dans le canyon, mais à une distance respec...

La fente inférieure de l'animal s'ouvrit et révéla deux rangées de petites dents acérées. Un son sortit de sa gorge.

Qui êtes-vous ?

Luke écarquilla les yeux. C'était la voix qu'il pensait avoir entendue. Cette fois, elle était parfaitement audible.

Mais d'où venait-elle ?

— Quoi ?

La créature pépia de nouveau :
Qui êtes-vous ?
C'était bien elle qui parlait !
A un détail près : elle n'avait pas *vraiment* parlé. Alors, comment l'avait-il comprise ?
Soudain, tout s'éclaira.
— Je me nomme Luke Skywalker, dit-il, entrant en contact avec la créature par le biais de la Force. Je suis un Chevalier Jedi de la Nouvelle République. A qui ai-je l'honneur ?
Que faites-vous ici, Chevalier Jedi Sky Walker ?
— Je cherche une amie...
Bien que Luke ne saisisse pas le langage de la créature, il comprenait le sens de ses paroles grâce à la médiation de la Force. Ce phénomène était rarissime. Il impliquait que son interlocuteur aussi était sensible à la Force.
— Mon amie a atterri sur cette planète il y a environ deux semaines. Depuis, on ne l'a plus revue. Savez-vous où elle est ?
La créature sembla troublée. Elle déplia à demi ses ailes, comme pour s'éclipser, puis les replia.
Qui est votre amie ?
— Elle s'appelle Mara Jade.
Un autre Chevalier Jedi ?
— En un sens, oui... éluda Luke.
Si Mara avait séjourné à l'Académie Jedi durant ces huit dernières années, elle n'y était jamais restée assez longtemps pour terminer sa formation. A vrai dire, Luke se demandait parfois si elle l'avait seulement commencée !
— Savez-vous où elle est ?
Les ailes de nouveau dépliées, la créature répondit :
Je ne sais rien !
— Vraiment ? insista le Jedi sur un ton moins amical.
Il n'avait pas besoin de la Force pour reconnaître ce genre de dénégation coupable. Jacen, Jaina et Anakin lui faisaient assez souvent ce coup-là !
— Savez-vous qu'un Jedi n'est jamais dupe d'un mensonge ?
Derrière Luke, un pépiement autoritaire retentit.
Laisse ce jeune tranquille !
Luke se retourna. Le long de la paroi opposée du canyon, trois créatures étaient perchées sur des rochers. Deux fois plus grandes que la première, elles avaient toutes les caractéristiques qui différencient un adulte d'un enfant.

— Excusez-moi... Je ne voulais pas l'intimider... Mais peut-être pourrez-vous m'aider à retrouver mon amie...

Une des créatures déploya ses ailes. Avec grâce, elle vint se poser sur un buisson, près de Luke, et tourna la tête comme si elle entendait l'étudier avec chacun de ses yeux.

Vous n'êtes pas comme les autres... Qui êtes-vous ?

— Je crois que vous le savez, répondit Luke, qu'une intuition poussait à défier son interlocuteur. Moi, en revanche, j'ignore à qui je m'adresse...

La créature réfléchit.

Je suis Chasseur de Vents. Je parle au nom de cette nichée de Qom Qae.

— Et au nom de la Nouvelle République, je vous salue, Chasseur de Vents. Je suppose que vous savez ce qu'est la Nouvelle République...

Le Qom Qae déploya ses ailes à moitié.

J'en ai entendu parler... Quelle est l'attitude de la Nouvelle République envers nous ?

— Tout dépend de ce que vous voulez qu'elle soit... Mais c'est un sujet que je laisse volontiers aux diplomates et aux négociateurs. Mon seul souci, c'est d'aider une amie.

Chasseur de Vents pépia avec autorité :

Nous ne savons rien des étrangers !

Ce n'est pas vrai, dit le jeune Qom Qae. *Les Qom Jha m'ont parlé de...*

Chasseur de Vents ne le laissa pas finir.

Ton nom est-il Traqueur de Stupidité ? demanda-t-il. *Tais-toi !*

— Peut-être avez-vous oublié ? suggéra Luke, diplomate. Le porte-parole d'une nichée doit avoir d'autres soucis en tête...

Chasseur de Vents battit des ailes.

Ce qui se passe hors de chez nous ne nous concerne pas ! Allez voir une autre nichée, ou les Qom Jha, si vous osez. Peut-être vous aideront-ils.

— D'accord, dit Luke. Me servirez-vous de guide ?

Les autres nichées ne nous concernent pas !

— Je vois... Dites-moi, Chasseur de Vents, un de vos amis a-t-il déjà été en danger ?

Le Qom Qae déplia ses ailes. Ses compagnons l'imitèrent.

Cette conversation est terminée. Suis-nous, jeune Qom Qae !

Chasseur de Vents s'envola de son buisson et piqua vers le sol. Les deux autres créatures le suivirent.

Luke tourna la tête et constata que le jeune Qom Qae s'était aussi envolé.

R2 lâcha un bip méprisant.

— Ne les blâme pas trop vite, soupira Luke. Il y a peut-être ici des contingences culturelles ou politiques dont nous ignorons tout.

Il reprit son escalade.

— A moins que ces êtres n'aient pas envie de se mêler aux combats des autres... Ils en ont certainement trop vu au fil des années...

Ils atteignirent la brèche cinq minutes plus tard. Luke ne s'était pas trompé : sous le couvert des arbres, un chemin beaucoup moins abrupt serpentait jusqu'au sommet.

— Parfait ! Montons là-haut et voyons où ça mène.

Il enroulait la corde quand R2 émit un bip étranglé.

— Quoi encore ? demanda Luke, avant de se retourner.

Sa main vola vers son sabre-laser, mais il ne sentit aucune menace.

— R2, que se passe-t-il ?

Le droïd regardait en bas en gémissant. Sourcils froncés, Luke suivit son regard...

... et sentit sa gorge se nouer. Dans la vallée, l'Aile-X avait disparu.

— Non ! s'exclama le Jedi en sondant les buissons.

Il supposa d'abord que le camouflage était plus efficace que prévu. Mais ses sens de Jedi lui confirmèrent que R2 ne se trompait pas.

L'Aile-X n'était plus là !

R2 trilla nerveusement.

— Tout va bien ! lui lança Luke. Tout va bien...

Aussi étonnant que ce fût, le Jedi pensait ce qu'il disait. La disparition du chasseur était ennuyeuse et plutôt énervante. Bizarrement, nulle sensation de danger et nulle peur ne l'accompagnaient. Luke n'était même pas inquiet. Pourtant, sans l'Aile-X, ils n'auraient aucune possibilité de fuir rapidement la planète si les choses tournaient mal.

Un petit coup de pouce de la Force ? L'intuition que le chasseur avait été déplacé mais n'était pas perdu ?

Luke se rembrunit soudain. A la réflexion, qu'importerait la perte du chasseur s'il n'était pas destiné à quitter la planète vivant ?

Une image lui revint à l'esprit : étendu sur son lit de mort, Yoda soupirait faiblement.

Luke se souvint de la peur qui lui avait déchiré les entrailles face à la fragilité du Maître. Il se souvint du ton implorant qu'il avait pris pour demander au vieux Jedi de ne pas mourir. *Avec moi la Force est,* avait répliqué Yoda. *Mais pas à ce point. Sur moi plane le crépuscule et bientôt tombera la nuit. Ainsi les choses vont. Et ainsi la Force va...*

Luke inspira profondément. Obi-Wan était mort. Yoda aussi. Un jour, ce serait son tour d'entreprendre le grand voyage.

Si celui-ci devait commencer sur cette planète, il était prêt. En Jedi il avait vécu, en Jedi il mourrait.

Tout ça ne changeait rien à la raison de sa venue sur Nirauan.

— On ne peut rien faire pour l'instant, R2... dit-il. Allons jusqu'au sommet et voyons comment continuer.

Au-dessus du Jedi, un pépiement retentit.

Il y a de meilleurs chemins...

Luke leva les yeux. Le jeune Qom Qae était revenu. Il voletait au-dessus d'eux.

— Nous proposes-tu ton aide ? demanda Luke.

Le Qom Qae inclina une de ses ailes. La différence de pression le fit descendre doucement vers Luke.

Il se posa sur un buisson.

Je vous aiderai. Les Qom Jha disent qu'un étranger est arrivé et qu'il est resté avec eux. Je vous guiderai.

— Merci, répondit Luke.

Devait-il questionner le Qom Qae à propos de son Aile-X ? Au souvenir des réactions de la créature lors de leur rencontre, il décida de remettre la chose à plus tard.

— Puis-je demander pourquoi tu es prêt à prendre ce risque ?

Je connais beaucoup de jeunes Qom Jha et je n'ai pas peur d'eux.

— Je ne parle pas seulement de ça, précisa Luke, désireux de savoir que le jeune Qom Qae savait ce qu'il faisait. Les « autres » qu'a mentionnés Chasseur de Vents peuvent nous poser des problèmes.

Je le sais... Mais tu as demandé à Chasseur de Vents si un de ses amis a été en danger. Un des miens l'est !

Luke sourit.

— Compris, dit-il. Je suis honoré que tu m'accordes ton aide. Tu sais déjà que je suis Luke Skywalker. Je te présente R2-D2, mon droïd. Quel est ton nom ?

Le Qom Qae s'envola et vint se poser plus près de Luke.

Je suis encore trop jeune pour en avoir un. On m'appelle simplement Enfant des Vents.

— Enfant des Vents, répéta Luke, pensif. Serais-tu parent de Chasseur de Vents, par hasard ?

C'est mon père ! Ce qu'on dit sur la sagesse infinie des Jedi est bien vrai !

Luke se retint de sourire.

— Parfois... concéda-t-il. Si nous nous mettions en route ? En chemin, tu m'en apprendras plus long sur ton peuple...

Ce sera un honneur pour moi, répondit le Qom Qae en déployant ses ailes avec l'impatience caractéristique d'un enfant. *Venez, je vous guiderai...*

3

Le complexe des communications du *Pèlerin*, un Cuirassé de la Nouvelle République, était une antiquité, comparé à celui des vaisseaux modernes. Le concept technique datait d'avant la Guerre des Clones, époque où le *Pèlerin* et ses vaisseaux frères de la Flotte Katana avaient été construits. Comme si le fait que l'antenne principale soit intégrée au complexe ne suffisait pas, celui-ci contenait aussi les ordinateurs d'encodage et de décodage, connus pour leur fragilité.

Les rares Cuirassés de la Flotte Katana encore en service dans la Nouvelle République avaient été dotés d'un système de communication plus moderne. Les ordinateurs étaient désormais situés à un endroit plus sûr entre le pont principal et la salle de contrôle des Renseignements. Bizarrement, alors qu'on parlait de ce problème, le *Pèlerin* échappait toujours aux griffes pourtant impitoyables des plannings de réparation.

Wedge Antilles avait longtemps nourri sa petite idée quant à ce mystère.

A sa connaissance, le Général Garm Bel Iblis gardait des rapports tendus avec certains officiels de la République. Cela remontait au temps où Iblis, après sa brouille avec Mon Mothma, avait mené sa guerre personnelle contre l'Empire. Que le navire du Général soit laissé à l'abandon n'était peut-être pas sans rapport avec ces vieilles animosités.

Wedge découvrit la vérité quand l'Escadron Rogue fut attaché de façon permanente à Bel Iblis. La section des Renseignements, lui expliqua le Général, était très fréquentée. Quiconque ayant les compétences adéquates, et un peu de curiosité, pouvait intercepter sans peine les signaux décodés qui repartaient des ordinateurs. Le complexe des communications, à l'inverse, était le lieu le plus isolé qu'on pût trouver

46

sur un vaisseau de guerre. Y placer les ordinateurs d'encodage et de décodage restait le meilleur moyen d'éviter les fuites. Chaque fois qu'il désirait avoir une communication réellement privée, c'était là que le Général se rendait.

Wedge et lui s'y trouvaient aujourd'hui à la demande de l'Amiral Ackbar.

— Je comprends votre inquiétude, Général Bel Iblis, dit Ackbar. (Son visage emplissait l'écran et ses gros yeux pivotaient pour avoir également Wedge dans leur champ de vision.) Et je ne rejette pas vos conclusions. Pourtant, je ne puis accéder à votre requête.

— Je vous demande de revoir votre position, Amiral, répliqua sèchement Bel Iblis. Coruscant connaît nombre de difficultés politiques, je le sais. Mais cela ne doit pas nous rendre aveugles aux questions purement militaires qui se posent ici.

Les tentacules labiaux du Mon Calamari frémirent.

— A propos de l'affaire de Caamas, il n'y a plus de *questions purement militaires* ! Les considérations politiques et éthiques ont pris le dessus.

— La politique et l'éthique ? souffla Wedge. Un mariage pour le moins inhabituel...

Un des yeux d'Ackbar se riva sur lui avant de se reposer sur Bel Iblis.

— La thèse universellement acceptée est la suivante : toute présence significative de la Nouvelle République près de Bothawui serait considérée comme une prise de position en faveur des Bothans. Ceux qui les critiquent n'apprécieraient pas...

— C'est une interprétation absurde ! s'insurgea Bel Iblis. Nous incarnerions au contraire le calme et la raison au milieu de la tempête. Il y a soixante-huit vaisseaux dans ce secteur ! Chacun a une dizaine de raisons d'entrer en conflit avec les autres. Et tous sont prêts à bondir si un seul éternue... Si j'ose dire ! Il faut que quelqu'un joue les médiateurs pour éviter une guerre totale !

Ackbar lâcha un soupir rauque.

— Je suis d'accord avec vous, Général. Mais le pouvoir est entre les mains du Haut Conseil et du Sénat, et ils sont parvenus à d'autres conclusions.

Bel Iblis jeta un regard sinistre à Wedge.

— J'espère que vous n'avez pas renoncé à les faire changer d'avis ?

47

— Je m'y emploie, confirma Ackbar. Mais que je réussisse ou non, vous n'hériterez pas de l'honneur douteux d'être le médiateur. Le Président Gavrisom a une autre mission pour vous.

— Plus importante que préserver la paix dans le système de Bothawui ?

— Beaucoup plus, affirma Ackbar. Si Bothawui est une poudrière, le Document de Caamas est l'étincelle qui risque de la faire sauter.

Wedge eut une angoissante prémonition. Gavrisom avait-il derrière la tête l'idée de...

C'était bien ça !

— Le Président estime que notre meilleure chance de désamorcer la querelle est d'obtenir un exemplaire intact du Document, continua Ackbar. A cette fin, vous devez partir sur-le-champ pour Ord Trasi, où vous rassemblerez une flotte qui lancera un raid d'information sur la base Impériale de l'Ubiqtorate de Yaga Mineure.

Wedge regarda Bel Iblis à la dérobée. L'expression du Général n'avait pas changé, mais ses mâchoires contractées ne trompaient pas : il pensait exactement la même chose que lui !

— Sauf votre respect, Amiral, dit Bel Iblis, le Président Gavrisom a un étrange sens de l'humour. Yaga Mineure est sans doute le système le mieux défendu de l'espace Impérial et du territoire de la République. Notez que j'évoque seulement une attaque brutale, où on vise sans distinction toutes les positions ennemies. S'il faut garder intacts ses systèmes informatiques, la chose devient cinq fois plus difficile.

— Le Président sait tout cela, dit Ackbar, la voix plus basse encore qu'à l'accoutumée. Pour être honnête, ça ne me plaît pas. Mais il faut essayer ! Si un conflit éclate du fait de ce différend, nous n'aurons pas assez de vaisseaux et de troupes pour imposer la paix. La Nouvelle République risque d'être plongée dans la guerre civile.

Bel Iblis regarda de nouveau Wedge, puis se tourna vers l'écran.

— Oui, Monsieur... Force m'est de reconnaître que votre analyse est juste.

— Je pourrais aussi dire que vous êtes le seul capable de réussir un pareil exploit...

Bel Iblis eut un sourire sans joie.

— Merci de votre confiance, Amiral. Je ferai de mon mieux.

— Excellent... Vous et vos forces devez quitter immédiatement le système de Bothawui. Au cours des deux prochaines semaines, je vous enverrai des renforts à Ord Trasi. D'ici là, j'espère que vous aurez élaboré un plan de bataille.

— Compris, Monsieur. Qu'en sera-t-il en matière d'unités et d'équipements spéciaux ?

— Tout ce que peut fournir la Nouvelle République est à votre disposition. Dites-moi ce qu'il vous faut et vous l'aurez.

— Le secret est la condition première du succès, rappela Bel Iblis. Si l'Empire venait à apprendre quelque chose, nos chances seraient réduites à néant.

— Discrétion totale ! promit Ackbar. Je répands déjà une rumeur qui convaincra les espions Impériaux que nous levons une flotte dans les environs du système de Kothlis pour assurer la défense de Bothawui...

— Ça devrait marcher, concéda Bel Iblis. Sauf si les Impériaux viennent jeter un coup d'œil dans le système...

— Deux spatiodocks Rendiis sont déjà en place dans le secteur de Kothlis, dit Ackbar. Ils accueilleront des vaisseaux leurres munis des marquages et des numéros d'identification idoines. Ça devrait suffire à convaincre d'éventuels espions...

— Intéressant... fit Bel Iblis, un sourcil levé. Ainsi, Gavrisom ne s'est pas réveillé un matin avec cette idée de génie ? C'est un travail de longue haleine...

Le Mon Calamari hocha la tête.

— Les préparatifs ont commencé le lendemain de l'émeute du Bâtiment des Clans Unis sur Bothawui. Comme le Général Solo était impliqué dans l'affaire, le Président a compris que la Nouvelle République ne pourrait pas prendre d'initiatives politiques sans s'exposer à des critiques... et à des soupçons...

— Un raisonnement logique, admit Bel Iblis. Ce sera donc Ord Trasi !

— Une équipe de liaison placée directement sous mes ordres vous y attendra, ajouta Ackbar. Bonne chance, Général.

— Merci, Amiral. Bel Iblis, terminé.

Le Général coupa la communication.

— Mais n'allez pas croire que j'approuve... marmonna-t-il devant l'écran vide avant de se tourner vers Wedge. Vos commentaires, Général ?

Wedge hocha la tête.

— J'ai participé à un raid de ce genre quand nous tentions d'obtenir des données sur le Grand Amiral Makati. Les infor-

49

mations se trouvaient dans la bibliothèque de Boudolayz. Les bureaucrates ont estimé notre taux de réussite à environ quatre-vingts pour cent. Et c'était Boudolayz, pas Yaga Minor !

— J'ai lu les rapports sur ce raid, dit Bel Iblis en tortillant ses moustaches. Ça ne va pas être facile...

— On peut le dire ! Et pendant ce temps, Bothawui continuera à attirer les vaisseaux de guerre comme une lampe attire les papillons de nuit. Tôt ou tard, Monsieur, quelqu'un essayera de tirer parti de la situation...

— Je suis d'accord avec cette analyse... C'est pour ça que je vous ai demandé d'être avec moi aujourd'hui.

— Vraiment ? Vous sentiez venir le coup ?

— Pas le raid sur Yaga Minor... Mais je pressentais que Coruscant refuserait de me laisser rester ici pour empêcher une guerre. Alors, une idée m'est venue : si mes forces doivent partir, eh bien... l'Escadron Rogue, techniquement, n'est pas concerné !

Wedge fronça les sourcils.

— Je ne vous suis plus, Général. Je croyais que nous étions attachés à vous de façon permanente...

— A ma personne, oui, admit Bel Iblis. Pas à mes forces ! C'est une distinction subtile mais capitale...

— Je vous crois sur parole, hasarda Wedge, qui tentait de trouver confirmation de cette façon de voir dans ce qu'il avait retenu du règlement militaire de la Nouvelle République. En clair, ça signifie quoi ?

Bel Iblis fit pivoter le fauteuil d'une console d'encodage et s'assit.

— Que je suis d'accord avec vous : un jour ou l'autre, quelqu'un essayera de profiter de ce chaos. (Il croisa les mains sur son ventre.) Peut-être l'organisation Vengeance, qui ne cesse de fomenter des émeutes et réclame que les Bothans soient punis pour leur participation à la destruction de Caamas.

— Possible, fit Wedge alors qu'une idée lui traversait l'esprit. Comme la contribution des Bothans à l'attaque fut de saboter les boucliers planétaires de Caamas...

— Bien raisonné ! Je crois aussi que quelqu'un va s'en prendre à ceux de Bothawui.

Wedge s'autorisa un sifflement.

— Croyez-vous que c'est possible ? Les Bothans sont censés avoir les meilleurs boucliers de la galaxie...

— C'était vrai au temps de la domination de l'Empire, répondit Bel Iblis. J'ignore si ça l'est toujours. De plus, il n'est pas nécessaire de désactiver tout le système de protection pour faire de gros dégâts. Une brèche au-dessus de Drev'starn permettrait une sacrée séance de tir aux pigeons.

— Exact... L'ennui, c'est que les Bothans ne seraient pas les seuls à y perdre des plumes.

— C'est tout le problème. Au dernier recensement, plus de trois cents mégacorporations ont leur siège social sur Bothawui. Sans compter des milliers de petites entreprises...

Wedge acquiesça. Si ces firmes étaient touchées, cela ne plongerait pas la galaxie dans le chaos économique. Mais ça épicerait encore davantage le ragoût qui mijotait dans la grande marmite de Bothawui...

Avec tous les vaisseaux qui se livraient une guerre d'intimidation dans le secteur, la marmite risquait de déborder...

— Qu'attendez-vous de moi ? demanda Wedge.

Bel Iblis le dévisagea.

— Je veux que vous alliez sur la planète pour empêcher qu'on sabote les boucliers.

Wedge se doutait qu'on en arriverait là, ce qui n'atténua en rien le choc.

— Tout seul ? Ou croyez-vous que les pilotes de l'Escadron Rogue pourraient me donner un coup de main ?

Bel Iblis sourit.

— Du calme, Wedge, ça n'est pas si dur que ça... Je ne vous demande pas de monter la garde devant le générateur de Drev'starn, un blaster dans chaque main. Ni de repousser tous seul le Troisième Régiment Impérial de Blindés. Jusque-là, Vengeance a utilisé la ruse et la traîtrise plus que la force. Contre ça, deux pilotes d'Ailes-X au cerveau surdéveloppé devraient suffire.

Donc, la petite excursion aurait lieu à deux ! Deux cercueils au lieu d'un !

— Avez-vous une idée sur le deuxième type au cerveau surdéveloppé ?

— Bien sûr. Le Commandant Horn.

— Je vois... murmura Wedge.

Le jeu consistait à repérer un saboteur et Bel Iblis avait immédiatement pensé à Corran Horn. Se doutait-il que celui-ci avait des pouvoirs de Jedi ? Il les cachait pourtant bien...

— Pourquoi ce choix ?

Bel Iblis plissa le front.

— Parce que son beau-père est un contrebandier. Horn tirera profit de son réseau d'informateurs.

— Ah... (Wedge respira mieux.) Je n'avais pas pensé à ça...

— C'est pour ça que je suis Général *en chef*, rétorqua Bel Iblis, très cassant. Vous devriez aller annoncer la bonne nouvelle à Horn. Ackbar a été clair : j'ai deux semaines pour mettre l'opération sur pied. Et je veux vous avoir à mes côtés quand nous attaquerons Yaga Mineure.

— On fera de notre mieux, promit Wedge. Devons-nous utiliser une des navettes sans marquage du *Pèlerin* ?

Bel Iblis acquiesça.

— Y aller avec vos Ailes-X serait un peu ostentatoire... Oubliez aussi vos uniformes, mais emportez vos ID militaires au cas où vous devriez rabattre le caquet d'un bureaucrate. Quand l'heure sera venue de partir pour Ord Trasi, je vous contacterai.

— Compris.

— Très bien... Je reste ici quelques minutes de plus. C'est un excellent endroit pour contacter les autres Commandants. Ackbar a dit *sur-le-champ* ! Dès que tous les vaisseaux seront prêts, nous filerons. Vous devrez avoir quitté le *Pèlerin* à ce moment-là.

— Comptez sur nous, Monsieur, dit Wedge en se dirigeant vers la porte. Bonne chance pour votre plan de bataille, Général.

— Bonne chance pour le vôtre !

La navette venait d'entrer en contact avec l'atmosphère de Bothawui quand Corran Horn se détourna du hublot de poupe et se cala dans son siège.

— Ils sont partis, annonça-t-il.

Wedge consulta ses écrans. Le *Pèlerin* et les autres vaisseaux n'étaient plus là.

— Exact... Nous voilà livrés à nous-mêmes.

— C'est dingue ! Wedge, il t'a spécifiquement demandé de m'emmener ?

— Oui, mais ça n'a rien à voir avec tes talents cachés. Iblis pense que tu pourras profiter du réseau d'informateurs de Booster.

— Pas bête, ricana Corran. Si Booster consentait à m'adresser la parole...

Wedge lança un regard en coin à son compagnon.

— Ne me dis pas qu'il t'en veut encore du tour qu'on lui a joué avec la *Farce de Hoopster* dans l'espace de Sif'kric ? Je pensais que nous avions décidé que le vaisseau ne transportait aucune marchandise de contrebande et que nous l'avions laissé partir...

— Le vaisseau ne transportait pas de contrebande. Cela dit, Booster est furieux ! Les Sif'kries ont décrété qu'ils ne voulaient pas que des contrebandiers travaillent pour eux. La *Farce de Hoopster* a été exclue des prochaines livraisons de pommwomm.

— Mauvais, ça, concéda Wedge.

— Ça ne veut pas dire que les contrebandiers ne seront pas dans le coup, ajouta Corran. Ils devront simplement utiliser d'autres vaisseaux ou camoufler leurs ID. Un truc comme ça... Mais c'est une nuisance et Booster les déteste. En particulier les nuisances officielles !

— Ouais... grommela Wedge. Désolé, mon vieux. Mirax réussira peut-être à le calmer.

— Comme toujours... fit Corran. De toute façon, je doute que Booster s'intéresse à Bothawui. La planète grouille tellement de contrebandiers qu'il a dû décider de ne plus s'en occuper.

— Génial... marmonna Wedge.

— Une minute, mon vieux ! s'exclama Corran. Qui a voulu renouer avec la vie excitante d'un pilote d'Aile-X ? Il ne tenait qu'à toi de continuer à accumuler les heures de vol sur un ordinateur, au fond d'un bureau de Coruscant.

— Plutôt crever ! J'ai essayé et ça me dégoûte. En clair, tu penses que nous ne trouverons pas d'aide sur la planète ?

Il y eut un court silence.

— Une question intéressante, murmura Corran d'une voix étrange. Pour tout dire, la réponse est oui !

— Oui, quoi ? Tu crois qu'on aura de l'aide ?

— C'est possible, répondit Horn sur le même ton. Ne me demande pas comment on la trouvera ni où. C'est juste... une idée.

— Une intuition de Jedi ?

— C'est ça...

Wedge sourit. Subitement, il se sentait beaucoup moins inquiet à propos de la mission.

— Parfait ! Si c'est comme ça, aucune raison de nous inquiéter.

— Hum... Je n'irais pas jusqu'à dire ça...

4

— [Attention à tribord !] cria la Togorienne installée à la console des senseurs du *Wild Karrde*. (Sa voix, à l'ordinaire un miaulement harmonieux, était cassante et haut perchée.) [Angle deux-cinq par quatorze !]

— Repéré ! annonça quelqu'un dans l'intercom.

Les turbolasers du *Wild Karrde* firent feu et pulvérisèrent les astéroïdes les plus menaçants.

Assise à l'écart, au fond de la passerelle, Shada D'ukal soupira intérieurement. Se sortir indemne d'un champ d'astéroïdes n'était jamais un jeu d'enfant. Pour ne rien arranger, la Togorienne et un des canonniers semblaient affolés par la situation. Etaient-ils nerveux de nature, ou trop jeunes et trop inexpérimentés ? Aucune de ces possibilités ne rassurait Shada. Dans les deux cas, le Capitaine n'aurait pas dû les affecter à ces postes...

Lui-même semblait douter de son jugement...

— Du calme, H'sishi ! lança Talon Karrde à la Togorienne. Toi aussi, Chal ! Ce champ d'astéroïdes est plus grand que la moyenne. Ce n'est pas une raison pour perdre les pédales ! Allez-y en douceur, bon sang ! Désintégrez les rochers qui sont une menace directe et laissez Dankin se faufiler entre les autres.

— [A vos ordres, Chef !] dit la Togorienne, les oreilles frémissantes.

— Compris, Chef ! ajouta le canonnier.

Mais l'admonestation ne fit pas une grande différence.

H'sishi continua à indiquer des cibles et Chal à tirer avec enthousiasme sans se demander si ça en valait la peine.

Les deux membres d'équipage n'étaient peut-être pas responsables. La nervosité de Talon Karrde devait être contagieuse...

Shada regarda le contrebandier. Il cachait bien son jeu, car seule la tension de ses mâchoires trahissait son inquiétude. L'entraînement des Mistryls lui ayant appris à interpréter le langage corporel, l'appréhension de Karrde, pour Shada, était aussi visible qu'une balise de navigation dans un espace désert.

Pembric II n'était que la première étape de leur voyage. Qu'en serait-il, se demanda Shada, quand ils atteindraient Exocron ?

Un éclair aveuglant signala la destruction d'un astéroïde de grosse taille.

— Mon Dieu ! gémit une voix métallique.

Shada tourna la tête vers C-3PO. Le droïd était sanglé sur le siège à la droite du sien. Il regardait par la baie vitrée et sursautait à chaque explosion.

— Un problème ? demanda la jeune femme.

— Désolé, Maîtresse Shada, dit C-3PO, qui essayait de paraître à la fois solennel et misérable. Je n'ai jamais apprécié les voyages spatiaux. Celui-ci me rappelle un moment particulièrement désagréable de ma vie...

— Ça devrait être bientôt fini... Essaye de te détendre.

Les Gardiennes de l'Ombre n'utilisaient pas de droïds. Mais quand elle était enfant, un oncle de Shada en possédait un.

Elle avait toujours conservé une certaine tendresse pour ces êtres artificiels...

Dans le cas de C-3PO, ce sentiment se muait en une profonde sympathie. Droïd traducteur personnel de Leia Organa Solo, le malheureux avait été abruptement « offert » à Karrde. Il n'y avait eu ni explication ni excuse. Sous bien des aspects, cela rappelait à Shada ses longues années de service chez les Gardiennes de l'Ombre.

Un service qui avait pris fin brusquement — et définitivement — un mois plus tôt, sur le toit battu par le vent du Centre de Loisirs Resinem, où Shada avait osé invoquer son honneur pour refuser les ordres du Conseil des Onze, les dirigeantes d'Emberlene, son monde natal.

Les Gardiennes de l'Ombre la poursuivraient-elles ? Sa vieille amie, Karoly D'ulin, estimait que c'était inévitable. Mais au moment où une multitude de conflits locaux poussait la Nouvelle République à l'autodestruction, les Mistryls devaient avoir des tâches plus urgentes que traquer une « traîtresse ».

Pourtant, si Karoly avait expliqué les raisons de l'insubordination de Shada aux Onze, elles risquaient de la juger digne d'une poursuite impitoyable. N'avait-elle pas claironné son mépris pour des chefs qui trahissaient à tout bout de champ les traditions des Mistryls ?

L'orgueil blessé était le moteur de bon nombre d'actes, Shada le savait depuis longtemps. Et il n'y avait rien de plus destructeur, pour la proie comme pour le chasseur...

Elle capta un mouvement sur sa gauche. Karrde venait de se tourner vers elle.

— Le voyage vous plaît ?

— C'est très distrayant, répondit Shada. J'adore me balader dans un champ d'astéroïdes avec un équipage aux nerfs d'acier...

La fourrure de la Togorienne se hérissa. Les yeux rivés sur son écran, elle s'abstint de tout commentaire.

— Les nouvelles expériences sont le sel de la vie ! répliqua Karrde.

— Dans mon boulot, elles sont surtout une source de problèmes... J'espère que vous ne rêviez pas d'une approche discrète. Avec le feu d'artifice que font vos gars, tous les habitants de Pembric II seront au courant de notre arrivée !

Comme pour souligner ses propos, plusieurs astéroïdes explosèrent.

— Selon Mara, dit Karrde, tous les vaisseaux doivent faire un peu de ménage pour traverser... (Shada remarqua qu'il pianotait sans cesse sur l'accoudoir de son fauteuil.) Même les pilotes locaux, qui connaissent les routes spatiales sur le bout des doigts...

— [Nous sortons du champ d'astéroïdes, Chef Karrde], miaula la Togorienne.

Shada sonda l'espace. A l'exception de quelques astéroïdes sans importance, le chemin était dégagé.

— [Les balises d'atterrissage de la planète sont en vue], continua H'sishi, en posant ses yeux jaunes sur Shada. [La bleusaille peut cesser de se ronger les ongles !]

Shada soutint un instant le regard de la Togorienne, puis elle détourna délibérément la tête. Depuis le départ de Coruscant, les membres d'équipage du *Wild Karrde* la bizutaient d'une manière ou d'une autre. Les hommes de Mazzic avaient réagi de la même manière lorsqu'elle s'était jointe au groupe de contrebandiers. Réflexe normal d'une petite équipe à l'arrivée d'un étranger...

Un technicien de Mazzic avait dépassé les bornes, joignant le geste à la parole. Cette indélicatesse lui avait valu un séjour d'un mois dans un centre de reconstruction neurologique.

Ici, aux confins de la civilisation, Shada espérait qu'aucun membre du *Wild Karrde* n'aurait besoin d'une leçon de ce genre.

— Que faisons-nous maintenant, Chef ? demanda le pilote.

— On entre en orbite, répondit Karrde. Sur cette planète, un vaisseau comme le nôtre ne peut se poser qu'au spatioport d'Erwithat. On devrait recevoir bientôt les instructions de la tour de contrôle.

A cet instant, une voix s'éleva du système de communication.

— *Bss'dum'shun ! Sg'hur hur Erwithat roz'bd bun's'unk. Rs'zud huc'dms'hus u burfu.*

— N'aviez-vous pas affirmé qu'on parlait basic dans le secteur ? s'étonna Shada.

— C'est le cas, confirma Karrde. Ils essayent de nous faire rebrousser chemin. (Il regarda le droïd protocolaire.) C-3PO, tu comprends quelque chose ?

— Bien sûr, Capitaine Karrde ! s'exclama le droïd avec un enthousiasme que Shada ne lui avait pas vu depuis leur départ. Je parle couramment plus de six millions de langages. Celui-là est le dialecte Jarellien dominant, un idiome dont la naissance remonte au...

— Que disait notre interlocuteur ? coupa Shada, charitable.

Les droïds protocolaires pouvaient pérorer pendant des heures quand ils étaient lancés. Talon Karrde ne semblait pas d'humeur à suivre un cours de linguistique.

C-3PO se tourna vers Shada.

— C'est le responsable du Contrôle d'Erwithat, Maîtresse Shada. Il demande qui nous sommes et en quoi consiste notre cargaison.

— Dis-lui que ce vaisseau est un transporteur. Le *Hab Camber*. Nous venons faire le plein et nous réapprovisionner.

C-3PO se tourna vers Karrde, troublé.

— Mais... ce navire se nomme le *Wild Karrde*, objecta-t-il. Le code transmis par son transpondeur...

— A été dûment modifié ! coupa le pilote. Allez ! Ils attendent...

— Un peu de patience, Dankin ! Nous ne sommes pas pressés, et je doute que le Contrôle d'Erwithat ait plus urgent à faire. Réponds ce que je t'ai dit, C-3PO... Une minute ! (Un petit sourire flotta sur les lèvres du contrebandier.) Selon toi, c'est le dialecte Jarellien *dominant*. Donc, il y en a d'autres...

— Une multitude, Monsieur. Hélas, je n'en pratique que trois.

— Ça suffira... Réponds avec un des deux autres. (Karrde se cala dans son fauteuil.) Voyons jusqu'où ils sont disposés à pousser le jeu.

Le droïd obéit. Un long silence suivit.

— Vaisseau non identifié, dit enfin la même voix en basic. Ici le Contrôle d'Erwithat. Quel est votre nom et que transportez-vous ?

— Apparemment, souffla Karrde, ce sont de petits joueurs ! Contrôle d'Erwithat, ici le transporteur *Hab Camber*. Pas de cargaison ! Nous voulons acheter quelques fournitures et faire le plein d'énergie.

— Vraiment ? Quel genre de fournitures ?

— Etes-vous aussi responsable du commerce planétaire ?

— Non, seulement du trafic spatial, répondit la voix, de plus en plus irritée. Combien proposez-vous pour les droits d'atterrissage ?

— Les droits d'atterrissage... murmura Shada, incrédule.

Le type du Contrôle devait avoir l'oreille fine.

— Ouais, les droits... Et le commentaire de cette idiote vous coûtera trois cents crédits de plus !

Shada en resta bouche bée. Idiote ? Quelle idiote ?

Elle prit une grande inspiration pour lancer une repartie cinglante.

— Nous proposons mille crédits, dit Karrde en foudroyant sa passagère du regard.

— Pour un transporteur de cette taille ? L'ami, vous êtes un plaisantin. Ou un crétin !

H'sishi marmonna quelque chose dans sa barbe.

— Ou simplement un pauvre marchand indépendant, insista Karrde. Que dites-vous de onze cents ?

— Et si on montait à quinze cents ?

— D'accord pour quinze cents...

— Aire d'atterrissage 28, dit le type du Contrôle, tout content.

Shada se demanda quel pourcentage de la taxe irait directement dans sa poche.

— Une balise vous guidera. On paye à l'arrivée !

— Merci de votre aide, dit Karrde. *Hab Camber*, terminé. (Il coupa la transmission.) Chin ?

— La balise est activée, Capitaine, répondit le vieil homme assis à la console des communications. Ils nous guident.

— Transmets le vecteur d'approche au pilote, ordonna Karrde. Dankin, à toi de jouer ! Selon Mara, ils envoient parfois une escorte aux vaisseaux inconnus...

— Je m'en occupe, répondit le pilote.

Karrde regarda Shada.

— Une fois sur la planète, une petite promenade vous tenterait ?

— La bleusaille est là pour obéir, ironisa la jeune femme. Où irons-nous ?

— Un établissement appelé la *Flamme du Propulseur*. Si ma carte est exacte, ce n'est pas très loin de notre zone d'atterrissage. L'homme que j'espère rencontrer doit traîner dans le coin.

— Je ne pensais pas que nous aurions si vite besoin de fournitures... dit Shada. Qui allons-nous voir et pourquoi ?

— Un seigneur du crime Corellien vicieux mais cultivé. Il s'appelle Crev Bombaasa et c'est le caïd des opérations illégales dans cette partie du secteur de Kathol.

— Nous avons besoin de son aide ?

— Non... Mais avoir sa permission de voyager dans la zone nous facilitera les choses.

— Vraiment...

Shada plissa le front. Cette prudence ne cadrait pas avec le Talon Karrde téméraire dont lui avaient parlé Mazzic et d'autres contrebandiers.

— Nous désirons que les choses soient faciles, maintenant, Capitaine ?

— Toujours ! répondit Karrde.

Son ton était léger, mais Shada trouva qu'il sonnait étrangement creux.

— Capitaine Karrde... intervint C-3PO, hésitant. Aurez-vous besoin de mes services pendant cette visite ?

— Non, mais merci de me les proposer... Comme je le disais, tout le monde parle le basic sur cette planète. Tu pourras rester dans le vaisseau.

Le droïd parut soulagé.

— Merci, Monsieur.

Karrde se tourna vers Shada.

— On ne se chargera pas... Un blaster sous l'aisselle et rien de plus.

— Compris. Mais je vous laisserai porter le blaster...

— Inquiète à l'idée que les choses puissent mal tourner ? demanda Dankin.

— Pas du tout, répondit Shada en se levant. Mais je préfère que mes adversaires ignorent d'où la violence risque de venir. Karrde, je vais dans ma cabine. Prévenez-moi quand vous serez prêt.

Ils se posèrent vingt minutes plus tard. Après avoir payé les taxes d'atterrissage et négocié le coût de leur « protection » avec trois hommes en uniforme blanc de la Légion de Pembric, Karrde et Shada s'aventurèrent dans les rues du spatioport d'Erwithat.

De l'avis de Karrde, l'endroit n'éveillait guère l'enthousiasme. Même à midi, un épais brouillard enveloppait la ville. Il filtrait la lumière du soleil et chargeait d'un peu d'humidité les rares souffles de vent qui agitaient l'air chaud sans pour autant le rafraîchir. Le sol était composé de sable humide moléculo-compressé sur ce qui tenait lieu de trottoirs. On était loin du permabéton des constructions modernes.

Les bâtiments de pierre blanche — la couleur se distinguait encore sous les souillures — était d'un anonymat déprimant. Quelques passants arpentaient les rues, l'air aussi miteux que le reste. Des landspeeders poussifs circulaient de-ci de-là...

Bref, avec un peu de crasse en plus, exactement ce que le rapport de Mara Jade décrivait sept ans plus tôt.

— Quel fichu endroit... dit Shada. J'ai peur d'être trop bien habillée pour cet environnement.

Karrde sourit. Dans sa robe moulante bleue, la jeune femme jurait avec le misérabilisme ambiant.

— Ne vous en faites pas pour ça... Comme je l'ai déjà dit, Bombaasa est un type cultivé. On n'est jamais trop bien vêtu pour lui... Cela dit, je préférais le costume rouge, noir et argent que vous portiez lors de notre rencontre, au *Tourbillon Sifflant*...

— Je m'en souviens très bien, dit Shada, la voix étrangement lointaine. C'est le premier que Mazzic m'a offert quand je suis devenue son garde du corps.

— Il a toujours eu bon goût, admit Karrde. Au fait, vous ne m'avez toujours pas expliqué pourquoi vous l'avez quitté du jour au lendemain.

— Et vous ne m'avez toujours rien dit au sujet de Jorj Car'das, le type que nous cherchons, contre-attaqua Shada.

— Ne parlez pas si fort ! fit Karrde. (Il semblait n'y avoir personne, mais les murs avaient parfois des oreilles.) Ce n'est pas un nom à beugler sur tous les toits, surtout dans les parages.

Shada le fixa intensément.

— Il vous effraye, n'est-ce pas ? dit-elle. Vous n'étiez pas inquiet quand Calrissian vous a demandé de prendre ce type en chasse. Mais à présent, vous avez peur.

— Vous comprendrez un jour, quand je vous raconterai toute l'histoire.

Shada haussa les épaules et frôla du même coup le bras du contrebandier.

— Faisons un compromis... Quand nous aurons quitté Pembric, vous me ferez part de la moitié de l'histoire.

— Une proposition intéressante... C'est d'accord, à condition que vous me disiez pourquoi vous avez quitté Mazzic.

— Eh bien... Marché conclu !

Ils passèrent un coin de rue. Karrde se raidit imperceptiblement. Au bout du bâtiment qu'ils longeaient, sur une place, on apercevait l'entrée de la *Flamme du Propulseur*. Une vingtaine de motospeeders sans carénage étaient garés devant l'établissement.

— Cela dit, ajouta Karrde, quitter Pembric sera peut-être plus difficile que prévu...

— On dirait qu'un gang de fans de motospeeders tient sa réunion annuelle dans le coin, souffla Shada. Il y a des sentinelles à gauche, sous la tonnelle.

— Je les ai vues, confirma Karrde.

Quatre costauds en blouson marron montaient la garde, perchés sur leurs motospeeders. Ils faisaient mine de discuter, mais déjà ils avaient remarqué les deux intrus.

— Il n'est pas trop tard pour laisser tomber, dit Shada. Retournons au vaisseau et fichons le camp, tant pis pour les bâtons que Bombaasa nous mettra dans les roues !

Karrde secoua la tête.

— Depuis notre atterrissage, tous les regards convergent vers nous. Si on essaye de filer, les gars de Bombaasa nous intercepteront.

— Dans ce cas, le mieux est d'avancer comme si la rue nous appartenait ! dit Shada. Gardez la main près de votre blaster, ça attirera leur attention sur vous. Mais pas trop près, quand même, pour qu'ils ne dégainent pas les premiers. Si ça tourne à la bagarre, laissez-moi faire. Si j'en prends plein la figure, filez dès qu'une ouverture se présentera à vous.

— Compris, fit Karrde, amusé malgré la précarité de leur situation.

Sur le vaisseau, Shada était restée à l'écart. Elle avait semblé peu disposée à lier connaissance avec les autres membres de l'équipage, comme si la camaraderie n'était pas sa tasse de thé.

Ici, elle redevenait un garde du corps, et elle se montrait prête à sacrifier sa vie pour Karrde.

Déformation professionnelle ? Sans doute... Mais la jeune femme paraissait tout à fait sincère.

Les sentinelles les laissèrent approcher des motospeeders avant de réagir.

— C'est fermé, dit un grand type.

— Aucun problème, répondit Karrde avec un regard dénué de curiosité à l'encontre de ses interlocuteurs. Nous n'avons pas soif.

Avant que Karrde et Shada aient fait deux pas de plus, les malabars démarrèrent et s'interposèrent entre les intrus et la rangée de motospeeders.

— J'ai dit que c'était fermé, répéta celui qui avait parlé le premier, le guidon recourbé de son engin éloquemment pointé sur la poitrine de Talon. Foutez le camp !

Karrde secoua la tête.

— Désolé... Nous devons parler à Crev Bombaasa et ça ne peut pas attendre.

— Ecoutez-moi ce clown ! ricana un autre costaud. Il croit que Bombaasa est à ses ordres ! Plutôt marrant, non, Langre ?

— A mourir de rire, admit Langre, sinistre. Dernier avertissement, crétin ! Tu peux te tirer d'ici entier ou en plusieurs morceaux. A toi de choisir.

— Le Seigneur Bombaasa sera très mécontent si vous ne nous laissez pas passer, dit Karrde.

— Vraiment ? cracha Langre. (Il fit avancer son motospeeder.) Mec, je suis mort de trouille.

— Et tu as bien raison, dit Karrde en faisant un pas en arrière pour éloigner le guidon de sa poitrine.

Du coin de l'œil, il nota que Shada n'avait pas reculé. Comme paralysée, elle regardait avec des yeux ronds l'engin qui avançait vers elle. Cette fille jouait la terreur à la perfection !

— Bombaasa n'aime pas qu'on le fasse attendre, dit Karrde.

— Dans ce cas, on se dépêchera de vous mettre dans une petite boîte pour vous conduire à lui, répliqua Langre.

Il avança d'un mètre et força Talon à reculer d'autant.

Le contrebandier ne fut pas assez rapide. Les pointes du guidon le heurtèrent avant qu'il ait pu prendre assez de champ.

Une des armoires à glace gloussa de satisfaction. Avec un sourire mauvais, Langre accéléra de nouveau. A l'évidence, il avait l'intention d'en finir avec Karrde.

Il arriva à la hauteur de Shada, qui choisit cet instant pour frapper.

Le pauvre Langre n'y vit que du feu. En un clin d'œil, la fragile femelle terrifiée se métamorphosa en tigresse. Pivotant sur sa jambe gauche, elle se tourna vers le motospeeder et propulsa son poing droit dans la figure de Langre.

Karrde crut entendre un « pop » familier au moment de l'impact, mais il n'aurait pu le jurer. Cela dit, à la façon dont Langre bascula de son engin pour s'écraser sur le sol, il ne faisait pas de doute qu'il était hors de combat.

Les trois autres types avaient d'excellents réflexes. Avant que Langre atterrisse sur le sable, ils se séparèrent pour que Shada ne réédite pas son exploit avec eux. Puis ils firent demi-tour et orientèrent leurs motospeeders vers la jeune femme.

— Dégagez ! cria Shada à Karrde.

Au centre de la place, elle se mit en position de combat et fixa ses adversaires, les yeux étincelants de défi.

Ils semblèrent l'ignorer.

Au moyen d'un langage gestuel que Talon ne connaissait pas, ils se concertaient sur la suite des événements.

Karrde recula jusqu'à l'entrée de la place.

Les costauds n'avaient pas encore sorti leurs armes, mais ça ne tarderait pas. Sans les quitter des yeux, Talon tendit la main vers son blaster.

— A ta place, je ne ferais pas ça, dit une voix dans son dos.

Karrde tourna la tête avec la prudence de rigueur quand le canon d'une arme vous caresse les omoplates.

Il découvrit trois hommes de la Légion de Sécurité. L'un s'occupait à refermer les portes camouflées qui venaient de s'ouvrir dans un bâtiment, derrière eux.

— Vous arrivez à temps, noble légionnaire, dit Talon au chef. (Ça ne servirait probablement à rien, mais il devait tenter le coup.) Mon amie est en danger...

— Sans blague ? grogna le type avant de subtiliser son blaster à Karrde. Moi, j'ai l'impression que c'est elle qui a commencé. De toute façon, tenter de forcer le passage pour voir Bombaasa est un délit !

— Même si Bombaasa serait ravi de recevoir notre visite ? demanda Karrde. Les gars, vous allez avoir de gros problèmes !

— Non, dit le légionnaire en glissant le blaster de Karrde dans sa ceinture. C'est pour ça que nous avons ce genre d'armes...

Il recula pour que la distance entre son prisonnier et lui soit de plus d'un mètre.

Karrde remarqua que l'homme ne brandissait pas un blaster mais un vieux pistolet-toile Merr-Sonn.

— Si Bombaasa décide de vous recevoir, nous vous laisserons passer. Sinon, vous aurez déjà un suaire pour votre enterrement. Pratique, hein ? A présent, la ferme ! Je veux voir la suite !

Fou de colère, Karrde se retourna vers la place. Même s'il parvenait à sortir son comlink, l'équipage du *Wild Karrde* n'arriverait pas à temps pour les tirer de là.

Restait à espérer que Shada était aussi bonne qu'elle le disait.

Leur conversation par gestes terminée, les trois types attaquèrent.

Ils ne chargèrent pas en même temps. Comme s'ils redoutaient que la jeune femme les pousse à se percuter, deux d'entre eux décrivirent un large cercle autour d'elle tandis que le troisième lui fonçait dessus.

Shada ne bougea pas d'un pouce. Au moment où le guidon allait lui percuter la poitrine, elle se laissa tomber sur le dos. Le pilote poussa un cri de triomphe quand son engin passa au-dessus de la jeune femme. Mais sa joie fut de courte durée. Jambes pliées sur la poitrine, Shada les détendit brusquement et percuta le motospeeder au niveau des tuyères. Sous l'impact, le malabar glissa de sa selle.

Il lui fallut moins d'une seconde pour récupérer son équilibre et reprendre le contrôle de son engin. Compte tenu de l'exiguïté de la place, c'était encore trop. Dans un fracas assourdissant, le motospeeder et son pilote s'écrasèrent contre un mur.

— Et deux en moins ! lança le légionnaire qui surveillait Karrde. Elle est rudement bonne !

Talon ne daigna pas répondre. Shada s'était relevée. Ses deux derniers adversaires tournaient toujours autour d'elle.

Le cercle s'était un peu agrandi, cependant, comme s'ils redoutaient de la laisser approcher...

S'ils décidaient qu'elle ne valait pas la peine de bousiller un autre motospeeder et sortaient leurs blasters...

Talon remarqua qu'un des costauds regardait les trois légionnaires. Aussitôt, il comprit que les blasters ne seraient pas de la partie. Devant tant de témoins, la fierté des deux types les obligeait à vaincre sans recourir à l'artillerie.

Les pilotes tournaient toujours en rond.

— Bouge-toi, Barksy ! cria le chef des légionnaires. Ne me dis pas que tu as la trouille !

— Ta gueule, connard ! lui répondit un des deux voyous.

— *Lieutenant* Connard, pour toi, pourriture... marmonna l'officier.

Barksy vira brusquement et fonça sur Shada, usant de la même technique rudimentaire que son copain. Quand la jeune femme se jeta au sol, Karrde retint son souffle. Le type ne serait pas assez idiot pour se laisser avoir par une astuce similaire...

De fait, il ne l'était pas. Au moment où Shada touchait le sable, il passa largement au-dessus d'elle. Après un arrêt sur les chapeaux de roue, il fit demi-tour et piqua vers l'endroit où Shada était tombée.

Il va l'écraser, pensa Karrde.

Mais Shada n'était déjà plus là. Au lieu de rester sur place, comme la première fois, elle avait imprimé à son corps une étrange ondulation, ses bras et ses jambes, retournés au maximum et tendus comme des ressorts, servant à la propulser dans les airs. Aussi incroyable que ça puisse paraître, elle réussit, au terme de cette figure acrobatique, à s'agripper des pieds et des mains au flanc du motospeeder et à ne pas lâcher prise.

Tandis que le pilote, bouche bée, se penchait pour mieux observer la zone où aurait dû se trouver sa proie, celle-ci lui décocha un formidable coup de pied en pleine tête.

— Je n'arrive pas à y croire, marmonna le lieutenant, près de Karrde. (Il semblait aussi assommé que le pauvre Barksy.) Qui est cette tigresse, bon sang ?

— Une championne dans son domaine, répondit Talon sur le ton de la confidence, ce qui lui permit de se rapprocher tout naturellement de son interlocuteur. (Encore une astuce de ce genre, et il serait à la bonne distance...) A vrai dire, vous n'avez encore rien vu, ajouta-t-il plus bas encore, un excellent prétexte pour faire le pas dont il avait besoin. Attendez de savoir ce qu'elle réserve à ce gars-là...

Karrde jeta un coup d'œil au lieutenant, qui avait mordu à l'hameçon. Fasciné, le légionnaire observait le spectacle, anxieux de voir ce que la mystérieuse combattante trouverait pour ridiculiser son dernier adversaire.

Celui-ci se décida à agir.

Il cessa de tourner en rond, se pencha au maximum sur son guidon et fonça vers Shada, qui feinta une esquive à gauche, puis se jeta sur la droite et manqua être percutée par la partie saillante des propulseurs.

Le pilote vira à quatre-vingt-dix degrés avec l'intention évidente d'éperonner sa proie. Mais il avait mal calculé sa vitesse et rata largement sa cible. Le temps de ralentir et de redresser son engin, il s'immobilisa à moins de trois mètres de Karrde et des légionnaires.

Il faisait demi-tour pour repartir à l'assaut...

... quand Talon Karrde, avec une nonchalance feinte, arracha son arme au lieutenant et fit feu.

Le malabar lâcha un cri de fureur lorsque le filet en semi-plastique s'écrasa dans son dos puis s'enroula autour de son torse et lui plaqua les bras contre la poitrine.

— Pas un geste, messieurs, dit Talon.

Il s'écarta des trois légionnaires qu'il tenait désormais en joue.

— Bravo... souffla le lieutenant, qui, aussi étrange que cela paraisse, ne semblait pas particulièrement ennuyé. Un bon truc !

— J'étais sûr que vous apprécieriez, dit Karrde. (Il regarda les deux autres soldats.) Si vous voulez bien lâcher vos armes...

— Ce ne sera pas nécessaire, fit une voix suave, quelque part au-dessus de Karrde.

Celui-ci leva les yeux, mais il ne vit rien.

— Non, je ne suis pas dans le ciel, continua la voix, plutôt amusée. J'ai regardé votre prestation derrière une fenêtre de mon casino et je suis très impressionné. Que voulez-vous donc, cher ami ?

— Vous voir, Seigneur Bombaasa, répondit Karrde. Je suis venu réclamer le paiement d'une vieille dette.

Le lieutenant grogna d'embarras.

Bombaasa éclata de rire.

— J'ai peur de ne rien vous devoir, cher ami. Mais nous pouvons toujours en discuter... Lieutenant Maxiti ?

— Monsieur ? répondit l'officier, au garde-à-vous.

— Rendez son blaster à ce gentilhomme et escortez-le jusqu'au casino en compagnie de la gente dame. Avant, dites à vos hommes d'enlever les ordures qui souillent ma jolie place.

L'intérieur de la *Flamme du Propulseur* contrastait avec l'apparence minable de la planète. Pour tout dire, l'endroit n'avait rien de commun avec les cantines et les bars miteux que Shada avait fréquentés dans sa vie. L'air était frais et sain. Si une pénombre appropriée régnait dans les box privés, le reste de l'établissement était brillamment éclairé et presque... chaleureux.

Les clients ne semblaient pourtant pas du genre à apprécier ce style de confort. Copies conformes des agresseurs de Shada et Karrde, une vingtaine de costauds à l'air abruti étaient attablés non loin du comptoir, leurs regards peu amènes rivés sur les nouveaux venus.

Shada se demanda si Bombaasa les avait informés des malheurs de leurs camarades. Elle décida que non. Le propriétaire d'un établissement aussi luxueux n'avait aucun intérêt à ce qu'une bagarre s'y déroule.

Prudente, la jeune femme garda néanmoins un œil sur les consommateurs pendant que le lieutenant Maxiti les conduisait, Talon et elle, jusqu'à une porte nichée derrière la piste de danse.

Quand le battant s'ouvrit, Shada aperçut une petite arrière-salle.

Un homme aux yeux noirs en sortit. Il toisa Karrde, détailla Shada, puis congédia les légionnaires d'un mouvement de tête.

— Entrez donc, dit-il aux deux visiteurs, en s'écartant pour les laisser passer.

L'arrière-salle était un casino. Aux quatre tables, des créatures de toutes les espèces et de tous les sexes jouaient aux cartes ou aux dés. Concentrés sur l'espoir de se remplir les poches, ces flambeurs ne s'aperçurent pas que quelqu'un venait d'entrer.

A une exception près : un humain grassouillet aux bras pourtant squelettiques, dont les yeux légèrement globuleux se posèrent sur Karrde et sur Shada.

Deux colosses qui ressemblaient à s'y méprendre à des gardes du corps — les clones du type qui les avait accueillis — flanquaient leur patron, assis à la plus grande table. Eux aussi ne lâchaient pas des yeux les deux visiteurs.

Shada grimaça. Elle n'aimait pas ce genre de situation.

Karrde, qui semblait plus à l'aise, s'approcha de la table.

— Bien le bonjour, Seigneur Bombaasa. Merci de nous recevoir si vite...

Les deux gorilles bombèrent le torse. Bombaasa s'autorisa un vague sourire.

— Comme le légendaire Rastus Khal, je suis toujours disponible pour les personnes qui m'intriguent. Et pour m'intriguer, on peut dire que vous m'intriguez ! (Ses yeux d'insecte se posèrent sur Shada.) Un moment, j'ai cru que vous étiez à court de ripostes, gente dame. Si votre compagnon n'avait pas subtilisé l'arme du lieutenant, votre situation aurait été délicate...

— Pas le moins du monde, répliqua Shada. Du coin de l'œil, je l'ai vu s'approcher du légionnaire. J'étais certaine qu'il essayerait quelque chose. Si ça n'avait pas marché, il aurait eu besoin de mon aide. Dans ce cas, le dernier pilote ne m'aurait pas retenue longtemps...

Bombaasa secoua la tête, admiratif.

— Un spectacle vraiment étonnant, très chère. Mais dans l'aventure vous avez sali votre robe. Voulez-vous que je m'occupe de la faire nettoyer ?

— C'est très gentil à vous, Seigneur, dit Karrde avant que Shada puisse répondre. Mais je crains que nous ne restions pas assez longtemps sur Pembric pour ça...

Bombaasa sourit de nouveau. Cette fois, son expression tenait du rictus...

68

— Ça reste à voir, cher ami... Si vous êtes un émissaire de la Nouvelle République ou du secteur de Kathol, votre départ risque d'être considérablement différé. Surtout si vous avez en tête de me voler mon territoire...

— Je ne suis lié à aucun gouvernement, assura Karrde. Voyez en moi un simple citoyen venu demander une faveur.

— Vraiment... souffla Bombaasa, en tripotant le pendentif brillant qu'il portait au cou. J'ai le sentiment que vous ignorez à quel prix se négocient mes faveurs.

— Vous découvrirez bientôt que celle-ci a déjà été payée, riposta Karrde. Et il s'agit d'une *minuscule* faveur... Nous avons des recherches à faire sur votre territoire, et nous aimerions que vos gangs de pirates et de ravisseurs ne nous cherchent pas des noises.

Bombaasa écarquilla les yeux.

— Avez-vous fini ? demanda-t-il. Allons, allons, cher ami ! Votre vaisseau est une proie des plus tentantes, et vous demandez un droit de libre passage ? (Il secoua tristement la tête.) Je crois que vous ne comprenez rien à mon... hum... échelle de prix...

Shada, dont les muscles s'étaient tendus, fit un effort pour se relaxer. Les trois gorilles étaient armés et ils semblaient très capables. Et cependant, si ça tournait mal, elle doutait qu'ils aient jamais affronté une Mistryl.

Contrairement aux quatre ahuris de la place, elle ne pourrait pas s'offrir le luxe de les laisser en mauvais état mais vivants. Elle devrait s'occuper d'abord de celui qui...

— J'ai commis une erreur impardonnable, dit Karrde. Croire que vous manifesteriez de la gratitude à quelqu'un qui vous a sauvé la vie...

Bombaasa avait levé un index à l'intention de ses gardes du corps. A ces mots, il se figea, le doigt bêtement en l'air.

— De quoi parlez-vous ?

— D'une situation qui s'est produite ici il y a un peu plus de six ans... Souvenez-vous : un gentilhomme plutôt fringant et une jeune dame aux cheveux roux et or ont déjoué un complot qui visait à vous assassiner...

Bombaasa continuait à regarder Karrde, l'air menaçant. Prête à passer à l'action, Shada jeta un coup d'œil aux deux gorilles...

Puis le seigneur du crime, sans crier gare, éclata de rire.

Les joueurs levèrent la tête de leurs tables pour voir ce qui se passait. A l'évidence, dans leur monde clos et désespéré, on ne rigolait pas souvent.

Toujours hilare, Bombaasa fit signe aux armoires à glace de se détendre.

— Très cher ami ! gloussa le seigneur du crime. *Ami* est bien le mot ! Ainsi c'était vous, le mystérieux chef dont parlait la jeune dame quand elle refusa d'accepter un paiement...

— C'était moi, oui. Elle a sans doute ajouté qu'un homme ayant votre noblesse accepterait de laisser la dette en suspens jusqu'à ce qu'elle puisse être payée.

— Elle n'y a pas manqué, bien sûr. (Bombaasa désigna Shada.) Et maintenant, vous avez cette splendide compagne... Je n'aurais jamais cru qu'il existe deux femmes aussi belles et... aussi dangereuses. Pourquoi faut-il qu'elles soient fidèles au même employeur ? (Il coula un regard à Shada.) Etes-vous liée à cet homme, très chère ? Si un changement de carrière vous intéresse, je suis prêt à en discuter...

— Je ne suis liée à personne, dit Shada. (Ces mots lui arrachèrent la gorge.) Mais pour le moment, je voyage avec lui.

Bombaasa la dévisagea pour jauger sa sincérité.

— Tant pis... Si vous changez d'idée, venez me voir. Ma porte vous sera toujours ouverte. (Il se tourna vers Karrde.) Vous avez raison : je vous dois une fière chandelle. Avant votre départ, je vous remettrai une ID qui placera votre vaisseau sous ma protection. (Il pinça les lèvres.) Cela vous évitera tout problème avec les membres de mon cartel, mais ça risque de vous en attirer d'autres. Depuis un an, des pirates particulièrement vicieux ont élu domicile dans le secteur. A notre grande honte, nous avons été incapables de les éliminer ou de les contrôler. Pour eux, un vaisseau sous ma protection sera une proie tentante.

Karrde haussa les épaules.

— Comme vous l'avez si bien dit, mon navire est de toute façon un objet de convoitise. Par bonheur, il est moins vulnérable qu'il n'y paraît...

— Je n'en doutais pas... Mais l'ennemi sera très bien équipé. Ces gens ont une flotte de chasseurs Corsaires Soro-Suub très efficace et pas mal de gros vaisseaux. Si vous avez un peu de temps, mes techniciens pourraient améliorer votre armement et vos boucliers...

— J'apprécie votre offre. En d'autres circonstances, j'aurais été heureux de l'accepter. Mais notre mission est urgente et nous ne pouvons pas traîner...

— Eh bien... dans ce cas, tant pis ! Partez quand vous voudrez, l'ID est à votre disposition. (Il sourit.) Bien sûr, personne ne vous demandera de visa de sortie.

— Vous êtes très généreux, Seigneur, remercia Karrde en esquissant une révérence. Merci. La dette est remboursée.

Il prit le bras de Shada et se tourna pour partir.

— Une dernière chose, mon ami ! lança Bombaasa. Vos associés ne m'ont donné ni leurs noms ni le vôtre. Si vous pouviez satisfaire ma curiosité...

— Bien entendu, Seigneur. Je me nomme Talon Karrde...

— Talon Karrde, répéta Bombaasa. Certaines de mes... relations d'affaires... m'ont parlé de vous. Souvent longuement, d'ailleurs.

— Je n'en doute pas... En particulier les... officines... Hutts avec lesquelles votre cartel entretient des liens particulièrement étroits.

Bombaasa plissa les yeux. Puis il sourit de nouveau.

— Les Hutts ont raison : vous en savez trop long pour mourir dans un lit... Mais tant que votre organisation ne piétine pas mes plates-bandes, qu'ai-je à redouter ?

— Rien, Seigneur, confirma Karrde. Merci de votre hospitalité. Peut-être nous reverrons-nous un jour.

— Oui, souffla Bombaasa. Il reste toujours cette possibilité...

Le lieutenant Maxiti proposa de raccompagner Talon et Shada dans son speeder, mais le contrebandier déclina son offre. Le chemin n'était pas très long. Comparées à une « promenade » sur Pembric, les conditions de vie du *Wild Karrde*, pourtant rigoureuses, avaient tout du paradis.

Qui plus est, après les dernières phrases échangées avec Bombaasa, mieux valait ne pas donner l'impression d'avoir hâte de s'éloigner de lui.

— Qui est Rastus Khal ? demanda abruptement Shada.

Non sans efforts, Karrde détacha son esprit du seigneur du crime et de ses éventuels revirements d'opinion.

— Qui ?

— Rastus Khal, répéta Shada. Bombaasa l'a mentionné...

— C'est un personnage de fiction. J'ai oublié dans quel chef-d'œuvre de la littérature Corellienne on le trouve. Bombaasa est un fin lettré, à ce qu'il paraît. Apparemment, il se tient pour un voleur et un assassin cultivé.

— Cultivé ? ricana Shada. Un type qui traite avec les Hutts ?

— Bien vu ! C'est en partie pour ça que je ne m'entends pas avec ces grosses limaces.

Ils marchèrent en silence quelques minutes.

— Vous savez pertinemment qu'il est en rapport avec les syndicats du crime Hutts, et pourtant vous lui avez dit votre nom...

— Bombaasa ne reviendra pas sur sa parole, si c'est ce qui vous inquiète. Les types cultivés payent toujours leurs dettes. Mara et Lando lui ont bel et bien sauvé la vie.

— Ma question concernait moins Bombaasa que vous, dit Shada. Lui révéler votre identité n'était pas indispensable. Karrde, je sais que vous êtes un champion quand il s'agit d'éluder les questions. Alors, pourquoi avoir dit votre nom ?

— Parce que je crois que Jorj Car'das entendra parler de cette entrevue. Ainsi, il saura que c'est moi qui cherche à le voir.

Shada fronça les sourcils.

— Je croyais que nous voulions lui tomber dessus par surprise...

— Tout ce que nous voulons, c'est savoir s'il a une copie du Document de Caamas, corrigea Karrde. Si nous lui tombons dessus, comme vous dites, il est capable de nous tuer avant qu'on ait pu lui poser la question.

— S'il sait que nous venons, ça lui laisse plus de temps pour fourbir ses armes...

— Exact... Mais s'il se sent prêt, il écoutera peut-être ce que nous avons à lui dire avant de tirer.

— Vous semblez croire qu'il tirera dans tous les cas.

Karrde hésita. Devait-il dire à la jeune femme pourquoi il l'avait autorisée à participer à ce voyage ?

Non, décida-t-il. Pas encore. Elle se sentirait insultée. Et peut-être refuserait-elle de continuer...

— Il y a une bonne chance qu'il tire, oui...

— Parce que c'est vous ?

— Affirmatif !

— Qu'avez-vous fait à ce type ?

72

Karrde sentit un muscle se contracter dans sa mâchoire.

— Je lui ai volé un bien qui avait plus de valeur à ses yeux que n'importe quoi dans l'univers. Y compris sa propre vie...

— Quoi ? demanda Shada.

Karrde réussit à sourire.

— Pour aujourd'hui, je vous avais promis la moitié de l'histoire, rappela-t-il avec toute la légèreté dont il était capable. C'est fait... A votre tour, maintenant !

— Pourquoi j'ai quitté Mazzic ? Il n'y a pas grand-chose à dire. Je suis partie parce qu'un garde du corps qui devient une cible n'est plus très utile à celui qu'il protège.

Ainsi, Shada était une cible. Intéressant...

— Puis-je demander qui est assez suicidaire pour vouloir vous canarder ?

— Faites donc ! Mais ne comptez pas sur une réponse avant que je connaisse la fin de l'histoire de Car'das.

— Je m'attendais à ce chantage...

— Alors, quand aurai-je satisfaction ?

Karrde leva les yeux. A travers le brouillard, il aperçut le soleil de Pembric.

— Bientôt. Très bientôt...

5

— La sixième et somptueuse heure du quinzième et glorieux jour de la conférence annuelle du Secteur de Kanchen vient de commencer, déclara le héraut.

Sa voix profonde résonna dans le champ circulaire où les différents délégués étaient assis, accroupis ou couchés selon les caractéristiques de leur race.

— Appelons et honorons le Grandiose Electeur de Pakrik Majeure, et prions-le de gratifier cette assemblée de sa sublime et omniprésente sagesse ! poursuivit-il d'un ton allègre.

Les délégués crièrent ou grognèrent leur assentiment. Tous adhéraient à l'enthousiasme du héraut.

Tous... Pas vraiment ! Fidèle à sa légende, Yan Solo restait sur son quant-à-soi. Allongée à son côté sur l'herbe duveteuse, Leia ne put s'empêcher de sourire. Après tout, venir ici était l'idée de son mari : cela les changerait des dissensions et des soupçons qui fleurissaient au sein du gouvernement de la Nouvelle République depuis qu'un exemplaire partiellement détruit du Document de Caamas avait été rendu public.

A dire vrai, c'était une bonne idée. Depuis leur arrivée, une douzaine d'heures plus tôt, Leia se sentait plus légère, détendue. S'éloigner de Coruscant était exactement ce qu'il lui fallait. Elle n'avait pas manqué de le répéter encore et encore à son mari, afin de le remercier de se soucier autant d'elle.

Hélas, ses paroles tombaient dans l'oreille d'un sourd. Comme d'habitude, Yan avait oublié un détail : le phénomène que Leia nommait *in petto* le « Facteur d'Enquiquinement Solo ».

— Et n'oublions pas, continua le héraut en désignant Leia et Yan, de louer nos glorieux visiteurs de la Nouvelle République. Que leur sublime sagesse, leur courage inouï et leur

74

merveilleux sens de l'honneur illuminent le ciel au-dessus de nos têtes.

— Tu as oublié nos sourcils subliment levés, grogna Yan tandis que l'assemblée hurlait son contentement.

— On est toujours mieux qu'à Coruscant, dit Leia. (Elle se leva sur un coude pour saluer la foule.) Allez, Yan, ne fais pas ta mauvaise tête !

— Je salue, je salue... marmonna Solo en agitant mollement la main. Bon sang, pourquoi font-ils ce cirque toutes les soixante minutes ?

— Tu préfères entendre des gens nous accuser d'avoir aidé à camoufler un génocide ?

— Je préférerais foutre le camp, lâcha Yan.

Leia cessa de saluer et les cris de joie moururent.

— Un peu de patience, mon chéri... dit-elle tandis que le héraut, après une révérence, quittait le podium pour céder la place au Grandiose Electeur. Ça ne dure que jusqu'à ce soir. Demain, nous partirons pour Pakrik Mineure et nous savourerons la paix et la quiétude que tu m'as promises.

— Ça a intérêt à être tranquille, fit Yan en regardant d'un air morose les délégués.

— Ça le sera, assura Leia. (Elle lui prit la main.) Pakrik Majeure est le royaume de la pompe et du protocole. Mais dans les fermes de blé haut, personne ne nous reconnaîtra.

Yan grogna. Leia sentit néanmoins que son humeur s'améliorait.

— Ouais... marmotta-t-il. On verra bien...

— Carib ?

Ses genoux fatigués émettant un craquement sinistre, Carib Devist se releva et prit soin de ne pas percuter les deux rangées de blé haut entre lesquelles il était accroupi.

— Je suis par là, Sabmin ! fit-il en agitant son évideur aussi haut que possible.

— Je t'ai repéré ! répondit Sabmin.

Il y eut un bruit de feuilles sèches piétinées. Puis Sabmin se faufila à travers une brèche de la rangée de blé haut.

— Je viens pour...

Il se tut et plissa le front quand il vit l'évideur dans les mains de Carib.

— Eh bien...

75

— Réserve tes « eh bien » pour les gens raffinés, grogna Carib. Contente-toi de : « Et merde ! »...

Sabmin siffla doucement entre ses dents.

— Combien de colonies d'insectes ?

— Jusqu'à présent, une seule, répondit Carib, son outil pointé sur le plant qu'il était en train d'évider. Et j'ai trouvé le nid de la reine. Donc, l'invasion est peut-être enrayée. Mais je ne parierais pas ma chemise là-dessus !

— Je vais prévenir les autres, dit Sabmin. Et j'en parlerai aussi au coordinateur des trois vallées, au cas où la nôtre ne serait pas la seule cible des insectes.

— Ouais... grogna Carib. Quelles merveilleuses nouvelles m'apportes-tu, frangin ?

Sabmin pinça les lèvres.

— Nous venons de recevoir la confirmation de Bastion. Leia Organa Solo, Haute Conseillère de la Nouvelle République, est bien sur Pakrik Majeure. Et elle sera attaquée !

Instinctivement, Carib leva les yeux sur la planète qui brillait dans le ciel.

— Ils sont cinglés, marmonna-t-il. Attaquer un Conseiller de la Nouvelle République comme ça...

— Ils se fichent de qui ils frappent, pourvu que ce soit un officiel de la Nouvelle République... Si j'ai bien compris, le Grandiose Electeur a envoyé un message à Coruscant pour demander la présence de délégués de la République. A mon avis, le coup vient d'une organisation Impériale. Que nous soyons déjà sur place pour servir de force de secours a dû jouer un rôle. Le coup de chance, c'est que Gavrisom ait choisi Leia Organa Solo.

— Tu parles d'un coup de chance ! marmonna Carib. Ce plan a-t-il l'aval du Grand Amiral Thrawn ?

— Je n'en sais rien, avoua Sabmin. Le message n'en parlait pas. Mais ça ne peut venir que de lui, non ? Je veux dire... C'est le chef, donc il commande !

— Je suppose... concéda Carib à contrecœur.

Ainsi, on y était. La guerre embraserait le système de Pakrik. Sur le pas de leur porte...

La longue attente était terminée. La vie paisible du Groupe de Taupes Impériales Jenth-44 touchait à sa fin.

— Tu dis que nous sommes la force de secours. Qui ira au charbon ?

— Je n'en sais rien... Une équipe venue spécialement de Bastion, sans doute.

— Les choses sont censées se passer quand ?

— Demain. Organa Solo et son mari viendront sur Mineure une fois la conférence terminée.

— On sait si l'attaque sera réelle ou si elle doit seulement paraître réelle ?

Sabmin regarda son frère d'un air surpris. Puis il comprit et son expression se fit pensive.

— Une question intéressante, dit-il. Avec Thrawn dans le coup, on peut s'attendre à tout... Mais je ne connais pas la réponse. Tout ce que je sais, c'est qu'une attaque aura lieu et qu'on doit se tenir prêts au cas où Solo se révélerait meilleur ou plus veinard que prévu.

Carib eut un rictus.

— Même la chance de Solo finira par tourner...

— Pour sûr... approuva Sabmin, avant d'ajouter, soudain soupçonneux : Quelle idée as-tu en tête ?

Carib leva de nouveau les yeux sur la planète.

— Je crois qu'on va devoir être vigilants... Une chose est sûre : si la bataille se déroule trop près de notre vallée, pas question de jouer les spectateurs, quel que soit le vainqueur. Nous avons trop investi ici pour tout perdre sans se battre...

Sabmin acquiesça.

— Compris ! Je transmettrai aux autres... Quoi qu'il arrive demain, nous serons prêts.

Au milieu d'une étendue de verdure très exotique, un bosquet d'arbres apparut sur l'écran, à gauche de Pellaeon. En réponse, le simulateur d'AT-AT s'écarta sur la droite.

— Attention à ces arbres, Amiral ! dit la voix du Major Raines dans le casque de Pellaeon. Vous ne feriez sans doute pas une erreur pareille, mais j'ai déjà vu des quadripodes tellement coincés qu'il a fallu envoyer deux Soldats de Choc couper les arbres au ras des racines pour les libérer. Ça prend du temps, et on se sent plutôt idiot jusqu'à ce qu'on soit dégagé...

— Compris, dit Pellaeon en s'éloignant des arbres.

Les simulations de combat de quadripodes, aussi frustrantes soient-elles, le changeaient suffisamment de ses devoirs habituels pour qu'il les trouve relaxantes.

Bien entendu, rien de ce qui concernait les batailles ne dépassait les compétences d'un Suprême Commandeur. Plus il connaissait les réactions des équipements dans des conditions difficiles, mieux il saurait les utiliser lors des opérations futures.

En supposant que l'Empire ait de nouveau l'occasion de lancer des assauts terrestres...

L'Amiral chassa cette idée. Il était venu ici pour oublier que la Nouvelle République dédaignait toujours de répondre à son offre de paix.

Le bosquet passé, il ralentit et régla l'écran pour obtenir une image latérale, afin de voir comment Raines se débrouillait dans la jungle.

Très habilement, en vérité ! Le Major regardait beaucoup plus loin devant lui que l'Amiral, et il se servait de ses canons laser pour éliminer les obstacles longtemps avant qu'ils posent problème.

Une méthode bruyante qui alertait l'ennemi... Cela précisé, quand le discrétion s'imposait, on choisissait rarement les quadripodes. Indiscutablement, la tactique de Raines lui permettait d'avancer plus vite.

L'Amiral résista à la tentation de regarder sans cesse où son quadripode mettait les pieds. Puis il tira quelques rafales sur des obstacles potentiels.

— Bravo, Amiral ! approuva le Major. Mais essayez de réagir avant d'être trop près des arbres. Sinon, vous n'aurez pas le temps d'orienter vos canons assez tôt.

— Le mieux, grogna Pellaeon, serait d'éviter d'utiliser les AT-AT dans ce type de situation.

— On le fait chaque fois que c'est possible. Hélas, pas mal de trublions aiment se cacher sur ce genre de terrain, et ils se protègent avec des boucliers d'énergie... De plus, pour faire perdre sa superbe à un adversaire, il n'y a rien de mieux qu'un quadripode qui se fraye un chemin au milieu des arbres.

Un bip retentit dans le casque de Pellaeon.

— Amiral, ici Ardiff, annonça le Capitaine du *Chimaera*. Le Lieutenant Mavron est de retour. Il a obtenu un vecteur !

L'Amiral plissa le front. Mavron avait pour mission de repérer la flotte qui les avait attaqués six jours plus tôt. S'il avait échoué, l'Amiral aurait abandonné la traque. Mais il ne revenait pas bredouille.

— Dès qu'il aura accosté, qu'il se rende en salle de réunion 14, ordonna Pellaeon. (Il désactiva le simulateur.) Venez aussi. Je vous y rejoindrai...

Quand l'Amiral fit son entrée dans la salle de réunion, Ardiff y était seul.

— Puisqu'il s'agit d'une conversation secrète, expliqua-t-il, j'ai demandé aux autres pilotes de sortir. Est-ce au sujet de la recherche sur l'HoloNet ?

— J'espère que oui...

L'Amiral désigna une chaise à son subordonné avant de s'installer.

La porte s'ouvrit pour laisser passer Mavron.

— Bienvenue à la maison, Lieutenant, dit Pellaeon. Un vecteur, dites-vous ?

— Oui, Monsieur.

Mavron s'assit avec la raideur caractéristique d'un homme qui a séjourné trop longtemps dans le cockpit d'un chasseur stellaire et posa un databloc sur la table.

— Le relais de l'HoloNet d'Horska avait encore en mémoire les enregistrements des transmissions effectuées par l'ennemi juste après l'attaque.

— Vous les avez récupérés, je suppose ? s'enquit l'Amiral en s'emparant du databloc.

— Oui, Monsieur. Hélas, je n'ai pas obtenu de noms. Mais j'ai les destinations finales de ces transmissions. J'ai pris la liberté de les étudier. Celle que j'ai indexée me paraît la plus intéressante.

Les mâchoires de Pellaeon se contractèrent lorsqu'il lut le nom signalé par Mavron sur son écran.

— Bastion...

— Ainsi, grommela Ardiff, il y avait bien un Impérial derrière cette attaque...

— Il y a plus, ajouta Mavron. La destination finale d'origine était Bastion. Mais il y a eu d'autres relais, et le message est arrivé quelque part dans le secteur de Kroctar.

— Kroctar ? répéta Ardiff, sourcils froncés. C'est au cœur du territoire de la Nouvelle République. Que ferait un agent de Bastion dans ce secteur ?

— Je me suis posé la même question, avoua Mavron. Pour y répondre, j'ai fait étape à Caursito sur le chemin du retour, et j'ai téléchargé l'exemplaire du jour du TriNebulon. Si le minutage est exact, quelques heures après la transmission, les Factions Unifiées de Kroctar ont annoncé la signature d'un traité avec l'Empire. Quant au médiateur de cette négociation... Hum... A en croire le Seigneur Supérieur Bosmihi, il s'agissait du Grand Amiral Thrawn.

Un frisson glacé courut le long de l'échine de l'Amiral.

— C'est impossible, dit-il. Thrawn est mort devant mes yeux !

— C'est exact, Monsieur, répondit Mavron. Mais si on en croit le rapport...

— Je l'ai vu mourir ! explosa Pellaeon.

Si cet éclat le surprit lui-même, il désorienta Ardiff et Mavron.

— Oui, Monsieur, nous le savons... dit le Capitaine. A l'évidence, c'est une mascarade... Lieutenant, la suite peut attendre que vous ayez rédigé votre rapport. Si vous alliez vous rafraîchir avant de commencer ?

— Merci, Monsieur, répondit l'officier, ravi de cette occasion de s'éclipser. J'aurai terminé dans une heure.

— Très bien, approuva Ardiff. Permission de vous retirer !

Il attendit que la porte se soit refermée sur le Lieutenant avant de poursuivre :

— C'est un leurre, Amiral. Ça ne peut pas être autre chose.

Péniblement, Pellaeon s'arracha au souvenir de cette atroce journée, à Bilbringi. Le moment où l'Empire était irrévocablement mort...

— Sans doute... souffla-t-il. Mais si c'était vrai ? Si Thrawn était toujours vivant ?

— Eh bien, dans ce cas... commença Ardiff, incertain.

— Je vois ce que vous voulez dire, Capitaine. Le génie stratégique de Thrawn aurait pu nous servir il y a cinq ans. Ou peut-être sept. Voire dix. Aujourd'hui, que ferait-il, sinon contraindre la Nouvelle République à nous écraser ?

— Je ne sais pas, Monsieur. Mais ça n'est pas vraiment ce point qui vous inquiète...

L'Amiral baissa les yeux sur ses mains ridées par l'âge et tannées par les soleils de milliers de mondes.

— J'ai servi sous les ordres de Thrawn pendant environ un an, dit-il. J'étais son second et son disciple... peut-être son confident. Mais je n'en suis pas sûr. Quoi qu'il en soit, il a choisi le *Chimaera* quand il est revenu des Régions Inconnues. Ce n'était pas un hasard : il nous a *choisis* !

— Le Grand Amiral ne faisait rien au hasard, renchérit Ardiff. S'il est toujours vivant, ça signifie...

— ... qu'il a préféré quelqu'un d'autre, acheva l'Amiral. Et je vois peu de raisons qui ont pu le pousser à ça.

— Ce n'est pas une question de grade, en tout cas. Vous êtes le Suprême Commandeur ! La question de la compétence est aussi à exclure. Que reste-t-il ?

— Les convictions, peut-être... Cette offre de paix était mon idée. Je l'ai mise en forme, je l'ai défendue et je l'ai enfoncée de force dans les crânes des Moffs. Disra fut un de mes plus féroces adversaires. Le Moff Disra, de Bastion... Une coïncidence ?

Ardiff ne répondit pas tout de suite.

— Très bien, dit-il enfin. Même si cette histoire est vraie — ce dont je doute —, pourquoi envoyer des pirates ou des mercenaires nous attaquer ? Thrawn aurait pu venir ici et vous dire simplement que la paix n'était plus à l'ordre du jour.

— Je ne sais pas... Peut-être la paix est-elle toujours d'actualité. Thrawn est susceptible d'estimer que je suis exactement là où je dois être. Parce qu'il veut que je parle à Bel Iblis... (Il se mordit les lèvres.) Ou parce qu'il est ravi que je ne sois pas dans ses pattes pour contrarier ses plans.

Un long silence suivit.

— Je doute qu'il vous ferait une chose pareille, Monsieur, se décida le Capitaine, d'un ton qui manquait totalement de conviction. Pas après tout ce que vous avez vécu ensemble.

— Vous ne croyez pas ce que vous dites. Et moi non plus... Même s'il en avait l'air, Thrawn n'était pas humain. C'était un extraterrestre, avec des pensées, des objectifs et un calendrier d'extraterrestre. Pour lui, je n'ai peut-être été qu'un outil. Un moyen d'atteindre son but, quel qu'il fût.

Ardiff hésita, puis il tendit une main et la posa sur le bras de l'Amiral.

— La route a été longue, pénible et décourageante, Monsieur. De nous tous, c'est vous qui avez le plus souffert. Si je peux faire quelque chose...

Pellaeon parvint à sourire.

— Merci, Capitaine. Ne vous inquiétez pas, je ne suis pas près de baisser les bras. D'abord, je veux savoir ce que tout cela signifie.

— Nous restons ici ?

— Encore quelques jours, oui... Je veux donner à Bel Iblis le plus de chances possible...

— Et s'il ne vient pas ?

— Qu'il se montre ou non, Bastion est notre prochaine destination. Le Moff Disra me doit des explications.

— Compris, Monsieur, dit Ardiff en se levant. Espérons que la réapparition de Thrawn n'est qu'une de ses machinations.

— Ce n'est pas ce qu'il faut espérer... corrigea Pellaeon sans grande conviction. Le retour de Thrawn stimulerait nos soldats et revitaliserait l'Empire. Je refuse qu'on dise un jour que j'ai fait passer ma fierté avant la victoire.

Ardiff rosit légèrement.

— Bien sûr, Monsieur. Veuillez m'excuser...

— Inutile de vous excuser, Capitaine, affirma Pellaeon, se levant à son tour. Comme vous l'avez dit, la route fut longue et difficile. Mais c'est bientôt fini. D'une façon ou d'une autre, nous atteignons le bout...

Les procédures d'entrée du spatioport de Drev'starn étaient beaucoup plus strictes que lors de la dernière visite de Drend Navett à la planète-mère des Bothans. Rien de surprenant, compte tenu des événements des cinq derniers jours. Après l'attaque surprise des Leresens sur la station de recherches orbitale, et l'arrivée subséquente d'une multitude de vaisseaux de guerre, la tension augmentait à une vitesse particulièrement satisfaisante.

Aussi, les protocoles d'admission bothans, autrefois coulants, étaient-ils devenus draconiens. Jadis une simple formalité, sortir du spatioport exigeait à présent une vérification complète des ID et un passage de la cargaison aux rayons X.

Navett s'en fichait. Cette fois, il n'y avait rien à bord qui puisse hérisser la fourrure du Bothan le plus paranoïaque. Et son ID était un faux comme seuls les Renseignements de l'Empire étaient capables d'en fabriquer.

— Votre ID et vos affaires personnelles sont en règle, déclara le douanier Bothan après l'examen de quinze minutes qui semblait désormais de rigueur. Mais le Département Importation devra faire des tests supplémentaires sur vos animaux avant qu'ils soient autorisés à entrer en ville.

— Pas de problème, dit Navett, avec un geste de la main appuyé typique des résidents du quartier Betraseley de Fedje, où son ID prétendait qu'il était né.

Il ignorait si le Bothan comprenait de telles subtilités, mais la première loi de l'infiltration était de porter sa couverture comme un Soldat de Choc porte son armure.

— J'ai fait ça sur des dizaines de planètes, ajouta Navett. J'en sais aussi long que vous sur les quarantaines...

La fourrure du Bothan se hérissa imperceptiblement.

— Sur des dizaines de mondes, dites-vous ? Auriez-vous des difficultés à rester propriétaire de vos magasins ?

Navett plissa le front comme s'il faisait un effort pour comprendre la question.

— Vous avez mal interprété mes paroles, dit-il enfin. Je ne cherche pas un endroit où m'établir. A moins de trouver des types très doués qui font le boulot de repérage, on ne peut pas travailler dans les animaux de compagnie exotiques en restant longtemps au même endroit. Il y a des tas de spécimens inté-ressants dont on n'entend jamais parler quand on ne voyage pas.

— Possible, dit le Bothan, mais cela m'étonnerait beaucoup que vous trouviez des clients sur Bothawui en ce moment. Les gens ont d'autres choses en tête...

— C'est une blague ? lança Navett avec une suffisance savamment étudiée. C'est un endroit parfait pour mon commerce ! Un monde assiégé, beaucoup de tension... Les gens ont besoin d'un animal de compagnie pour oublier leurs soucis. Vous pouvez me croire ! J'ai vu ça des dizaines de fois.

— Si vous le dites, soupira le Bothan, qui se souciait comme d'une guigne que cet étranger un peu étrange fasse ou non des affaires sur son monde. Laissez-moi le code et la fréquence de votre comlink. On vous préviendra quand la quarantaine sera levée.

— Merci. Essayez de faire vite...

— Ça prendra le temps qu'exige le règlement. Que cette journée vous soit paisible et profitable.

— A vous de même...

Cinq minutes plus tard, Navett s'engagea dans une rue et joua des coudes pour se frayer un passage parmi les voyageurs qui quittaient ou regagnaient le spatioport. Sans s'arrêter devant les rangées de landspeeders de location, il se dirigea vers un des hôtels miteux du coin.

Comme il avançait dos au soleil, il aperçut une ombre der-rière lui quelques secondes avant que Klif parvienne à sa hauteur.

— Des problèmes ?

— Non, répondit Navett, ça s'est passé en douceur. Et toi ?

Klif secoua la tête.

— Tout va bien. Le type a accepté le pot-de-vin, mais il n'a pas pu me promettre que les animaux seraient libérés plus vite.

— Logique, avec si peu d'argent...

Navett eut un sourire de satisfaction. Une tentative de corruption frisant l'insulte faite par l'assistant du marchand renforcerait leur image — soigneusement préparée — de minables désireux de se faire du fric rapidement sans qu'ils aient la plus petite idée des règles du jeu.

Avec ce genre d'étiquette, ils étaient assurés de s'attirer le mépris teinté d'amusement des Bothans et de ne pas intéresser les autorités.

Un bon moyen pour garantir que la partie du bouclier planétaire qui protégeait Drev'starn serait désactivée en temps et en heure.

— Tu as vu Horvic ou Pensin ? demanda Klif. Moi, je ne les ai pas aperçus.

— Moi non plus, mais je suis sûr qu'ils ont pu entrer sans problème. Nous fixerons le point de rendez-vous demain, si nous arrivons à trouver un magasin assez vite.

— Je me suis procuré une liste de locaux à louer, dit Klif. La plupart sont accompagnés d'un appartement.

— Voilà qui serait pratique. Nous étudierons la question ce soir. S'il n'y a rien dans la zone qui nous intéresse, on ira voir une agence demain matin.

— Ne t'inquiète pas, gloussa Klif, il nous reste plein de pognon pour distribuer des pots-de-vin.

— Parfait...

Navett regarda autour de lui. Selon les rumeurs, quinze ans plus tôt, les informations des espions Bothans avaient conduit l'Alliance Rebelle jusqu'à Endor. Cela avait provoqué la mort de l'Empereur et la destruction de la seconde Etoile Noire.

Depuis, les Bothans s'étaient commis avec le Soleil Noir et ils avaient été impliqués dans la destruction du Mont Tantiss. Sans parler des autres mauvais coups portés à l'Empire.

Navett ne savait pas tout du plan actuellement à l'œuvre. Mais parmi les planètes que Thrawn aurait pu choisir de détruire, aucune n'aurait pu lui plaire plus que celle-là.

Les deux hommes arrivèrent devant leur hôtel. Quand ils s'engagèrent dans l'escalier, l'antique droïd posté devant la porte s'anima.

— Bonjour, Messires, dit-il d'une voix nasillarde. Dois-je appeler un porteur pour vos bagages ?

— Non, on s'en chargera tout seuls, répondit Navett. Je déteste donner de l'argent à un tas de ferraille.

— Mais ce service est gratuit, répondit le droïd, quelque peu désorienté.

Navett et Klif l'ignorèrent. Ils entrèrent dans le hall de l'établissement.

Ils étaient les seuls clients à porter leurs valises...

Parfait ! Que les Bothans et leurs hôtes se moquent d'eux dans leur dos si ça leur chantait ! Quand le feu se déverserait du ciel, leurs ricanements se transformeraient en cris de terreur.

Et Navett profiterait de chaque seconde du spectacle !

6

Le matin du quinzième jour de sa réclusion dans une grotte sombre de Nirauan, Mara Jade s'éveilla pour découvrir que quelqu'un était enfin venu à son secours.

Mais ce n'était aucun des sauveteurs potentiels qu'elle attendait.

Mara ?

La jeune femme s'assit dans son sac de couchage et ouvrit les yeux, oubliant qu'il était impossible de voir dans l'obscurité de sa prison. Quelqu'un l'avait appelée, elle le savait. Pas avec des mots. Pourtant, c'était aussi évident que si on avait crié son nom.

Mara fit appel à la Force.

Elle capta une présence et l'identifia très vite.

Luke !

Les sentiments du Jedi se modifièrent dès qu'il sentit que Mara lui répondait et qu'elle était indemne. L'anxiété le quitta ; le soulagement déferla en lui comme une vague bienfaisante.

Mara devina qu'il était pressé de la rejoindre. Pressentant que lui aussi était plongé dans l'obscurité, elle en déduisit qu'il avançait dans la grotte, probablement dans sa direction.

Aussi pressé qu'il fût de la retrouver, Luke n'était pas au bout de ses peines. Trouver la grotte était une chose. Y localiser quelqu'un en était une autre.

Mais Luke se joua de cet obstacle. En réponse à l'interrogation de Mara, il envoya une onde mentale rassurante. Alors qu'elle plissait le front, dubitative, la jeune femme sentit que d'autres créatures accompagnaient le Jedi. Quelques-uns des êtres ressemblant vaguement à des Mynocks qui l'avaient conduite ici servaient de guide à son sauveteur.

Mara regarda la voûte et les parois de la grotte. Des créatures y étaient perchées et la regardaient en silence.

— Skywalker arrive, dit Mara à ses geôlières. Vous êtes satisfaites ?

Elles l'étaient. Même si elle ne comprenait pas leurs paroles — une situation frustrante —, Mara sentait la surexcitation qui s'emparait d'elles.

— Vous m'en voyez ravie, dit-elle.

Mara se leva et approcha à l'aveugle de la source souterraine qui coulait entre les rochers à quelques mètres de là. Elle avait repéré le point d'eau dès les premières heures de sa captivité. Au fil des jours, elle avait appris à s'y rendre sans utiliser sa lampe-torche.

Près de l'eau, elle localisa le rocher plat où reposait le flacon de savon liquide de son kit de survie et ôta sa combinaison de saut. Comme tout ce qu'on trouvait sur le vaisseau de Talon Karrde, la combinaison était un équipement de haut niveau muni d'un système d'autonettoyage.

Malheureusement pour elle, Mara n'était pas dotée de ce dispositif. Or, pour accueillir des visiteurs, il lui semblait normal de se rendre présentable. L'eau était glacée. Mara s'éclaboussa copieusement, supportant stoïquement le choc thermique.

Un peu de super-savon liquide sur le corps, un massage vigoureux et un rinçage abondant lui parurent suffisants. Une brise relativement chaude soufflait parallèlement au courant de la source. Mara lui laissa le soin de la sécher, puis elle remit sa combinaison de saut, rassembla ses affaires et retourna à son campement.

Juste à temps ! La jeune femme avait à peine fini de ranger ses ustensiles quand un rayon lumineux frappa les parois et la voûte de la grotte.

Après avoir roulé son sac de couchage et l'avoir remis dans son paquetage, Mara s'assit sur sa « chaise » — un autre rocher plat — et attendit.

Il lui sembla qu'une éternité s'était écoulée avant qu'elle aperçoive la silhouette d'un Maître Jedi qui brandissait une lampe-torche.

Quand il fut plus près, Mara comprit pourquoi Luke avait progressé si lentement : lui aussi portait un des invraisemblables kits de survie que les hommes de Karrde affectionnaient tant. A ses côtés, non sans difficulté, R2-D2 se frayait un chemin.

— Mara ? appela Luke.

Sa voix se répercuta à l'infini dans la grotte.

Mara alluma sa lampe-torche.

— Par là ! cria-t-elle. On peut dire que tu as pris ton temps...

— Désolé, répliqua le Jedi. Pas moyen de trouver la boutique du loueur de speeders du coin. On a dû venir à pied... Tu as l'air en pleine forme !

— Toi, tu es dans un état pitoyable, répondit Mara.

Sa combinaison de saut était crasseuse et déchirée en plusieurs endroits.

— Tu as marché sur quelle distance, au juste ? La moitié de la planète ?

— Non, une dizaine de kilomètres...

Luke se débarrassa de son sac et se passa une main dans les cheveux.

— Mais il y avait des falaises partout... Ce n'était pas à proprement parler une promenade.

— Les buissons ne devaient pas manquer, à voir ta combinaison, commenta Mara. Tu veux faire une toilette ? A quelques mètres d'ici, il y a un cours d'eau sans trop de glaçons...

R2 trilla nerveusement.

— Peut-être plus tard, éluda Luke. Comment as-tu été traitée ?

Mara haussa les épaules.

— De manière plutôt ambiguë... Au début, je pensais être prisonnière. Mais ces créatures n'avaient rien à redire quand je ne partais pas trop loin. Donc, j'ai cru avoir mal compris. Mais elles ne me laissent pas prendre de champ, et elles ne m'ont toujours pas rendu mon sabre laser et mon blaster.

— Ton blaster ? s'étonna Luke.

— Oui, mon blaster ! répéta Mara avec insistance pour le dissuader de chercher à en savoir plus.

Les créatures lui avaient pris ses armes les plus visibles, mais elles n'avaient pas vu le mini-blaster glissé dans un étui sur son avant-bras gauche. Même si elle n'avait pas eu l'occasion de l'utiliser, elle ne tenait pas à ce que Luke mentionne sa présence.

— Et mon sabre laser. Bref, je ne suis pas très sûre de savoir de quoi il retourne...

— Mes guides, des Qom Jha, ont remarqué que tu avais du mal à les comprendre. (Apparemment, il avait capté le message au sujet du blaster.) D'après moi, ils t'ont amenée ici pour te mettre en sécurité.

— C'est bien ce qui m'inquiète...

Elle se sentit rougir et espéra que ça ne se voyait pas.

C'était déjà assez catastrophique que quelqu'un ait dû venir à son secours dans ce coin perdu. Comble de malchance, c'était Luke Skywalker, un Maître Jedi qui avait sûrement des milliers de choses plus intéressantes à faire. Dans ces conditions, être *sauvée* d'une sorte de service extraterrestre de... baby-sitting... était indiciblement embarrassant.

— Ne te mets pas martel en tête, fit Luke.

Mara s'empourpra de plus belle.

— Luke Skywalker, ne viens pas fourrer ton sale nez dans mes pensées !

Elle sentit la gêne du Jedi. A l'évidence, l'intrusion était involontaire.

— Désolé, dit Luke. Mais tu m'as mal compris. Les créatures affirment qu'elles devaient te protéger parce que les Prédateurs de la Haute Tour t'avaient prise en chasse.

— Les Prédateurs ? s'inquiéta Mara, ses petits problèmes d'ego oubliés.

— C'est le nom que leur donnent les Qom Jha. Des créatures semblables à nous, mais qui sont alliées à l'Empire.

— Effrayant... murmura Mara.

Ces derniers jours, concentrée sur son désir de survivre dans un environnement hostile, elle avait quasiment oublié la raison de son séjour sur Nirauan.

A présent, tout lui revenait à l'esprit : le mystérieux vaisseau que Luke et elle avaient repéré autour de la base des Pirates Cavrilhu... Celui qui avait failli éperonner le Destroyer Stellaire de Booster Terrik... Une technologie inconnue, des pilotes inconnus, mais quelque chose d'indubitablement Impérial dans la conception des navires.

— Alors, nous ne nous trompions pas, dit la jeune femme. Ce jour-là, près de la base des pirates, le vaisseau volait pour le compte de l'Empire.

— On dirait bien, acquiesça Luke. Cependant, n'oublie pas que tout ça repose sur les propos des Qom Jha. Il faudra vérifier par nous-mêmes.

— Mouais... Tu peux donc communiquer avec ces créatures ?

— A travers la Force, oui...

Luke se tut, les yeux mi-clos comme s'il écoutait quelque chose.

Mara fit appel à la Force et se concentra. Mais elle n'entendit rien, sinon le pépiement habituel. Des simulacres de voix qui prononçaient des simulacres de mots.

— Tu ne les comprends pas ? demanda Luke.

— Non, avoua Mara de mauvaise grâce. (Cette idée la vexait presque autant que le fait d'avoir eu besoin de secours.) Que disent-elles ?

— Actuellement, pas grand-chose. Elles attendent l'arrivée de leur Négociateur. J'en déduis de ma conversation avec un premier groupe, les Qom Qae, que c'est l'équivalent d'un banal porte-parole.

— Eh bien, dit Mara, qui sentait un peu d'énervement dans les pépiements environnants, je n'ai pas l'impression que nos amis portent les Qom Qae dans leur cœur.

— Je sais, confirma Luke, mal à l'aise. A vrai dire, j'y suis peut-être pour quelque chose. Ils n'apprécient pas que j'aie amené un Qom Qae chez eux.

— Tu aurais pu faire preuve d'un peu plus de diplomatie, c'est sûr ! remarqua Mara.

— Ce Qom Qae a passé deux jours à me guider, se défendit Luke. Il voulait entrer dans la grotte pour te connaître et j'ai estimé qu'il le méritait. De plus, les deux groupes sont concernés par ce qui se prépare. Quel que soit ce dont il s'agit !

— C'est possible... concéda Mara avant de regarder autour d'elle. Où est ton guide ?

— Quelque part au plafond, la renseigna Luke en pointant sa lampe-torche.

Les Qom Jha s'envolèrent, effrayés par la lumière.

Une seule créature ne bougea pas. Elle était plus petite que les autres et d'une couleur légèrement différente.

— C'est lui ? demanda Mara.

— Oui. (Skywalker baissa sa lampe-torche.) Il se nomme Enfant des Vents.

Mara repensa à son vol à travers le canyon. Le long des parois, elle avait remarqué une multitude de petites grottes.

— Je parie que ce Qom Qae habite dans les falaises.

— Comme le reste de sa nichée, oui. Son père est le porteparole du clan.

— Avoir des amis haut placés pourrait nous être utile...

— « Amis » n'est peut-être pas le mot... Les Qom Qae ont subtilisé mon Aile-X pendant que je regardais ailleurs. Enfant des Vents ne veut pas, ou ne peut pas, me dire ce qu'ils en ont fait. Pour déplacer un chasseur, ils doivent agir en groupe, car...

— Ils unissent leurs forces, coupa Mara avec une grimace. J'ai vu les Qom Jha tirer mon *Defender* pour le cacher dans je ne sais quelle grotte. On dirait qu'ils ont pas mal de points communs avec les Qom Qae, même s'ils ne peuvent pas les supporter...

— Ton vaisseau n'est pas très loin. R2 et moi l'avons repéré en chemin. Je l'ai inspecté avec la Force. Il semble en état de marche.

— Une sacrée bonne nouvelle, dit Mara, débarrassée d'un poids sur l'estomac.

Le *Defender* lui serait utile pour s'en aller. Mais ce n'était pas tout. Sans le petit vaisseau, elle n'était pas très sûre d'avoir envie de quitter la planète...

— Avec tout le mal que Karrde s'est donné pour l'avoir, il me tuera si je ne le lui ramène pas. Au fait, quand donc ce bon Talon arrivera-t-il avec des renforts ?

— Eh bien... pour être honnête, je lui ai dit de n'envoyer personne à part moi...

La bouche de Mara devint subitement sèche.

— Quelle bonne idée ! ironisa-t-elle. Toi et moi contre une forteresse regorgeant d'ennemis ! Tu es sûr que nous n'avons pas un avantage trop écrasant ?

Une expression étrange s'afficha sur le visage du Jedi.

— Tu m'attaques à tort, se défendit-il. Je pensais simplement qu'il n'était pas judicieux qu'une flotte investisse ce système. D'autant que nous n'étions pas certains qu'on te retenait contre ton gré.

— C'est assez logique, admit Mara. Si je comprends bien, il n'y a même pas un croiseur dans les environs.

— La Nouvelle République aurait été dans l'incapacité de m'allouer une navette, répondit Luke. Les choses vont mal dans la galaxie.

— Laisse-moi deviner ? Caamas et les Bothans ?

— Caamas, les Bothans et un millier de mondes qui se servent de Caamas comme d'un prétexte pour raviver d'anciennes querelles. Pour être franc, je me demande s'il y a un moyen d'arrêter ça...

— Voilà une pensée réconfortante ! railla la jeune femme. Si on s'occupait d'un problème à la fois ? Par exemple, essayer de savoir si les Prédateurs sont les gens que nous cherchons ? En sortant de l'hyperespace, nous avons cru qu'un des vaisseaux inconnus se dirigeait vers cette planète. Mais nous étions trop loin pour une identification positive.

— Ce sont bien nos ennemis, dit Luke. J'ai été escorté par deux vaisseaux qui ont tenté de me descendre...

— Ce qui semble indiquer de quel côté ils combattent, concéda Mara.

— Pas nécessairement, corrigea Luke. En tout cas, pas de façon permanente. Nous pourrions les persuader de... Plus un mot ! Le Négociateur vient d'arriver.

Mara hocha la tête. Elle avait senti l'agitation des créatures.

— Tu vas devoir jouer les traducteurs, Luke. Dommage que je ne comprenne rien à leur langage...

— Ça faciliterait effectivement les choses... (Le Jedi plissa le front.) Attends ! J'ai une idée. Donne-moi la main.

— Tu veux ma main ? répéta Mara, dubitative, en tendant le bras gauche.

— Je suis en contact avec ces êtres, dit Luke. (Il referma ses doigts sur ceux de la jeune femme.) Et nous sommes en contact tous les deux. Si je sers de relais...

— Ça vaut le coup d'essayer, convint Mara.

Elle invoqua la Force.

Les pépiements des créatures lui paraissaient presque compréhensibles. On eût dit des mots murmurés un ton trop bas pour être entendus. Mara se concentra davantage.

— Essayons comme ça, proposa Luke.

Il s'approcha de la jeune femme, lui passa un bras autour des épaules et la serra contre lui.

Immédiatement, comme un écran dont le système d'autoréglage vient d'entrer en action, les sons et les sensations que Mara captaient depuis deux semaines s'éclaircirent et se précisèrent pour former des mots.

Je suis le Négociateur de cette nichée de Qom Jha, dit une voix dans la tête de la jeune femme. *Mon nom est Mangeur de*

Flammes Vives. Les Qom Jha se réjouissent que vous soyez enfin venus à eux...

— Nous sommes contents d'être ici, répondit Luke avec sincérité. Comme vous le savez déjà certainement, je suis Luke Skywalker. Mara Jade est mon amie. C'est aussi une précieuse alliée.

Une vague d'émotion déferla dans la grotte.

Pourquoi nous l'avoir amenée, Maître Marcheur au Ciel ? demanda Mangeur de Flammes Vives, soudain soupçonneux.

— Je ne l'ai pas amenée. Elle est venue de sa propre volonté. Est-ce un problème ?

N'avez-vous pas reçu notre message à propos de Jade de Mara ? Vous devriez l'avoir eu depuis longtemps...

— Je n'ai reçu aucun message de vous, répondit Luke. Quand et où a-t-il été envoyé ?

Je ne comprends pas, dit Mangeur de Flammes Vives, réellement inquiet. *Que voulez-vous dire par : « Aucun message » ?*

— Ce que je dis et rien de plus ! Avant que les amis de Mara m'informent de sa disparition, j'ignorais tout de vous et de votre planète.

Mais les messages ont été délivrés ! insista Mangeur de Flammes Vives. *Le Négociateur des Qom Qae nous l'a promis...*

Il s'interrompit et battit furieusement des ailes.

Toi, jeune Qom Qae ! tonna-t-il. *Approche et assure la défense de ta nichée !*

Il y eut du mouvement à l'endroit où se tenait Enfant des Vents. Mara leva sa lampe-torche et vit que le petit Qom Qae s'efforçait d'échapper aux trois Qom Jha qui essayaient de lui sauter dessus.

Ils le poursuivaient comme des faucons traquent leur proie. Enfant des Vents s'enfuit à tire-d'aile vers une fissure qui paraissait un refuge convenable.

— Laissez-le ! s'interposa Luke. Ce n'est qu'un enfant.

C'est un Qom Qae ! cracha Mangeur de Flammes Vives tandis que le fuyard s'engouffrait dans la fissure. *Il est responsable de la félonie de sa nichée !*

Luke lâcha la main de Mara et s'écarta.

— Vous ne lui ferez aucun mal ! déclara-t-il, impérieux, en activant son sabre laser. (La lueur verte de la lame déchira la pénombre.) Si vous cessez de le menacer, je l'interrogerai...

Selon l'expérience de Mara, la vision d'un Jedi armé de son sabre laser incitait tout être doué d'intelligence à s'accorder le temps de la réflexion avant d'agir. Pourtant, les Qom Jha ne bronchèrent pas, comme s'ils s'en fichaient, ou comme s'ils estimaient que cinq mètres de hauteur les protégeaient de la vibro-lame.

A la lumière de l'arme, Mara vit qu'Enfant des Vents essayait de s'enfoncer plus devant dans la crevasse pour échapper à ses adversaires. Pathétique, il distribuait des coups de serres désordonnés.

En réponse à un ordre du Négociateur que Mara ne comprit pas, Luke ne lui servant plus de relais, d'autres Qom Jha volèrent vers l'endroit où se nichait le Qom Qae.

Mara décida qu'il était temps de montrer à ces créatures de quel bois Luke et elle se chauffaient. Sa lampe-torche dans la main gauche, elle dégaina son mini-blaster et tira trois fois en direction des agresseurs — en prenant soin de les manquer d'un cheveu.

Les Qom Jha s'égaillèrent. Puis ils se ressaisirent et se postèrent à un ou deux mètres au-dessus de la cachette du Qom Qae.

Sur un nouvel ordre du Négociateur, un silence de mort tomba sur la caverne.

— Vous l'avez appelé Maître, rappela Jade aux créatures. Un Jedi ne doit-il pas être respecté et obéi ?

Un concert de pépiements s'éleva.

— Traduction ? demanda Mara.

— Le Négociateur dit que tu n'es pas en position de lui faire la morale, répondit Luke. Je simplifie, bien sûr...

Le Jedi fit passer son sabre laser dans sa main gauche et, s'approchant de la jeune femme, il lui passa de nouveau un bras autour des épaules.

Mara remarqua qu'il ne quittait pas du regard les agresseurs d'Enfant des Vents.

N'es-tu pas la Mara de Jade qui volait jadis aux côtés des Oiseaux de Proie de l'Empire ? continua Mangeur de Flammes Vives.

Mara sentit les muscles de Luke se contracter.

— Que voulez-vous dire ? demanda-t-il.

Ceux qui vivent dans la Haute Tour parlent beaucoup de cette femme et ils semblent la tenir pour quelqu'un d'important. Notre confiance en vous vacille, Maître Marcheur au Ciel. Elle risque de tomber comme un Qom Jha qui se pose sur un rocher trop friable...

— Ce qui est friable, riposta Mata avant que Luke puisse intervenir, c'est votre matière grise ! Si les alliés de l'Empire font grand cas de moi, c'est parce que je suis très proche de la première place sur la liste de leurs ennemis. Peut-être n'avez-vous pas bien entendu ce qu'ils disaient !

Le Négociateur battit de nouveau des ailes. Avec un peu moins de conviction, semblait-il...

Leur langage est difficile à comprendre, concéda-t-il. *Mais nous avons déjà été trahis par les Qom Qae... L'être une fois de plus ne nous plairait pas ! Maître Marcheur au Ciel, tu prétends pouvoir forcer ce Qom Qae à prendre la défense de sa nichée ?*

— J'ai dit que je l'interrogerais, corrigea Luke. (Il désactiva son sabre laser.) Enfant des Vents, viens près de moi.

Après une courte hésitation, le Qom Qae sortit de sa cachette, prit son envol et se posa sur une pierre, tout près de Luke.

Me voilà, Jedi Sky Walker, dit-il.

— Ta nichée était-elle chargée de transmettre un message des Qom Jha à la Nouvelle République ? demanda Luke. Ton Négociateur a-t-il promis à Mangeur de Flammes Vives que cela serait fait ?

Enfant des Vents se cacha la tête sous les ailes. Un aveu de culpabilité évident.

Il ne me revient pas de parler au nom de ma nichée, dit-il. *Chasseur de Vents...*

Il n'est pas là ! coupa Mangeur de Flammes Vives. *Réponds à la question !*

Le Qom Qae se recroquevilla davantage.

Mangeur de Flammes Vives dit la vérité, concéda-t-il de mauvaise grâce.

— Eh bien, voilà qui est génial... marmonna Mara. Nous pourrions connaître cette planète depuis des années.

— C'est tout à fait ça... approuva Luke. Enfant des Vents, pourquoi les messages n'ont-ils pas été délivrés ?

Chasseur de Vents a estimé que ce ne serait pas prudent. Un Qom Qae aurait dû s'accrocher à une machine volante des Prédateurs et traverser le vide glacial de l'espace pour vous atteindre...

Ce n'est pas une raison suffisante pour manquer à sa parole, rétorqua Mangeur de Flammes Vives, méprisant. *Les Qom Qae prétendent avoir souvent fait ce genre de voyage. Admets que c'est la lâcheté qui vous a poussés à nous trahir.*

Les Qom Jha vivent en sécurité dans leurs grottes, riposta Enfant des Vents. *Nous, c'est à l'air libre que nous existons...*

Les Prédateurs ne nous menacent-ils pas tous ? demanda Mangeur de Flammes Vives.

Viennent-ils dans vos grottes pour exercer des représailles sur vous ? Non ! Seuls les Qom Qae souffrent.

Qui court sans cesse des risques pour connaître les plans des Prédateurs ? explosa Mangeur de Flammes Vives. *Les Qom Jha ! Et ils persistent à le faire !*

Ont-ils appris quelque chose d'intéressant ? objecta Enfant des Vents. *Ne venez-vous pas de prendre une amie de Maître Sky Walker pour une alliée des Prédateurs ?*

— Ça suffit ! intervint Luke. Quoi qu'il soit arrivé, c'est le passé. Se rejeter le blâme les uns sur les autres ne nous conduira nulle part. Les messages n'ont pas été délivrés, c'est un fait. Mais à présent nous sommes là, et nous pouvons vous aider.

— La question, ajouta Mara, est la suivante : en êtes-vous dignes ?

Luke se tourna vers elle, le front plissé.

— Que... commença-t-il.

— Tais-toi, fit la jeune femme à voix basse. Fais-moi confiance. J'attends ta réponse, Mangeur de Flammes Vives.

Il y eut un long silence.

Nous avons peur des Prédateurs, concéda le Négociateur. *Les Qom Jha et les Qom Qae volent toujours sous la menace de leurs serres. Si vous voulez nous aider, nous désirons être débarrassés de ce danger permanent.*

— Nous sommes conscients de vos souhaits, dit Mara. Mais là n'est pas le problème. Méritez-vous notre assistance, voilà ce qu'il nous faut découvrir. Et comment nous le prouverez-vous ?

Quelles preuves vous faut-il ?

— Pour commencer, aidez-nous à entrer dans la Haute Tour. Je suppose que ces grottes permettent d'y accéder. Guidez-nous jusque-là. Ensuite, certains d'entre vous feront le guet...

Le Négociateur battit des ailes.

Cela mettra notre nichée en danger.

— Vous aider *nous* met en danger, rappela Mara. Préférez-vous que nous partions en vous oubliant à jamais ?

Les Qom Jha se consultèrent.

Ils parlaient trop vite pour que Mara comprenne.

A moins qu'ils n'utilisent une langue secrète...

— J'espère que tu sais ce que tu fais... murmura Luke à sa compagne.

— Dans tous les cas, nous aurons besoin de guides. Et j'ai déjà traité avec des cultures de ce genre. Quand on appelle son porte-parole « Négociateur », c'est qu'on aime négocier. Proposer de faire quelque chose pour eux avec l'espoir qu'ils nous aident spontanément ne marcherait pas. A mon avis, ça éveillerait plutôt leurs soupçons...

A côté de Luke, Enfant des Vents bougea imperceptiblement.

Qu'allez-vous faire de moi, Jedi Sky Walker ?

— Ne t'inquiète pas... Tu sortiras d'ici et tu retourneras vers ta nichée.

Le Qom Qae se cacha de nouveau sous ses ailes.

Je ne peux pas y retourner.

— Pourquoi ?

On ne voudra plus de moi... Ayant désobéi au Négociateur, je n'aurai plus le droit de vivre parmi les miens.

— Tu n'auras plus le droit ? demanda Luke. Ou tu devras d'abord être puni ?

Les émotions du Qom Qae lui apprirent qu'il avait mis dans le mille.

Je voudrais venir avec vous à la Haute Tour... Si je vois les Prédateurs, je mesurerai à quel point ils sont dangereux. Peut-être pourrai-je persuader certains Qom Qae de vous aider.

— Je te le disais ! triompha Mara. Des négociateurs ! Pire que des marchands de tapis !

— Je commence à comprendre ton point de vue, dit Luke. J'apprécie ton offre, Enfant des Vents. Mais ça risque d'être périlleux...

Votre machine viendra-t-elle avec nous ?

Mara regarda R2-D2. A l'écart, le petit droïd bipait tranquillement dans sa « barbe ».

— Une question judicieuse, dit la jeune femme. Il nous ralentira...

— Exact. Mais si nous voulons pirater les ordinateurs de la Haute Tour, nous aurons besoin de lui.

— En supposant qu'il puisse se connecter à ces machines, souligna Mara. C'est une technologie inconnue, ne l'oublie pas.

— Nous savons que les Prédateurs utilisent des systèmes Impériaux sur leurs vaisseaux, rappela Luke. A mon avis, nous trouverons quelques ordinateurs qui ressemblent aux nôtres. *Si la machine vient, pourquoi ne viendrais-je pas ?* intervint Enfant des Vents. *En plein air et à la lumière du jour, je ferai un meilleur éclaireur que ces troglodytes.*

— A un détail près, dit Luke. Tu ignores tout de la Haute Tour ! Avec l'antagonisme qui existe entre vos nichées, ça m'étonnerait que Mangeur de Flammes Vives ait envie de te voir traîner longtemps sur son territoire...

Enfant des Vents battit des ailes.

Il est peut-être temps d'en finir avec nos rivalités, dit-il. *Un Qom Qae brave et honorable pourrait unifier les deux nichées et les convaincre de se percher sur le même rocher. C'est une image, bien sûr...*

Luke et Mara échangèrent un regard.

— Tu te proposes de jouer ce rôle ? demanda le Jedi.

Doutez-vous de ma sincérité ? s'indigna Enfant des Vents. *N'oubliez pas que j'ai bravé l'autorité du Négociateur pour vous conduire ici...*

— Nous n'avons aucun doute quant à ta sincérité, assura Luke. C'est plutôt... hum...

Mon âge ? suggéra le jeune Qom Qae. *Vous pensez qu'un enfant toujours appelé par le nom de son père ne peut pas accomplir de grandes choses ?*

Mara s'aperçut que les créatures, au plafond, avaient cessé de pépier. Mangeur de Flammes Vives et ceux de sa nichée écoutaient attentivement la conversation entre Enfant des Vents et les deux humains.

Une idée traversa l'esprit de Mara : si un membre de la nichée rivale participait à l'aventure, les Qom Jha que Mangeur de Flammes Vives déléguerait feraient tout pour démontrer la supériorité de leur peuple. Une émulation bénéfique !

— Ton âge ne nous inquiète pas, dit Mara au Qom Qae. Après tout, j'étais presque une enfant quand j'ai rempli ma première mission pour l'Empereur. Et Luke n'était pas beaucoup plus vieux lorsqu'il a rejoint les rangs de la Rébellion.

Mara sentit la réticence du Jedi. Il dut pourtant comprendre où elle voulait en venir, car il renchérit :

— Elle a raison... Parfois, la volonté de réussir et le désir d'apprendre sont plus importants que l'âge ou l'expérience.

— Le « désir d'apprendre » signifie que tu devras obéir à nos ordres, ajouta Mara, cassante. Si l'un de nous te dit de t'arrêter, de bouger, de te baisser ou de dégager le chemin, tu le fais et tu poses des questions après. Compris ?

J'obéirai aveuglément, dit Enfant des Vents.

L'exubérance juvénile de son ton était la preuve de sa sincérité.

Vous ne regretterez pas votre décision, ajouta-t-il.

Luke leva les yeux vers les Qom Jha.

— Le fils du Négociateur des Qom Qae nous accompagnera, dit-il. Que feront les Qom Jha pour nous démontrer leur courage ?

Ma nichée aura du mal à vous offrir un... cadeau... d'une telle valeur, répondit Mangeur de Flammes Vives, sarcastique. *Mais nous essayerons...*

Il battit impérieusement des ailes. Trois Qom Jha vinrent se percher sur des rochers devant Mara et Luke.

Briseur de Pierres, Gardien des Promesses et Maître des Lianes ont bravé les dangers des cavernes pour entrer dans la Haute Tour. Ils vous guideront et feront de leur mieux pour vous protéger.

— Merci, dit Luke. Il semble que les Qom Jha soient dignes de notre aide.

Les Qom Jha sont contents d'être considérés ainsi, répondit Mangeur de Flammes Vives. *Mais le voyage est long. Pour Ceux-Qui-N'ont-Pas-d'Ailes, atteindre l'entrée de la Haute Tour prendra plusieurs jours. Quand vous serez sur place, envoyez-nous un messager. D'autres Qom Jha viendront assurer votre protection.*

— Ce sera très utile, dit Luke. Encore merci.

— J'aimerais récupérer mon blaster et mon sabre laser, ajouta Mara.

Ils vous seront rendus sur-le-champ, assura Mangeur de Flammes Vives. *Nous nous reverrons, Maître Marcheur au Ciel. En attendant, bonne route !*

Suivi de ses comparses, il se laissa tomber de la voûte et s'enfonça à tire-d'aile dans l'obscurité.

Seuls Enfant des Vents et les trois guides restèrent près des humains.

— Tout semble marcher à merveille, dit Mara.

— C'est exact, approuva Luke. Je retire tout...

— Tu retires quoi ?

— Mes doutes et mes questions sur ta stratégie... Tu as été géniale ! Quand seras-tu prête à partir ?

— Je suis prête ! répondit Mara. (Elle examina le Jedi d'un œil critique.) Ça fait quinze jours que je me prélasse ici, sans rien d'autre à faire que compter les rochers... Es-tu paré pour une excursion, ou veux-tu prendre quelques heures de repos ?

R2-D2 trilla frénétiquement.

— Je crois qu'il vote pour une pause, dit Luke avec un sourire qui s'effaça aussitôt. Mais ça ne serait pas raisonnable. Tu as entendu le Négociateur : un long chemin nous attend.

— Et tu as un million de choses plus intéressantes à faire chez toi, souffla Mara, submergée par la culpabilité.

— Je n'ai pas dit ça...

— Mais tu le penses ! Si tu veux partir, je suis sûre que les Qom Jha et moi nous...

— Pas question ! répliqua le Jedi un peu trop vite.

Un peu trop vite et beaucoup trop vivement !

— Aurais-tu une raison personnelle de rester ? demanda Mara, sa curiosité en éveil.

Elle étudia l'expression de Luke. Trop tard ! Il ne trahissait plus rien de ses sentiments.

— Je dois rester, dit-il. Ne me demande pas pourquoi.

Un instant, leurs regards se croisèrent. Mara fit appel à la Force, mais les émotions de Luke étaient aussi neutres que son expression.

— Très bien... Laisse-moi boucler mes bagages. Je suppose que Karrde n'a pas pensé à ajouter une lampe-torche de rechange à ton paquetage ?

— Il en a prévu trois.

Luke s'agenouilla près de son sac et sortit une lampe-torche d'une des poches.

— Je devrais remplir mes gourdes, ajouta-t-il. Tu as dit qu'il y avait de l'eau dans le coin ?

— Par là, répondit Mara. Si tu attends une seconde, je te conduirai.

Non, je ne lui poserai pas de questions, décida-t-elle. *Mais nous reparlerons de ça un jour ou l'autre...*

Luke était inquiet.

Quelle que soit la raison, tout ce qui troublait un Chevalier Jedi méritait une attention particulière.

Mara se leva et hissa le sac de survie sur son épaule.

— En route ! lança-t-elle. Suis-moi et regarde où tu mets les pieds.

7

— Et voilà ! lança Yan, un bras tendu vers la baie vitrée du *Faucon Millenium*. Pakrik Mineure ! Il n'y a pas grand-chose à voir, hein ?

— C'est une merveille ! répliqua Leia, les yeux rivés sur la planète bleu et vert qui brillait devant eux.

Des vacances ! De vraies vacances ! Plus de Coruscant. Pas de politique. Aucune affaire de Caamas. Adieu les anciennes vengeances et les guerres en gésine !

Pas d'enfants, de droïds ou de gardes du corps Noghris dans les pattes !

Yan, elle et le silence...

— Des fermes et des forêts, disais-tu ?

— Rien que ça, oui, confirma Yan. Et nous aurons un peu des deux. Sakhisakh a appelé pendant que tu assistais à la cérémonie de clôture. On nous a dégoté une petite auberge tenue par une famille de paysans à l'orée d'un bois.

— C'est très prometteur, souffla Leia, rêveuse. Sakhisakh s'est-il encore plaint que Barkhimkh et lui soient obligés de nous attendre au spatioport ?

— Ils ne sont pas ravis de nous laisser seuls, répondit Yan. Surtout après cette émeute, sur Bothawui. (Il sourit.) Je crois qu'il s'est senti mieux quand je lui ai appris que nous voyageons avec une fausse ID.

— Quoi ? s'exclama Leia.

— Je ne te l'avais pas dit ? feignit de s'étonner Yan, image de l'innocence. J'ai pris une vieille ID du temps où je faisais de la contrebande, histoire de brouiller les pistes.

Leia puisa dans son répertoire de « regards patients mais courroucés » et se tourna vers le père de ses enfants.

— Yan, tu sais qu'on ne peut pas faire ça...

— Bien sûr que si ! répondit Solo, comme toujours insensible à la désapprobation de sa femme. De toute façon, on était convenus que je m'occuperais de tout.

— Violer la loi ne figurait pas au programme, ronchonna Leia.

Mais sa colère s'était déjà dissipée. Sans grande surprise, elle découvrit que l'histoire de la fausse ID ne troublait pas sa conscience. Au vu de ce qu'elle avait fait dans sa vie — par exemple lutter clandestinement contre un gouvernement légitime —, ce délit était anecdotique.

— Si C-3PO était là, tu ne t'en tirerais pas si facilement...

— J'aurais droit à un sermon, c'est sûr, admit Yan, soudain troublé.

Leia sourit.

— Yan, sois franc, pour une fois ! Avoue qu'il te manque !

— Pas le moins du monde ! C'est juste que... Oublions ça !

— Que veux-tu oublier ?

— Penser à C-3PO m'a rappelé que Karrde est en route vers la Bordure Extérieure avec cette fichue Shada D'ukal. Je n'aime pas ça, Leia. Même si tu n'as rien senti de mauvais en elle quand nous lui avons parlé, je ne lui fais pas confiance...

Leia soupira. Ancienne garde du corps du contrebandier Mazzic, Shada avait réussi à traverser le champ de force Noghri de leur appartement du Mont Manarai. Elle s'était invitée à la réunion stratégique privée qu'ils tenaient avec Karrde et Lando. Etait-elle une alliée en puissance ? Ou une ennemie mortelle ?

— Je ne l'aime pas beaucoup non plus, Yan. Mais Karrde est un grand garçon et c'est lui qui a tenu à l'amener. As-tu contacté Mazzic pour en savoir plus sur elle ?

Yan secoua la tête.

— J'ai fait courir le bruit dans la Frange que je voulais lui parler, mais ça n'a rien donné avant notre départ pour Pakrik Mineure. Maintenant, il faudra attendre notre retour...

Leia fronça les sourcils.

— Dois-je comprendre que tes contacts parmi les contrebandiers ignorent que nous sommes ici ? Tu étais sincère en parlant de vacances ?

— Tu as une drôle d'opinion de ton mari... grogna Yan.

Un long silence suivit. Leia tenta de retrouver l'humeur ensoleillée qui était sienne avant qu'ils parlent de Shada. En vain.

Elle invoquait la Force pour se calmer quand...

... le voyant « danger de collision » clignota sur le tableau de bord.

— Maudits crétins ! marmonna Yan, les yeux baissés sur les écrans de contrôle. Que font ces imbéciles ?

Soudain, Leia comprit l'origine de son malaise.

— Yan, attention !

Solo réagit immédiatement. Ses vieux réflexes de contrebandier et sa foi aveugle en sa femme le poussèrent à modifier le cap du *Faucon*.

Fort heureusement, car deux rayons laser le manquèrent d'un rien.

— Boucliers ! cria Yan avant de modifier à nouveau sa trajectoire.

Leia bascula le commutateur idoine.

— Boucliers activés ! confirma-t-elle.

Elle consulta l'écran tactique. Trois petits vaisseaux les suivaient. Des chasseurs, sans doute.

Leia n'aperçut aucun marquage.

— Ça fait partie des vacances ? demanda-t-elle.

— Pas que je sache ! répliqua Yan. Merci pour l'avertissement...

— Tu as failli ne pas l'avoir... avoua Leia avant de faire feu avec les quadlasers. (Les quatre rayons manquèrent leur cible.) Je pensais être mal à l'aise à cause de Karrde et de Shada...

— Tu ferais mieux de t'inquiéter pour nous... conseilla Yan. (Il se lança dans une vrille à retourner l'estomac d'un Rancor.) Je ne sais pas qui sont ces types, mais quels champions !

— Je déteste entendre ce genre de choses, dit Leia en activant leur système de communication.

Mais leurs agresseurs avaient un coup d'avance sur elle.

— Ils brouillent nos transmissions, Yan ! Même la fréquence secrète de la Nouvelle République.

— Qu'est-ce que je disais ? Remarque qu'ils ont attendu qu'on soit trop près de la planète pour passer en hyperdrive...

Des rayons les frôlèrent de nouveau. Leia riposta et manqua encore sa cible.

— Ils sont trop rapides et trop maniables pour les dispositifs de visée du cockpit, dit-elle.

— Ouais... Je vais m'occuper d'eux avec les quadlasers supérieurs. Prépare-toi à prendre les commandes.

Leia frissonna en imaginant son mari au sommet du vaisseau, sans autre protection que les bouliers du *Faucon* et quelques millimètres de transparacier.

Mais il avait raison. L'un d'eux devait s'en charger. Malgré ses pouvoirs de Jedi, elle n'était pas aussi forte que lui à ce jeu.

— Je suis prête ! dit-elle.

Elle s'empara du manche à balai du copilote.

La seule manière d'aider Yan serait d'éviter qu'un de leurs ennemis fasse mouche.

— Des suggestions stratégiques ?

— Essaye de ne jamais rester dans le réticule de leurs viseurs, dit Yan. On y va !

Il passa les commandes à Leia et se leva.

— Tu as le navire en main ?

— Affirmatif ! Sois prudent !

— Bien sûr...

Solo sortit du cockpit.

Leia lui laissa cinq secondes pour atteindre l'échelle. Puis elle précipita de nouveau le *Faucon* dans une vrille censée semer ses agresseurs.

Les trois pilotes étaient trop malins pour se laisser avoir.

Un coup d'œil sur l'écran tactique confirma à Leia qu'ils étaient toujours là, collés aux basques du *Faucon* comme des Mynocks affamés.

Des rayons ricochèrent sur les boucliers arrière.

— Je suis en position, annonça Yan dans l'intercom. Tu t'en sors ?

— Moins bien que je ne le voudrais, avoua Leia. Et ils ont ajusté leurs tirs...

— J'ai vu... Ne t'en fais pas, les boucliers tiendront. Garde ces types à distance quelques secondes de plus.

— Je fais ce que je peux...

Leia zigzagua de plus belle et chercha quelque chose de plus constructif à faire que de détaler comme un vulgaire gibier.

Mais qu'essayer d'autre ? Où se cacher ? Qui appeler ? Il n'y avait que Yan, elle et les trois pilotes qui les traquaient sous le regard indifférent de Pakrik Mineure.

Pakrik Mineure !

— Yan, je me dirige vers la planète. Nos communications sont brouillées, mais si je m'approche suffisamment, quelqu'un peut voir ce qui se passe et donner l'alerte.

— Bonne idée ! approuva son mari. Sois prudente quand même. Les vaisseaux de ces gars ne sont pas adaptés aux manœuvres dans l'atmosphère, c'est vrai, mais le *Faucon* non plus... Ouais !

— Que se passe-t-il ?

— J'en ai touché un. Ça ne l'a pas ralenti, mais je crois que ses boucliers sont cuits. Fonce !

Le jeu mortel continua. Leia poussa les moteurs du *Faucon* au maximum et continua sa route en zigzag vers Pakrik Mineure.

Leurs adversaires touchaient assez souvent les boucliers pour que ça devienne inquiétant. Sur le tableau de bord, la majorité des voyants étaient au rouge, et ça s'aggravait à chaque salve.

Un souvenir revint à l'esprit de Leia : son premier vol à bord du *Faucon*, quand ils fuyaient l'Etoile Noire et se frayaient un chemin parmi les chasseurs TIE à grands coups de canons laser.

A l'époque, Luke, Chewie, C-3PO et R2 combattaient à leurs côtés. Et le *Faucon* était sans doute en meilleur état.

De plus, en réalité Vador et Tarkin souhaitaient qu'ils s'échappent...

Une lueur aveuglante ramena Leia au présent.

— Yan ! cria-t-elle.

— Dans le mille ! rugit Solo. Un ennemi en moins, encore deux dans la course ! Le *Faucon* tient le coup ?

Leia baissa les yeux sur les voyants.

— Plus ou moins... Le stabilisateur de flux ionique est hors service et les moteurs en sont à la moitié de la puissance nominale. Encore un coup au but et on pourra dire adieu aux boucliers arrière.

— C'est le moment de faire un truc génial, grogna Yan. Tu as déjà tenté un « looping du contrebandier » ?

— Une ou deux fois. Jusque-là, toutes mes manœuvres n'ont servi à rien. Ils connaissent sûrement celle-là...

— Sans doute, mais on utilisera une variante... Leia, fais se cabrer le *Faucon* comme si tu voulais l'arrêter net. Ensuite, pars en vrille jusqu'à ce qu'il soit orienté vers la planète. Puis donne tout ce qui reste de puissance. Ça devrait surprendre nos adversaires...

— Et si ça ne marche pas ?

— Laisse-moi finir ! Donne-leur quelques secondes pour changer de cap et nous suivre. Puis exécute un looping du contrebandier. Les types nous dépasseront...

— Ou ils nous percuteront... marmonna Leia. Tu es prêt ?

— Vas-y !

— Accroche-toi !

Leia coupa l'accélération. Comme prévu le *Faucon* se cabra. Du coin de l'œil, l'épouse de Yan vit que leurs poursuivants freinaient à mort pour ne pas les dépasser.

Quand le vaisseau eut le nez pointé vers Pakrik Mineure, elle accéléra à fond. Le choc la plaqua à son siège.

— Yan ?

— Tu es géniale, ma chérie ! Peux-tu aller un peu plus vite ?

— Désolée, je suis au maximum...

— Tant pis, je me débrouillerai... Prépare-toi ! Le looping du contrebandier... Maintenant !

Leia coupa de nouveau l'accélération et laissa le *Faucon* partir en vrille. Les deux chasseurs adversaires freinèrent en catastrophe.

Cette fois, Leia fit effectuer un demi-tour acrobatique à son vaisseau.

Les pilotes ennemis essayèrent de ne pas dépasser leur proie. Mais leur vitesse était trop grande. Impossible de s'arrêter !

Ils frôlèrent le *Faucon*.

Du moins, l'un d'eux le frôla...

La collision avec l'autre éjecta Leia de son siège.

— Leia ! hurla Yan alors que des alarmes retentissaient dans le vaisseau. Leia !

— Je vais bien... Yan, un des chasseurs nous a percutés.

— Des fuites d'oxygène ?

— Je... je n'en sais rien...

Leia essaya de consulter le tableau de bord, mais quelque chose obscurcissait sa vision. Quand elle se passa une main sur les yeux, cela s'arrangea.

— Non... La coque est intacte. Mais les moteurs et les répulseurs...

— J'arrive dans une minute. Continue à faire voler le *Faucon* en un seul morceau...

Une vive lueur attira l'attention de Leia. Elle quitta des yeux le tableau de bord et vit Pakrik Mineure devant elle. Le dernier chasseur ennemi fonçait vers la planète.

Il essayait désespérément de freiner.

Au moment où il amorçait un demi-tour, Yan le pulvérisa d'une rafale de quadlasers.

L'appareil explosa.

— Voilà qui est fait ! dit Yan. J'arrive, mon cœur...

Leia se passa de nouveau une main sur les yeux et regarda le tableau de bord. Les moteurs étaient désactivés, mais les voyants n'indiquaient pas la gravité des dégâts. Pareil pour les répulseurs.

Le *Faucon* tournait lentement sur lui-même.

Quand Leia activa les stabilisateurs auxiliaires pour essayer de redresser le vaisseau, elle remarqua que sa main droite était rouge de sang.

Elle inspecta la blessure, invoqua la Force et amorça le processus de guérison.

Yan déboula dans le cockpit et se précipita sur le siège du pilote.

— Voyons voir, dit-il, les yeux baissés sur les écrans.

Puis il les releva et vit du sang sur le front de sa femme.

— Leia !

— Ce n'est qu'une coupure... Que va-t-on faire avec les moteurs ?

— Les réparer... répondit Yan en se levant d'un bond. Et on a intérêt à se dépêcher !

Il sortit du cockpit.

Leia regarda par la baie vitrée et retint son souffle. Ils approchaient de Pakrik Mineure à une vitesse vertigineuse !

Le *Faucon* était leur vaisseau depuis le jour de leur mariage. Et celui de Yan depuis bien plus longtemps que cela.

Sa destruction serait un choc terrible pour l'ancien contrebandier. Mais s'attacher à un bien matériel au point de perdre la vie était le summum de l'idiotie !

Leia pianota sur le clavier pour activer les capsules de sauvetage.

Rien ne se passa.

— Non !

Elle essaya de nouveau.

Rien...

Les capsules ne fonctionnaient pas.

Yan et elle étaient coincés dans un vaisseau promis à s'écraser sur une planète.

Leia activa l'unité de communication. Sans le brouillage, elle pourrait appeler de l'aide. Il ne restait plus beaucoup de temps, mais c'était jouable.

Un voyant rouge lui indiqua que les communications ne fonctionnaient pas. Ils étaient seuls et coupés de tout...

Et ils allaient mourir !

Leia inspira profondément et fit appel à la Force pour contrôler sa peur.

Ce n'était pas le moment de paniquer.

— Yan, les capsules de sauvetage sont hors service... dit-elle d'un ton aussi neutre que possible.

— Je m'en suis aperçu quand j'étais là-haut... Essaye le système de redémarrage...

Leia appuya sur une touche.

— Un résultat ?

— Pas pour le moment... Je vais tenter autre chose.

— Tu veux que je vienne t'aider ?

— Non, il faut quelqu'un aux commandes. Garde un œil sur l'espace. Si tu aperçois un autre vaisseau, envoie un signal de détresse avec les quadlasers.

En espérant que ce ne sera pas un petit camarade de nos adversaires...

— Compris.

Les minutes passèrent. Au fur et à mesure que Yan avançait dans son travail, nombre de voyants repassèrent au vert. Mais ce n'étaient pas les plus importants...

Un sifflement emplit le cockpit quand le *Faucon* aborda la stratosphère de Pakrik Mineure sans boucliers pour amortir la friction.

Autour du vaisseau, la noirceur de l'espace céda la place à une lueur blanchâtre. Leia sentit que la température augmentait. Devant elle, la planète avait encore grossi. On distinguait certains détails : un lac, une chaîne de montagnes, des vallées...

— Essaye encore le système de redémarrage, dit Yan.

— D'accord.

Cette fois, les moteurs rugirent.

— Très bien ! Vas-y mollo ! Ne te hasarde pas à nous arrêter d'un coup, mes réparations ne tiendraient pas. Ralentis progressivement... Et si tu as un de tes trucs de Jedi en réserve, c'est le moment de le sortir !

— Si tu crois que je n'essaye pas...

Le cœur de Leia battait la chamade. Depuis qu'elle avait mesuré la gravité du danger, elle utilisait ses pouvoirs au maximum. Elle avait tenté de contacter toutes les entités réceptives à la Force présentes dans le système, et soutenu Yan pour qu'il puisse se concentrer sur sa tâche.

Elle avait aussi demandé de l'inspiration et des conseils à la Force.

Sans résultat ! Désespérée mais lucide, Leia savait qu'elle ne pouvait rien faire de plus. Un Jedi ne réparait pas des moteurs d'un simple geste. Il n'arrêtait pas la chute d'un vaisseau et ne trouvait pas de l'aide là où il n'y en avait pas...

Mon Dieu, nous allons tous mourir !

La phrase favorite de C-3PO lui revint à la mémoire. Une chance qu'il ne soit pas là ! Et heureusement que les enfants étaient en sécurité sur Kashyyyk avec Chewbacca.

Même chose pour les gardes du corps Noghris...

Si la dernière heure des époux Solo avait sonné, inutile qu'ils emmènent quiconque dans leur ultime voyage.

Adieu, Jacen, Jaina et Anakin... pensa Leia en direction des étoiles, consciente que son message n'arriverait sûrement pas à destination.

Comme elle aurait aimé revoir une dernière fois ses enfants !

Sur le tableau de bord, l'alarme de collision clignota.

Soudain, un petit vaisseau passa devant la baie vitrée.

— Yan ! Un navire, juste...

Leia se tut, la gorge nouée par l'espoir.

Le vaisseau avait ralenti pour adapter sa vitesse à celle du *Faucon*.

Leia put le détailler.

— Un navire ? Où ça ? demanda Yan.

Un second vaisseau était apparu sur la droite du *Faucon*. Un troisième prit position sur sa gauche, et un quatrième approchait de la poupe.

— Ne t'emballe pas, dit calmement Leia à son mari. Ce sont des intercepteurs TIE Impériaux.

8

— Des *quoi* ? s'exclama Yan.

Leia entendit ses outils tomber sur le sol métallique avec un bruit du plus bel effet.

— Tiens bon, j'arrive !

Leia examina plus attentivement les vaisseaux qui les entouraient. Des intercepteurs TIE, ça ne faisait pas de doute. Pour autant qu'elle puisse en juger, ils étaient en excellent état. Mais d'où venaient-ils ? Les Impériaux n'étaient pas assez stupides pour lancer une attaque massive *après* la conférence, alors que les délégués avaient pris le chemin du retour. Dans le système de Pakrik, il n'y avait rien d'intéressant...

Evidemment, ces navires pouvaient être la force de soutien des trois premiers chasseurs. Dans ce cas, ils venaient finir le travail.

Avec un crissement de bottes strident, Yan s'immobilisa près de sa femme.

— Que font-ils ? demanda-t-il, pantelant.

— Rien du tout, répondit Leia, sourcils froncés.

A bien y réfléchir, cette passivité était étrange. Même de la part des Impériaux, regarder le *Faucon* s'écraser sans lever le petit doigt semblait trop sadique. Au moins pour des combattants. Certains Moffs et Grands Moffs auraient adoré le spectacle.

— Ils manœuvrent, dit Yan, un index tendu. Regarde celui de gauche. Il s'écarte légèrement.

— Tu as raison. Mais dans quel but ?

Un instant plus tard, Leia eut la réponse à sa question. Un disque jaune fluo relié à un câble de la même couleur jaillit des entrailles de chacun des quatre TIE et vint adhérer à la coque du *Faucon*.

Les câbles se tendirent. Avec une brutalité qui faillit faire tomber Yan à la renverse, le vaisseau cessa de plonger vers la planète.

Leia regarda Yan et constata qu'il était aussi étonné qu'elle.

— Par la graisse d'un Hutt... marmonna-t-il. Des grappins tracteurs ! (Il se laissa tomber sur le fauteuil du pilote et regarda son épouse.) Je donne ma langue au chat. Que se passe-t-il, nom de nom !

— Je n'en sais rien, répondit Leia. (Elle fit appel à la Force.) Mais ces pilotes ont quelque chose de bizarre...

— Quoi ?

— Impossible à préciser... C'est très étrange...

— Si tu le dis... Quoi que ce soit, on ne tardera pas à le savoir. On dirait que la descente recommence.

Yan ne se trompait pas. Ils survolaient une série de collines et les TIE faisaient presque du rase-mottes.

Quand de vastes champs de blé haut apparurent sous eux, les rangées de plants impeccablement alignées se couchèrent sur leur passage.

Au bout de la plaine se dressaient des collines plus hautes que les précédentes. Yan repéra l'entrée d'une caverne au pied de la plus grande.

— Compris, c'est là qu'on va, dit-il. Un joli coin, très discret, sauf quand les paysans sont au travail. Je vois que nous avons droit à un comité d'accueil...

Leia plissa les yeux pour mieux distinguer les silhouettes debout devant la grotte.

— Je compte... On dirait qu'il y a une dizaine de personnes.

— Plus les quatre pilotes des TIE et tous les types planqués dans la caverne.

Yan farfouilla sous le tableau de bord et sortit son blaster d'une niche de rangement.

— Tu as un plan ? demanda Leia.

Solo fixa le holster à sa ceinture.

— Pas vraiment... Si c'est ce que tu crains, sache que je n'ai pas l'intention de sortir en tirant sur tout ce qui bouge. S'ils voulaient notre mort, ces gens auraient laissé le *Faucon* s'écraser.

— Ils pensent peut-être que les petits sont avec nous, dit Leia.

Un flot de souvenirs désagréables remonta à sa mémoire.

Ses enfants avaient été si souvent enlevés ou menacés...

111

— Dans ce cas, ils seront déçus ! tonna Yan avec une expression menaçante. (Il sortit son blaster, le vérifia et le rengaina.) Et on ne leur fera pas de cadeau ! (Il regarda les hanches de sa femme.) C'est l'heure de la réception, ma chérie. Ne devrais-tu pas t'habiller ?

— Bonne idée...

Leia prit son sabre laser dans la même niche de rangement et l'accrocha à sa ceinture.

Puis elle invoqua la Force pour qu'elle lui confère toute la sagesse et l'énergie voulues.

— Je suis prête.

Une minute plus tard, ils atteignirent les collines. Comme Yan l'avait prévu, les TIE inversèrent la poussée au maximum et déposèrent le *Faucon* sur le sol.

Les disques jaunes se détachèrent de la coque. Après avoir rembobiné les câbles, les quatre pilotes entrèrent dans la grotte.

— Au moins, nous savons d'où ils venaient, dit Yan avant de désactiver les systèmes du *Faucon* encore en fonction. Je te fiche mon billet que nous sommes tombés sur une des « cellules dormantes » du Grand Amiral Thrawn.

— J'ai toujours cru que c'était un mythe, soupira Leia. L'Empire a fait assaut de désinformation après la mort supposée de Thrawn.

— Je ne suis toujours pas convaincu qu'il est vivant, dit Yan. (Il se leva et approcha du sas.) Mais on pourrait en discuter pendant des heures... Allons plutôt voir ce qu'ils veulent.

Un membre du « comité d'accueil » attendait au pied de la rampe d'accès. De la taille de Yan, c'était un costaud aux yeux noirs et aux longs cheveux épais.

— Bonjour ! lança-t-il tandis que Leia et son mari descendaient la rampe d'accès.

Si sa voix était cordiale, son expression et son attitude trahissaient sa tension.

— Etes-vous blessés ? Conseillère Organa, vous saignez !

— Une égratignure, répondit Leia en essuyant le sang à moitié séché. (La sensation d'étrangeté revint, aussi forte qu'avec les pilotes.) C'est quasiment guéri.

L'homme hocha la tête ; une mèche de cheveux lui tomba devant les yeux.

— Evidemment ! Les techniques de guérison Jedi...

— Où sont passés vos compagnons ? demanda Yan.

— Ils examinent votre vaisseau...

Leia tourna la tête. Les hommes étudiaient la coque pour évaluer les dommages.

— Le deuxième Korlier vous a salement amochés, continua l'homme. Vous avez eu de la chance ! S'il vous avait percutés un peu plus haut, il aurait arraché votre réacteur et percé votre coque.

— Des NavEclairs Korliers ? demanda Yan sur le ton du professionnel qui discute boutique avec un confrère. J'en ai entendu parler, mais je n'en avais jamais vu.

— Ils ne sont pas très courants, confirma l'homme. Comme le Combinat Korlier omet de graver des numéros de série sur ses navires, ce sont les favoris des gens épris de discrétion.

— Tout le contraire des intercepteurs TIE, fit Yan en désignant l'entrée de la caverne.

L'homme eut un sourire doux-amer.

— C'est à peu près ça... Je suis Sabmin Devist. Bienvenue dans la Cellule Dormante Jenth-44.

— Ravi d'être ici, répondit Yan, presque sincère. Quelle est la suite du programme ?

— Nous allons parler, répondit une voix.

Leia se tourna et vit un homme vêtu d'une combinaison de pilote sortir de sous le *Faucon*.

La même taille et la même corpulence que Sabmin, nota-t-elle. Une barbe bien taillée, des cheveux noirs plus courts...

— Je me nomme Carib Devist, Conseillère Organa Solo, dit l'homme, en s'approchant de Sabmin. Je suis le porte-parole de ce groupe.

— Et le frère de Sabmin ? lança Leia.

La ressemblance était frappante.

Carib sourit.

— C'est ce que nous disons aux gens... En réalité...

Il se plaça près de Sabmin.

— Une Jedi devrait comprendre rapidement...

Leia se demanda où il voulait en venir. Les deux hommes la regardaient ; la brise faisait voler les cheveux de Sabmin.

Sabmin... Carib...

C'était évident !

Leia tourna la tête. Derrière eux, les autres avaient terminé leur inspection du *Faucon*. Ils attendaient en silence, côte à côte.

Des coupes de cheveux et des vêtements différents. Des barbes, des moustaches... Une cicatrice çà ou là...

A part ça, ils étaient tous identiques !

Totalement identiques !

— Yan ?

— Ouais... Des frères... une grande famille...

Leia se concentra sur les pensées de son mari et sut qu'il avait compris.

Mal à l'aise, Carib haussa les épaules.

— Frère est un mot plus sympathique que... clone...

Le silence qui suivit sembla durer une éternité.

— Ah... finit par dire Yan sur un ton neutre. Intéressant. Et ça fait quoi, d'être un clone ?

Carib eut le même sourire doux-amer que Sabmin un peu plus tôt.

Leia frissonna.

— En gros, ce que vous supposez, dit Carib. C'est le genre de secret qui devient plus lourd à porter avec le temps et l'âge...

— J'imagine sans peine...

— Désolé, Solo, le coupa Carib, soudain glacial, mais vous n'imaginez rien du tout ! Chaque fois qu'un de nous quitte cette vallée, il sort avec la certitude que tout contact avec l'extérieur met en danger nos vies et celles de nos proches. Qu'une seule personne nous perce à jour, et le cocon de la famille Devist — des gens si proches les uns des autres ! — sera détruit par la haine, la colère et le meurtre.

— Vous dramatisez, dit Leia. La Guerre des Clones et ses ravages sont un lointain souvenir. Les vieux préjugés n'ont presque plus cours.

— En êtes-vous sûre, Conseillère ? Vous êtes une femme cultivée. Politicienne et diplomate, vous avez traité avec toutes les variétés possibles d'êtres intelligents. Dans votre domaine, nul ne vous égale ! Pourtant, face à nous, un malaise vous saisit. Admettez-le !

— Un *petit* malaise, avoua Leia. Mais je ne vous connais pas aussi bien que vos amis et vos voisins.

— Nous n'avons pas d'amis ! La Guerre des Clones est loin derrière nous, vous avez raison. Mais il n'y a pas longtemps, le Grand Amiral Thrawn se servait de clones pour conquérir le pouvoir...

— Vous travaillez pour lui ? demanda Leia tout en dévisageant son interlocuteur.

Il y avait chez lui quelque chose de familier au point d'être perturbant.

— Les ordres arrivent signés par Thrawn, admit Carib, prudent. Mais ça ne veut pas dire grand-chose...

Leia sentit que les pensées de son mari s'éclaircissaient enfin.

— Ça y est ! s'exclama Yan. Le Baron Fel !

— Le Baron *Soontir* Fel ? fit Leia, la gorge serrée.

C'était bien lui que Carib lui rappelait. En plus jeune... As des as de la Flotte Impériale, Soontir Fel avait épousé la sœur de Wedge Antilles. Pour sauver sa femme, condamnée à mort par Ysanne Isard, le Directeur des Renseignements Impériaux, il avait conclu un accord avec l'Escadron Rogue — à contre-cœur, évidemment.

La mission avait réussi. Mais Fel, tombé dans un piège machiavélique, s'était retrouvé entre les griffes d'Isard. On ne l'avait jamais revu. Un procès et une exécution rapides étaient la règle pour Cœur de Glace.

Tout ça s'était produit quelques mois après la bataille d'Endor, des années avant que Thrawn revienne des Régions Inconnues et se serve de clones.

Une question se posait...

Yan fut le plus rapide.

— Comment Fel a-t-il survécu jusqu'à ce que Thrawn ait récupéré les cylindres de clonage ?

Carib secoua la tête ; une lueur de mélancolie passa dans ses yeux.

— Nous ne le savons pas, répondit-il à voix basse. Notre éducation accélérée n'incluait pas les souvenirs du Baron. Nous supposons... que la sympathie qu'il éprouvait pour la Nouvelle République lui a été... arrachée... par Ysanne Isard.

— Ou par Thrawn !

— C'est possible, admit Carib. Sans un lavage de cerveau, Fel n'aurait pas été assez fiable pour servir de modèle à des clones. Même si c'était un formidable pilote !

Il y eut un nouveau silence. Leia fit appel à la Force. Si l'évocation des lavages de cerveaux avait troublé Carib, l'aura mentale très particulière spécifique aux clones l'empêchait d'en apprendre davantage.

— Vous venez pourtant de nous sauver la vie, rappela-t-elle.

— Ne surestime pas leur intervention, grogna Yan. S'ils ne nous avaient pas aidés, on se serait écrasés au beau milieu de leur vallée. Crois-tu que leur secret aurait résisté aux enquêteurs de la République ?

— Notre secret n'en est plus un, dit Carib. Tout dépend de ce que vous déciderez de faire.

— Possible... souffla Yan. (Sa main descendit lentement vers son blaster.) Ou de ce que *vous* déciderez.

— Vous vous méprenez. Nous n'avons pas l'intention de vous faire du mal. Et il n'est plus question de combattre pour Thrawn ou pour l'Empire !

Yan plissa le front.

— Vous vous rendez ?

— Pas exactement. Tout ce que nous voulons, c'est vivre en paix sur ce monde.

Yan et Leia se regardèrent, dubitatifs.

— C'est vraiment ce que vous voulez ? s'étonna Leia.

— Est-ce un prix trop élevé pour notre intervention ? Après tout, vous nous devez la vie.

Yan leva une main.

— Une minute ! Jouons cartes sur table. C'est bien Thrawn qui vous a créés ?

Carib tressaillit, mais hocha néanmoins la tête.

— Exact.

— Nous parlons du *Grand Amiral* Thrawn, le type qui voulait restaurer l'Empire ? L'homme qui a sélectionné les meilleurs pilotes de TIE et d'AT-AT pour alimenter ses cylindres de clonage ?

— Vous ne comprenez pas... Fel était loyal à l'Empire tel qu'il existait avant que des bouchers psychopathes comme Isard prennent le pouvoir. Sur son territoire, Palpatine maintenait l'ordre et la stabilité...

— Deux choses, intervint Sabmin, dont la Nouvelle République aurait ardemment besoin aujourd'hui...

— Laissons la politique à l'écart, s'interposa Leia avant que son mari ne réplique par une repartie bien sentie. J'ai toujours du mal à comprendre. Si le Baron Fel était loyal à l'Empire, et si vous regrettez le genre d'ordre qui régnait en ce temps-là...

— Et si Thrawn est vivant ! ajouta Yan.

— ... pourquoi refusez-vous de combattre ?

— Parce que le Grand Amiral s'est trompé à notre sujet, répondit Carib. Pour Fel, il y avait une chose plus importante que la gloire ou la stabilité de la galaxie...

Il désigna d'un grand geste les champs et les collines.

— Il aimait la terre ! Et nous sommes comme lui !

Leia, comprenant enfin, se tourna vers son mari.

— Il plaisante ? demanda celui-ci, incrédule. Je veux dire... Souviens-toi : sur Tatooine, Luke mourait d'envie de quitter sa fichue ferme.

— Elle était perdue au milieu du désert ! lui rappela Leia.

Elle laissa son regard errer sur les champs ; les souvenirs de la végétation luxuriante d'Alderaan remontèrent à sa mémoire.

— Aucun rapport avec ces plaines.

— Vous éprouvez la même chose que nous, n'est-ce pas ? Donc, vous nous comprenez.

Carib regarda les plantations.

— C'est notre vie, désormais. Notre terre et nos familles, voilà tout ce qui importe. La politique, la guerre et les chasseurs TIE appartiennent au passé ! (Il regarda Leia.) Est-ce que vous nous croyez ?

— J'aimerais bien... Mais dites-moi, pour prouver vos dires, jusqu'où êtes-vous prêts à aller ?

— Aussi loin qu'il le faudra !

Leia avança vers Carib et riva son regard au sien. Elle devina que Yan s'inquiétait qu'elle s'éloigne de lui.

Sereine, elle invoqua la Force et s'introduisit dans l'esprit de Carib... qui ne broncha pas.

Quand elle recula, la Conseillère n'avait plus le moindre doute.

— Il est sincère, Yan. Les autres aussi.

— Alors, on joue le jeu ? On file et on les laisse ici ?

— D'abord, nous réparerons votre vaisseau, dit Carib. Les droïds MX chargés de la maintenance de nos appareils en auront pour un ou deux jours.

Yan secoua la tête.

— Ça ne colle pas ! Vous nous demandez de protéger un groupe de saboteurs Impériaux. Pour nous, c'est un sacré risque !

— Qu'essayez-vous de... commença un des hommes alignés avec ses « frères ».

Avec un sourire en coin, Carib le fit taire d'un signe.

— Vous avez toujours été un satané négociateur, Solo, dit-il sèchement. Que voulez-vous ?

— Vous ne désirez plus vous battre, résuma Yan. Ça nous arrange, parce que nous voulons la même chose. Mais si l'affaire de Caamas n'est pas résolue très vite, nous n'aurons pas le choix.

— Et donc ? demanda Carib.

— Nous devons savoir quels Bothans ont été impliqués dans le massacre. Et ces noms, il n'y a pas trente-six endroits où les obtenir.

Carib pinça un bref instant les lèvres.

— L'Empire ?

— Les archives de Bastion, précisa Leia, qui comprenait où son mari voulait en venir. L'ennui, c'est que nous ignorons où est Bastion.

— Nous ne le savons pas non plus, répondit Sabmin. Nos ordres viennent de l'Ubiqtorate par un canal spécial. Nous n'avons jamais été en contact direct avec Bastion et les chefs actuels de l'Empire.

— Je veux bien l'admettre, fit Yan. Mais vous devez avoir un moyen de leur envoyer un message urgent. L'armée Impériale ne peut pas être désorganisée à ce point.

Carib et Sabmin échangèrent un regard.

— Il y a un secteur, à la limite de l'espace Impérial, où nous pouvons contacter quelqu'un... dit Carib. Mais seulement pour des informations vitales qui ne peuvent pas attendre...

— Je crois qu'on peut trouver de quoi faire, dit Yan. M'emmènerez-vous là-bas ?

— Un instant, monsieur Solo ! coupa Leia. Tu voulais dire : *nous* emmener.

— Désolé, mon cœur, mais tu es bien trop connue dans l'Empire. Tu te ferais repérer au premier coup d'œil !

— Sans blague ? riposta Leia. Parce que tu espères passer inaperçu ?

— Je n'ai jamais été Président de la Nouvelle République. Et l'un de nous deux doit y aller...

— Pourquoi ? demanda Leia, le cœur serré.

Yan avait fait bon nombre de trucs dingues dans sa vie. Mais s'enfoncer au cœur de l'Empire était plus fou encore que tout ce qu'il avait pu faire du temps où il était contrebandier.

— La Nouvelle République peut envoyer quelqu'un d'autre, insista Leia.

— A qui faire confiance ? objecta Yan. Nous n'avons pas le temps de retourner sur Coruscant pour rassembler une équipe. L'avenir de la Nouvelle République ne tient plus qu'à un fil, tu le sais bien !

— Tu ne peux pas partir seul ! Et n'oublie pas que je suis une Jedi. Si tu as des problèmes...

— Quelqu'un arrive, remarqua un des clones en montrant le ciel.

Leia leva les yeux. Au-dessus des collines, un petit vaisseau approchait dans leur direction.

— Carib, dites à vos... hum... amis de rentrer dans la grotte.

Elle amplifia sa vision et examina le vaisseau.

— Allez-y tous ! On dirait la navette de nos gardes Noghris.

— Trop tard ! répondit Carib. (Il fit signe à ses compagnons de ne pas bouger.) S'il y a des Noghris dans ce navire, ils nous ont déjà repérés. Nous cacher ne fera qu'aggraver les choses.

La navette volait en rase-mottes au-dessus des champs. Elle semblait ne pas vouloir s'arrêter.

Yan se racla la gorge, mal à l'aise. Leia elle-même eut des doutes. L'engin ressemblait à une navette Khra. Compte tenu de sa vitesse de vol, l'erreur était possible. Et s'il s'agissait d'une attaque...

A la dernière seconde, le véhicule inversa la poussée au maximum et s'immobilisa. Une petite silhouette grise ouvrit la porte du passager et sauta à terre.

La navette redécolla, prit de l'altitude, s'éloigna puis fit demi-tour pour venir tourner en rond au-dessus du groupe rassemblé près du *Faucon*.

— Conseillère... dit simplement Barkhimkh, qui avait retrouvé sans mal son équilibre après un saut de trois mètres.

Il paraissait ne pas être armé. Mais avec un Noghri, mieux valait ne pas se fier à la première impression.

— La Défense de Pakrik nous a informés qu'un vaisseau a été attaqué et que c'était sans doute le vôtre. Nous sommes soulagés que vous soyez indemnes.

— Merci, répondit Leia d'une voix aussi neutre que celle de son garde du corps.

Elle savait que Barkhimkh aurait voulu exprimer sa honte, car Sakhisakh et lui, selon leur code de l'honneur, auraient dû être là pour défendre le *Faucon*. Mais un Noghri ne pouvait faire montre de tels sentiments devant des inconnus.

— Votre inquiétude nous touche, ajouta Leia. Nous avons pu nous poser sans casse. Et ces gens sont des amis.

— Oui... dit le Noghri, ses yeux de professionnel balayant le groupe. Je suppose que... vous allez revenir avec nous.

Le changement de ton était à peine perceptible mais cela fut suffisant pour Leia.

— Tout va bien, dit-elle avant d'approcher de Carib. Ils ne nous feront pas de mal.

— Vous ne comprenez pas ! grogna Barkhimkh, plein de mépris. (Comme par magie, un blaster apparut dans sa main.) Ce sont des clones Impériaux !

— Ce sont des clones, oui. Mais des alliés...

— Des Impériaux ? cracha Barkhimkh.

— Comme les Noghris jadis... rappela Carib.

Le blaster de Barkhimkh se pointa sur lui. Toute mention de la longue servitude des Noghris sous le joug de l'Empire était considérée comme une insulte.

— Non ! ordonna Leia. (Elle utilisa la Force pour détourner le canon du blaster de la poitrine de Carib.) Ils nous ont sauvés et ils demandent simplement à avoir un sanctuaire.

— Fiez-vous à eux si vous voulez, Conseillère. Moi, je refuse ! grogna Barkhimkh en rengainant cependant son blaster. Un message urgent est arrivé de Coruscant peu après votre départ de Pakrik Majeure, poursuivit le Noghri. (Il fit signe à son collègue d'atterrir.) L'avez-vous reçu ?

— Non, répondit Leia, qui ignorait que les Noghris avaient accès à leurs messages privés. Il nous a probablement atteints quand nos communications étaient brouillées. Avez-vous un enregistrement ?

— Sakhisakh vous le remettra. Bien entendu, nous n'avons pas essayé de le décoder.

Ce qui ne veut pas dire qu'ils en seraient incapables le cas échéant, pensa Leia.

— Qu'il le dépose dans le *Faucon*, dit-elle. Je vais activer le décodeur. Restez ici avec Yan et aidez Carib à organiser les réparations.

Dix minutes plus tard, alors que Sakhisakh montait la garde devant la porte, Leia s'assit à la table de jeu du *Faucon* et introduisit une mini-puce dans le lecteur de son datablock.

Le message était lapidaire.

Leia, ici le Général Bel Iblis. J'ai reçu des informations essentielles et il faut que je vous parle. Attendez-

moi sur Pakrik Mineure. Je serai là dans trois jours.
Rendez-vous au spatioport de Barris Nord. Prière d'ap-
pliquer les consignes de sécurité maximale pour tout ce
qui concerne cette communication.

Leia frissonna. Que pouvait avoir appris Bel Iblis pour faire un pareil voyage ?

Et pourquoi voulait-il lui parler ?

Un bruit de bottes résonna sur le métal. Leia se retourna pour découvrir que Yan l'avait rejointe.

— Tout va bien, annonça-t-il. Le chef des droïds estime que les réparations seront finies dans deux jours. Que disait le message ?

Leia tendit le databloc à son époux.

— Intéressant, fit Yan, le front plissé, sa lecture achevée. Comment Bel Iblis sait-il que nous sommes ici ?

— Gavrisom a dû le lui dire. Lui seul était informé de notre intention de venir sur Pakrik Mineure après la conférence.

— Les trois Korliers le savaient aussi, rappela Yan. (Il jeta un nouveau coup d'œil au message.) Es-tu sûre que ça vient bien de Bel Iblis ?

— Autant qu'on peut l'être... Le message porte sa signature codée et la confirmation BridgeBreak.

— Le truc informatique que Ghent a proposé à Iblis il y a quelques mois ?

— Ce *truc*-là, oui ! Je doute que les Impériaux sachent que les codes sont dans la signature. Quant à y accéder ou à les copier...

— Sauf si Ghent avait recours à la même méthode quand il travaillait pour Karrde, remarqua Yan, songeur. Les Impériaux pourraient avoir compris l'astuce à ce moment-là.

— Non. Bel Iblis lui a posé la question. Ghent a répondu qu'il venait d'inventer ce système.

Yan relut le message.

— Mouais... Tu sais à quoi il fait allusion ?

— Pas du tout ! Mais nous l'apprendrons dans trois jours.

— Tu l'apprendras ! D'ici là, je serai parti avec Carib.

Bouleversée, Leia prit une grande inspiration.

— Yan...

— Pas de discussion, mon cœur... la coupa gentiment Solo. (Il prit la main de sa femme.) Je n'aime pas ça non plus. Mais si on ne fait rien, la galaxie partira en fumée. Tu le sais mieux que moi.

— On ne sait rien du tout ! objecta Leia. Le gouvernement de la République et les aspirants Jedi de Luke unissent leurs efforts pour empêcher un désastre. Si une guerre civile éclate, nous forcerons les Bothans à payer des dommages de guerre, et tant pis si ça torpille leur économie !

— Tu crois vraiment que les Diamalas laisseront Gavrisom les pousser à l'autodestruction ? Sans parler des Mon Calamari, des Sif'kries et de tous ceux qui se sont rangés du côté des Bothans lors de la conférence ! Leia, on ne gagne pas une guerre à coups de bonnes intentions !

— Et Karrde ? lança Leia, guère disposée à baisser les bras.

— Karrde ? D'accord, il est parti à la recherche d'un exemplaire intact du Document de Caamas. Ça ne veut pas dire qu'il le trouvera. Souviens-toi, il n'avait pas l'air si confiant que ça. Et s'il déniche ce qu'il cherche, il demandera une petite fortune qui aura le même genre d'effet sur l'économie galactique.

— Yan, je parle sérieusement ! s'énerva Leia.

— Moi aussi, répondit Yan. Tu crois que j'ai envie de me promener en plein cœur de l'Empire ? Raconte ce que tu veux sur les gens qui essayent d'empêcher le désastre, ça ne changera rien à la vérité. Si la Nouvelle République vole en éclats, Gavrisom et les aspirants Jedi de Luke n'y pourront rien. Et si le pire arrive, quelle sorte de vie auront Jacen, Jaina et Anakin ? Ou les gosses de Chewie ? Ou les petits-enfants de Cracken ? Je déteste l'idée de risquer ma peau, mais je dois le faire !

Leia respira profondément et invoqua la Force.

Décidément, elle haïssait cette perspective. En même temps, curieux paradoxe, elle semblait... juste. Ni plaisante, ni sans danger, mais *adéquate*.

— Tu n'iras pas seul ? Je veux dire... à part Carib ?

— J'ai pensé à quelqu'un pour m'accompagner, admit Yan.

Dans sa voix, Leia entendit un étrange mélange de soulagement et de regret.

Il était content que sa Jedi de femme n'insiste pas davantage... et cependant mélancolique.

— Lando ? demanda Leia avec un petit sourire.

— Comment as-tu deviné ? répondit Yan d'un ton faussement enjoué. Oui, lui et quelques autres. (Il tourna la tête vers Sakhisakh.) Pas toi, au cas où tu y penserais.

— Je vous conseille de reconsidérer la question... Un garde Noghri déguisé en esclave ne vous ferait pas remarquer sur un monde Impérial. (Ses yeux se posèrent sur Leia.) Dame Vador, par deux fois, sur Bothawui et ici, nous avons failli à notre mission. La honte et la disgrâce d'un troisième échec seraient insupportables.

— La disgrâce et la honte ne valent pas que vous nous fassiez repérer dès qu'on mettra un pied hors du vaisseau, riposta Yan. Désolé, mais Lando et moi irons seuls. Toi et ton collègue, restez avec Leia et veillez sur elle. Compris ?

— N'ayez pas d'inquiétude, grogna Sakhisakh, déterminé, il ne lui arrivera rien.

Sous la table, Leia s'empara de la main de Yan.

— Adieu nos petites vacances... soupira-t-elle avec un sourire peu convaincant.

L'expression de Yan lui fit regretter ses paroles.

— Désolé, Leia, dit-il. J'ai l'impression qu'on ne se sortira jamais de tout ça...

— Ce n'est pas pour demain, en tout cas... Si j'avais connu le prix à payer, j'ignore si je me serais lancée dans la Rébellion.

— Bien sûr que si ! Sinon, tu serais morte sur Alderaan et Palpatine serait toujours à la tête de l'Empire. Ton pauvre mari, quant à lui, trafiquerait encore pour le compte de vermines comme Jabba. Rien que pour ça, le jeu en valait la chandelle.

— Tu as raison, reconnut Leia, honteuse de cette crise d'auto-apitoiement. Quand partez-vous, Carib et toi ?

— Voyons voir... fit Yan, avec une dureté inattendue. Je dois contacter Lando et Carib doit préparer son transporteur pour le voyage. Ce type a une famille et il lui faut un peu de temps pour lui faire ses adieux. Disons demain matin ?

Ce qui veut dire, pensa Leia, *qu'il trouvera un prétexte pour persuader Carib qu'ils ne peuvent pas partir avant demain...*

— Merci, Yan...

Leia serra la main de son mari et réussit à lui adresser un sourire moins forcé.

— Ce ne sont pas les vacances que j'espérais, fit Yan, mais c'est mieux que rien.

— Beaucoup mieux que rien ! renchérit Leia. Crois-tu que la galaxie peut attendre une nuit de plus ?

— Je n'en sais rien... (Yan se leva et tendit le bras à sa femme selon l'antique cérémonial Alderaanien qu'il utilisait rarement.) Mais elle n'aura pas le choix !

9

Derrière la baie en transparacier, une dernière colonne de bulles monta des roches veinées de bleu qui se dressaient au fond de l'océan. Comme répondant à un signal, la lumière crue qui éclairait la zone baissa d'intensité.

Dans la galerie d'observation, les murmures s'éteignirent.

Adossé au mur du fond, Lando se permit un sourire plein d'anticipation. Quand Tendra Risant et lui avaient parlé de leur projet d'exploitation minière sous-marine, la famille de la jeune femme s'était montrée peu enthousiaste. L'idée de la galerie d'observation payante, pour les clients du casino, avait eu plus de mal encore à passer. Comment ? Débourser de l'argent pour regarder de vulgaires mineurs — même aquatiques ! — travailler au fond de l'océan de Varn ? Ridicule !

Lando avait insisté. Vaincus par le soutien de Tendra, les financiers de la famille avaient fini par mettre la main au pot non sans commentaires désobligeants.

Une raison de plus pour se réjouir que la galerie soit pleine à craquer de spectateurs impatients !

Avec les projecteurs au minimum, on ne distinguait presque plus les rochers, masses sombres au milieu de l'eau à peine plus claire qui les entourait.

Dans la galerie, quelqu'un souffla un commentaire à un ami. Soudain, un point lumineux bleu-vert apparut près d'un rocher. Il grossit rapidement et devint une ligne, puis une double fourche, avant de se transformer en une toile d'araignée lumineuse tandis que les veines bleues de fraca s'enflammaient.

Des bulles jaunes firent leur apparition pendant que la chaleur du fraca embrasait le tertian qu'il contenait. Durant trente secondes, toute la formation fut enveloppée par un tourbillon de flammes et de lumière. On eût dit une créature vivante livrée aux affres de l'agonie sur un bûcher.

Quelqu'un poussa un cri de surprise. Alors que les étincelles et les bulles disparaissaient, la lumière augmenta d'intensité et les applaudissements crépitèrent.

La galerie s'illumina à son tour. Dans une cacophonie de conversations enthousiastes, les spectateurs reprirent le chemin du casino.

Campé devant la porte, Lando acceptait de bonne grâce les compliments. Il répondit à des dizaines de questions — de la plus banale à la plus intelligente —, laissa passer les deux derniers Duros et programma le sas pour qu'il laisse libre accès au public.

Les mineurs devaient donner une autre *représentation* dans la journée. Jusque-là, la galerie serait ouverte gratuitement à tous les curieux.

Lando s'engageait dans le couloir de la Salle Tralus quand son comlink bipa.

Il le sortit et l'activa.

— Calrissian, j'écoute.

— Vous avez une communication de la surface, annonça Donnerwin, le chef des opérations. Codée et privée.

— Transférez-la dans mon bureau.

Lando désactiva son comlink et changea de direction. C'était peut-être Tendra, pour lui dire que son séjour sur Corellia était terminé et qu'elle venait le rejoindre. Ou le Sénateur Miaramia, qui souhaitait lui donner des nouvelles du contrat de sécurité qu'il voulait signer avec les Diamalas.

Qu'il s'agisse de l'un ou l'autre, c'était une perspective agréable...

Une fois dans son bureau, Lando verrouilla la porte, se laissa tomber dans son fauteuil et activa l'unité de communication avec une excitation plus grande encore que celle des joueurs venus admirer le spectacle dans la galerie.

Ce n'était ni Tendra ni Miaramia.

— Salut, Lando ! lança Yan avec un sourire familier. Comment va ta vie ?

— Beaucoup plus mal qu'il y a trente secondes, répondit Calrissian, son excitation se transformant en une boule qui plongea directement au creux de son estomac. Je connais ce fameux « regard Solo ». Qu'est-ce que tu me veux ?

125

— Te proposer un petit voyage, vieux frère ! Peux-tu abandonner tes affaires pendant quelques jours ?

La boule, dans l'estomac de Lando, lui sembla soudain peser une tonne. Pas de protestations indignées ni de déclamations du genre : « Qu'est-ce qui te fait croire que je veux quelque chose ? » Non, une parfaite sobriété ! Quoi qu'il soit arrivé, Yan prenait les choses terriblement au sérieux.

— Et ce petit voyage, il est dangereux à quel point ?

Lando s'attendait au baratin habituel, mais il n'en fut rien.

— C'est plutôt risqué, mon vieux. Voire carrément périlleux.

— Yan, écoute, tu dois comprendre que...

— J'ai besoin de toi, Lando ! Le temps me manque et il me faut un type de confiance. Tu as les compétences requises, tu connais les gens adéquats, et je ne peux pas m'offrir le luxe de chercher quelqu'un d'autre.

— Yan, j'ai des responsabilités ici. Des affaires à superviser, et...

— Karrde aussi a sa vie. Et il n'a pas hésité ! Un refus de ta part ne lui ferait pas plaisir.

Lando soupira, résigné. Karrde serait furieux s'il se défilait. Après tout, c'était lui qui avait convaincu le contrebandier d'aller dans le secteur de Kathol pour récupérer un exemplaire intact du Document de Caamas chez le mystérieux Jorj Car'das.

Lando ne comprenait toujours pas quels étaient les liens entre Car'das et Karrde. Mais la question n'avait pas d'importance. Talon n'avait aucune envie de se retrouver face à Car'das et cependant il était parti. Maintenant que Yan voulait l'inclure dans la partie, Lando ne pouvait pas prétendre ne s'être jamais assis à la table...

— C'est d'accord... Mais seulement à cause de Karrde ! Où allons-nous, et quand ?

— Tout de suite ! Le *Dame Chance* est dans le coin ?

— A la surface, oui... Si je prends la prochaine navette sous-marine, je l'aurai rejoint dans une heure et demie. Qui sont les gars dont tu as besoin ?

— Ton vieux copain Lobot, pour commencer. Et le Verpine avec qui il bossait jadis. Comment s'appelle-t-il, déjà ?

— Moegid... répondit Calrissian, les yeux écarquillés. Yan, dis-moi que ce n'est pas ce que je pense ?

— C'est encore pire que ça, mon vieux. Lobot et Moegid sont-ils toujours les duettistes du craquage informatique à distance ?

— J'ignore s'ils font encore ce type de travail, soupira Lando, mais je suis sûr qu'ils en sont toujours capables. Aurais-tu localisé...

Il hésita. Même dans une communication codée, il ne tenait pas à prononcer ce nom à haute voix.

A l'évidence, Yan non plus.

— Tu évoques l'endroit dont nous avons parlé dans la Tour Orowood ? Je crois que je l'ai localisé, mon ami ! Contacte Lobot et Moegid et retrouvez-moi deux systèmes plus loin — en direction du Noyau — que celui où tu n'avais pas le choix.

Lando eut un sourire sans joie.

Ils sont arrivés juste avant vous...

Ces mots résonnèrent dans sa mémoire, accusateurs. A croire que tout ça s'était produit hier.

Je n'avais pas le choix, désolé...

Et moi donc ! avait répliqué Yan tandis que Leia et lui, flanqués d'une escouade de Soldats de Choc, faisaient leur entrée dans la salle à manger privée de la Cité des Nuages où les attendait Dark Vador.

— Deux systèmes plus loin en direction du Noyau, pigé !

— Je t'attendrai.

La transmission coupée, Lando se cala sur son siège et fixa l'écran vide.

L'endroit dont nous avons parlé dans la Tour Orowood.

Lors de cette réunion secrète, ils avaient évoqué beaucoup d'endroits. Mais un seul pouvait mettre Yan dans cet état.

Bastion !

Le site actuel de la capitale Impériale qui avait si souvent changé ces derniers temps. Le nom et les coordonnées de la planète-hôte restaient un des plus grands secrets de la galaxie. Mais il y avait une certitude : c'était un des mondes les mieux défendus de l'univers.

L'endroit où l'Empire avait regroupé le reste de ses forces.

Un lieu où la simple mention de Yan Solo et de Lando Calrissian suffisait à donner des boutons aux gens !

Et un des derniers secteurs de la galaxie où trouver des archives Impériales complètes.

Obtenir les noms des clans Bothans impliqués dans la destruction de Caamas mettrait un terme à la polémique. Pourquoi tout un peuple aurait-il dû payer des réparations à cause d'une poignée de meurtriers ?

Oui, tout s'arrangerait si Yan et lui découvraient les bonnes archives.

Et s'ils revenaient vivants de leur voyage.

Lando activa l'intercom.

— Donnerwin, envoyez un message à Lobot au Centre de Plongée. Qu'il prépare le *Dame Chance* au décollage. Nous partons en voyage.

Lando se demanda s'il devait ordonner à Lobot de contacter Moegid. Il décida que non. Le système d'encodage des communications du *Dame Chance* était meilleur que celui de la station sous-marine. Moins il y aurait de fuites, mieux ça vaudrait.

— Et réservez-moi une place dans la prochaine navette.

— Compris, répondit Donnerwin, habitué aux brusques changements de planning de son patron. Elle part dans vingt minutes. Dois-je demander qu'on vous attende ?

— Non, je serai prêt.

Mentalement, Lando dressa une liste rapide : ce dont il aurait besoin était déjà sur le *Dame Chance*. Sauf désastre imprévisible, le casino et l'exploitation minière fonctionneraient sans lui jusqu'au retour de Tendra.

Une vague de culpabilité submergea Calrissian. Après tout ce que Tendra et lui avaient vécu, elle avait le droit de savoir pourquoi il abandonnait le navire sans crier gare.

Surtout s'il ne revenait pas.

Lando déglutit et se rendit compte qu'il avait la bouche sèche. Il reviendrait, ça ne faisait pas de doute ! N'avait-il pas volé au cœur de l'Etoile de la Mort et survécu assez longtemps pour le raconter des dizaines de fois ?

N'avait-il pas échappé à la destruction du Mont Tantiss ? Puis aux malheurs survenus sur Corellia ?

Et à tant d'autres choses encore...

Possible. Mais il était plus vieux, plus sage, et il adorait son travail. Pour la première fois de sa vie, il se sentait vraiment lié à une femme. Pas question de perdre tout ça. Surtout en mourant bêtement !

Pourquoi s'en faisait-il autant ? Il partait avec Yan Solo, le plus grand veinard de la galaxie. Ils reviendraient entiers, il n'y avait pas à en douter !

— Patron ?

Lando sursauta et oublia ses méditations pour s'intéresser de nouveau à Donnerwin.

— Oui ?

— Il y a autre chose ?

— Non... Jusqu'au retour de Tendra, assurez-vous que tout se passe en douceur.

— N'ayez aucune crainte, patron. Et bon voyage.

— Merci.

Lando désactiva l'intercom et se leva.

Prendre soin de soi n'avait rien d'aberrant. Le vrai problème était beaucoup plus grave.

L'âge ! Lando se sentait vieux et il détestait ça !

Raison de plus pour s'offrir un petit tour au centre névralgique de l'Empire. Ça lui ferait du bien. Tant mieux si ça sauvait en plus la Nouvelle République.

Comme au bon vieux temps !

Dans son oreillette, Karoly D'ulin entendit s'ouvrir et se refermer la porte du bureau de Calrissian. Avec un soupir, la jeune femme se débarrassa du petit appareil.

— *Shassa*, murmura-t-elle.

Le mot sembla rester en suspens dans la petite pièce de maintenance. C'était le vieux cri de bataille des Mistryls. Mais elle venait de le lancer sans colère ni exaltation.

Juste une profonde tristesse.

Son pari avait eu le résultat escompté. A présent, elle allait devoir tuer une vieille amie.

Avec une précision née de l'habitude, Karoly commença à démonter le système d'espionnage radio installé par ses soins dans le bureau de Calrissian, quarante heures plus tôt.

La colère dissipa bientôt sa mélancolie. Elle était furieuse contre Talon Karrde, si tristement prévisible. Et contre elle-même, aussi, pour avoir si bien anticipé ses gestes.

Et contre Shada D'ukal, qui l'avait mise dans une position intenable.

Par les cendres d'Emberlene, quelle aberration l'avait poussée à défier ainsi les Onze ? La loyauté, avait-elle prétendu sur ce sinistre toit battu par le vent.

Ridicule ! Mazzic, un contrebandier minable, ne méritait pas plus qu'on lui soit fidèle que les dizaines d'autres employeurs de Shada. Ce boulot-là avait peut-être bien duré

129

plus longtemps que les autres, mais quoi qu'en pensât Mazzic, Shada était restée une Gardienne de l'Ombre qui devait des comptes aux Onze Anciennes du Peuple et à elles seules.

Pourtant, elle s'était révoltée contre leurs ordres et avait saboté l'accord que les Mistryls venaient de signer avec un seigneur du crime Hutt.

Les Onze réclamaient sa tête. Toutes les Mistryls avaient ordre de la chercher et plusieurs équipes se consacraient exclusivement à la poursuivre.

Pourquoi avait-il fallu que ce soit Karoly qui la retrouve ?

L'ironie de la situation laissait un goût amer dans la bouche de la jeune femme. Même si elle n'avait plus travaillé avec Shada depuis vingt ans, anticiper ses mouvements avait été un jeu d'enfant. Contacter les chefs de la Nouvelle République lui ressemblait bien. Etait-ce pour leur vendre des informations ou pour leur proposer ses services ?

Karoly l'ignorait. Elle était arrivée sur Coruscant à temps pour voir Shada gagner l'appartement des Solo.

Karoly aurait pu coincer Shada à ce moment-là. Mais on affirmait que les Solo étaient protégés jour et nuit par des Noghris. Même si on surestimait sans doute les aptitudes de ces guerriers, les affronter seule eût été risqué.

Karoly avait appelé des renforts. Avant leur arrivée, Shada était sortie du bâtiment avec Talon Karrde.

Karoly aurait pu la capturer au moment où elle embarquait dans un vaisseau. Mais l'arrivée de Leia Organa Solo, avec un droïd protocolaire et deux solides Noghris, l'en avait empêchée.

La Conseillère et le droïd étaient montés dans le vaisseau pendant que les Noghris surveillaient les alentours. Quelques minutes plus tard, Leia Organa Solo était ressortie sans le droïd. Ses gardes et elle ne s'étaient pas attardés.

Le *Wild Karrde* avait décollé aussitôt. Trop loin de son propre vaisseau, Karoly n'avait pas pu lui donner la chasse.

Les Onze avaient été folles de rage. Tout comme les Mistryls venues sur Coruscant en réponse à son appel. Personne n'avait rien dit, mais ça n'était pas nécessaire. Les expressions suffisaient, ainsi que les murmures échangés par les Gardiennes de l'Ombre tandis qu'elles regagnaient leur vaisseau. Tout le monde savait que Karoly avait laissé Shada fuir du Centre de Loisirs Resinem. Nul besoin d'être sorcière pour deviner qu'on la soupçonnait d'avoir agi de même sur Coruscant.

Karoly devait prouver sa loyauté, sinon sa propre vie ne tiendrait plus qu'à un fil. Sa traque l'avait conduite jusqu'à Calrissian, qui entretenait depuis longtemps des relations avec Talon Karrde.

Un pari payant ! Malgré la prudence de Solo, la référence à Karrde suffisait. Shada était avec le contrebandier et Lando s'apprêtait à les rejoindre.

Où qu'il aille, Karoly le suivrait. Calrissian était un ancien contrebandier. Tous les membres de cette corporation — même à la retraite — avaient des caches secrètes dans leur vaisseau. Si Karoly s'infiltrait sur le *Dame Chance* quelques minutes avant l'arrivée de son propriétaire, elle serait hors de vue quand il franchirait le sas. Parole de Mistryl !

Et s'il voulait utiliser sa cache pour quelque chose...

Eh bien, tant pis pour lui !

Karoly n'avait plus qu'à boucler son sac de voyage et à se réserver une place sur la prochaine navette. Un siège plus proche de la sortie que celui de Calrissian serait idéal.

Quand il n'y eut plus de bruit dans le couloir, elle sortit de la petite pièce et courut jusqu'à sa chambre.

— Amiral ? dit la voix du Capitaine Dorja dans le haut-parleur de la salle de contrôle auxiliaire. La navette de l'ambassadeur Ruurien vient de quitter le vaisseau et se dirige vers la planète.

Flim confia son verre à Tierce. Après avoir souri à Disra, il s'approcha de l'écran.

— Merci, Capitaine, dit-il. (Il imitait à merveille le ton calme et posé de Thrawn.) Calculez un cap pour Bastion et prévenez-moi quand le vaisseau sera prêt à partir.

— Compris, Monsieur.

L'écran s'éteignit.

— Il était temps, grogna Disra, en foudroyant Tierce du regard. Si vous voulez mon avis, nous avons beaucoup trop compté sur notre chance...

— Votre opinion ne nous est pas inconnue, répondit Tierce, proche de l'insubordination. (Il rendit son verre à Flim.) Trois traités signés coup sur coup en une semaine me semblent un très bon résultat.

— Si Coruscant ne nous charge pas comme un Rancor blessé, objecta le Moff. Défiez une fois de trop la République, et la riposte adviendra.

— On ne peut pas appeler ça un défi, Votre Excellence, dit Flim sur un ton qui ne plut pas davantage à Disra. Nous n'avons pas déclenché d'hostilités. Et nous sommes allés seulement là où on nous invitait. Sous quel prétexte nous attaquerait-on ?

— Que dites-vous de celui-là : la République et l'Empire sont en guerre depuis des années ! s'énerva Disra. L'un de vous y a-t-il pensé ?

— Pour la République, ce serait un suicide politique, lâcha Flim. Nous avons été conviés à rendre visite à ces systèmes. Si Coruscant essaye de fourrer son nez dans...

Il s'interrompit, car un sifflement montait d'une console.

— Que se passe-t-il ?

— Une alarme de combat ! répondit Tierce.

Il se précipita vers le fauteuil de commandement et manqua au passage renverser la boisson de Flim sur son bel uniforme blanc.

— Amiral, venez près de moi, ajouta-t-il avant de pianoter sur le clavier de sa console.

Le système tactique s'activa et transforma la salle en un écran holographe géant.

L'intercom bipa.

— Amiral, annonça Dorja, je crois que nous allons être attaqués. Huit Corvettes de classe Maraudeur viennent d'entrer dans le secteur. Elles se dirigent vers nous.

Disra regarda autour de lui pour repérer les points lumineux qui signaleraient l'arrivée des Corvettes.

Pas étonnant que Dorja soit froid comme une lame. Il croyait que le Grand Amiral Thrawn commandait le vaisseau et qu'il avait la situation en main.

Du vent ! Si Disra ne trouvait pas rapidement une idée, sa supercherie lui exploserait à la figure.

Flim était à côté de Tierce, prêt à activer l'intercom pour répondre.

— Dites à Dorja de s'occuper du problème, souffla Disra. On ne dérange pas un Grand Amiral pour des peccadilles...

— Silence ! intima Tierce en ponctuant son ordre d'un geste de la main guère respectueux. Amiral ?

— Je suis prêt, annonça Flim. (Tierce activa l'intercom.) Merci, Capitaine...

Une fois encore, on eût juré que le Grand Amiral Thrawn se tenait dans la pièce.

— Avez-vous identifié les Corvettes ?

— Négatif, Monsieur. Des générateurs de parasites brouillent les ID de leurs moteurs. C'est tout à fait illégal, bien entendu...

— Bien entendu... répéta le faux Thrawn. Qu'un demi-escadron d'Oiseaux de Proie les intercepte.

— A vos ordres.

Tierce coupa la communication.

— Etes-vous devenu fou ? beugla Disra. Un demi-escadron de chasseurs contre...

— Du calme, Excellence, le coupa Flim avec un regard glacial. C'était la stratégie classique de Thrawn quand il voulait découvrir l'identité d'un adversaire.

— De plus, ajouta Tierce, ça nous permet de gagner du temps. (Il pianota sur sa console.) Corvette Maraudeur... Voyons voir... J'y suis ! De nos jours, elles sont surtout utilisées par le Secteur Corporatif et par les flottes de quelques systèmes de la Bordure Extérieure.

— Intéressant, dit Flim. (Il se pencha pour lire par-dessus l'épaule du Major.) Que pourrait nous vouloir le Secteur Corporatif ?

— Aucune idée, répondit Tierce. Disra, une suggestion ?

— Non, fit le Moff en sortant son databloc.

Il ne voyait pas pourquoi le Secteur Corporatif aurait eu envie de leur chercher des noises. Mais la mention des Maraudeurs avait éveillé en lui de vagues souvenirs.

— Avez-vous une liste des autres systèmes qui utilisent ces Corvettes ? s'enquit Flim.

— Elle défile sur l'écran... Mais rien ne me frappe... Ah ! voilà les Oiseaux de Proie.

Disra leva les yeux pour voir les points brillants qui représentaient les chasseurs en train de foncer vers les intrus, avant de s'intéresser de nouveau son databloc.

Les Maraudeurs avaient quelque chose à voir avec le Capitaine Zothip et les Pirates Cavrilhu, se souvint-il.

Voilà, il y était !

— J'ai un besoin urgent de suggestions ! lança Flim.

— Thrawn laisserait les Oiseaux de Proie engager le combat contre l'ennemi, puis il les rappellerait, dit Tierce. En général, la riposte adverse permet de savoir à qui on a affaire.

— Ça marchait pour lui, souffla Flim, visiblement inquiet. Hélas, son génie tactique nous fait défaut...

— Sauf si le Major Tierce a étudié cette matière avec la Garde Royale, ironisa Disra.

— Votre aide nous est précieuse, Excellence, comme toujours... grinça le Major sans cesser d'étudier la liste qui défilait à l'écran.

— Heureux que vous m'appréciez à ma juste valeur, ironisa le Moff. (Il referma son databloc avec un sourire de triomphe.) Ce sont des Diamalas !

Ravi, il vit ses deux complices se retourner comme un seul homme. Flim semblait stupéfait. Tierce aussi, mais avec un rien de suspicion en plus.

— Que disiez-vous ? demanda Flim.

— Ce sont des Diamalas, répéta Disra, tout heureux de connaître son heure de gloire. Il y a environ trois mois, le ministre du Commerce Diamala a acheté douze Corvettes pour escorter ses convois spatiaux. Et peut-être pour des opérations moins avouables...

— Vous êtes sûr ? insista Flim. (Il désigna l'écran.) Ça n'est pas écrit là-dessus !

— Ça ne m'étonne pas, répondit le Moff. Le Capitaine Zothip était sur le coup et il s'est fait doubler. Si les Diamalas ont en vue des opérations douteuses, ils ne l'auront pas crié sur les toits.

— Et d'où tirez-vous la conclusion qu'il s'agit des mêmes Corvettes ? demanda Flim.

— Il a raison, intervint Tierce avant que Disra puisse répondre. Vous vous souvenez du Sénateur Diamala que nous avions attiré à bord de l'*Implacable* avec Calrissian ? Il n'a jamais paru convaincu que vous étiez Thrawn.

— Et si les rapports de nos Renseignements sont fiables, il a contribué, au sujet de l'affaire de Caamas, à semer la zizanie dans le gouvernement de Coruscant... leur rappela Disra.

— Exact, dit Tierce, qui se retourna vers sa console. On dirait qu'il veut nous faire subir un nouveau test !

— La question essentielle demeure : que faisons-nous ? demanda Flim. Les Oiseaux de Proie approchent de leur objectif.

— Je sais, répondit Tierce, les yeux rivés sur l'écran de sa console. Il faut les rappeler.

— Déjà ? s'étonna Disra, que cette tactique ne convainquait guère. Je croyais que vous en aviez besoin pour...

— Ils ne me servent à rien ! coupa Tierce. Flim, rappelez-les et dites à Dorja de préparer une manœuvre de Tron Boral.

— Une quoi ? demanda Disra, de plus en plus soupçonneux.

— Une technique de combat plutôt ésotérique, expliqua Tierce. (Il activa l'intercom.) Capitaine Dorja, rappelez les Oiseau de Proie et préparez le vaisseau à une manœuvre de Tron Boral.

— Compris, Amiral, répondit l'officier. Me rejoindrez-vous sur le pont ?

Tierce regarda Flim et désigna quelque chose sur l'écran.

— Vous n'aurez pas besoin de mon aide, Capitaine, assura le faux Amiral. (Il tendit le cou pour lire ce qui défilait sur le moniteur.) Une Tron Boral, suivie par une manœuvre de balayage Marg Sabl des Oiseaux de Proie, et je parie que nos adversaires se sentiront beaucoup moins vaillants. S'ils sont toujours vivants...

— Compris, Monsieur ! répondit Dorja. (Disra l'imagina en train de se frotter les mains.) Manœuvre de Tron Boral quand vous voulez !

— Allez-y !

Flim coupa l'intercom.

— Les dés sont jetés.

Il se cala dans son fauteuil pour observer l'écran tactique.

— Nous avions un plan de bataille prêt en cas de conflit contre les Diamalas, expliqua Tierce à Disra. Thrawn les a affrontés plusieurs fois il y a une dizaine d'années. Il me suffisait de retrouver l'enregistrement d'une de ces escarmouches...

— Ils battent en retraite ! coupa Flim. Une vraie débandade !

Disra suivit le regard de l'imitateur. Flim ne se trompait pas. Les Corvettes fichaient le camp et se préparaient à passer en hyperdrive.

— Mais... nous n'avons rien fait... remarque le Moff, désorienté.

— Oh ! que si ! triompha Tierce. N'oubliez pas qu'ils connaissent aussi les victoires de Thrawn. L'*Implacable* a amorcé une manœuvre de Tron Boral. C'est tout ce qu'ils voulaient savoir...

— Oui, renchérit Flim. Alors qu'ils utilisaient des vaisseaux non identifiés, nous leur avons opposé une tactique typiquement thrawnienne.

Il activa de nouveau l'intercom.

— Fin de l'alerte, Capitaine. Informez le gouvernement Ruurien que nous venons de repousser les félons qui voulaient attaquer sa planète.

— Compris, Monsieur. Je suis sûr que les Ruuriens apprécieront. Nous partons toujours pour Bastion ?

— Oui, répondit Flim. Quittez le système dès que vous serez prêt. Si vous avez besoin de moi, je serai en train de méditer...

— Très bien, Amiral. Reposez-vous bien...

Flim coupa l'intercom.

— Ça a marché ! dit-il à ses complices. Si les Diamalas n'étaient pas convaincus, je vous parie ma chemise qu'ils ont changé d'avis.

— Tant mieux pour eux ! grinça Disra. J'espère que vous réalisez que cette petite démonstration nous rapproche du moment où Coruscant fourrera son nez dans nos affaires ?

— Un peu de patience, Excellence, dit Tierce. (Il désactiva l'écran tactique et se leva.) N'oubliez pas que ça convaincra aussi les Ruuriens qu'ils ont choisi le camp des vainqueurs.

— Oui, admit Disra. Et cela nous rapprochera peut-être aussi de la Main de Thrawn...

Flim fronça les sourcils.

— La Main de Thrawn ? De quoi parlez-vous ?

Tierce grimaça, visiblement agacé.

— Votre Excellence...

— Qu'est-ce qu'une Main de Thrawn ? insista le faux Amiral.

— Tierce, je vous en prie, répondez-lui...

Disra se prépara à savourer ce grand moment. Tierce et Flim s'entendaient trop bien à son goût. A leur tour de connaître l'amertume et la méfiance que cet arrangement lui inspirait depuis le début.

— C'est votre histoire, insista-t-il, perfide. A vous de la raconter.

— Je suis tout ouïe, grogna Flim, soudain sinistre. De quoi n'avez-vous pas jugé bon de me parler ?

Le Major s'éclaircit la gorge.

— Du calme, Amiral, dit-il. Voilà de quoi il s'agit...

Plus tard, Disra se félicita que la salle de contrôle auxiliaire soit insonorisée.

Avec tous ces cris, il avait même raté les vibrations que produit toujours un Destroyer quand il plonge dans l'hyperespace...

10

Les cent premiers mètres furent raisonnablement faciles malgré les problèmes que R2-D2 rencontrait sur les terrains accidentés. Mara avait déjà exploré une partie de la grotte et sondé le reste avec sa lampe-torche et ses électrobinoculaires. Elle était donc capable d'opter pour la meilleure voie.

Le sol descendit ensuite pendant une bonne dizaine de mètres. Quand ils débouchèrent dans une autre caverne, ils se retrouvèrent en territoire inconnu.

— De quoi ça a l'air ? demanda Luke à Mara.

Il utilisa la Force pour faire survoler un dernier rocher à son droïd astromech.

— De ce qu'on pouvait attendre, répondit la jeune femme.

Sa lampe-torche brandie, elle paraissait comme enveloppée par une sorte d'aura...

La lumière qui se reflétait sur la poussière qu'elle soulevait, simplement...

— Luke, un jour, il serait agréable de faire une de nos promenades sans devoir aider ce droïd à passer au-dessus des rochers, des buissons ou du sable...

R2 trilla d'indignation.

— En général, R2 mérite les efforts que nous faisons pour lui, rappela Luke. Et quand l'avons-nous aidé à survoler du sable ?

— Je parie qu'on en rencontrera tôt ou tard... (Mara tendit un bras.) Que penses-tu du chemin ?

Luke sonda la pénombre. La grotte était petite — moins de quinze mètres de long — mais ça ne serait pas une partie de plaisir. Le sol était hérissé de rochers ; des stalactites et des stalagmites compliqueraient les choses à chaque pas.

Au fond, on apercevait une ouverture juste assez large pour qu'un humain s'y faufile.

Avec de la chance...

— Ça n'a pas l'air trop mal, dit Luke. Les stalactites ne devraient pas poser de problèmes à nos sabres laser. L'ennui, c'est l'ouverture, au fond de la grotte. J'ai peur que R2-D2 ne passe pas.

Il y eut comme un frémissement dans l'air. A la manière d'une chauve-souris, la tête en bas, Gardien des Promesses s'accrocha à une stalactite.

As-tu un problème, Maître Marcheur au Ciel ? demanda une voix dans l'esprit du Jedi. *Le chemin est-il trop difficile pour vous ?*

Aucun chemin n'est trop difficile pour le Jedi Sky Walker, dit Enfant des Vents, indigné.

Il se percha sur un rocher, près de Mara.

Je l'ai vu faire des prodiges à l'air libre, insista le Qom Qae.

Peut-être étaient-ce des prodiges aux yeux d'un Qom Qae crédule, dit Briseur de Pierres, suspendu à une autre stalactite, un peu plus loin. *Ceux qui ont mérité leur nom sont moins faciles à impressionner.*

— Ils parlent de nouveau, n'est-ce pas ? demanda Mara.

— Les Qom Jha se demandent si cette grotte n'est pas trop accidentée pour nous, l'informa Luke. Enfant des Vents a pris notre défense.

— C'est très gentil à lui, concéda Mara.

Elle décrocha son sabre laser de sa ceinture.

— On leur fait une petite démonstration ?

— Es-tu sûre de... Je veux dire...

— Tu te demandes si je peux le faire ? La réponse est oui. Ne pas être diplômée de ta précieuse Académie ne m'empêche pas d'utiliser la Force. Tu t'occupes du bas ou du haut ?

— Je prends le haut... répondit Luke, déconcerté par la véhémence de sa compagne.

Il dégaina son sabre laser et sonda rapidement la grotte pour fixer dans sa mémoire la position des stalactites.

— Prête ?

En guise de réponse, Mara activa sa vibro-lame.

— Quand tu veux !

— Parfait ! dit Luke. (Il activa sa propre lame et garda ses doutes pour lui.) On y va !

Avec un bel ensemble, leurs armes volèrent dans la grotte et coupèrent le roc comme du beurre.

Enfin, celle de Luke.

Quant à Mara...

Elle essayait de toutes ses forces, c'était visible à la manière dont elle tendait la main, les pieds bien ancrés au sol. Sa concentration crépitait autour d'elle comme de l'électricité statique.

Un jour, Maître Yoda avait dit à Luke : *Fais-le ou ne le fais pas. Essayer ne veut rien dire.*

Aujourd'hui comme jadis, essayer ne voulait *vraiment* rien dire. Au centre de la grotte, la vibro-lame de Mara brillait déjà avec moins de force. Les coups ne faisaient plus que des entailles dans le roc. De temps en temps, les choses s'amélioraient, mais ça ne durait pas, car la jeune femme avait perdu le contact avec la Force.

Luke fut tenté de l'aider. Pour une tâche si simple, il pouvait se charger des deux sabres laser.

Il s'en abstint. Une Mara Jade furieuse et frustrée n'était déjà pas un cadeau. S'il lui donnait l'impression de la paterner, elle risquait d'exploser.

Et c'était quelque chose qu'il préférait éviter...

De plus, le travail était fait, même si la méthode manquait de rigueur.

Quant à l'objectif secondaire de la « démonstration », la subtilité de la performance échapperait totalement à leur public. Tandis que les stalactites tombaient pour voler en miettes au contact des gros rochers, le pépiement des Qom Jha remplissait l'esprit du Jedi.

Le fracas des stalactites qui se brisaient et les exclamations stupéfaites des Qom Jha ne parvinrent pas à couvrir les cris de joie d'Enfant des Vents.

J'avais raison ! J'avais raison ! triomphait-il. *C'est un grand guerrier Jedi et Mara Jade aussi !*

Luke rappela à lui son sabre laser. Il fit en sorte que l'arme arrive à destination en même temps que celle de Mara, plus paresseuse.

— La guerre ne rend personne *grand*, Enfant des Vents, dit-il avant de désactiver son arme, qu'il raccrocha à sa ceinture. Les Jedi ne se battent jamais quand ils peuvent faire autrement.

Je comprends, répondit le Qom Qae, d'un ton qui prouvait le contraire. *Mais quand vous tuerez les Prédateurs...*

— Nous ne tuerons personne ! insista Luke. En tout cas pas avant d'avoir essayé de parlementer...

— A ta place, j'abandonnerais, intervint Mara, qui avançait déjà vers l'ouverture. Il comprendra quand il aura vu ses amis tomber sur un champ de bataille. Avant, c'est impossible !

Luke sentit sa gorge se nouer. Obi-Wan, Biggs, Dack... La liste s'allongeait sans cesse.

— Dans ce cas, j'espère qu'il ne comprendra jamais... souffla-t-il.

— Ça lui arrivera ! assura Mara. (Sa voix résonnait étrangement, car elle avait introduit la tête dans la faille.) Tôt ou tard, tout le monde doit en passer par là !

Elle recula et prit son sabre laser.

— Ça débouche dans une nouvelle grotte... Il y a un seul obstacle gênant. Donne-moi une minute et je l'aurai découpé en rondelles.

Six heures plus tard, Luke ordonna une pause.

— Ce n'est pas trop tôt, marmonna Mara.

Avec prudence du fait de ses courbatures, elle s'assit le plus confortablement possible sur le sol glacé.

— J'avais peur que tu veuilles arriver à la Haute Tour d'une seule traite.

— J'aimerais que ce soit possible.

D'un geste ample, il débarrassa une pierre plate des cailloux pointus qui la constellaient et s'y installa.

Non sans ressentiment, Mara remarqua que son compagnon était beaucoup moins fatigué qu'elle. A moins qu'il sache mieux le cacher.

Une idée réconfortante...

— Je crois que le temps nous est compté. Cette fois, nous courons contre la montre.

— Tu cours *toujours* contre la montre... fit Mara, les yeux déjà mi-clos. As-tu pensé, une fois dans ta vie, à laisser quelqu'un d'autre se charger du sale boulot ?

Elle sentit que les émotions du Jedi changeaient — une subtile question de *texture*. Aurait-il l'air blessé, furieux ou indigné quand elle rouvrirait les yeux ?

Bien évidemment, elle ne découvrit rien de tout ça. Luke la regardait avec un intérêt serein.

— Tu crois que je veux en faire trop ?

— Oui, répondit Mara. Pourquoi cette question ? Tu n'es pas d'accord ?

Luke haussa les épaules.

— Il y a un an ou deux, c'était peut-être vrai. Aujourd'hui... Je n'en sais rien...

— Ah... fit Mara.

Sur l'astéroïde qui abritait la base des Pirates Cavrilhu, Luke lui avait confié qu'il essayait de recourir moins fréquemment à la Force pour s'économiser. Aujourd'hui, il n'écartait pas tout à fait la possibilité qu'il se surmenait.

Il y avait des progrès...

— Bien sûr, si tu ne fais pas tout, qui s'en chargera ?

Sur le rocher où il était perché, le jeune Qom Qae pépia quelque chose qui fit sourire Luke.

— Non, Enfant des Vents, dit Luke, même un Maître Jedi ne peut pas tout faire. (Il regarda Mara d'une étrange manière.) Parfois, il semble même que se charger de tout ne soit justement pas la mission d'un Jedi.

Maître des Lianes se permit un commentaire.

— C'est exact, répondit Luke.

— Qu'a-t-il dit ? demanda Mara.

— Il a cité un proverbe Qom Jha. En gros, ça dit que plusieurs lianes nouées sont plus résistantes que lorsqu'on les utilise séparément. Je crois qu'il existe une version de ce dicton sur toutes les planètes de la Nouvelle République.

Mara jeta un regard noir au Qom Jha.

— Luke, absolument partout, je pouvais entendre les pensées de Palpatine. Les Mondes du Noyau, la Bordure Intérieure... Un jour, j'ai même capté quelque chose à la frontière de la Bordure Extérieure...

— Pourtant, tu n'entends pas les Qom Jha et les Qom Qae à dix mètres, acheva Luke. Ça doit être agaçant.

— *Agaçant* n'est pas exactement le mot que je cherchais, grinça Mara. Comment se fait-il que tu les entendes et pas moi ? Si c'est un secret professionnel de Jedi, tu n'es pas obligé de me répondre.

Les émotions de Luke restèrent aussi lisses qu'une mer étale.

— Eh bien... ce n'est pas vraiment un secret, mais ça tient au fait que tu n'es pas un Jedi.

— Parce que je ne suis pas passée par ton Académie ? s'insurgea Mara.

142

— Non. On peut devenir un Jedi sans fréquenter ce type d'institution. (Il hésita un long moment avant de poursuivre :) Puisqu'on en parle, pourquoi n'y es-tu jamais revenue ?

Mara dévisagea son compagnon en se demandant si c'était un sujet qu'elle avait envie d'aborder.

— J'avais mieux à faire, éluda-t-elle.

— Je vois... (Cette fois, elle sentit un frémissement dans les émotions de Luke.) Comme sillonner la Nouvelle République en compagnie de Lando ?

— Maître Skywalker, lança Mara, sourcils froncés, ressentiriez-vous un soupçon de jalousie ?

Une fois encore, Luke surprit son amie. Au lieu de se transformer en bourrasque, le frémissement se mua en une mélancolie étrangement douce.

— Pas de la jalousie, de la déception. J'espérais que tu reviendrais finir ta formation...

— Tu n'as pas dû espérer assez fort, dit Mara sans pouvoir étouffer l'amertume qui perçait dans sa voix. Après ce que nous avions vécu sur Myrkr et sur Wayland, je pensais mériter une certaine considération de ta part. Mais chaque fois qu'on se rencontrait, c'est à peine si tu me saluais, et ensuite tu m'ignorais totalement. Kyp Durron et les autres étudiants monopolisaient toute ton attention.

Luke tressaillit.

— C'est vrai, admit-il. Je pensais... Eh bien... Tu semblais avoir moins besoin de moi qu'eux. Kyp Durron était plus jeune que toi et inexpérimenté...

Il se tut.

— Pour ce que ça t'a rapporté ! ne put s'empêcher de railler Mara. Il a failli détruire l'Académie, toi, la Nouvelle République et tout ce qui se trouvait sur son chemin !...

— Ce n'était pas sa faute, objecta Luke. Le Seigneur des Sith Exar Kun essayait de l'attirer vers le Côté Obscur.

— Puisque tu le dis... fit Mara, consciente qu'elle dérivait vers des territoires qu'elle entendait éviter pour le moment. Mais qui a eu l'idée d'établir l'Académie sur Yavin ? Et qui a cru bon de l'y laisser malgré la présence d'Exar Kun ?

— Moi, répondit Luke, en soutenant le regard de la jeune femme. Où veux-tu en venir ?

Mara fit la grimace. Ce n'était pas le moment de parler de ça, ni l'endroit !

— Je veux simplement dire une chose : tu n'es pas infaillible... Et ce me semble une raison suffisante pour ne pas essayer de tout faire seul.

— Mara, je ne veux pas me disputer avec toi, dit Luke avec un petit sourire. J'ai beaucoup changé, tu sais. Dans la grotte, tout à l'heure, ne t'ai-je pas laissée te débrouiller seule avec ton sabre laser ?

— Merci de me rappeler ce désastre, grommela Mara, le rouge aux joues. Je croyais être meilleure que ça...

— Contrôler une vibro-lame pendant si longtemps n'est pas chose facile. Mais j'ai mis au point une technique spéciale. Fais léviter ton sabre laser et je te montrerai.

Mara changea de position pour dégager son arme — et éloigner sa jambe d'un caillou pointu — et la leva devant elle.

— Tu veux que je l'active ? demanda-t-elle avant de lâcher le sabre laser et de le garder en suspension dans les airs grâce à la Force.

— Ce n'est pas nécessaire, répondit Luke. A présent, maintiens l'arme en équilibre devant toi. Je veux que tu ne la quittes pas des yeux tout en visualisant *mentalement* la manière dont elle lévite. Peux-tu le faire ?

Mara baissa à demi les paupières.

Des souvenirs affluèrent à sa mémoire. Dix ans plus tôt, sur Wayland, Luke s'était mis sans peine dans la peau du professeur et elle dans celle de l'étudiante.

Depuis, beaucoup de choses avaient changé.

Cette fois, la leçon essentielle viendrait peut-être d'elle.

— D'accord, j'ai compris. Quelle est la suite du programme ?

Mara apprenait vite, comme Luke avait pu s'en apercevoir des années plus tôt. Assimiler les rudiments de la technique de concentration lui fut aisé.

Le Maître Jedi la laissa s'entraîner une demi-heure.

Puis il annonça qu'il était temps de repartir.

— J'espère que ton droïd ne tombera pas en panne d'énergie avant qu'on arrive, dit Mara tandis que Luke utilisait la Force pour aider le petit astromech à négocier un passage difficile. L'avoir traîné jusque-là pour qu'il soit aussi utile qu'une plante en pot me déplairait...

— Il sera en pleine forme. R2 n'utilise pas beaucoup d'énergie et ton droïd l'a équipé de batteries auxiliaires pendant le trajet.

— Attends un peu ! Mon droïd, dis-tu ? Je croyais que tu étais venu dans ton Aile-X ?

— Sur la planète, oui. Pour atteindre le système, nous avons pris le *Feu de Jade*. J'ai peur d'avoir oublié de te le dire...

— C'est bien ce qui me semble, grogna Mara. (Sa colère fit grimacer Luke quand elle déferla sur ses propres émotions.) Au nom du ciel, qui t'a donné l'autorisation d'utiliser mon navire ? Oublie cette question... Je parie que c'est Talon Karrde.

— Il m'a fait remarquer que ton *Defender* n'était pas équipé d'un hyperpropulseur, dit Luke. Dans le cockpit d'une Aile-X, deux personnes risquaient de se sentir serrées...

— Tu as raison, admit Mara à contrecœur.

Luke sentit qu'elle luttait contre la possessivité maladive qui s'emparait d'elle quand on évoquait le seul bien qu'elle possédait dans l'univers.

— J'espère juste que tu l'as bien caché. Et quand je dis bien, c'est *bien* !

— Ne t'en fais pas ! Je sais ce que ce navire représente pour toi.

— Tu as intérêt à ce que je le retrouve sans une égratignure, insista Mara. Je suppose que tu n'as pas pensé à prendre la balise de rappel automatique ?

— Tu te trompes, répondit le Jedi.

Il plongea la main dans la poche de poitrine de sa combinaison de saut. Puis il plissa le front. Pour une raison inconnue, un vieux souvenir venait de lui remonter à la mémoire.

Lors d'un séjour sur Dagobah, il avait découvert l'antique balise de rappel d'un modèle de vaisseau antérieur à la Guerre des Clones.

Luke ignorait à quoi servait cet appareil. Mais R2-D2 s'était rappelé en avoir vu un entre les mains de Lando Calrissian. Pour se renseigner, le Jedi et son droïd astromech s'étaient rendus dans l'exploitation minière de Lando, sur Nkllon.

Et ils étaient arrivés juste à temps pour aider Leia et Yan à repousser une attaque du Grand Amiral Thrawn.

Pourquoi cet épisode lui revenait-il à l'esprit ? Parce que Mara était sur Nkllon et qu'il l'y avait vue pour la première fois ?

Ou était-ce en rapport avec la vieille balise — ou celle du *Feu de Jade* ? A moins que l'idée de balise, en général, ait réveillé un affect profondément enfoui dans son cerveau ?

Mara lui jeta un regard étrange.

— Un problème ? demanda-t-elle.

— Des pensées parasites... (Il tendit la balise à la jeune femme.) D'ici, tu ne pourras pas appeler ton vaisseau. Nous sommes trop loin. Et je crois me souvenir que la balise a une portée limitée.

— Il y a un réglage large, corrigea Mara. Mais il n'est pas si large que ça... Cela dit, il y aura peut-être dans la Haute Tour un transmetteur qui me permettra d'amplifier le signal. Mais pas question de rappeler mon vaisseau avant d'avoir neutralisé les chasseurs ennemis ! (Cette précision parut superflue à Luke.) A propos, tu ne m'as pas raconté en détail ce qui est arrivé aux deux appareils qui t'*escortaient*.

— Il n'y a pas grand-chose à dire...

Luke prit son sabre laser et l'activa. La lame fendit l'air et trancha net une stalactite qui leur barrait le chemin.

— Les pilotes m'ont ordonné de rester près d'eux, puis ils ont exécuté une série de manœuvres rapides. J'ai pensé qu'ils cherchaient un prétexte pour ouvrir le feu.

— A mon avis, ils voulaient plutôt voir à quel genre de pilote et de vaisseau ils avaient affaire.

— C'est la conclusion à laquelle je suis arrivé, en effet.

Luke eut recours à la Force pour faire voler R2-D2 au-dessus de la stalactite.

— Ils ont fini par tirer alors que nous étions à quelques kilomètres de la Haute Tour. J'ai plongé dans les canyons mentionnés dans ton rapport de vol et je les ai semés.

Mara réfléchit un instant.

— Ils t'ont dit de rester près d'eux... Donc, ils parlaient le basic.

— Au début, ils ont émis le genre de message que Karrde et toi avez capté quand un vaisseau inconnu a failli éperonner le Destroyer de Booster Terrik.

— C'est Karrde qui t'a raconté cette histoire, je parie ? lança Mara, soudain plus sombre. T'a-t-il dit la suite ?

— Il m'a communiqué vos coordonnées d'atterrissage. Il y avait autre chose ?

— Oui, et rien de bon ! *Primo*, le message contenait le nom de Thrawn. *Secundo*, ta sœur a retrouvé près du Mont Tantiss une datacarte endommagée étiquetée « la Main de Thrawn ».

La Main de Thrawn ?

— Je n'aime pas ça du tout... dit Luke.

— Tout ceux qui sont au courant ont eu la même réaction, renchérit Mara. La vraie question est : qu'est-ce que ça signifie ?

— On t'appelait la Main de l'Empereur. Thrawn pouvait-il avoir un agent dans ton genre ?

— Tout le monde m'a demandé la même chose... remarqua Mara avec irritation. C'est une possibilité... A moins qu'il s'agisse d'une super arme du type Etoile Noire. Mais ni l'un ni l'autre n'était le style de Thrawn...

Luke ricana.

— Il était plutôt du genre à écraser l'ennemi à coups de stratégies brillantes.

— C'est assez bien résumé, reconnut Mara. Mais la data-carte venait des archives personnelles de l'Empereur. Il n'aurait pas fait de la désinformation pour l'utiliser en privé.

— Quoi qu'il en soit, on dirait que nos amis de la Haute Tour ont un rapport avec le Grand Amiral. Ce sont peut-être des gens à lui...

— Voilà une idée réconfortante ! Espérons qu'ils n'ont pas tous son génie de tacticien !

— Oui, espérons...

Alors qu'il activait son sabre laser pour s'attaquer à de nouvelles stalactites, une pensée guère rassurante traversa l'esprit de Luke. Si la Main de Thrawn était un agent spécial ou un tueur...

— Te voilà en pleine méditation ! lança Mara. Fais-moi profiter de ton intelligence.

— Je me disais que la Main de Thrawn était peut-être le disciple du Grand Amiral. Quelqu'un qu'il aurait formé... Une personne apte à prendre sa place si quelque chose lui arrivait.

— Où serait ce fichu disciple ? Thrawn est mort depuis dix ans. Pourquoi son successeur ne se serait-il pas montré plus tôt ?

— Parce qu'il ne se sentait pas prêt, suggéra Luke. Il pensait peut-être avoir besoin de plus d'entraînement pour remplacer Thrawn.

A la lumière de sa lampe-torche, Luke vit que l'expression de Mara s'était durcie.

— A moins, hasarda-t-elle, qu'il ait simplement attendu le bon moment pour agir.

Luke prit une grande inspiration ; l'air déjà frais de la grotte lui parut soudain glacial.

— Par exemple, celui où l'affaire de Caamas risque de faire éclater la Nouvelle République.

— C'est le genre de tactique que Thrawn utiliserait... Avec l'état de faiblesse de l'Empire, c'est la seule qui peut marcher.

Pendant de longues minutes ils se regardèrent en silence.

— Luke, dit enfin Mara, je crois qu'on devrait aller voir ce qui se passe dans la Haute Tour.

— Excellente suggestion...

Le Jedi braqua sa lampe-torche devant lui et augmenta sa puissance. Cinq mètres plus loin, le tunnel donnait sur une caverne assez vaste pour que le faisceau lumineux n'en éclaire pas le fond.

Luke avança d'un pas...

... et s'immobilisa, car une sensation subtile avait éveillé sa méfiance.

Quelque part, là-haut...

— J'ai capté la même chose, murmura Mara dans son dos. Ça ne ressemble pas à mes signaux d'alarme habituels, mais...

— Ce n'est peut-être pas si dangereux que ça, dit Luke. En tout cas, pas pour nous...

R2-D2 émit un son qui réussit à être à la fois soupçonneux et pathétique.

— Il ne parlait pas de toi, le rassura Mara. Tu as vu, Luke ?

Le Jedi eut un petit sourire.

— Oui...

Devant eux, les trois Qom Jha s'étaient perchés sur des rochers, à l'entrée de la grotte.

Jusque-là, ils voletaient loin devant les ennuyeux bipèdes qu'ils devaient accompagner.

— J'ai l'impression qu'il y a dans cette caverne quelque chose qu'ils ne sont pas pressés de rencontrer, dit Luke.

— Et ils semblent avoir oublié de nous prévenir, souligna Mara. Une autre épreuve ?

— C'est possible... Non ! Enfant des Vents, reste où tu es !

Je ne vois aucun danger, protesta le jeune Qom Qae.

Il obéit néanmoins et se posa sur une stalagmite, près de l'entrée de la grotte.

Quel est le danger ?

— Nous allons bientôt le savoir, répondit Luke. (Il serra plus fort son sabre laser et avança.) Mara ?

— Je te suis comme une ombre. Tu veux que je me charge de la lumière ?

— Bonne idée...

Luke tendit sa lampe-torche à sa compagne et, les sens aux aguets, pénétra dans la caverne.

Un long moment, il resta immobile et étudia le terrain pendant que Mara l'éclairait. La grotte était immense, avec une voûte très haute. Sur le sol relativement plat, de l'eau coulait dans des rigoles. Il n'y avait pas trace des stalactites et des stalagmites qui les avaient ralentis précédemment, mais les parois étaient constellées de trous de cinquante centimètres de diamètre qui semblaient très profonds.

La grotte entière — les parois, la voûte, le sol et jusqu'aux rigoles — était couverte d'une substance blanche semblable à de la mousse.

Au fond, on distinguait l'entrée d'un tunnel.

— Il doit y avoir des ouvertures donnant sur la surface, dit Mara. (Un instant, son souffle tiède caressa la nuque du Jedi.) Il n'y a pas de lumière, mais on sent un courant d'air. Et cette eau...

— Bien observé, dit Luke.

L'eau, le courant d'air et la vie végétale indiquaient qu'il y avait peut-être un écosystème complet dans cette zone.

Et qui disait écosystème disait prédateurs !

— Tu veux offrir une de tes rations de survie au monstre ? suggéra Mara.

— Essayons d'abord une pierre, répondit Luke.

Il se baissa pour ramasser un caillou et le lança dans la caverne. Au moment où le projectile plongeait vers le sol, il utilisa la Force pour le dévier latéralement.

Une ombre se détacha de la roche et recula aussitôt.

La pierre avait disparu !

— Eh bien ! s'exclama Luke tandis que Mara braquait le faisceau lumineux sur la paroi. As-tu vu d'où ça venait ?

— Par là, je crois... répondit la jeune femme. Cette chose est rapide... Attends ! Tu as vu ?

Luke hocha la tête. Quelques cailloux, sortant d'un des trous, avaient roulé sans bruit sur la mousse qui tapissait le sol. En réaction, la substance blanche ondula légèrement.

Puis la caverne retomba dans le silence et la tranquillité.

— Ce truc n'aime pas les pierres, remarqua Mara.

— On aurait dû essayer avec une ration, renchérit Luke.

Il invoqua la Force et revit en détail ses souvenirs immédiats. Rien à faire ! La chose était trop rapide !

— As-tu vu qui — ou *quoi* — a attrapé la pierre ? demanda-t-il à Mara.

— C'était une langue ou un tentacule... La créature elle-même est probablement tapie dans le trou.

— Et je parie qu'elle n'est pas seule, ajouta Luke. (Il regarda les autres ouvertures.) Des suggestions ?

— Pour commencer, il faut voir de plus près une de ces bestioles. Tu as senti une forme d'intelligence ?

Luke sonda la caverne.

— Non. Rien.

— Alors, ce sont simplement des animaux sauvages. (Mara s'approcha du Jedi et lui tendit une des lampes-torches.) Ça peut aider... Ecarte-toi de mon chemin !

— Que veux-tu faire ? demanda Luke.

Il regarda Mara activer son sabre laser.

— Ce que je disais : voir de plus près une de ces charmantes bêtes.

Elle brandit son arme, la lâcha, et, avec la Force, la fit tourner sur elle-même.

Le sabre laser vola vers la gauche, s'approcha de la paroi, s'orienta vers un trou...

... et s'y engouffra !

Mara Jade ! s'écria Enfant des Vents. *Ton arme-serre...*

— Tout va bien, le rassura Luke, les yeux toujours rivés sur le trou, car il n'osait pas regarder Mara. Si elle avait fait une erreur de calcul...

De nouveaux cailloux tombèrent sur la mousse. Puis une créature semblable à une limace apparut, du sang à la couleur rose coulant de ses plaies béantes.

Avec une lenteur grotesque, la bête rampa jusqu'à un rocher et s'immobilisa. Une langue démesurée sortit de sa gueule, bientôt suivie par le sabre laser de Mara.

Un Qom Jha lâcha un cri de surprise.

Ainsi, c'est à ça qu'ils ressemblent, dit Gardien des Promesses.

— Tu n'en avais jamais vu ? demanda Luke.

Non. Il n'y a que trente saisons que nous connaissons ces monstres...

Luke haussa un sourcil.

— Vraiment... Ils n'étaient pas là avant, ou vous ne les aviez jamais rencontrés ?

Je ne peux pas répondre. Les Qom Jha s'aventurent rarement dans cette partie de la caverne.

— Un problème ? demanda Mara après avoir récupéré son sabre laser grâce à la Force.

— Gardien des Promesses n'est pas sûr que la grotte était habitée il y a trente ans de cela.

— Intéressant, admit Mara. (Avec une expression de dégoût, elle regarda son sabre laser couvert de sang, puis le fit voler jusqu'à un rocher tapissé de mousse et l'y essuya.) Quelqu'un a peut-être investi la Haute Tour à ce moment-là. Un nouveau propriétaire qui aurait voulu décourager le tourisme...

— C'est une possibilité, reconnut Luke.

— J'ai fait ma part du boulot, déclara Mara. A toi la suite ! Il y a une bonne trentaine de créatures, non ?

— A peu près, confirma Luke après avoir rapidement compté les trous. Selon toi, ces prédateurs sont-ils assez malins pour comprendre qu'on est trop gros pour leur estomac ?

— Je ne m'y fierais pas ! Il y a assez de muscles et de puissance derrière leur langue pour briser nos os.

— D'accord avec ton analyse... Et je suppose qu'il n'y a pas moyen de passer assez loin des trous pour être hors de portée ?

— Bien vu ! En somme, les choses sont d'une simplicité limpide. On longe une paroi et on estourbit les monstres, d'où qu'ils sortent.

Luke fit la grimace. Simple, certes, mais trop sanglant.

Ces créatures n'étaient pas intelligentes et Mara et lui devaient à tout prix passer. Pourtant, un massacre ne lui disait rien.

Et il y avait peut-être un moyen de l'éviter.

— Gardien des Promesses, dit Luke, ce n'est pas la première fois que tu rencontres ces créatures. Sais-tu ce qu'elles mangent ?

Le Qom Jha ébouriffa ses ailes.

Au début et à la fin de chaque saison, les insectes migrent...

— Traduction ? demanda Mara.

— Des insectes migrateurs...

— Ah... Quand les monstres n'ont pas de Qom Jha frais à se mettre sous la dent ?

Briseur de Pierres battit des ailes.

Ne sois pas insultante, Mara de Jade !

151

— Mais ça ne nous dit pas ce qu'ils mangent aujourd'hui, poursuivit Mara. Il ne semble pas y avoir beaucoup d'insectes dans le coin.

— Ou s'il y en a, ils ne sont pas visibles, dit Luke.

Il désactiva son sabre laser et avança dans la grotte sans s'éloigner de la paroi. Avec la poignée de son arme, il frappa la mousse.

Un bourdonnement s'éleva. Une dizaine de gros insectes sortirent des fissures dissimulées sous la substance blanche et s'éparpillèrent dans toutes les directions. Mais ils n'allèrent pas loin. Des langues avides eurent tôt fait de les intercepter.

Derrière Luke, R2-D2 bipa nerveusement.

— Fascinant, souffla Mara. La couche de mousse est plus épaisse qu'il n'y paraît. (Elle regarda Luke.) Tu n'as pas l'intention de nous faire taper sur les murs pour traverser une forêt de langues ?

— C'est à peu près mon idée...

Il activa son sabre laser, avança de nouveau et enfonça la pointe de sa lame dans la mousse pour y découper un carré d'un mètre. Puis il éteignit son arme, la remit à sa ceinture, saisit la mousse à pleines mains et tira.

Avec un bruit désagréable, un fragment de quinze centimètres d'épaisseur se déchira. Luke le posa sur ses avant-bras et s'efforça de le garder en une seule pièce. Quand une centaine d'insectes, dérangés, rampèrent sur la mousse ou s'y renfoncèrent, il ne put s'empêcher de grimacer.

— Adorable... railla Mara. (Elle se plaça à côté du Jedi.) Et maintenant, le repas des fauves ?

— C'est mon plan, en effet, répondit Luke.

Il fit quelques pas, s'arrêta face au trou suivant et plaça son carré de mousse devant l'entrée.

Une langue s'empara de l'appât.

— Voyons si ça marche, dit Mara.

Elle dépassa Luke et promena sa lame devant la tanière du monstre.

Rien ne se produisit.

— Génial ! s'exclama Mara. Faisons avancer le droïd pendant que notre ami mastique.

— D'accord...

Luke fit léviter R2-D2.

— Enfant des Vents, compagnons Qom Jha, on y va !

Ils passèrent sans encombre devant le trou.

— Luke, tu m'épates ! avoua Mara.

— Et nous n'avons pas eu besoin de tuer, souligna le Jedi.

Il activa sa lame et se dirigea vers le trou suivant.

— Si on oublie les insectes, lui rappela Mara. Mais tu ne les aimes pas, je crois ?

Le Jedi pensait avoir dissimulé ses sentiments avec plus de succès.

— Ils me font penser aux drochs, c'est tout. Sinon, pas de problème...

— Vraiment ? souffla Mara.

Elle désactiva son sabre laser et se plaça derrière Luke.

— Tu coupes et je pèle. D'accord ?

Deux heures plus tard, ils s'arrêtèrent pour la nuit.

— Je suppose que c'est la nuit... dit Luke. Je n'ai pas pensé à régler mon chrono sur l'heure locale.

— C'est bien la nuit, lui assura Mara.

Elle s'adossa à un rocher soigneusement sélectionné et ferma les yeux. Plus tard, elle regretterait les multiples douleurs et les courbatures dues aux arêtes de la roche et à l'humidité. Pour l'heure, c'était très agréable.

— Les gentils petits garçons et les mignonnes petites filles dorment la nuit. En conséquence, *c'est* la nuit !

— Admettons, fit Luke.

Mara rouvrit les yeux et le dévisagea. N'y avait-il pas eu comme un frémissement dans ses émotions ?

— Des objections ?

— Non, tu as raison, concéda le Jedi à contrecœur. Nous avons besoin de dormir.

Au lieu de faire quoi ? se demanda Mara. Elle invoqua la Force pour lire les pensées de son compagnon. Mais la voie était barrée. Elle ne détectait rien, sinon de l'incertitude mêlée à...

Elle plissa le front. De l'embarras ? Etait-ce vraiment ce qu'elle captait ?

Pour Luke Skywalker, le grand Maître Jedi, c'était indubitablement un progrès.

Cela étant, elle n'avait aucunement l'intention de lui faciliter les choses. Quand il serait prêt à sortir de sa coquille pour l'interroger sur sa relation avec Lando, elle lui répondrait.

Pas avant. Et ce jour-là, il serait disposé à entendre les autres choses, plus troublantes, qu'elle avait à lui dire.

Peut-être.

11

— Alors, nous y voilà, hein ? demanda Wedge Antilles.
Nonchalamment appuyé à un lampadaire Bothan ancien
style, il regardait le dôme blanc qui brillait au centre du parc.
— Oui, confirma Corran, avant de consulter son databloc.
Du moins, si on se fie à ce truc.
Wedge promena son regard sur les rues qui sillonnaient le
parc et sur les boutiques ornées d'enseignes qui l'entouraient.
C'était jour de marché. Des centaines de Bothans et de tou-
ristes déambulaient entre les échoppes.
— Ils sont cinglés, dit Wedge. Mettre une cible pareille
dans...
Il se tut, car deux Duros passaient devant eux.
— ... un lieu public, acheva-t-il quand les Duros furent loin,
revient à rechercher les ennuis.
— Peut-être, admit Corran, mais avoir un des générateurs
du bouclier planétaire dans la capitale garantit sa sécurité. Ça
doit être rassurant pour les hommes d'affaires étrangers.
— Les Bothans ont toujours su soigner leur image, concéda
Wedge.
Il fallait pourtant admettre que l'endroit n'était pas aussi
vulnérable qu'il en avait l'air. Selon les données de Bel Iblis,
le dôme était fait d'un alliage spécial de permacier. Dépourvu
de fenêtres et doté d'une seule porte, il était équipé de défenses
automatiques et bondé de soldats en armes. Le générateur de
champ de force était à l'abri au sous-sol avec un groupe élec-
trogène et un magasin gorgé de pièces détachées. Des techniciens capables de le démonter et de le remonter en deux heures
le veillaient jalousement.
— Exact, dit Corran. Image mise à part, les Bothans ont
toujours été doués pour protéger leurs arrières et...

Il se tut car un groupe de Bothans en grande conversation approchait. Les deux traînards qui le suivaient étaient encore plus absorbés dans leur dialogue.

L'un d'eux bouscula Wedge et manqua le renverser.

— Je m'excuse au nom de tout mon clan, monsieur, dit-il, la fourrure hérissée sous l'effet de la honte et de l'embarras.

Il recula et heurta Corran, qui avait vainement essayé de s'écarter de sa trajectoire.

— Espèce de crétin ! rugit le second Bothan. (Il prit le bras de Horn pour l'aider à garder son équilibre.) Ton clan devra s'excuser jusqu'à l'extinction de notre soleil. Veuillez nous pardonner, messieurs. L'un de vous est-il blessé ?

— Tout va bien, le rassura Wedge. (Il regarda Corran pour obtenir confirmation et aperçut l'ombre d'une ride sur son front d'habitude lisse.) En y réfléchissant bien...

— Excellent, excellent ! continua le Bothan, qui se fichait à l'évidence de la réponse. (Il prit son compagnon par le bras et tous deux se dirigèrent vers les boutiques.) Nous vous souhaitons une journée douce et agréable, nobles gentilshommes.

Côte à côte, Wedge et Corran regardèrent les deux Bothans éviter de justesse une vieille femme avant de disparaître dans la foule.

— Où est le problème ? demanda Wedge. Tu es blessé ?

— Non, répondit Corran. (Sur son front, la ride se creusa plus profondément.) Il y avait juste un truc qui clochait avec...

Consterné, il tapa sur sa poche de poitrine.

— Bon sang ! Il m'a piqué mon portefeuille !

— Quoi ? s'étrangla Wedge.

Il vérifia sa propre poche.

Et la trouva vide !

— Nom de...

— Suis-moi ! cria Corran avant de s'enfoncer dans la foule.

— Je ne peux pas y croire ! gémit Wedge. Comment s'y sont-ils pris ?

— Je n'en sais rien, avoua Corran, qui jouait des coudes pour écarter les passants. J'étais sûr de connaître tous les trucs des pickpockets ! Bien entendu, tu n'as pas eu le temps de voir leur emblème clanique ?

— Si, mais je ne l'ai pas reconnu, avoua Wedge, qui se sentait parfaitement idiot.

Leur argent, leurs puces de crédit, leurs papiers civils et militaires... Tout était dans leurs portefeuilles.

— Si on ne les récupère pas, le Général nous tuera de ses propres mains.

— L'un après l'autre et très lentement, acquiesça Corran, sinistre.

Il écarta deux ultimes passants, atteignit une partie dégagée du trottoir et s'arrêta.

— Tu repères quelque chose ? demanda-t-il en se dressant sur la pointe des pieds.

— Rien du tout, répondit Wedge.

Il regarda autour de lui.

Au nom de la tante d'Ackbar, que diable allons-nous faire ?

Le gouvernement Bothan ignorait leur présence et ne serait pas ravi s'il venait à la découvrir. Même chose pour les officiels de la Nouvelle République.

— Corran, je suppose que tu ne peux pas... hum...

— Mon vieux, je n'y ai vu que du feu quand ils étaient sous mon nez. Alors, à cette distance !

Horn semblait écœuré par la nullité de sa prestation.

— J'espère que tu vas sortir de ta manche un plan de secours ? ajouta-t-il.

— Je croyais qu'il était dans *ta* manche, répliqua Wedge.

Il ne leur restait plus qu'à reprendre leur navette et rejoindre le *Pèlerin* à Ord Trasi.

On murmurait que le Général Bel Iblis maîtrisait sur le bout des doigts un répertoire d'insultes Corelliennes qu'il réservait à ses moments de fureur. Wedge n'avait jamais été en position de confirmer cette rumeur. Apparemment, il serait bientôt renseigné.

— Corran, devant Mirax, tu ne survivras pas à la honte !

— Idem pour toi avec Iella !

— Jeunes et nobles messieurs, prendriez-vous un verre avec moi ?

Wedge se retourna et découvrit une vieille humaine aux yeux brillants.

— Pardon ?

— Un verre ! Voudriez-vous boire un verre avec moi ? La journée est chaude et le soleil blesse mes pauvres rétines.

— Désolé, mais nous sommes occupés, répondit Corran sans aménité.

Toujours sur la pointe des pieds, il continuait à scruter la foule.

— Les jeunes ! se lamenta la vieille dame. Trop occupés pour s'asseoir et profiter de la vie. Ou pour prêter l'oreille à la sagesse du grand âge.

Wedge fit la moue, regarda la foule à son tour en espérant que la vieille enquiquineuse comprendrait le message.

— Madame, je suis vraiment navré, mais...

— Comment peut-on avoir trop à faire pour trinquer avec une vieille dame ? C'est un scandale ! Surtout quand c'est elle qui invite !

Wedge la regarda de nouveau, à la recherche d'un moyen poli mais ferme de s'en débarrasser.

— Ecoutez...

Il se tut. La vieille dame brandissait deux objets afin qu'il puisse les détailler à loisir.

Des petits carrés de cuir noir.

Leurs portefeuilles !

Wedge sentit sa mâchoire inférieure s'affaisser. Pour la première fois, il regarda attentivement son interlocutrice. C'était la passante que les deux Bothans avaient failli renverser.

— Corran ? (Wedge reprit lestement son bien et celui de Horn.) Non, laisse tomber...

— Que... ?

Corran s'étrangla quand Wedge lui tendit son portefeuille. Il le prit et s'assura que rien n'avait disparu.

— Puis-je vous demander comment vous avez récupéré nos possessions ?

— Les gars de la CorSec ont toujours le petit doigt sur la couture du pantalon. On vous fait apprendre le manuel par cœur, ou quoi ?

Corran coula un regard à Wedge.

— Nous sommes épris de précision, c'est tout, s'offusqua-t-il. Et je suis un *ancien* de la CorSec !

— Si ça peut vous faire plaisir... Vous devriez être plus prudents, les amis ! Ces portefeuilles contiennent de jolis holos de famille que je détesterais vous voir perdre. Au fait, Wedge, et ce verre ? Nous avons beaucoup de choses à nous raconter...

— Si vous le dites... répondit Antilles.

Une multitude de possibilités déplaisantes traversèrent son esprit. Si la femme les vendait aux organisations criminelles locales — ou pire, au groupe Vengeance — ou si elle demandait une récompense trop conséquente...

157

— Vous connaissez nos noms. Pouvons-nous savoir le vôtre ?

— Moranda Savich. Une sorte de second couteau employé par votre vieil ami Talon Karrde. Tout bien réfléchi, c'est vous qui invitez, les gars !

Le droïd-serveur leur apporta leurs boissons, renversa sur la table en pierre les gouttes de rigueur, accepta l'argent de Wedge et s'éclipsa.

— *Chakta sai kae*, dit Moranda, le verre levé. C'est bien cela, Corran ? J'ai toujours eu du mal à prononcer ce toast Corellien.

— Vous vous en tirez pas trop mal, grommela Horn. (A contrecœur, il leva les yeux de son databloc et regarda Wedge.) Eh bien ?

— Tout me paraît en ordre.

— *Paraître* n'est pas suffisant. L'ennui, c'est qu'il existe un seul moyen de confirmer que cette lettre d'introduction est bien de Karrde : communiquer les codes à Coruscant.

— Allez au bureau de liaison de la Nouvelle République et faites-le ! lança Moranda, avant de boire une longue gorgée d'une liqueur bleu-vert. Mais nous n'avons pas beaucoup de temps à perdre et vous devriez le savoir.

— Hélas... commença Wedge.

Il essaya de déchiffrer l'expression impassible de la femme.

— ... Hélas vous ne *pouvez pas* le faire ? acheva Moranda. C'est ça, hein ? Une situation pénible.

— Pourquoi dites-vous ça ? demanda Corran.

— Quoi ? Que vous ne pouvez pas vous montrer, ou que c'est une situation pénible ?

— La première option... On croirait que ça ne vous étonne pas.

— Ne jouez pas les imbéciles ! J'ai jeté un coup d'œil au contenu de vos portefeuilles. Quelle autre conclusion tirer ? Vos papiers militaires sont soigneusement cachés derrière les documents civils.

— Bien observé, dit Corran. (Il fixa la vieille dame avec ce qui devait être le regard standard de la Sécurité Corellienne.) En clair, avant de nous la raconter, vous saviez que nous ne pourrions pas vérifier votre histoire.

— Et la datacarte ? demanda la femme. Vous croyez que je l'ai inventée pour l'occasion ?

— Non. Mais ça peut être la plus belle pièce d'une collection de faux, riposta Corran. Comment le savoir ?

Moranda vida son verre.

— Fin de la conversation ! annonça-t-elle en se levant. Je pensais que nous étions dans le même camp et que nous pourrions nous entraider. A l'évidence, c'est impossible. La prochaine fois, accrochez-vous à vos portefeuilles !

Wedge regarda Corran, qui hocha la tête.

— Asseyez-vous donc, dit-il en la retenant par le bras. S'il vous plaît !

Dubitative, Moranda regarda les deux hommes. Puis elle sourit à Wedge et s'assit.

— Un test, je suppose ? L'ai-je réussi ?

— Assez bien pour que nous voulions en entendre plus, dit Wedge. Avant tout, dites-nous pourquoi vous êtes ici.

— Sans doute pour la même raison que vous. Karrde prévoit une explosion — sous les fesses des Bothans ! — et il veut savoir si des forces extérieures s'apprêtent à actionner le détonateur...

— Et il n'avait personne d'autre à envoyer ? s'enquit Corran.

— Aux quatre coins de la Nouvelle République, des agents à sa solde surveillent les mouvements de personnes et de matériel. D'autres décortiquent les rapports et en analysent les spéculations qui circulent un peu partout. Moi, j'ai été affectée sur Bothawui. C'est tout.

— Avec quels ordres ?

— Une formidable puissance militaire orbite autour de cette planète. Le feu d'artifice peut commencer d'un instant à l'autre. Mais si on veut démolir Bothawui, il faut se débarrasser des boucliers planétaires. Karrde m'a ordonné de veiller sur eux.

— C'est pour ça que vous étiez près du générateur ? Pour essayer de découvrir comment quelqu'un pourrait s'y infiltrer ?

— J'ai déjà étudié la question. Aujourd'hui, je voulais repérer d'éventuels espions. Voilà pourquoi je vous ai remarqués. Ne le prenez pas mal, mais vous étiez aussi visibles qu'un Wookie dans une réunion familiale de Noghris.

Wedge hocha la tête.

— Ce qui explique que vos deux complices nous aient subtilisé nos portefeuilles ! Vous vouliez en apprendre plus sur nous...

159

La bouche fine de Moranda se tordit.

— Vous vous trompez. J'ai vu les deux Bothans vous soulager de vos biens et je me suis débrouillée pour les récupérer.

Wedge regarda Corran.

— Tu penses la même chose que moi ?

— Quelqu'un a pu nous repérer ? (Il balaya la salle du regard.) Possible... Moranda, savez-vous d'où sortaient ces deux voleurs ?

— Désolée... Je ne suis ici que depuis quelques jours. C'est trop peu pour avoir des contacts avec le milieu local.

— Mais vous pourriez le faire, si ça vous chantait ? demanda Wedge.

Il essayait toujours de se forger une opinion sur Moranda. En principe, il faisait confiance à Karrde. Mais le contrebandier était à la tête d'une énorme organisation dont il ne connaissait pas tous les membres. Moranda Savich pouvait jouer un double voire un triple jeu, se servir à ses propres fins des réseaux de Karrde ou les utiliser pour assurer son quotidien entre deux boulots plus juteux. Si un agent de Vengeance lui offrait une somme intéressante, lui livrerait-elle Corran et Wedge ?

— Antilles, écoutez-moi bien, soupira Moranda. Je suis une spécialiste des coups tordus. Dans ce genre de profession, on apprend à déchiffrer les expressions des gens. Je vois que vous ne me faites pas confiance. Et je ne vous en blâme pas, puisqu'on vient de se rencontrer. Mais j'ai la lettre d'introduction de Karrde et je vous ai rendu vos fichus portefeuilles ! Que faire de plus pour vous convaincre ?

— Vous semblez y tenir beaucoup... dit Corran.

— On m'a confié une mission, répondit Moranda avec un petit sourire.

Wedge se retint de faire la grimace. Il avait toujours une étrange impression, mais les arguments de Moranda tenaient la route. Si les choses se gâtaient, Corran, avec ses pouvoirs de Jedi, saurait le prévenir.

Enfin, il l'espérait...

— D'accord, dit-il. Pour le moment, mettons nos ressources en commun. Vous avez des suggestions ?

— A l'évidence, nous devons découvrir si des personnages suspects sont arrivés depuis la destruction de la station de recherche orbitale, il y a une semaine. C'est ce qui a déclenché l'escalade militaire. Si les membres de Vengeance ont décidé d'en tirer parti, ils doivent avoir envoyé des hommes à eux sur Bothawui.

— Vengeance... ou quelqu'un d'autre, murmura Corran. L'Empire, par exemple.

— Ça me semble bien vu, admit Wedge. Mais il y a un hic. Les informations sur les arrivées sont stockées dans les ordinateurs « clientèle » des Bothans et nous n'avons aucun moyen d'y accéder.

Moranda eut un geste nonchalant de la main.

— Ça n'est pas un problème du tout ! Finissez vos verres et allons chez vous pour en parler.

— D'accord, dit Wedge.

Il but une gorgée de la boisson qu'il n'avait pas encore touchée et se leva.

Quoi qu'il se passe sur Bothawui, se dit-il, ça promettait d'être intéressant. Mais pas nécessairement positif !

— Vraiment ? dit Navett dans le micro de son comlink.

Il regarda Klif entrer dans le *Paradis des Animaux Exotiques* et refermer la porte derrière lui.

— C'est génial ! Quand puis-je venir les récupérer ?

— Quand vous voulez, répondit la voix d'un fonctionnaire Bothan. (A l'arrière-plan, un éternuement retentit.) Le plus tôt sera le mieux.

— On va se dépêcher ! lança Navett. Des dizaines de clients sont déjà passés dans le magasin, et nous n'avons rien à leur montrer. On peut venir tout de suite ?

— J'ai déjà répondu à cette question, dit le fonctionnaire alors qu'un nouvel éternuement se faisait entendre.

— Parfait, fit Navett tandis que Klif s'approchait de lui. Super ! Merci beaucoup.

— Je vous souhaite une journée paisible et enrichissante.

— La même chose pour vous !

Navett coupa la communication.

— C'est dans la poche ! dit-il à Klif. Si on se fie aux éternuements, certains Bothans sont allergiques à nos petits polpiens.

— Ça leur donnera une raison de plus de vouloir s'en débarrasser !

— A mon avis, c'est déjà fait... Tu as vu Horvic ?

— Oui. Pensin et lui ont été embauchés dans l'équipe d'entretien du bar Ho'Din, à deux immeubles du générateur des boucliers. Ils travaillent après la fermeture.

— Très bien, dit Navett.

Si leurs plans étaient exacts, le bar était juste au-dessus du tunnel où passaient les câbles d'alimentation du générateur.

— Ouais... Et maintenant, au tour des mauvaises nouvelles ! Les deux pickpockets Bothans que nous avons engagés ont raté leur coup.

Navett jura entre ses dents. Il n'aurait pas dû être assez idiot pour se fier à la main-d'œuvre locale.

— Ils se sont fait prendre en flagrant délit ?

— Non. A les en croire, tout s'est passé comme sur des roulettes. Mais quand nous nous sommes vus, ils n'avaient plus les portefeuilles.

Navett plissa les yeux.

— Comment ça, ils ne les avaient plus ?

— Ils les ont perdus, c'est tout. Quelqu'un a dû les voir détrousser les deux types. On leur aura rendu la pareille...

— Tu es sûr qu'ils n'ont pas simplement piqué l'argent ?

Klif haussa les épaules.

— Pas à cent pour cent... Mais j'ai du mal à croire que deux agents de la Nouvelle République aient sur eux une somme supérieure à la prime que j'offrais. A moins que ce ne soient pas des agents de la République...

Navett tira une chaise et s'assit. S'étaient-ils trompés au sujet des deux types ?

— Non ! répondit-il à sa propre question. Ce sont bien des agents de la Nouvelle République. Des militaires même, sans doute. Nous devons découvrir l'identité du nouveau joueur qui s'est joint à la partie.

— Tu ne crois pas qu'un autre pickpocket a soulagé les Bothans de leur butin ?

— Non. Et toi ?

— Pas vraiment... Quand on détrousse des pros, le risque d'être pris est trop grand.

— C'est aussi mon avis. Nos adversaires ont un nouvel allié, mon vieux. Et il est rudement efficace !

Klif siffla doucement.

— Nous n'avons personne de disponible pour une filature. On devrait peut-être se débarrasser de ces enquiquineurs.

Navett se gratta la joue. Une suggestion tentante...

Le travail était bien assez difficile pour qu'ils n'aient pas besoin d'avoir des agents ennemis dans les pattes. Une élimination discrète serait...

— Non. Pas encore ! Ils ne peuvent pas nous avoir repérés. Gardons un œil sur eux. S'ils nous témoignent trop d'intérêt, on agira. Pour l'instant, on ne bouge pas.

— C'est toi le chef, dit Klif. J'espère que tu ne fais pas erreur.

— C'est le genre de bévue facile à corriger, répondit Navett, en se levant. Reprenons nos personnalités de crétins avides de bénéfices et allons chercher les bestioles.

12

L'écho d'un code de combat Noghri émis de très loin se fit soudain entendre.

— Le vaisseau approche, traduisit Barkhimkh. Sakhisakh le voit...

— Je le crois sur parole, dit Leia.

Dans le landspeeder emprunté à Sabmin, au milieu des arbres très proches les uns des autres sur la petite colline qui dominait le spatioport Barris Nord de Pakrik Mineure, elle ne voyait presque rien, sinon du vert autour d'elle et un minuscule morceau de ciel bleu au-dessus de sa tête.

Une position inconfortable, selon Leia, et probablement inutile. Puisque le message portait la signature codée personnelle de Bel Iblis — et sa confirmation BridgeBreak —, nul autre que lui ne pouvait être dans le vaisseau en approche. Mais ses gardes Noghris refusaient qu'elle se montre avant que l'occupant du navire soit identifié. Pour ne pas les chagriner davantage, Leia avait accepté de jouer le jeu.

Elle entendait le bruit du vaisseau, à présent...

— On dirait qu'il est très petit.

Elle amplifia son ouïe — une technique de Jedi — pour mieux entendre le bourdonnement des moteurs.

— Il l'est, confirma Barkhimkh. Je vais aller voir de plus près...

Les paroles du Noghri, pourtant à peine plus fortes qu'un murmure, résonnèrent douloureusement aux oreilles de Leia.

Un inconvénient des techniques Jedi !

Quand le fracas d'un corps qui se déplaçait dans les fourrés lui perça les tympans, Leia revint à une acuité acoustique moins désagréable. Dans le lointain, elle entendit le ronronnement du moteur décroître, puis cesser.

Le vaisseau venait de se poser.

Avec le bruissement des feuilles pour seul compagnon, Leia attendit, se demandant ce qui se passait.

Pompeusement baptisé « spatioport », Barris Nord était en réalité un grand champ doté de quelques plates-formes d'atterrissage en permabéton. Sakhisakh n'aurait pas dû mettre si longtemps à s'approcher du vaisseau et à identifier son occupant.

Sauf s'il y avait un problème.

Leia fit appel à la Force, désireuse de se laisser guider par elle. A cet instant, un second appel Noghri retentit.

— Il n'y a pas de danger. Nous pouvons y aller, traduisit Barkhimkh, revenu près de la Conseillère. Mais Sakhisakh nous prévient que ce n'est pas ce que nous attendions...

Le Noghri semblait perplexe.

Leia fronça les sourcils.

— Qu'est-ce que ça veut dire ? Ce n'est pas Garm Bel Iblis ?

— Je n'en sais pas plus, dit Barkhimkh, avant de monter dans le landspeeder et d'activer les répulseurs. J'ai seulement constaté que le vaisseau était petit, comme vous l'aviez dit, et qu'il n'avait aucun marquage.

— Aucun, vraiment ?

— Aucun que j'aie pu voir... (Le Noghri fit slalomer le landspeeder entre les arbres.) De plus près, ç'aurait peut-être été différent...

Hormis un transporteur de grain délabré, à l'autre extrémité du champ, il n'y avait qu'un seul vaisseau visible. Très petit — probablement un deux-places —, il ressemblait à une navette diplomatique d'un modèle que Leia ne se souvenait pas d'avoir jamais vu. A la proue, où auraient dû se trouver les marquages, il n'y avait rien.

Le sas était ouvert et la rampe d'accès dépliée.

— Sakhisakh est-il entré dans le vaisseau ? demanda Leia.

— Oui, répondit Barkhimkh. Il attend avec le pilote et le passager.

Le pilote et le passager ?

Leia examina attentivement la proue du navire. A l'endroit des marquages, on distinguait des variations de teinte sur la coque.

La navette avait quelque chose de vaguement familier. Un souvenir imprécis revint à la mémoire de Leia.

Un souvenir troublant...

Le landspeeder s'arrêta au niveau de la rampe d'accès.

— Conseillère Organa Solo, dit Sakhisakh, debout devant le sas, votre visiteur demande humblement l'honneur de vous rencontrer.

— Ce sera un plaisir, répondit Leia d'un ton aussi cérémonieux que celui du Noghri.

Sakhisakh connaissait Bel Iblis de longue date. Qui donc était dans le vaisseau pour qu'il se montre aussi pompeux ?

— Mon visiteur consentirait-il à me présenter sa requête en personne ?

— Bien entendu, répondit Sakhisakh.

Il s'écarta pour laisser passer un grand humanoïde couvert de duvet. Autour de ses yeux et sur ses épaules, Leia remarqua de subtiles frises violettes.

— Paix à vous, Conseillère Organa Solo.

La voix était mélodieuse. Pourtant, on y entendait les échos d'une ancienne tristesse.

— Je suis Elegos A'kla, porte-parole des Survivants de Caamas. Voulez-vous entrer dans mon vaisseau ?

Des souvenirs affluèrent dans l'esprit de Leia. Enfant, sur Alderaan, elle avait été dans un camp de réfugiés où des centaines d'étendards exhibaient fièrement les emblèmes familiaux des Caamasi.

Des emblèmes semblables à ceux qu'on avait retirés du vaisseau d'Elegos.

— Porte-parole A'kla, répondit Leia, ce sera un honneur.

— Je vous prie d'excuser mon intrusion dans votre vie privée, déclara le Caamasi, qui s'écarta pour la laisser passer. On m'a dit que votre compagnon et vous étiez venus vous reposer. En temps normal, je n'aurais pas violé votre intimité. Mais je désirais tant vous parler. Et l'homme qui m'accompagne affirme que sa mission est d'une importance vitale.

— De qui s'agit-il ? s'enquit Leia.

Elle entra dans le navire et le sonda discrètement avec la Force.

Il y avait bien quelqu'un d'autre... Une personne qui lui était familière.

— Je crois que vous le connaissez bien, dit Elegos.

Assis sur une chaise au fond de la pièce, mal à l'aise sous le regard perçant de Sakhisakh, Leia reconnut...

— Ghent ! s'exclama-t-elle. Par la Force, que fais-tu ici ?

— J'avais besoin de vous parler d'urgence, dit Ghent sans parvenir à dissimuler sa nervosité. Je voulais contacter le Général Bel Iblis, mais je n'ai pas pu le joindre. Comme vous êtes Présidente de la République, j'ai pensé que...

— Ghent, en ce moment, je n'occupe pas cette fonction, coupa gentiment Leia. C'est Ponc Gavrisom qui tient les rênes !

De surprise, Ghent cligna des yeux.

Leia fit un effort pour se retenir de sourire. Par le passé, Ghent était le meilleur pirate informatique de Talon Karrde. Il se montrait si doué pour s'infiltrer dans les réseaux et les trafiquer que Bel Iblis s'était fait un point d'honneur de le subtiliser au contrebandier. Depuis qu'il travaillait pour le Général, Ghent avait fait ses preuves. Aujourd'hui, il était Chef du Chiffre, une position plutôt enviable.

Dès qu'il n'était plus question d'ordinateurs, le jeune homme se montrait aussi naïf et innocent qu'un nouveau-né.

Il le prouvait une nouvelle fois en n'ayant pas remarqué l'absence de Leia dans la vie politique.

— Dame Organa Solo peut quand même nous aider, suggéra Elegos.

Avec l'aplomb propre aux Caamasi, il n'avait pas hésité à tirer profit de la confusion de Ghent pour s'immiscer dans la conversation.

— Ne devriez-vous pas lui expliquer les raisons de votre présence ici ? insista-t-il.

— Bonne idée, fit Ghent, qui venait de retrouver sa voix. (Il sortit un databloc de la sacoche râpée accrochée à sa ceinture.) Eh bien, le Général Bel Iblis m'a remis une datacarte...

— Un moment ! coupa Sakhisakh, l'air mauvais. Est-ce vous qui avez envoyé un message à la Conseillère Organa Solo en utilisant le nom de Bel Iblis ?

— Hum... A vrai dire, oui... Je voulais parler au Général, mais pas moyen de le joindre ! Quand j'ai su que Leia était ici...

— Pourquoi n'as-tu pas pu contacter le Général ? coupa Leia. Où est-il ? Quelque chose lui est arrivé ?

— Non. Il est en mission dans le système de Kothlis.

Ghent regarda Leia, détachant ses yeux du garde Noghri à contrecœur, comme s'il s'attendait à une attaque.

— Une histoire de mise à l'essai de vaisseau, je ne sais pas dans quel but. Mais je n'ai pas pu lui envoyer de message, même avec des codes top niveau. Alors, quand j'ai découvert que Leia était là...

— Comment l'avez-vous su ? grogna le Noghri.

Ghent paraissait de moins en moins rassuré, nota Leia.

— Eh bien... Ça figurait dans les fichiers de Gavrisom. Je n'ai pas pour habitude de pirater les ordinateurs du Haut Conseil, mais c'était très important. Ensuite, j'ai rencontré Elegos...

Il désigna le Caamasi d'une main tremblante.

— Je vous attendais dans votre bureau, Conseillère, expliqua le porte-parole d'une voix calme. Comme mes deux collègues l'ont souligné quand ils vous ont parlé, les derniers développements de cette affaire nous inquiètent beaucoup. Les menaces qui pèsent sur les Bothans n'ont rien arrangé.

Il haussa les épaules ; tout son dos ondula dans le mouvement.

— J'avais prévu de patienter jusqu'à votre retour. Mais comme le Chef du Chiffre Ghent insistait pour vous voir immédiatement, j'ai mis mon vaisseau à sa disposition — à condition qu'il vous localise.

— Et qu'il utilise la signature codée de Garm pour s'assurer que je serais au rendez-vous ? demanda Leia, sourcils froncés à l'attention de Ghent.

— Je pensais que vous ne viendriez pas pour moi... marmonna le jeune homme.

Leia étouffa un soupir. Du Ghent tout craché ! En réalité, son talent lui valait une grande considération dans les hautes sphères de la Nouvelle République. Mais il ne s'en était jamais aperçu !

Quant à Elegos... Incapable de piloter un vaisseau, Ghent avait été obligé d'accepter son invitation. L'affaire était plutôt ennuyeuse, mais elle tenait la route.

— C'est bon, Ghent, tout va bien, dit Leia. L'interrogatoire est terminé. Pour le moment, tes indélicatesses te sont pardonnées. A présent, parle-moi de la *mission* qui semblait assez importante pour que tu violes une demi-douzaine de lois.

Toujours mal à l'aise, Ghent tendit son databloc à Leia.

— C'est un message reçu par Bel Iblis. Un vrai, celui-là ! Lisez-le...

Leia prit le databloc et l'alluma.

Tout cela était bien joli, mais une question la tarabustait. Si elle avait su que ce n'était pas Bel Iblis mais Ghent qui voulait la voir, aurait-elle insisté davantage pour que Yan l'emmène avec lui au cœur de l'Empire ? Même sans le faux message, les arguments de son mari lui avaient paru convaincants. Pourtant...

Quand les mots s'affichèrent sur l'écran du databloc, un frisson courut le long de l'échine de Leia.

— Où as-tu eu ça ? demanda-t-elle à Ghent.

Le sang battait si fort à ses tempes qu'elle eut l'impression d'entendre la voix d'une étrangère.

— Le Général Bel Iblis l'a ramené de Morishim, répondit Ghent. Une Corvette Corellienne était entrée dans le système, mais un Destroyer Stellaire l'a attaquée puis capturée...

— Je me rappelle avoir lu le rapport secret de Garm sur cette affaire, dit Leia. Il voulait qu'elle ne s'ébruite pas avant qu'il ait découvert de quoi il retournait.

— C'est une transmission de la Corvette, expliqua Ghent. Elle était brouillée et le décodage m'a pris pas mal de temps... Vous comprenez pourquoi je devais la montrer au plus vite à quelqu'un d'important ?

Leia hocha la tête.

Puis elle relut le message.

... le Colonel Meizh Vermel, émissaire spécial de l'Amiral Pellaeon. Je suis chargé de contacter le Général Bel Iblis pour lui proposer de négocier la paix entre l'Empire et la Nouvelle République. Mon vaisseau a été attaqué par des renégats Impériaux, et je sais que je ne survivrai pas. Si la Nouvelle République est disposée à parlementer, l'Amiral Pellaeon attendra le Général Bel Iblis à l'usine d'extraction de gaz abandonnée de Pesitiin. Rendez-vous dans un mois. Je répète : ici le Colonel Meizh Vermel...

— Conseillère, intervint Sakhisakh, il y a un problème ?

Leia leva les yeux sur le Noghri, presque surprise de le trouver là tant les idées se bousculaient dans sa tête. La paix ! Pas une simple trêve, mais la fin des hostilités. L'objectif qu'elle poursuivait depuis ses tendres années, au temps où Palpatine était encore tout-puissant.

Ce miracle était à portée de main, offert sur un plateau par le Suprême Commandeur de la Flotte Impériale !

Mais il ne fallait pas s'emballer. Pellaeon proposait de négocier, rien de plus. Les conditions préalables qu'il soumettrait risquaient de transformer la conférence de paix en mascarade.

169

Du temps perdu... Ou un joli coup de propagande pour l'Empire ?

Et si c'était encore plus grave ? Un piège, par exemple ?

— Conseillère, répéta Sakhisakh, ses grands yeux noirs rivés sur Leia. (Il s'approcha d'elle.) Qu'est-ce qui vous perturbe ?

Sans un mot, Leia lui tendit le databloc.

Ce qui la perturbait ? C'était simple : selon toute probabilité, Pellaeon ne dirigeait plus les forces de l'Empire. Si Lando avait raison — et s'il ne s'agissait pas d'une supercherie —, le Grand Amiral Thrawn avait repris le pouvoir.

Avec lui, les choses n'étaient jamais comme elles en avaient l'air.

Sakhisakh marmonna quelque chose dans sa langue. Un juron bien senti, supposa Leia.

— Vous ne pouvez pas croire à ces fadaises ! grogna-t-il.

Il lança le databloc à Ghent comme si la chose le dégoûtait.

— L'Empire est l'incarnation même du mensonge et de la trahison ! Il n'en sera jamais autrement !

— Nous l'avons souvent constaté à nos dépens, admit Leia. Pourtant...

— Il n'y a pas de « pourtant » ! rugit Sakhisakh. Les Impériaux ont massacré mon peuple. Et le vôtre !

— Je sais...

Dans la gorge de Leia, la vieille douleur brûlait comme de l'acide sulfurique.

— Et si Thrawn n'est pas mort, ajouta le Noghri, raison de plus pour ne pas croire ce que dit l'Empire !

— C'est vrai... concéda Leia. Pourtant...

— Puis-je lire le message ? demanda Elegos.

Leia hésita. En principe, cela concernait exclusivement la Nouvelle République...

— Bien sûr...

Elle tendit le databloc au Caamasi.

Son instinct, inspiré par la Force, lui dictait d'oublier les règles en vigueur. Avant la destruction de leur planète, les Caamasi comptaient parmi les meilleurs négociateurs et médiateurs de l'Ancienne République, et leurs compétences en matière de diplomatie égalaient celles des Jedi. L'analyse d'Elegos l'aiderait à y voir plus clair.

Le Caamasi lut et relut le message. Puis il leva ses yeux bleu-vert sur Leia.

— Il faut répondre. C'est peut-être un piège, mais comment en être certains ? Si l'Amiral Pellaeon est sincère, nous devons saisir cette chance !

Sakhisakh lui jeta un regard soupçonneux.

— J'admire depuis toujours les Caamasi, porte-parole A'kla, dit-il sur un ton proche du défi. Mais vous parlez comme un enfant naïf ! Suggérez-vous vraiment que Bel Iblis doit se livrer aux Impériaux ?

— Vous me comprenez mal, cher ami. Je ne *suggère* rien au Général. D'ailleurs, même si je le voulais, ce serait impossible.

— Et pour quelle raison ? demanda Leia.

— Ghent nous l'a dit : impossible de le joindre. Or, nous devons agir vite, en supposant que l'offre n'est pas déjà caduque. (Il tapota le databloc.) J'ignore quand a eu lieu l'affaire de Morishim, mais il est évident que les adversaires de l'Amiral Pellaeon n'ont pas tardé à réagir. Même s'il a repoussé quelques attaques, il ne pourra pas attendre indéfiniment la réponse de Coruscant.

— Alors, qui suggérez-vous de livrer pieds et poings liés aux Impériaux ? demanda le Noghri avec un regard appuyé à Leia. A qui demanderez-vous de se suicider ?

Elegos secoua la tête.

— A personne, répondit-il. Le choix est évident... J'irai !

— Vous ? lança Sakhisakh, stupéfait.

— Bien entendu... Conseillère Organa Solo, j'ai promis à Ghent de le ramener sur Coruscant. Si vous acceptez de vous en charger, je partirai sur-le-champ pour Pesitiin.

Leia soupira. A présent, elle comprenait pourquoi il lui avait paru judicieux de laisser Yan s'envoler sans elle pour Bastion.

— Ce ne sera pas nécessaire, Elegos, dit-elle. Vous tiendrez la promesse faite à Ghent. C'est moi qui irai à Pesitiin !

Un grognement monta de la gorge du Noghri.

— Je ne puis vous permettre de faire ça, Conseillère, s'insurgea-t-il. Braver un tel danger...

— Je suis désolée, Sakhisakh, répondit Leia. Comme l'a précisé Elegos, le choix est évident. De nous tous, je suis la seule habilitée à négocier au nom de la Nouvelle République.

— On peut envoyer quelqu'un de Coruscant... suggéra le Noghri.

— Elegos l'a également spécifié : le temps nous manque. Si Pellaeon a respecté son planning, il est à Pesitiin depuis une semaine. Je dois m'y rendre sans tarder ! Sakhisakh, si tu ne

171

peux pas supporter l'idée de parler avec des Impériaux, je prendrai le *Faucon* et partirai seule. Crois-moi, je ne t'en voudrai pas.

— Conseillère, ne m'insultez pas, répondit le Noghri. Barkhimkh et moi vous accompagnerons. Jusqu'à la mort, si c'est ce qui nous attend.

— Merci, dit Leia. A toi aussi, Ghent. Me délivrer le message était la chose à faire, violation des lois ou pas. Porteparole A'kla, je vous remercie de votre assistance.

— Un instant ! intervint Ghent, de nouveau très mal dans sa peau. Vous pensez y aller seule ?

— Pas du tout, grogna Sakhisakh. Nous serons avec elle...

— Oui, oui... (Ghent regarda Leia puis Elegos.) Porteparole, ne pourriez-vous pas... Enfin, je veux dire...

— Voyager avec la Conseillère ? Je brûle de le faire ! Même si je n'ai pas de poste officiel au sein de la République, mon peuple est doué pour les négociations. (Pensif, il regarda Ghent.) Mais j'ai l'obligation de vous ramener sur Coruscant.

— A moins que tu veuilles prendre une navette pour Pakrik Majeure et t'embarquer sur un vaisseau de ligne, remarqua Leia.

— Je n'ai jamais pensé que vous... bredouilla Ghent, pathétique. Je vous ai apporté le message parce que...

Il poussa un soupir si profond qu'on eût dit un ballon qui se dégonfle.

— D'accord... D'accord... Bon, c'est réglé. Pourquoi pas, après tout ? Je viens avec vous...

Leia sursauta. Elle n'attendait pas une décision de ce genre.

— Une proposition courageuse, Ghent, mais ce n'est pas nécessaire...

— N'essayez pas de me dissuader ! C'est moi qui vous ai mis dans le pétrin. Autant aller jusqu'au bout. D'ailleurs, tout le monde dit que je devrais sortir plus souvent.

Leia regarda Elegos, qui hocha discrètement la tête.

A l'évidence, passer trois jours en tête à tête avec un Caamasi avait fait un bien fou au jeune pirate informatique.

A moins qu'il ait enfin commencé à grandir.

— C'est d'accord, dit Leia. Merci à vous tous. (Elle regarda autour d'elle.) Nous prendrons le *Faucon*. Ce vaisseau est bien trop petit pour cinq... En landspeeder, il nous faudra une vingtaine de minutes pour rejoindre mon navire.

— Alors, dépêchons-nous, dit Elegos, poli mais pressant. Nous avons peu de temps.

Pendant le trajet, chacun resta muré dans ses pensées.

Si Leia ne sut rien des préoccupations de ses compagnons, elle eut largement de quoi méditer, car une nouvelle idée lui avait traversé l'esprit.

Un Jedi, elle le savait, pouvait voir ou du moins *pressentir* l'avenir. Il était aussi à même d'évaluer la qualité du chemin qu'il empruntait et d'estimer sa propre position tout au long de la route.

Dans le cas présent, Leia était sûre de s'être engagée sur la bonne voie.

Mais un Jedi pouvait-il voir sa propre mort ? Ou l'itinéraire qui menait au néant restait-il plongé dans l'obscurité ?

Tout pouvait sembler parfait jusqu'au moment fatidique...

Elle n'en savait rien. L'apprendrait-elle au bout de ce chemin-là ?

13

Dans la cabine de Shada, l'alarme de bataille du *Wild Karrde* qui retentissait sur le pont n'était qu'un bruit de fond presque... subtil. Entraînée pour prendre garde aux choses subtiles, la jeune femme bondit hors de son lit avant que la sirène se soit tue. Après avoir enfilé ses vêtements et glissé un blaster dans sa poche, elle se dirigea vers le centre névralgique du vaisseau.

Les coursives étaient désertes. Shada accéléra l'allure et tendit l'oreille pour capter des bruits de combat ou entendre le sifflement aigu des moteurs, indice certain que le navire prenait la fuite.

Mais tout était tranquille. A part le bourdonnement discret de l'hyperpropulseur, seul le martèlement de ses chaussures sur le sol métallique troublait le silence.

Quand la porte s'ouvrit, le jeune femme mit une main dans sa poche, serra la crosse de son blaster et entra d'un pas décidé.

Elle s'immobilisa, vaguement embarrassée. Les hommes d'équipage étaient assis à leurs places accoutumées. Certains avaient tourné la tête, étonnés par cette intrusion. Derrière la baie vitrée, le ciel strié de blanc de l'hyperespace défilait imperturbablement.

— Salut, Shada ! lança Karrde. (Il quitta des yeux l'écran technique sur lequel Pormfil et lui étudiaient quelque chose.) Je pensais que vous dormiez. Qu'est-ce qui vous amène ici à cette heure ?

— L'alarme, bien sûr ! Quoi d'autre, selon vous ? (Elle promena les yeux alentour.) C'était un exercice ?

— Pas vraiment, répondit Karrde. (Il s'approcha d'elle.) Toutes mes excuses, je croyais que vous n'entendriez pas...

— Avoir l'oreille fine fait partie de mon travail ! Que signifie cet exercice qui n'en est pas vraiment un ?

— Nous approchons du système d'Episol et de la planète Dayark. En sortant de l'hyperespace, il y a de fortes probabilités que nous ayons des ennuis.

Shada regarda la verrière.

— Les pirates dont nous a parlé Bombaasa ?

— Possible... Des tas de gens ont eu vent de notre voyage.

— Et de votre identité !

— Peut-être... Etant donné qu'un vaisseau rôdait autour de notre point de bifurcation, à Jangelle, j'estime qu'il est préférable d'aborder prudemment le système d'Episol.

— Ça semble judicieux, admit Shada. Mais vous auriez pu prendre la peine de m'avertir.

— Vous n'auriez rien pu faire de plus, déclara Karrde, un peu irrité. Sauf si on nous aborde — et ça n'arrivera pas, croyez-moi ! — il n'y a pas de corps à corps en perspective.

— Ce n'est pas ma seule spécialité, répliqua Shada, cassante. Ai-je oublié de mentionner que les turbolasers n'ont pas de secret pour moi ?

Sur le pont, tous écoutaient ce dialogue avec une attention soutenue.

— En effet, vous ne m'en avez pas parlé, confirma Karrde. D'ailleurs, ça n'aurait rien changé. Les stations des turbolasers sont très exposées. S'il se passe quelque chose, je préférerais vous savoir... hum...

— ... en sécurité ? acheva Shada. Parce que ce ne sont peut-être pas des pirates qui nous guettent ?

Dankin pivota à demi sur son siège et regarda Karrde. Il ouvrit la bouche pour dire quelque chose, mais se ravisa et se retourna vers sa console.

— Ce n'est pas Car'das... dit Karrde. Pas ici. S'il avait voulu frapper de loin, ce serait déjà fait. Apparemment, il attend que nous ayons atteint Exocron.

— Attendre quelque chose avec impatience est toujours agréable, railla Shada. S'il en est ainsi, confiez-moi une batterie de turbolasers. Je suis au moins aussi bonne que Balig, et probablement meilleure que Chal.

— On peut affecter Chal aux radars... murmura Dankin.

Karrde pinça les lèvres, mais il acquiesça.

— D'accord, voyons ce que vous savez faire. Dankin, dis à Chal de venir s'occuper des radars. H'sishi, où en sommes-nous question horaire ?

— [Arrivée dans quatre minutes trente], répondit la Togo-rienne assise à la console des senseurs.

Ses yeux jaunes se posèrent sur Shada. Sans ciller, elle l'examina des pieds à la tête.

— Vous feriez mieux d'y aller, dit Karrde à la jeune femme. Vous prendrez la batterie 2.

— Je sais... Je ferai le point dès que je serai en position.

Trois minutes plus tard, harnachée devant sa console, face à la grosse bulle de transparacier, Shada s'assura que les turbolasers étaient en bon état de marche et prêts à tirer.

Elle s'efforça de chasser de son esprit les fantômes des batailles qu'elle avait livrées en vingt ans. D'abord avec les Mistryls, puis aux côtés des contrebandiers de Mazzic. Le plus souvent, elle avait eu la chance d'être dans le camp des vainqueurs. Les autres fois...

— Shada, Chal à l'inter, dit la voix du jeune homme dans son casque. Prête ?

— Quasiment... (Shada regarda le dernier voyant passer au vert.) Ça y est !

— Parfait.

Si Chal était vexé d'avoir été sommairement éjecté de son poste, il le dissimulait admirablement.

— Ouvrez l'œil, continua-t-il. Le compte à rebours commence. Dix... neuf...

Les mains sur les manettes de tir, Shada écouta les chiffres s'égrener et sentit que ses yeux passaient en mode de combat « scan », une technique que les instructrices des Mistryls lui avaient enseignée des années plus tôt.

Quand le compte à rebours atteignit zéro, les traînées blanches de l'hyperespace cédèrent la place à des étoiles...

Aussitôt, un rayon laser percuta le flanc du *Wild Karrde*.

— [Sept vaisseaux en embuscade !] cria H'sishi.

Au ton de sa voix, Shada imagina sa fourrure gris et blanc toute hérissée.

— [De petits vaisseaux d'attaque... Classe Corsaire !]

— Classe et nombre d'adversaires confirmés, annonça Chal. Position...

Shada n'entendit pas la suite. Elle orienta les turbolasers, verrouilla une cible et ouvrit le feu. L'agresseur qui essayait de se faufiler sous le hangar principal du *Wild Karrde*, atteint au flanc gauche, explosa.

Son coéquipier, faisant un écart pour éviter les débris, se retrouva dans la ligne de mire de Griv.

La carcasse de l'appareil poursuivit sa trajectoire tel un bûcher funéraire volant.

— Deux en moins ! triompha Chal. Et trois avec ce nouveau coup au but de Griv !

— Tout le monde reste vigilant, dit Karrde d'une voix beaucoup plus mesurée. On les a pris par surprise. Maintenant, ils savent à quoi s'attendre.

Shada approuva d'un hochement de tête et jeta un coup d'œil à son écran tactique. Les quatre Corsaires avaient pris de la distance. Ils suivaient le *Wild Karrde* et ne semblaient pas pressés de l'affronter.

Karrde profita de ce répit pour pousser les moteurs au maximum et foncer vers la gazeuse géante autour de laquelle orbitait Dayark, le monde-capitale de la République de Kathol.

— A mon avis, dit Shada, ils ne tarderont pas à utiliser leurs canons à ions. On peut tenir le coup ?

— Sans problème, assura Karrde. Surtout contre des canons si petits... Attention, ils attaquent !

Par groupes de deux, les Corsaires se placèrent au-dessus et au-dessous du *Wild Karrde* et donnèrent toute la puissance de leurs canons à ions.

Shada tira une rafale précise et toucha un des appareils avant qu'il disparaisse avec son coéquipier derrière le dôme du *Wild Karrde*.

— Chal ?

— Vous avez bousillé son canon à ions, confirma le jeune homme. Balig, grâce à vous, son bouclier arrière est en rideau.

— [Ils attaquent de nouveau !] avertit H'sishi.

Shada jeta un coup d'œil sur l'écran tactique et orienta ses turbolasers dans la direction où le Corsaire suivant devait logiquement apparaître.

L'agresseur tournait autour du *Wild Karrde*. Ses rayons laser s'écrasaient sur le bouclier du vaisseau sans parvenir à le transpercer.

Shada et Balig ripostèrent. Touché à la proue, l'appareil ennemi explosa.

Avec un fracas étourdissant, quelque chose percuta puis traversa la bulle de transparacier protégeant Shada.

— Je suis touchée ! cria la jeune femme.

Elle serra les dents pour lutter contre la douleur qui lui déchirait le flanc droit. Autour d'elle, un vent glacial sifflait : l'air s'engouffrait par le dôme brisé.

La main droite de Shada était comme morte. Aussi tenta-t-elle de défaire son harnais avec la gauche. Pourrait-elle sortir avant que le vide de l'espace la tue ? se demanda-t-elle avec un étrange détachement.

Ou tout était-il enfin terminé ?

Au moment où elle débouclait le harnais supérieur, le « vent » n'était plus qu'un chuintement. Un très mauvais signe.

La vue brouillée, Shada s'attaqua au harnais inférieur.

Avec un deuxième roulement de tonnerre qu'elle ressentit dans son corps plus qu'elle ne l'entendit, le dôme et les étoiles furent remplacés par une plaque de métal gris.

Shada cligna des yeux. Alors que son cerveau privé d'oxygène essayait de comprendre ce qui arrivait, de l'air s'engouffra dans le poste de tir et des mains se posèrent sur le dernier harnais.

— C'est bon, on la tient ! cria une voix assourdissante. Mais elle est blessée. Dites à Annowiskri de venir ici en vitesse !

— Je suis déjà là ! annonça une deuxième voix.

Shada sentit un picotement désagréable dans son bras...

Elle reprit conscience lentement, du moins pour une Mistryl.

Un long moment, elle resta étendue, paupières closes, tentant d'évaluer son état.

Tout son flanc droit était engourdi et son cuir chevelu la démangeait, comme toujours après un séjour dans une cuve bacta. Sinon, elle se sentait plutôt bien. Un bruit de respiration, à côté d'elle, lui apprit qu'elle n'était pas seule. Comme elle n'entendait pas le bourdonnement des moteurs, elle en déduisit que le *Wild Karrde* avait réussi à gagner Dayark.

Ainsi, ce n'était pas la fin et il lui restait du temps à vivre. Quel dommage !

Shada prit une profonde inspiration et ouvrit les yeux.

Elle était allongée sur un des trois lits de l'infirmerie du *Wild Karrde*. A l'autre bout de la pièce, le regard perdu dans le vide, Talon Karrde attendait qu'elle se réveille.

— J'en déduis que nous avons gagné... dit Shada.

Karrde se tourna vers elle.

— Oui, et ce fut plutôt facile. Comment vous sentez-vous ?

178

— Pas trop mal...

Shada essaya de bouger le bras droit. N'étaient une certaine raideur et l'engourdissement qu'elle avait déjà noté, le membre semblait en bon état, à condition de ne pas chercher à en faire trop.

— Mon bras laisse encore à désirer.

— Annowiskri dit qu'il vous faudra au moins un séjour de plus dans une cuve bacta. Je vous en ai fait sortir pour que vous m'accompagniez. Une petite balade hors du vaisseau... Si ça vous intéresse, bien sûr.

— Evidemment que ça m'intéresse ! Dans quel secteur de Dayark sommes-nous ?

— Le spatioport principal de Rytal Prime, la capitale. Nous avons atterri il y a deux heures.

Shada fronça les sourcils.

— Et vous ne sortez que maintenant ? Je croyais que nous étions pressés ?

— Nous le sommes, confirma Karrde. Mais nous avons dû jouer les hôtes accueillants pour un petit groupe d'inspecteurs des douanes. Ils ont mis plus d'une heure à passer le vaisseau au peigne fin. De toute évidence, ils étaient à la recherche de marchandises de contrebande.

— J'espère que vous les avez surveillés de près.

— De très près, faites-moi confiance. Ils sont partis maintenant. Pormfil et Odonnl s'occupent de faire réparer le navire. En attendant, le commandant des forces de la République de Kathol voudrait nous dire un mot.

— A propos de nos agresseurs, sans doute.

— Sans doute... Peut-être aimerait-il savoir comment nous avons réussi à les vaincre au prix de si peu de dommages.

— *Si peu de dommages* est une façon de parler, je suppose.

Karrde fit la grimace.

— Je suis désolé de ce qui vous est arrivé, Shada, et...

— Oubliez ça !

Les excuses mettaient la jeune femme mal à l'aise, même quand elles étaient sincères.

Surtout quand elles étaient sincères !

— Alors, quel est le programme ?

— Je suis censé rencontrer le Général Jutka dans un bar, à l'extérieur du spatioport, dit Karrde. Ici, la plupart des gens parlent le basic. Mais il y a un gros contingent de colons Itho-

179

riens. Au cas où des problèmes de traduction se poseraient, nous emmenons C-3PO.

— Un cadre étrange pour un rendez-vous officiel, souligna Shada. On dirait que ces gens ne sont pas sûrs de vouloir frayer avec nous.

— Vous venez de mettre dans le mille ! confirma Karrde. (Il regarda Shada, pensif.) Pour un banal garde du corps, vous avez un sens aigu de la politique.

— Je n'ai jamais prétendu être *banale* ! répliqua Shada. (Elle fit glisser ses jambes hors du lit médical.) Donnez-moi cinq minutes pour me changer. Puis nous irons voir votre Général.

Dix minutes plus tard, Karrde et Shada, côte à côte, tentaient de s'ouvrir un chemin dans les rues bondées du spatioport. Dans leur sillage, le droïd protocolaire doré semblait plus nerveux qu'à l'accoutumée.

— Les gens du coin sont plutôt curieux, remarqua Shada.

Karrde acquiesça. Il avait noté les regards subreptices des Ithoriens et les coups d'œil franchement intrigués des humains.

— Selon Mara, ils sont méfiants, mais pas plus inamicaux que la moyenne.

— Ravie de le savoir ! L'ennui, c'est que le rapport de Mara date de six ans... Je trouve les vêtements locaux intéressants. Vous avez remarqué ces manteaux brillants avec ces touffes de fourrure disposées au hasard ?

— De la peau de crosh-hide. Un animal commun sur un monde de la République de Kathol. Un matériau confortable et résistant. Les touffes de fourrure peuvent être laissées telles quelles ou disposées en une infinité de motifs. Quand Mara et Calrissian étaient ici, les manteaux de crosh-hide commençaient à devenir à la mode. J'ai l'impression que ça a été un raz-de-marée...

— Sans doute parce que c'est un moyen d'identifier les étrangers au premier coup d'œil, dit Shada. (Elle tira sur sa combinaison de saut.) Avec nos vêtements, nous n'avons aucune chance de passer inaperçus.

— C'est judicieusement analysé, approuva Karrde. Ce secteur de la galaxie est peu fréquenté par les étrangers, mais il y a eu quelques conflits avec l'Empire, et la Nouvelle République a essayé à plusieurs reprises d'exposer quelques idées politiques raisonnables à ces gens.

— Un discours qui n'intéresse pas les indigènes ?

— Pas vraiment...

Karrde examina les enseignes commerciales jaunies qui se balançaient au vent. Quelques-unes étaient rédigées en basic. Les autres arboraient des cryptogrammes Ithoriens ou une écriture du type « frise » qui ne disait rien au contrebandier.

— C-3PO, nous cherchons un établissement appelé Ithor Loman. As-tu vu ce nom quelque part ?

— Oui, Capitaine Karrde. Droit devant nous.

Karrde étudia la pancarte bleue que désignait le droïd. Le nom était écrit en Ithorien.

— Ça me rappelle le repaire de Bombaasa, sur Pembric, dit Shada. Karrde, n'avez-vous jamais songé à emmener quelques hommes de plus lors de vos balades ?

— Vous penseriez que je doute de vos compétences...

— Je crois n'avoir plus besoin de les démontrer ! Avec une poignée d'hommes en plus, il est plus facile d'empêcher une bagarre.

Karrde hocha la tête et dissimula un sourire.

— Je me souviendrai de ce conseil. (Ils arrivèrent devant le bar.) Après vous, chère amie !

Malgré l'heure matinale, l'établissement était rempli d'Ithoriens et d'humains vêtus de vestes de crosh-hide.

Karrde remarqua aussi deux ou trois étrangers.

— Vous savez lequel est le Général Jutka ? demanda Shada.

— Je suppose qu'il guette notre arrivée... Sinon...

Il s'interrompit en apercevant un petit homme mince aux cheveux courts se lever d'une table. Le type portait du crosh-hide, bien entendu...

Et il se dirigeait vers eux.

— Ah ! nos visiteurs... s'exclama-t-il d'un ton joyeux.

Quand il étudia Karrde et sa compagne, ses yeux s'illuminèrent. Etait-ce de l'intérêt, ou un simple témoignage de sa nature débonnaire ?

— Je suppose que vous désirez voir le Général Jutka.

— Exactement, répondit Karrde. A qui avons-nous l'honneur ?

— N2 Neeadan E-elz, à votre service, répondit l'homme avec une révérence. Vous pouvez m'appeler N2 Nee.

— Un nom intéressant, dit Karrde. Le N2 fait penser au numéro d'un droïd.

— Assez bizarrement, les gens me prennent parfois pour un robot, dit N2 Nee, les yeux pétillant de plus belle. Je ne comprends pas pourquoi... Si vous voulez bien me suivre, je vous conduirai au Général.

Sans attendre de réponse, il slaloma entre les tables d'une démarche aussi alerte que son débit était vif.

— Un étrange bonhomme, dit C-3PO tandis que Shada et Karrde emboîtaient le pas à leur guide. Mais il semble inoffensif.

— Ne te fie jamais aux apparences, conseilla Shada au droïd. Moi, je trouve que ce type détonne dans un endroit pareil.

— On gardera un œil sur lui, dit Karrde. Voilà sûrement Jutka...

N2 Nee s'était arrêté près d'une table, au fond de la salle. Assis le dos au mur, un homme massif sirotait un verre. S'il portait la veste en crosh-hide de rigueur, il semblait mal à son aise ainsi vêtu.

— C'est un militaire, dit Shada en écho aux pensées de Talon. Sans son uniforme, il doit se sentir tout nu.

N2 Nee murmura quelques mots à l'oreille du Général et attendit que les visiteurs se soient approchés.

— Général Jutka, puis-je vous présenter... (Il sembla soudain confus.) Je ne crois pas connaître vos noms ?

— Logique, puisqu'on ne vous les a pas donnés. Vous pouvez m'appeler Capitaine. Voici Shada, une amie, et C-3PO, mon droïd traducteur.

Le Général marmonna quelque chose dans une langue inconnue.

— Il ne s'attendait pas à recevoir toute une troupe, traduisit C-3PO. En fait...

— Assez ! cracha Jutka en basic. Si vous ne faites pas taire ce satané droïd, je m'en chargerai !

— Mon Dieu, gémit C-3PO en reculant d'un pas. Toutes mes excuses, Général Jutka...

— Que ce droïd la ferme ! explosa Jutka. Et je ne veux pas avoir à le redire ! A présent, asseyez-vous !

— A vos ordres ! lança Karrde.

Il se laissa tomber sur une chaise, à côté du Général.

N2 Nee s'était approché de C-3PO et lui parlait doucement à l'oreille.

— J'ai dû me tromper, Général, enchaîna Karrde. Je pensais être venu pour une conversation, pas pour entendre des menaces...

— Désolé de vous avoir donné cette impression, grommela Jutka avec un regard noir pour Shada.

La jeune femme avait décliné l'*invitation* à s'asseoir du militaire. Elle avait contourné la table pour se placer sur le flanc de Jutka et le dominer...

Karrde eut le sentiment qu'un nouvel ordre allait sortir de la gorge du Général. Mais celui-ci abandonna la joute et fit face au contrebandier.

— Vous êtes un fauteur de troubles, dit-il. Sur mon monde, les gens de votre sorte sont indésirables.

— Je vois... fit Karrde. Ainsi, dans la République de Kathol, essuyer une attaque de pirates est le signe qu'on est un fauteur de troubles ?

Jutka plissa les yeux.

— Ne me prenez pas pour un imbécile ! Je sais pour qui vous travaillez. L'ID de votre vaisseau ne laisse planer aucun doute. Pas question que je crève au cours d'une absurde guerre entre Bombaasa et Rei'Kas.

— Rei'Kas ? répéta Shada, perplexe. Le Rodien ?

— Oui, répondit Jutka. Voulez-vous dire que...

— ... nous ne savions pas qui étaient nos agresseurs ? C'est exact. Merci d'avoir éclairé notre lanterne. Shada, vous connaissez ce Rodien ?

— De réputation seulement... Il travaillait avec la Coopérative des Esclavagistes Karasaks. Un chef de guerre efficace, à ce qu'on dit. Mais un individu impitoyable, violent et vicieux, qui énervait tous ses « collègues ».

Karrde hocha la tête, la bouche sèche. Un esclavagiste sans pitié sur le territoire de Car'das ! Combien d'autres criminels avaient trouvé refuge dans ce secteur de la galaxie ?

— Intéressant... souffla Talon.

— D'autant plus, ajouta Shada, que le Général connaît son nom alors que Bombaasa lui-même l'ignore. Est-ce un ami à vous, Général ?

— Ma mission est de protéger la République de Kathol, rétorqua Jutka. Je n'ai pas ce genre de responsabilité envers les étrangers qui fourrent leur nez dans ce qui ne les regarde pas.

Du coin de l'œil, Karrde vit Shada tourner la tête pour voir si du grabuge se préparait.

— Me menaceriez-vous, Général ? demanda-t-il.

— Je vous mets en garde, c'est tout. Vous avez porté un coup à Rei'Kas et il n'est pas du genre à l'oublier. Tant que votre vaisseau sera sur son territoire, il le poursuivra.

— Nous brûlons d'impatience de quitter cette zone, dit Karrde. Une fois ma mission accomplie, bien entendu.

— Comme il vous plaira, grogna Jutka. (Il se leva lourdement de sa chaise.) Mais je vous aurai prévenu. Ne l'oubliez pas.

— Je ne l'oublierai pas, n'ayez crainte. Merci de nous avoir accordé un peu de votre temps.

Jutka marmonna quelque chose et s'éloigna. Sans un regard derrière lui, il sortit du bar.

— C'est ici que Car'das a décidé de prendre sa retraite ? demanda Shada, en s'installant sur le siège abandonné par le Général. Un endroit charmant...

— Parlez plus bas ! la sermonna Karrde.

Il jeta un coup d'œil autour de lui. Personne ne semblait s'intéresser à eux, mais les apparences ne voulaient rien dire.

— Quant à la retraite, je doute que notre ami y ait jamais songé.

— Vous croyez que Rei'Kas travaille pour lui ?

— C'est dans le domaine du possible...

Shada tourna la tête. Karrde suivit son regard et vit N2 Nee tirer une chaise jusqu'à leur table et s'asseoir.

— Avez-vous eu une conversation agréable avec le Général ? demanda-t-il, rayonnant. C'est bien. C'est très bien. (Il se pencha par-dessus la table.) J'ai parlé à votre droïd. D'après lui, vous cherchez Exocron, le monde perdu légendaire.

— C-3PO ? grogna Karrde en foudroyant le droïd du regard.

— Je suis désolé, Messire, gémit le droïd, misérable. Je ne voulais pas lui fournir des informations. Mais il m'a demandé si nous cherchions Exocron, et j'ai répondu « oui » sans réfléchir.

— Ne le blâmez pas, dit N2 Nee. Pour moi, votre destination n'est pas un secret. Vous cherchez Jorj Car'das, n'est-ce pas ?

Shada lança un regard appuyé à Karrde.

— C-3PO, veux-tu bien aller au bar et nous rapporter deux chopes de la bière locale ? En chemin, tends l'oreille pour repérer si quelqu'un parle en rodien.

— A vos ordres, Maîtresse Shada, répondit le droïd, soulagé de pouvoir s'éclipser. J'y cours !

— Merci beaucoup, dit Shada avec un regard qui démentait ses propos. N2 Nee, vous nous parliez de Jorj Car'das ?

— Oui... (Le petit homme se pencha davantage.) Vous avez raison de le chercher sur Exocron. C'est là qu'il est. Mais cette planète est difficile à trouver. Dans la République de Kathol, la plupart des gens n'en ont jamais entendu parler. Et ceux qui connaissent son nom pensent qu'il s'agit d'un mythe.

— Un bon résumé de la situation, concéda Karrde, assailli par une soudaine inquiétude.

Comment N2 Nee était-il au courant qu'il cherchait Exocron ? C'était impossible, sauf s'il travaillait pour Car'das...

— Si vous me disiez pourquoi Exocron est tellement difficile à trouver ?

N2 Nee sourit à s'en décrocher les mâchoires.

— Vous le savez aussi bien que moi ! Mais peut-être que votre amie l'ignore... (Il se tourna vers Shada.) C'est à cause des mini-nébuleuses et des gaz qui sortent de la Faille de Kathol. La lumière reflétée et les radiations brouillent les senseurs et les communications. Très gênant pour une recherche ! Fouiller ce secteur de l'espace peut prendre des dizaines d'années...

— Et vous vous proposez de nous épargner cette peine, c'est ça ? demanda Shada.

— Exactement. Je peux vous conduire sur Exocron et vous faire rencontrer Car'das... (Il regarda de nouveau le contrebandier.) Mais seulement si le Capitaine Karrde le désire.

Au prix d'un effort surhumain, Karrde réprima sa surprise. Ainsi, le petit homme connaissait son nom !

— Et que nous coûtera votre... obligeance ?

— Rien ! répondit N2 Nee. Mais ce *nous* est hors de propos. Il n'y aura que vous et moi !

Shada leva un doigt.

— Minute ! Que faites-vous de l'équipage ?

— Il devra attendre ici. Il n'y a pas d'alternative, je le crains. Mon vaisseau n'a que deux places...

— Pourquoi ne guideriez-vous pas le mien ? demanda Karrde.

— Oh, non ! s'écria N2 Nee. Je ne pourrais pas faire ça.

— Pourquoi ? insista Shada. Car'das refuse de nous voir tous ?

N2 Nee battit des paupières.

— Ai-je dit qu'il voulait rencontrer un seul d'entre vous ? Je ne crois pas...

Cela revenait à dire que Car'das ne lui avait pas demandé de se proposer comme guide.

— Si j'accepte, quand devrons-nous partir ? demanda Karrde.

— Pas si vite ! intervint Shada. Que signifie ce « si j'accepte » ? Vous n'avez pas l'intention de partir seul avec ce type ?

Karrde fit la grimace. Cette idée ne l'enchantait guère. Mais tôt ou tard, il devrait affronter Car'das. Si c'était la meilleure façon de le faire sans mettre ses hommes en danger...

— Soyons clairs, continua Shada. Je suis son garde du corps et je ne le laisserai pas partir avec vous. Compris ?

N2 Nee leva les mains, paumes en l'air.

— Mais...

Il s'interrompit car C-3PO avait fait son apparition et posait deux énormes chopes sur la table.

— Grâce soit rendue au Grand Ingénieur, soupira-t-il. La clientèle de cet établissement est composée des plus déplaisants...

— Oublie la couleur locale ! coupa Shada. Tu as entendu du rodien ?

— Oui, répondit le droïd. (Il désigna une table, près du comptoir.) Les trois humains, là-bas... Ceux qui viennent de se lever...

— Ça sent mauvais, murmura Shada avec un regard noir pour N2 Nee. Il est temps de sortir d'ici...

— Inutile d'essayer, dit une voix vicieuse à gauche de Karrde.

Le contrebandier tourna la tête. Deux tables plus loin, trois hommes les regardaient.

Blaster au poing !

14

— Mon Dieu, nous allons tous mourir ! gémit C-3PO.

Karrde regarda autour de lui. Derrière Shada, les trois voyous que le droïd avait repérés slalomaient entre les tables, blasters dégainés.

Dans la salle, les clients écarquillaient les yeux, certains en proie à une curiosité morbide pendant que d'autres essayaient de battre en retraite avant que la fusillade n'éclate.

— Dire que vous ne vous en prenez pas aux bonnes personnes serait une perte de temps, déclara Karrde quand il se fut retourné pour faire face aux trois types encore assis.

— Mais faites donc, répondit le chef des voyous. (Il se leva, imité par ses compagnons, qui s'écartèrent pour mieux couvrir la zone de tir.) J'adore rire aux éclats de bon matin ! Les mains sur la table, je vous prie. Ai-je bien entendu votre nom ? Talon Karrde ?

— C'est ça, dit N2 Nee avant que le contrebandier ait pu répondre. Son amie se nomme Shada et le droïd C-3PO...

Le chef des voyous foudroya le petit homme du regard.

— Tu es avec eux ?

N2 Nee écarquilla des yeux innocents.

— Eh bien... pas vraiment...

— Alors, fous-moi le camp !

N2 Nee battit des paupières, regarda brièvement Karrde et Shada et se leva d'un bond.

— Si vous changez d'avis, Capitaine Karrde, dit-il, faites-le-moi savoir...

Il sourit au contrebandier et au chef des voyous puis détala sans demander son reste.

Le type le regarda sortir et se retourna vers Karrde.

— Changer d'avis sur quoi ? demanda-t-il alors que la porte du bar se refermait.

— Il venait de me faire une proposition intéressante...

Karrde leva lentement les bras et les croisa sur sa poitrine. Toute leur attention concentrée sur Shada et lui, les six voyous n'avaient pas vu quelqu'un entrer dans le bar au moment où N2 Nee en sortait. A condition de retenir leur attention quelques secondes de plus...

Soudain, quelqu'un lâcha un juron de surprise. Un des types armés se retourna.

— Shri... Xern ! cria-t-il.

Le chef pivota et se pétrifia.

Déterminée et silencieuse, H'sishi fondait sur les six agresseurs.

Xern eut besoin de quelques secondes pour retrouver sa voix.

— Au nom de la Faille, qui est cette créature ?

— C'est une Togorienne, répondit Karrde.

Il regarda Shada, dont les yeux volaient d'un voyou à l'autre pour évaluer les distances et estimer les possibilités.

Des problèmes en vue...

— Au fait, ajouta Talon, c'est une amie à moi.

H'sishi approchait toujours, la bouche assez largement ouverte pour dévoiler ses crocs.

— Dites-lui de s'arrêter ! cria Xern, blaster braqué sur la Togorienne. Vous m'entendez ? Dites-lui de s'arrêter ou nous ouvrons le feu sur elle !

— A votre place, je m'abstiendrais, conseilla Karrde. Ça risque seulement de l'énerver.

Xern le regarda, ébahi.

A cet instant, Shada passa à l'action.

Sa main gauche, qui reposait nonchalamment sur la table, saisit une chope. D'une détente du poignet, la jeune femme jeta la bière au visage de Xern, qui leva les bras pour se protéger.

Trop tard.

Shada lança la chope, qui s'écrasa sur la pomme d'Adam d'un autre voyou.

L'ancienne Mistryl allait se lever quand Karrde la retint.

Des sifflements de blasters retentirent, suivis par le bruit sourd de corps qui heurtent le sol.

— Baisse ton arme, Xern, dit Karrde. (Sa voix déchira le silence subitement tombé sur la salle.) Et surtout, pas de gestes brusques !

D'un revers de la manche, Xern s'essuya les yeux et les ouvrit en grand. Pour la deuxième fois en trente secondes, il perdit la voix quand il regarda autour de lui.

On avait tiré. Pourtant, Karrde et Shada étaient toujours assis, souriants et indemnes. En revanche, ses hommes gisaient sur le sol. Une fumée noire s'élevait de leurs blessures.

Quatre types en veste de crosh-hide, assis à des tables différentes, pointaient leurs blasters sur lui.

— Ton arme, Xern, répéta Karrde.

De la bière dégoulinant sur le menton, l'œil vide, le voyou ne broncha pas.

Shada fit mine de se lever.

H'sishi fut plus rapide. Elle approcha de Xern et ferma son immense main sur le canon du blaster.

Comme s'il la voyait pour la première fois, Xern la regarda orienter l'arme vers le plafond. Quand elle lui enfonça une griffe dans le poignet, il lâcha enfin prise.

— Bien joué, les amis ! dit Karrde.

Il se leva pendant que H'sishi reculait, la crosse du blaster calée dans sa paume.

— Dankin ?

— Présent ! dit une voix familière.

L'homme qui venait de parler se leva.

— Donne au propriétaire de quoi rembourser les dégâts, fit Karrde. (Tandis que Dankin s'approchait du comptoir, une main dans la poche, Karrde se tourna vers Xern.) C'est ce qu'on fait dans ces cas-là, je crois... Griv, monte la garde devant la porte. Chal, Balig, allez voir si le chemin du retour est libre.

— Compris, chef !

Les trois hommes se dirigèrent vers la porte.

— Vous êtes mignons, cracha Xern, mordant. Mignons tout plein ! Mais si vous espérez vous tirer des griffes de Rei'Kas de cette manière, vous êtes cinglés !

— A ta place, je m'inquiéterais plutôt de la réaction de Rei' Kas quand il apprendra comment tu as perdu tes hommes, riposta Karrde. Et je me demanderais comment sortir d'ici avant que H'sishi me trouve trop dangereux pour continuer à vivre !

— Je sortirai d'ici, grogna Xern. Mais tu n'en as pas fini avec moi, Karrde. Avant de mourir, mon visage sera la dernière chose que tu verras.

Sur un ultime regard de défi, il tourna les talons et gagna la sortie.

— Eh bien... souffla Karrde.

Il se tourna vers Shada et lui tendit la main.

La jeune femme ne bougea pas.

— Ainsi, la salle était truffée d'hommes à vous... dit-elle d'une voix peu amène.

— Je croyais que vous ne le prendriez pas comme une insulte, lui rappela Karrde.

— Ils étaient déguisés ! lâcha Shada, méprisante.

Karrde baissa lentement la main.

— Les douaniers qui ont fouillé le vaisseau les avaient vus, expliqua-t-il. Si certains de ces fonctionnaires sont véreux, les pirates auraient pu reconnaître mes renforts...

— Où avez-vous déniché les vêtements en crosh-hide ?

— Mara en avait rapporté de son premier voyage, répondit Karrde, la sueur perlant à son front.

— Et vous ne me faisiez pas assez confiance pour m'en informer...

Shada se leva.

Karrde resta muet quelques secondes. La réaction de la jeune femme était pour le moins inattendue.

— Non, ce n'est pas ça, fit le contrebandier. Je ne...

Trop tard ! Shada s'était détournée et avançait vers la porte gardée par Griv.

— Les réparations sont terminées ?

— Pratiquement...

Shada ouvrit la porte.

— La voie semble dégagée, dit-elle. Retournons au vaisseau.

Griv interrogea son chef du regard.

— On y va, murmura Karrde en approchant de la porte.

Ils regagnèrent le tarmac sans incident.

Shada venait de retirer sa combinaison de saut pour enfiler une robe quand on sonna à la porte de sa cabine.

— Qui est-ce ?

— Talon Karrde, répondit une voix étouffée derrière le panneau. Puis-je entrer ?

Shada soupira. Elle s'enveloppa dans sa robe et noua la ceinture.

Elle n'avait aucune envie de voir le contrebandier. Mais elle s'était portée volontaire pour ce voyage. Impossible de tenir ses engagements si elle passait son temps à éviter le Capitaine.

Il n'empêche, elle souffrait toujours de savoir qu'il ne lui avait pas fait confiance.

— Entrez, dit-elle en déverrouillant la porte.

Le panneau coulissa ; Karrde franchit le seuil de la cabine.

— Le vaisseau vient de passer en hyperdrive, annonça-t-il. (Il évalua d'un coup d'œil distrait la tenue plutôt provocante de son interlocutrice.) Selon Odonnl, il nous faudra sept jours de voyage jusqu'à Exocron.

— Parfait, répliqua Shada. A ce moment-là, je serai de nouveau en état de me battre. Au fait, vous voudrez bien m'excuser, mais j'ai rendez-vous avec une cuve bacta...

Karrde fit signe à la jeune femme de s'asseoir.

— Ça peut attendre... Je voudrais vous parler...

Shada envisagea de refuser. Mais elle s'était engagée à servir sur ce vaisseau et à obéir à son Capitaine.

— De quoi ? s'enquit-elle.

L'ancienne Mistryl s'assit. Karrde manquait-il de sensibilité au point de vouloir produire de minables excuses à propos de l'affaire du bar ? A une heure pareille ?

Mais le contrebandier la surprit.

— De Jorj Car'das, bien sûr... (Il tira une autre chaise et s'assit.) L'heure est venue de vous raconter toute l'histoire.

— Vraiment ? fit Shada d'un ton neutre.

Il avait promis de tout lui dire une fois dans le système d'Exocron. A l'en croire, ils n'y entreraient pas avant une semaine. Etait-ce une façon de se faire pardonner son indélicatesse ?

Qu'importait ! Ça ne suffisait pas et c'était bien trop tard. Mais les informations valaient la peine d'être entendues.

— Je vous écoute...

Le regard de Karrde se perdit dans le vague comme s'il dérivait très loin de là. Dans le temps, ou dans l'espace ?

— L'histoire de Jorj Car'das commence il y a une soixantaine d'années. C'était l'époque de la Guerre des Clones. Le chaos régnait dans la galaxie. Comme toujours dans ces cas-là, le marché noir battait son plein. Tout se négociait, des produits de première nécessité aux objets de luxe. Un grand nombre d'organisations virent le jour. Le plus souvent, *improvisation* était leur maître-mot.

— C'est là que les Hutts sont devenus vraiment puissants, je crois ? demanda Shada.

A son corps défendant, sa curiosité était en éveil. Elle avait toujours voulu en savoir plus sur cette époque.

— Beaucoup d'entre eux, oui... Car'das se lança dans les affaires louches. J'ignore s'il était doué, ou s'il était tout simplement chanceux, mais son organisation comptait parmi les meilleures. Elle n'était pas très importante et pourtant beaucoup plus efficace que la moyenne.

« Car'das était dans le bisness depuis une quinzaine d'années quand il fut impliqué dans un conflit qui opposait des Jedi Noirs Bpfasshis à... eh bien, à quasiment tout le monde dans le secteur. D'après ce que Jorj m'a raconté, un Jedi Noir prit le contrôle de son vaisseau et le contraignit à décoller.

Shada frissonna. Cette partie de l'histoire ne lui était pas étrangère. Un groupe de Mistryls avait participé au conflit. Quand elle était enfant, les récits des survivantes lui donnaient des cauchemars.

— Je suis étonnée qu'il soit revenu entier pour raconter son aventure...

— Tout le monde a été surpris, convint Karrde. Les quatre membres d'équipage de son vaisseau personnel ne s'en sont pas tirés. Car'das s'en est pourtant sorti. Il a refait surface après deux mois de silence et a repris le contrôle de son organisation. Tout semblait normal.

— Mais les apparences étaient trompeuses ?

— Exactement ! Pour ceux qui le connaissaient bien, il fut vite évident que quelque chose de grave lui était arrivé. Sa bande était toujours une des plus efficaces, mais il entendait qu'elle devienne la plus grande ! Il pénétrait sur le territoire des organisations plus faibles et les achetait ou les absorbait. En cas d'échec, il n'hésitait pas à les détruire pour s'approprier leur clientèle et leurs voies spatiales. A l'inverse des Hutts, faire usage de la force brute sur un petit secteur ne l'intéressait pas. Il voulait tout dominer, comme si un seul système, voire un quadrant de l'espace, était quantité négligeable à ses yeux. En quelques années, il se retrouva à la tête d'une organisation promise à rivaliser un jour avec celle de Jabba le Hutt.

— Personne n'a essayé de l'arrêter ? s'étonna Shada. Les Hutts ne sont pas du genre à laisser faire ce genre de choses sans réagir.

— Très chère Shada, sachez que tout le monde tenta de lui mettre des bâtons dans les roues. Mais il était quasiment invincible. Il avait acquis on ne sait où un sixième sens qui lui permettait de deviner ce que ses adversaires préparaient. Ainsi, leurs attaques étaient parées avant même qu'ils les lancent.

Shada pensa aux dizaines de missions qu'elle avait accomplies pour les Mistryls. Evaluer les forces et les faiblesses de l'adversaire, connaître la puissance de son armement, deviner sa stratégie, savoir qui étaient ses alliés et ses ennemis... Tout cela exigeait des jours et des jours de travail acharné.

— Un talent bien utile, remarqua-t-elle.

— Très utile, admit Karrde. A mesure que son organisation grandissait, Car'das changea. Il devint... Comment dire ? Irritable... Des détails qu'il aurait négligés *avant* le plongeaient dans une fureur noire. Parfois, il passait des heures à regarder une carte de l'Empire, l'air morose. Mais il y a plus significatif. Après être resté jeune et vigoureux des années durant, il vieillissait à toute allure. L'âge le rattrapait à un rythme qui n'avait rien de normal.

« Un jour, il prit son vaisseau personnel et... il se volatilisa.

Shada plissa le front.

— Comment ça, *volatilisa* ? Vous voulez dire que...

— Qu'il a disparu sans laisser de traces ! Il ne s'est plus jamais approché de ses hommes et n'a contacté aucun de ses lieutenants. Si un ennemi l'a revu, il ne l'a pas crié sur les toits.

— Quand cela s'est-il passé ?

— Il y a vingt ans. Au début, personne ne s'est inquiété. Il lui arrivait souvent de partir en voyage sans prévenir. Mais après trois mois, ses lieutenants se posèrent des questions. S'il ne revenait pas, que devraient-ils faire ?

— Laissez-moi deviner... Ils voulaient organiser un vote pour savoir qui prendrait sa place ?

— Personne ne pensait à un vote, croyez-moi... La situation était si tendue qu'une solution s'imposa : dissoudre l'organisation. Chacun de nous en contrôlerait une partie.

— La difficulté, c'était d'imaginer un partage qui satisfasse tout le monde.

Shada avait noté l'usage du « nous ». C'était la première fois que Karrde utilisait ce pronom personnel dans son récit.

— Il y eut donc une lutte pour la suprématie ?

Karrde pinça les lèvres.

— Pas exactement. Je savais qu'un combat des chefs détruirait l'organisation. De plus, je n'étais pas sûr que Car'das ne reviendrait pas. Alors, j'ai... pris le pouvoir.

Shada leva un sourcil.

— Ce fut aussi simple que ça ?

Mal à l'aise, Karrde haussa les épaules.

— Plus ou moins... Il m'a fallu une bonne préparation, bien entendu, et pas mal de chance... Beaucoup de chance même, comme je m'en suis aperçu plus tard. Mais on peut dire que ce fut assez simple. J'ai neutralisé mes rivaux, puis je les ai exclus. Ensuite, j'ai remis l'organisation au travail.

— Ça a dû vous rendre populaire parmi les contrebandiers, commenta Shada. Mais je ne vois pas où est le problème avec Car'das. Il est parti et n'est jamais revenu, non ?

— Pour être franc, je n'en suis pas si sûr que ça...

Shada plissa les yeux.

— Vraiment ?

— Une seule nuit m'a suffi pour prendre le contrôle de l'organisation. Mais les types que j'avais évincés ont contre-attaqué. Il y eut huit tentatives de putsch. Deux dans les quelques jours qui suivirent, la dernière trois ans après. Cette conspiration-là était tellement élaborée que ce délai ne semblait pas de trop pour la mettre au point.

— Mais toutes ont échoué...

— Oui. L'ennui, c'est que les chefs de quatre de ces complots prétendirent que Car'das tirait les ficelles dans l'ombre.

— Un écran de fumée, ricana Shada avec un geste insouciant de la main. Du bluff pour que vous acceptiiez de négocier.

— Ce fut ma conclusion à l'époque. Mais ce n'était qu'une théorie et ça l'est toujours. Je n'ai aucun moyen de la vérifier.

— Je comprends... Qu'est-il arrivé, il y a six ans, pour que vous expédiiez Jade et Calrissian à la recherche de Car'das ?

— Ça a commencé bien plus tôt que ça. Il y a dix ans, juste après la mort du Grand Amiral Thrawn. Ou après qu'il eut *simulé* sa mort. J'étais sur Coruscant, occupé à mettre sur pied l'Alliance des Contrebandiers, quand Calrissian m'a montré un objet découvert par Luke Skywalker sur Dagobah.

Shada fit un effort de mémoire.

— Je n'ai jamais entendu parler de cet endroit...

— Ça ne m'étonne pas. Sur cette planète, il n'y a ni villes, ni colonies, ni technologie. J'ignore ce que Skywalker cherchait dans les marécages, mais une chose est évidente : l'appareil électronique qu'il a déniché a dû lui paraître déplacé, sinon il ne l'aurait pas emporté. Grâce aux marquages, j'ai reconnu la balise de rappel du vaisseau personnel de Car'das.

— Intéressant, convint Shada.

A condition que le vaisseau soit entièrement automatisé, une balise de rappel permettait de le contrôler à distance pour qu'il vole au secours de son propriétaire. Les Mistryls n'utilisaient pas ce genre de navires, mais Shada avait voyagé dans celui d'un client. Ces engins lui donnaient la chair de poule.

— Le vaisseau de Car'das était automatisé, je suppose ?

— C'était un modèle antérieur à la Guerre des Clones. Il l'avait acquis après son voyage forcé avec le Jedi Noir. Car'das voulait disposer d'un vaisseau assez grand qu'il puisse piloter sans équipage.

— Et Skywalker, par hasard, a découvert sa balise de rappel sur une planète déserte. Comme ça tombait bien !

— C'est ce que j'ai pensé au début, dit Karrde. Mais j'ai vérifié avec Skywalker : la chose était réellement *fortuite*.

— Quand un Jedi est en cause, je me demande si cet adjectif peut jamais être employé...

— Bien vu, concéda Karrde. En dix ans, c'était le premier indice que nous avions, aussi, même si ça risquait d'être un appât, j'ai décidé de suivre la piste.

— Et vous avez envoyé Jade à la chasse, termina Shada, se souvenant de la conversation entendue chez les Solo, à la Tour Orowood.

— En gros, c'est ça. Calrissian et elle ont pris Dagobah comme point de départ et exploré la zone. Ils ont fouillé dans les archives des vieux spatioports où Car'das aurait pu se poser pour des réparations ou faire le plein. Ils ont déniché des indices à son sujet — certains dans la bibliothèque de Coruscant, d'autres en interrogeant divers hors-la-loi, d'autres encore dans les dossiers de la Sécurité Corellienne... Ensuite, ils ont entrepris de reconstituer le puzzle.

— Le travail de toute une vie... murmura Shada.

— Ce n'était pas aussi grave que ça, mais ça leur a pris plusieurs années. D'autant qu'ils avaient d'autres affaires en cours, sans parler des crises bimensuelles qui éclataient sur Coruscant et dont ils devaient s'occuper. Par bonheur, la piste était si froide qu'un mois ou deux de retard ne changeaient pas grand-chose. Finalement, ils en sont arrivés au secteur de Kathol et à Exocron.

— Et la piste s'arrête là, à ce qu'on sait.

Ils se turent un moment, le temps que Shada assimile ces informations.

— Bien entendu, Jade et Calrissian n'ont jamais rencontré Car'das ? demanda enfin Shada.

Au prix d'un effort visible, Karrde s'arracha aux spectres de son passé.

— Ils avaient ordre de ne pas essayer. Ils devaient découvrir où il se cachait — Exocron étant un monde bien dissimulé, il fallait également obtenir ses coordonnées — et rentrer à la maison. Le reste était mon affaire.

— Et tout ça s'est produit quand ?

— Il y a quelques années...

— Que vous est-il arrivé ?

— Pour être franc, j'ai manqué de courage. Après ce que j'avais fait, l'idée de me retrouver face à Jorj me mettait mal à l'aise. Que dire ? Devais-je m'excuser, ou faire comme si tout était normal ? J'ai utilisé tous les prétextes pour retarder l'échéance. (Il prit une grande inspiration.) A présent, il semble que j'arrive trop tard.

— Vous pensez que Rei'Kas travaille pour Car'das ?

— Rei'Kas, Bombaasa et probablement des dizaines de types dont nous n'avons pas entendu parler. Mais Jorj est de retour aux affaires, c'est sûr. Cette fois, il oublie la contre-bande et le négoce d'informations et il se concentre sur la pira-terie et l'esclavage. Tout ce qu'il y a de plus violent dans notre bisness ! Et je ne vois qu'une explication à sa conduite. Il en a après moi. C'est une affaire personnelle...

Les deux dernières phrases du contrebandier sonnaient comme une sentence de mort.

— Ce n'est pas si évident que ça, dit Shada. (Un obscur désir la poussait à contredire le contrebandier.) Il a peut-être simplement voulu se bâtir un petit empire dans un secteur reculé de la galaxie. Et s'il projetait d'annexer Exocron, voire la prétendue République de Kathol ?

— Il est dans le coin depuis vingt ans. Pourquoi aurait-il attendu si longtemps pour se bâtir un empire, comme vous dites ?

— S'il voulait se venger de vous, pourquoi ne pas le faire plus tôt ? rétorqua Shada.

— Rien ne dit qu'il n'a pas déjà essayé...

— Les trois premières années ? Pour abandonner ensuite ? Karrde hocha la tête.

— Ça ne me semble pas très logique, je l'avoue. Mais je connais Car'das : ce n'est pas le genre de bonhomme à rester tranquille sans rien faire. C'est un homme dur, calculateur et impitoyable, qui ne pardonne rien et ne laisse personne se dresser en travers de son chemin. Sa vie est un défi permanent. Il veut être le meilleur et le plus grand ! Il sait que je suis à sa recherche. Ce type, N2 Nee, en est la preuve.

Un frisson courut le long de la colonne vertébrale de Shada. Le *Wild Karrde*, où elle s'était sentie en sécurité jusque-là, lui semblait soudain petit et vulnérable.

— Et nous allons nous livrer à lui...

— Shada, vous ne craignez rien. Vous n'avez aucun lien avec moi ou mon organisation. (Karrde hésita.) En fait, c'est pour ça que je vous ai autorisée à venir.

Shada le regarda.

La vérité explosa dans son esprit comme une bombe.

— Vous pensez qu'il vous tuera, n'est-ce pas ? fit-elle. Et vous croyez que...

— Vous n'êtes pas mon associée, Shada, ni mon employée, répéta Karrde. Les autres membres de l'équipage sont des hommes à moi. J'aurais préféré venir seul, mais je n'aurais pas survécu au voyage jusqu'à Exocron dans un vaisseau plus petit ou moins bien armé que le *Wild Karrde*. Car'das est du style rancunier. Comme Bombaasa, il se considère pourtant comme quelqu'un de cultivé. J'espère pouvoir le convaincre de m'épargner — ou au moins de ne pas exécuter mon équipage. Mais s'il tient à solder les vieux comptes, j'espère qu'il vous laissera repartir vers la Nouvelle République avec un exemplaire du Document de Caamas.

— Karrde, vous êtes fou, et...

— A présent, vous connaissez toute l'histoire, coupa le contrebandier, en se levant. J'ai failli oublier un dernier point... La fabuleuse bibliothèque de données que Car'das s'était constituée au fil des ans a disparu en même temps que lui. C'est pour ça que nous pensons obtenir un exemplaire du Document. Shada, vous avez rudement besoin d'un séjour dans une cuve bacta ! A plus tard.

Il sortit.

— Karrde, vous êtes fou... répéta Shada dans la pièce vide.

Plus tard, plongée dans la cuve bacta, la jeune femme prit conscience d'un détail qui lui avait échappé.

Karrde espérait que Car'das la laisserait partir.

Il ne garantissait pas qu'il en serait ainsi !

15

Briseur de Pierres dit quelque chose avec la « *voix* » si irritante des Qom Jha et s'accrocha à une stalactite, la tête en bas comme à l'accoutumée.

— Très bien, fit Luke. Je crois que nous y sommes.

Mara dirigea le faisceau de sa lampe-torche devant elle et sonda les parois du tunnel. Elle ne parvenait pas à croire que le voyage était enfin terminé. Quatre jours de progression sous terre !

Les villes, les vaisseaux stellaires — à la rigueur les campements à la belle étoile —, voilà les environnements qu'elle appréciait. Trébucher dans le noir, traverser des tunnels poussiéreux pleins d'eau croupie et respirer un air moisi n'était pas sa tasse d'elba.

Et cependant, elle avait survécu sans avoir envie de tuer les Qom Jha plus de deux fois par jour. Et le droïd astromech n'avait pas posé trop de problèmes. Quant à Luke, il s'était révélé plus convivial que jamais...

A présent, ils étaient arrivés !

La Haute Tour et ses périls inconnus les attendaient. Rien de grave ! Le danger aussi était un des environnements favoris de la jeune femme.

De Luke aussi, à bien y réfléchir...

— C'est là, dit le Jedi en éclairant un amas de rochers, quelques mètres à l'intérieur du tunnel. De ce côté de l'arche...

— Une arche ? s'étonna Mara, qui orienta sa lampe-torche dans la direction indiquée par Luke.

Qui aurait eu l'idée de construire une arche dans un endroit aussi désolé ? Personne, à coup sûr.

En réalité, ça *ressemblait* à une arche, avec des piliers plus ou moins droits qui formaient comme un goulot dans le tunnel et une partie supérieure circulaire suspendue à trois mètres de haut, près de la voûte. Un examen plus approfondi indiquait qu'il s'agissait d'une formation naturelle. L'action d'une source souterraine depuis longtemps asséchée ? Probablement...

— C'était une façon de parler, précisa Luke. Ça m'a rappelé l'arche de Hylliard City, sur Myrkr...

— Ce truc en forme de champignon que tu t'efforçais de nous faire tomber dessus ? répliqua Mara. Celui dans lequel nous avons dû creuser un passage pendant trois jours tandis que les Soldats de Choc, assis autour, attendaient que nous montrions le bout de notre nez ?

— C'est bien ça, répondit Luke. (Elle sentit que sa réaction l'avait amusé.) Tu as oublié de dire que ton plus cher désir, à l'époque, était de me tuer !

— J'étais jeune... grogna Mara. (Elle orienta sa lampe-torche vers la droite.) Où est cette satanée ouverture ?

— Là ! dit Luke.

Il éclaira une partie effritée de la paroi où s'ouvrait un étroit passage qui semblait donner sur une obscurité sans fond.

— J'ai vu, annonça Mara.

Pas un souffle d'air ne sortait de cette ouverture. Normal, puisqu'elle était obstruée...

— Ça a l'air très confortable... ironisa la jeune femme.

— Mais ça ne le restera pas longtemps, conclut Luke.

Il tendit sa lampe-torche à Mara, saisit son sabre laser et l'activa.

— Que tout le monde recule ! Des éclats de pierre vont voler un peu partout.

Il enfonça la vibro-lame dans la paroi...

Après avoir émis une ultime lueur verte, la lame disparut.

R2-D2 pépia frénétiquement. Mara surprit une ombre d'étonnement sur le visage du Jedi, qui tituba un peu avant de reprendre son équilibre.

— Que s'est-il passé ? demanda Mara.

— Je ne sais pas... dit Luke. (Il approcha l'arme de ses yeux et étudia l'extrémité d'où aurait dû jaillir la lame.) Je pensais l'avoir verrouillée... Essayons encore.

Il appuya sur le commutateur. Avec un sifflement caractéristique, la lame se matérialisa. Luke la contempla quelques secondes. Puis il s'attaqua de nouveau à la paroi.

L'arme se désactiva.

Un des Qom Jha battit des ailes et dit quelque chose.

— Oui, répondit Luke.

Mara sentit naître dans l'esprit du Jedi un soupçon éveillé par de lointains souvenirs.

— Oui, quoi ? demanda-t-elle.

— Il doit y avoir une veine de cortosis dans le roc, l'informa Luke.

Il approcha sa lampe-torche de la paroi.

— Je n'ai jamais entendu parler de ce truc, avoua Mara.

— C'est un minerai très rare. Tout ce que j'en sais, c'est qu'il neutralise les vibro-lames. Corran et moi avons un jour rencontré des utilisateurs de la Force vêtus d'armures en fibres de cortosis. Ça a été une sacrée surprise !

— Je te crois sur parole, dit Mara, troublée par un vieux souvenir. Ce doit être le matériau que Palpatine avait fait installer entre les murs doubles de sa résidence privée.

Luke haussa un sourcil.

— L'Empereur utilisait du cortosis pour protéger ses appartements ?

— Et sans doute ses diverses salles du trône, sans parler de ses bureaux. Mais il ne m'a jamais révélé le nom du matériau. D'après ce qu'il m'en a dit, si ton sabre laser est équipé d'un système d'activation à puces dimetris, le contact avec la roche provoque automatiquement un court-circuit. Une mesure de sécurité destinée à ralentir un Jedi...

— Tu as appris de drôles de choses quand tu étais la Main de l'Empereur, murmura Luke. Sais-tu comment neutraliser cette défense ?

— Bien sûr ! Il y des centaines de possibilités. Le cortosis n'a qu'une particularité ; désactiver les sabres laser. Sinon, il est trop fragile et trop friable pour être utile... Une carabine-blaster suffit à le démolir... Attends un peu !

Elle sortit les grenades de Karrde et étudia leur code de puissance sonore.

— Oui... Si tu es d'accord pour essayer, ça devrait marcher.

Un Qom Jha émit un commentaire.

— Gardien des Promesses dit que les grenades ne sont pas une bonne idée, traduisit Luke. Nous sommes relativement proches de la Haute Tour et le son, sous la terre, porte très loin.

— Il a raison, concéda Mara. (Elle rangea les grenades et étudia la paroi.) L'ennui, avec ta méthode, c'est que nous avancerons centimètre par centimètre. Trop de bruit ou une progression très lente, à toi de choisir !

Dubitatif, Luke passa une main sur la roche. Mara sentit l'intensité de sa concentration tandis qu'il invoquait la Force.

— Essayons avec nos sabres laser, dit-il. Après quelques heures de travail, nous pourrons estimer combien de temps ça nous prendra...

— Bonne idée, admit Mara. Si ça nous paraît trop long, nous aurons recours aux grenades. (Elle balaya la paroi avec le faisceau lumineux de sa lampe.) Après une grotte pleine de prédateurs, nous voilà devant une cloison qui neutralise les sabres laser. C'est commode pour certains...

— Il peut s'agir d'une coïncidence, remarqua Luke sans conviction. (Il fronça les sourcils.) Crois-tu que nous risquons d'endommager nos armes ?

Mara haussa les épaules.

— Je ne vois pas comment, mais j'avoue que je n'en sais rien. Avec un peu de chance, nous détecterons les problèmes avant qu'ils deviennent trop graves.

— Bien raisonné, dit Luke. (Il regarda R2-D2.) Senseurs au maximum et concentre-toi sur les sabres laser. Préviens-nous s'ils surchauffent...

Le droïd bipa affirmativement et déploya son unité senseur miniature.

— On devrait commencer par délimiter un triangle, suggéra Mara, qui coinça sa lampe-torche dans une fissure, en face de l'endroit où ils allaient travailler. Nous attaquerons chacun d'un côté, en diagonale. Ça évitera que nos lames entrent en contact. De plus, les coupes en oblique sont plus efficaces pour affaiblir la roche.

— Un bon plan, dit Luke. (Il regarda les trois Qom Jha accrochés au plafond la tête en bas.) Briseur de Pierres, tu devrais aller prévenir Mangeur de Flammes Vives que nous sommes arrivés. Dis-lui que nous attendons les renforts qu'il nous a promis.

Le Qom Jha pépia quelque chose.

— Non, mais ce sera bientôt fait, répondit Luke. Un de tes camarades devrait t'accompagner...

Perché sur un rocher, sous l'arche, Enfant des Vents battit des ailes.

— Pas toi ! répliqua Luke. Gardien des Promesses, tu accompagneras Briseur de Pierres.

Les Qom Jha émirent des commentaires condescendants. Puis Gardien des Promesses et Briseur de Pierres s'en furent à tire-d'aile.

Enfant des Vents salua leur départ d'un pépiement sarcastique.

— J'ai dû manquer quelques reparties spirituelles, remarqua Mara.

Elle prit son sabre laser, l'activa et se mit en position à gauche de l'entaille faite par Luke.

— Pas si spirituelles que ça, la rassura Luke.

Il activa son sabre laser.

— Tu es prête ?

— Allons-y !

A l'ouvrage depuis une heure, ils finissaient de découper les contours de leur triangle quand R2 trilla nerveusement.

— Un moment, Mara, dit Luke.

Il désactiva son sabre laser, tout en se demandant ce qui se passait. Depuis le début, il se concentrait sur sa vibro-lame et il n'avait pas détecté de problème. Il se tourna vers R2-D2...

... et plissa les yeux. Si l'unité senseur du droïd était bien déployée, elle ne surveillait pas les sabres laser mais le fond du tunnel.

— Mara ! souffla Luke.

Il prit son arme de la main gauche et alluma sa lampe-torche. Pendant qu'il sondait le tunnel, Mara désactiva sa vibro-lame.

Dans le silence revenu, le Jedi entendit un bruit. On eût dit le murmure incohérent de dizaines de voix rauques...

Luke invoqua la Force. Un vacarme inintelligible résonna dans son esprit.

Et cela s'approchait...

— Je n'aime pas ça, marmonna Mara.

— Moi non plus.

Luke régla sa lampe-torche sur l'intensité maximale et balaya le terrain. Il n'y avait rien en vue. Mais avec le parcours sinueux du tunnel, ça ne signifiait pas grand-chose.

Luke eut recours à des techniques de Jedi pour amplifier ses perceptions.

Des flammes vives ! cria Maître des Lianes depuis le plafond. *Elles arrivent !*

— Que dit-il ? demanda Mara.

— Des... flammes vives... arrivent, traduisit Luke.

— Hum... murmura Mara. Ça me fait penser au nom de leur Négociateur : « Mangeur de Flammes Vives »...

— Exactement, dit Luke. (Il leva les yeux vers le Qom Jha, qui battait nerveusement des ailes.) Maître des Lianes, que sont les flammes vives ?

Des créatures petites mais dangereuses, répondit le Qom Jha. *Elles dévorent ou détruisent tout ce qui se dresse sur leur chemin. Et rien ne leur résiste !*

— Il a dit « petites mais dangereuses » ! lança Luke à Mara, sans cesser de balayer le terrain avec sa lampe-torche.

— Dans ce cas, l'intensité du bruit laisse penser qu'elles sont en très grand nombre, dit Mara. J'ai peur que nous soyons sur le point de rencontrer une nouvelle espèces de roverines.

Luke frissonna. Il avait vu des holovidéos sur la migration annuelle de ces insectes dans la jungle de Davirien. Les roverines voyageaient en essaims qui comptaient parfois des millions de membres. Après leur passage, aucune vie végétale ne subsistait.

Même chose pour les animaux trop lents ou trop malades pour s'écarter de leur chemin... En quelques secondes, il ne restait plus que des carcasses.

— Maître des Lianes, à quelle vitesse se déplacent ces créatures ?

— Trop vite ! coupa Mara avant que le Qom Jha ait pu répondre. Regarde, elles arrivent !

Luke retint son souffle. Devant eux, à la limite de la portée de la lampe-torche, l'avant-garde d'une masse sombre et palpitante venait d'apparaître. L'essaim couvrait le sol et faisait plus d'un mètre d'épaisseur. On eût cru voir déferler une vague d'un liquide visqueux comme de l'huile.

Mara ne se trompait pas. Les créatures avançaient *trop* vite !

— Il nous reste à peine une minute avant le contact, dit-elle. Si tu as un atout dans la manche, c'est le moment de le sortir.

Luke se mordit les lèvres, l'esprit en ébullition. Il connaissait un moyen d'utiliser la Force pour générer un bouclier individuel. Mais le maintenir suffisamment longtemps pour contrer autant d'adversaires serait impossible. De plus, il doutait pouvoir étendre la protection à Mara, qui ne connaissait sûrement pas cette technique.

Quant à utiliser la Force pour écarter une à une les créatures et se frayer un passage parmi elles, c'était une vue de l'esprit, même si Mara unissait ses efforts aux siens.

Et si ces insectes ressemblaient vraiment aux roverines, une seule piqûre venimeuse suffirait pour perturber leur défense et signaler la présence de nourriture aux autres membres de l'essaim.

— L'arche ! s'exclama Mara. Nous aurons besoin d'appuis pour nos pieds à environ deux mètres de haut...

— Bien vu ! dit Luke.

Il activa son sabre laser, estima la distance et avança vers l'arche. Oui, ça marcherait...

En supposant qu'ils aient le temps de faire les préparatifs indispensables.

— R2, ferme toutes tes ouvertures, dit Luke.

Il leva les bras et positionna sa vibro-lame contre la face interne du pilier droit de l'arche, à environ cinquante centimètres au-dessus de sa tête. Si la veine de cortosis courait également dans cette partie de la roche, ils étaient fichus !

Par bonheur, ce n'était pas le cas. La lame découpa le roc comme s'il s'agissait de beurre.

— Enfant des Vents, cache-toi dans cette fissure et ne bouge plus ! ordonna Luke.

Il utilisa la Force pour faire léviter le sabre laser au-dessus de l'entaille qu'il venait de faire.

Que va-t-il advenir de toi, Jedi Sky Walker ? demanda le jeune Qom Qae, le battement de ses ailes presque couvert par le bourdonnement des deux vibro-lames. *Comment ton amie et toi vous protégerez-vous ?*

— Tu verras bien, répondit Luke.

Il fit une deuxième entaille puis évida la zone ainsi délimitée.

— Mara ?

— J'ai fini, répondit la jeune femme. (Elle désactiva son sabre laser.) Il nous reste moins de vingt secondes.

Luke ramena son arme au creux de sa paume et jeta un coup d'œil dans le tunnel. L'avant-garde de l'essaim n'était plus qu'à cinq mètres. Derrière, le sol était noir d'insectes.

Luke remit son arme à sa ceinture.

— Je suis prêt, dit-il à Mara. Je compte jusqu'à trois ?

— D'accord...

Luke recula pour prendre de l'élan. Son dos rencontra celui de Mara. Comme lui, mais à sa manière, elle était occupée à invoquer la Force.

— Jusqu'à trois... répéta Luke.

Il essaya d'oublier le bourdonnement qui emplissait le tunnel.

Pressé contre une paroi, R2-D2 émettait des gémissements électroniques.

— Un, deux et *trois* ! cria Luke.

Il sauta en direction de la prise qu'il venait de creuser, se retourna en plein vol, tout en faisant le vœu tardif que l'arc de cercle qu'il décrivait ne le ferait pas se cogner le crâne contre la partie supérieure de l'arche.

Quand il fut à la bonne hauteur, dos au pilier, il vit que Mara, dans la même position que lui, avait déjà commencé à redescendre.

La jeune femme tendait les bras vers lui, paumes ouvertes, comme si elle voulait le repousser.

Luke tendit les bras au moment où ses talons se calaient dans la petite niche.

Les mains des deux jeunes gens se rencontrèrent et leurs doigts s'emmêlèrent.

Mara inspira profondément puis expira. Le sifflement de l'air s'échappant de ses poumons fut à peine perceptible sous le vacarme que produisaient les flammes vives.

— Ça a marché ! Que je sois *kesselisée* !

Luke inspira à fond lui aussi. Les talons en appui, les bras tendus et les mains jointes, Luke et Mara étaient devenus un arceau de chair plaqué sous l'arche de pierre. Tant qu'ils resteraient dans cette position, ils seraient à l'abri des insectes.

Mais si l'un d'eux tombait...

— Confortable, non ? dit Mara. Très symbolique, aussi. Le grand et puissant Maître Jedi contraint de se fier à quelqu'un pour garder la vie sauve...

— Tu devrais laisser tomber ce thème, grogna Luke. J'ai déjà admis que je ne pouvais pas tout faire...

— Ce n'est pas la même chose que de se reposer sur quelqu'un d'autre, objecta Mara. Mais je veux bien abandonner le sujet. Il semble que nous soyons en sécurité...

Luke baissa les yeux. Le flot de flammes vives gagnait en hauteur, car un trop grand nombre d'insectes essayaient de passer en même temps dans un espace insuffisant. Sous l'arche, où le tunnel se rétrécissait encore, la muraille vivante atteignait presque le niveau de leurs talons.

— Crois-tu qu'ils traverseraient le cuir de nos bottes ? demanda Luke.

— Quand ils attaquent à plusieurs, ces insectes peuvent traverser n'importe quoi. Si l'un d'eux nous remarque, il lui suffira d'agiter son fichu étendard chimique — ou je ne sais quoi d'autre — pour alerter ses copains.

Luke approuva sombrement.

— En d'autres termes, si des flammes vives font mine de s'approcher de nos pieds, il faudra avoir recours à la Force pour s'en débarrasser.

— En les envoyant s'écraser contre une paroi ! renchérit Mara. Mais j'aimerais savoir ce que ces insectes font ici. Ce réseau de grottes ne peut pas contenir assez de nourriture pour un essaim pareil !

— C'est peut-être un raccourci qui conduit d'une zone de la surface à une autre, dit Luke. A moins qu'ils viennent pour l'eau. Tu te souviens de la rivière souterraine que nous avons traversée ?

— C'est une possibilité, admit Mara. Dommage que nous n'ayons pas pu mettre nos paquetages à l'abri... Mais que se passe-t-il ?

Luke suivit le regard de sa compagne.

Maître des Lianes venait de plonger vers le flot d'insectes.

Il redressa son vol au dernier moment, une proie noire dans le bec.

— Il les mange... murmura Luke, stupéfait.

— Bien entendu ! Mangeur de Flammes Vives, tu te rappelles ?

— Mais alors... commença Luke, perplexe. Ces insectes sont-ils inoffensifs ?

— Bien sûr que non ! répondit Mara. Dans un clan, tu as déjà vu le chef choisir un nom qui le fait passer pour un type calme et raisonnable ? Ça doit être la version Qom Jha du « botter les fesses du Rancor » bien connu !

— Botter les fesses du Rancor ?

— Une expression en vogue à la cour de Palpatine. Elle s'applique aux missions stupides où les risques sont démesurés par rapport aux gains.

La bouche sèche, Luke regarda Maître des Lianes finir son casse-croûte avant de plonger de nouveau vers ses proies.

Au nom de la Force, pourquoi prenait-il des risques pareils ?

Le danger était terrible, Luke le sentait aussi bien que si la menace avait été dirigée contre lui. Maître des Lianes ne pouvait pas avoir faim à ce point, n'est-ce pas ?

— C'est une démonstration de force, dit Mara en réponse à la question muette de son compagnon.

— A l'intention de qui ? De nous ?

— Non... (Mara tourna la tête vers l'endroit où Enfant des Vents était tapi.) Du gamin !

Luke se tordit le cou pour mieux voir. En équilibre précaire sur une saillie rocheuse, le jeune Qom Qae regardait Maître des Lianes fondre sur les insectes. A l'évidence, il était fasciné.

Et très excité.

— Hum... fit Luke. Tu ne crois pas qu'Enfant des Vents s'essayerait à ce jeu ?

— J'espère qu'il n'est pas assez stupide pour ça, répondit Mara. Mais les Qom Jha se moquent de lui depuis que nous avons entrepris ce voyage. Il pourrait céder à la tentation.

— Enfant des Vents, ordonna Luke, reste où tu es et n'essaye pas de faire comme Maître des Lianes...

Le Jedi se tut.

Un cri terrible venait de résonner dans son esprit.

— Que se passe-t-il ? souffla-t-il, tremblant à cause de la puissance du son.

— C'est Maître des Lianes ! dit Mara.

Elle serra plus fort les mains de Luke pour qu'il ne tombe pas.

Le Jedi baissa les yeux...

... sur une scène terrifiante. Le Qom Jha avait été aspiré par la marée d'insectes. Il battait frénétiquement des ailes pour se dégager mais n'y parvenait pas. Des dizaines de flammes vives rampaient déjà sur sa tête et sur ses ailes. A l'instant où le cri de terreur d'Enfant des Vents se mêlait à celui du Qom Jha dans l'esprit de Luke, une centaine de flammes vives se hissèrent sur Maître des Lianes. Le poids l'enfonça davantage dans l'essaim.

Il n'y avait pas de temps à perdre. Luke invoqua la Force et fit léviter le Qom Jha au-dessus de la marée d'insectes. Puis il essaya de débarrasser Maître des Lianes des créatures qui s'acharnaient à le mordre et à le piquer.

— Abandonne, dit Mara. Tu ne peux plus rien pour lui.

Luke lutta contre le réflexe qui le poussait à contredire sa compagne.

Un Jedi pouvait *toujours* faire quelque chose !

Mais Mara avait raison. Dans l'esprit de Luke, le cri du Qom Jha mourut. Certain que tout était fini, le Jedi laissa son corps retomber parmi les prédateurs.

— Ne me broie pas les doigts... souffla Mara.

Luke tourna les yeux vers elle, puis regarda leurs mains jointes. De colère, il serrait les doigts de sa compagne avec une force telle que ses phalanges étaient toutes blanches.

— Désolé, dit-il.

Il relâcha sa prise.

— Pas de problème, répondit Mara. Tu as une sacrée poigne, Luke ! Je croyais que les Jedi se préoccupaient surtout des aspects mentaux de la Force. Visiblement, ils ne négligent pas non plus l'entraînement physique.

Luke devina qu'elle essayait de détourner son attention de la scène atroce qu'ils venaient de vivre. Voir Mara faire preuve de compassion était une expérience nouvelle. Pourtant, cela ne suffirait pas à apaiser sa colère, ni à effacer sa culpabilité.

— Il n'y a *que* des problèmes ! s'énerva Luke. Je savais que c'était dangereux. J'aurais dû l'empêcher de risquer sa vie.

— Et comment ? Tu aurais pu utiliser la Force pour l'empêcher de s'éloigner du plafond, mais de quel droit aurais-tu agi ainsi ?

— Que veux-tu dire ? Je suis le chef de cette mission. La sécurité de mes compagnons est sous ma responsabilité.

— Arrête ça ! lança Mara. (La compassion était toujours là, mais teintée d'un rien d'irritation.) Maître des Lianes était un adulte raisonnable et responsable. Il savait ce qu'il faisait. C'était un choix réfléchi dont il a subi les conséquences. Si tu tiens à te sentir coupable, commence par les erreurs que tu as vraiment commises.

— Par exemple ? gronda Luke.

Mara le regarda un long moment en silence. Luke sentit une vague d'appréhension balayer sa colère.

— Par exemple ? répéta la jeune femme. Voyons voir... Pour commencer, ne pas avoir transféré ton Académie loin de Yavin quand tu as compris qu'une entité maléfique hantait le Temple. Puis n'avoir pas neutralisé Kyp Durron dès qu'il a montré une fascination évidente pour le Côté Obscur. Tu en veux davantage ? Pourquoi ne pas avoir protégé plus efficacement les enfants de ta sœur, alors qu'on avait plusieurs fois tenté de les enlever ? Et pourquoi t'être bombardé Maître Jedi alors que tu avais moins de dix ans d'expérience ? La liste te suffit ?

Luke essaya de fixer Mara. Mais il dut baisser les yeux, car il n'y avait plus aucune conviction dans son regard de « Grand Maître Jedi ».

— Tu as raison... dit-il. Absolument raison ! Mara, je ne sais que dire... C'était... Bon sang !

— Laisse-moi deviner, fit Mara sans la moindre trace d'ironie. Etre un Jedi s'est révélé plus compliqué que tu ne le pensais. Tu ne comprenais pas ce que tu devais faire et tu ignorais comment te comporter... Devenu puissant dans la Force, tu étais paralysé par l'idée de l'utiliser de la mauvaise manière. Je me trompe ?

Luke parvint enfin à regarder Mara.

— Non, souffla-t-il sans en croire ses oreilles. C'est exactement ça.

Mais comment le savait-elle ?

— Pourtant, ces derniers mois, les choses se sont éclaircies. Tu n'as pas eu de visions, loin de là, mais tes hésitations ont disparu et il t'a été plus facile de suivre ce qui te semblait être le bon chemin.

— Encore exact, concéda Luke. Mais j'ai quand même eu une ou deux « visions ». Sur Tierfon, cela m'a permis de contacter Karrde et d'apprendre que tu étais coincée ici. Tu sais ce qui est en train de m'arriver ?

— Oui, c'est presque aussi visible qu'un nez au milieu d'une figure. Pour moi, en tout cas. Pareil pour Leia, Corran et certains de tes aspirants Jedi. Et peut-être pour tout un chacun dans la Nouvelle République.

— Merci beaucoup, dit Luke, essayant d'imiter le ton détaché de Mara sans y parvenir tout à fait. Je me sens beaucoup mieux...

— Parfait. C'était l'effet recherché... (Mara prit une grande inspiration ; le Jedi sentit qu'elle s'exprimait à contrecœur.) Luke, tu es la clé du problème. C'est toi qui auras le dernier mot. A mon avis, les ennuis remontent à ton séjour sur Byss, il y a neuf ans. Quand tu as affronté... Eh bien, je ne sais trop qui...

— L'Empereur ressuscité, dit Luke.

Un frisson courut le long de son échine.

— Ou qui que ce soit d'autre ! lança Mara, curieusement irritée. Je ne suis pas convaincue qu'il s'agissait de lui, mais la question est ailleurs. Le vrai problème, c'est ta décision — idiote et quelque peu arrogante, selon moi — de faire semblant de te joindre à lui et de le laisser t'enseigner certaines techniques du Côté Obscur.

— Je ne suis pas passé du Côté Obscur, protesta Luke. (Il essaya de se rappeler ces jours sombres.) Je veux dire... Je crois que je ne l'ai pas fait.

— On peut en débattre à l'infini, mais ce n'est pas le plus important. D'une manière ou d'une autre, tu as frayé avec le Côté Obscur. Depuis, il influence tout ce que tu fais.

Une phrase de Yoda revint à la mémoire de Luke.

Si sur le chemin du Côté Obscur tu t'engages, à jamais ta destinée il dominera.

— Le vieux maître avait raison, murmura Luke pour lui-même.

Toutes les erreurs dues à son arrogance qui avaient jalonné ces neuf dernières années se dressaient devant lui, accusatrices.

— Qu'avais-je donc à l'esprit ?

— Tu ne réfléchissais pas, dit Mara avec un étrange mélange de compassion et d'irritation. Tu *réagissais*, désireux de sauver le monde et de le faire seul. Ainsi, tu es passé à un cheveu de te détruire toi-même.

— Qu'est-ce qui a changé ? demanda Luke. Qu'est-il arrivé ?

Mara plissa les yeux.

— Tu veux me faire croire que tu l'ignores ?

Luke se demanda pourquoi il n'avait pas compris tout ça plus tôt. Il se souvint du moment où Yan et lui, alors qu'ils allaient quitter Iphigin, se préparaient à affronter la bande de pirates que son ami affirmait être en chemin... L'instant où il avait *vu* l'Empereur et Exar Kun rire de lui !

— Tu as raison, je le sais, concéda-t-il. J'ai décidé de ne plus utiliser autant la Force...

Soudain, au milieu de la compassion et de l'irritation de Mara naquit un sentiment inattendu.

Du soulagement !

— Tu as enfin compris, dit la jeune femme. Ça n'est pas trop tôt.

Luke secoua la tête.

— Mais pourquoi ? demanda-t-il. Le pouvoir attend juste qu'un Jedi l'utilise. Est-ce mal pour moi parce que j'ai frayé, comme tu le dis, avec le Côté Obscur ?

— C'est probablement une partie du problème. Mais même sans ça, tu aurais eu des ennuis. As-tu jamais été dans une usine où on fabrique des coques de navire ?

— Hum... Non, répondit Luke, désorienté par le changement de sujet.

— Et dans une installation d'extraction de minerai ? insista
Mara. Lando en possédait une ou deux, dans le temps. Tu as
dû en visiter.

— J'ai vu celle de Varn, oui, répondit Luke.

Le nom de Lando fit l'effet d'une douche froide au Jedi, qui
s'était laissé gagner par l'intensité de la conversation.

La relation de Lando et de Mara...

— Très bien, poursuivit la jeune femme. (Ne remarquait-
elle pas la réaction de Luke, ou l'ignorait-elle sciemment ?)
Parfois, des oiseaux font leur nid sur les toits de ces bâtiments.
Les as-tu jamais entendus chanter ?

Luke sourit. Une fois encore, c'était tellement évident.

— Bien sûr que non, répondit-il. Il y a trop de bruit pour
capter un son aussi ténu.

Mara lui rendit son sourire.

— D'une clarté aveuglante, non, une fois qu'on s'en aper-
çoit ? Contrairement à ce que pensent les « non-Jedi », la Force
n'est pas qu'une question de pouvoir. C'est aussi un guide. A
la manière des visions du futur que nous avons parfois, ou des
avertissements, plus subtils, qui nous donnent ce que j'appelle
le sens du danger. L'ennui, quand on puise dans le *pouvoir* de
la Force, comme toi, c'est qu'on n'entend plus ce qu'elle dit
pour vous guider. Ton propre vacarme a étouffé le chant des
oiseaux...

— C'est vrai... murmura Luke.

Tant d'énigmes étaient enfin résolues !

Luke s'était souvent demandé pourquoi il avait pu recons-
truire la citadelle de Dark Vador alors que Maître Yoda n'avait
pas réussi un exercice aussi facile que de sortir une Aile-X des
marais de Dagobah.

A l'évidence, Yoda avait analysé les options bien plus finement que son élève.

Depuis que Luke suivait le même chemin que son maître,
des indices étaient venus éclairer le choix de Yoda. Des avertissements subtils, parfois guère plus que des sensations incons-
cientes, lui avaient été adressés. Sur l'astéroïde des Pirates
Cavrilhu, cela lui avait évité d'être capturé. Ici, le phénomène
l'avait incité à accepter l'aide d'Enfant des Vents puis celle des
Qom Jha, aussi peu spontanée qu'elle soit.

— Il y a quelques mois, j'étais sur Iphigin pour aider Solo à conduire des négociations. Les Diamalas qui assistaient aux débats ont dit quelque chose à Yan : un Jedi qui utilise la Force aussi souvent que moi finit toujours par passer du Côté Obscur.

— Ils ont peut-être raison, approuva Mara. Mais tous les Jedi Noirs n'ont pas cette excuse. Certains vont d'eux-mêmes vers le Côté Obscur...

— Ce n'est pas une idée très réjouissante, dit Luke. (Il pensa à son Académie, où il avait connu pas mal de succès... et quelques échecs.) Surtout quand on sait que j'ai commencé à enseigner en étant sous l'influence du Côté Obscur.

— J'y ai pensé, admit Mara. C'est peut-être pour ça que les résultats, avec tes premiers élèves, n'ont pas été très bons.

— Est-ce pour cette raison que tu n'as pas voulu rester ?

— Oui. Et à cause des changements que je sentais en toi. Tu refusais d'entendre les conseils de prudence au sujet de ton projet. Quand tout s'écroulerait sur toi, me suis-je dit, que je sois coincée sous les décombres ne servirait à rien. (Mara haussa les épaules.) De plus, Corran était là et il semblait avoir la tête sur les épaules.

— Il n'est pas resté bien longtemps... murmura Luke.

— Je l'ai découvert plus tard. C'est dommage.

Ils se turent un long moment. Luke se tordit le cou pour voir si le flot d'insectes se tarissait.

Cette séance d'introspection était douloureuse et embarrassante. De plus, ils avaient du pain sur la planche !

Mais le tapis noir continuait à se dérouler sous eux...

— Et toi ? demanda Luke après avoir de nouveau tourné la tête vers Mara. Tu étais la Main de l'Empereur. Pourquoi ta vie n'est-elle pas dominée par le Côté Obscur ?

— Elle l'a peut-être été... Sûrement, même, entre le moment où Palpatine m'a emmenée loin de chez moi et celui où je me suis libérée de l'ultime commandement qu'il avait implanté dans mon cerveau. (Le regard de Mara se voila.) C'est pourtant étrange... Palpatine n'a jamais essayé de me convertir au Côté Obscur, comme il l'avait fait avec Dark Vador et comme il entendait le faire avec toi. A vrai dire, je crois que je n'étais pas sous l'influence du Côté Obscur...

— Tu exécutais les ordres de l'Empereur. Puisqu'il était du Côté Obscur, tu devais y être aussi.

213

— J'ignore pourquoi, fit Mara, mais je n'y étais pas. (Son regard redevint clair. Luke sentit ses boucliers mentaux se redresser, comme si elle prenait conscience que ses sentiments étaient exposés au grand jour.) C'est toi le Maître Jedi. Trouve la réponse, si tu le peux.

— Je m'y efforcerai, promit Luke.

Mais les boucliers de Mara étaient à nouveau en place.

Moins puissants, cependant...

— Pour parler d'autre chose, dit la jeune femme, les techniques de « soutien » que tu m'as apprises marchent-elles sur les muscles ou seulement sur les sabres laser ?

Luke regarda les bras de sa compagne et remarqua qu'ils tremblaient. La fatigue, évidemment.

— Ces techniques sont efficaces. Mais pour les muscles, j'en connais de meilleures. Laisse-moi te montrer.

Une heure s'écoula avant que le flot d'insectes se tarisse. Sur leur passage, les flammes vives n'avaient laissé intacts que R2-D2 et les objets en métal de leurs paquetages.

Les sacs eux-mêmes avaient disparu.

Mais pas les restes de Maître des Lianes.

Mara jeta un coup d'œil sur les ossements puis détourna le regard.

Le Qom Jha était responsable de sa propre mort. D'une certaine manière, c'était la banale application d'une loi de la nature, et Mara avait eu raison d'empêcher Luke de se sentir coupable.

Mais tout ça ne l'obligeait pas à *apprécier* ce qui s'était produit, ni à contempler le résultat.

— Une chance que nos rations alimentaires aient été dans des boîtes en métal, remarqua la jeune femme.

Du bout du pied, elle venait de sonder les vestiges de leurs paquetages.

— Les bidons n'ont pas résisté aussi bien, ajouta-t-elle en massant ses doigts engourdis.

— Il y a beaucoup d'eau ici, lui rappela Luke.

Debout devant l'ouverture qu'ils avaient commencé à agrandir, il regardait Enfant des Vents, toujours réfugié au plafond.

— Le problème, c'est que nous ne pourrons pas emporter beaucoup de choses... Enfant des Vents, le danger est passé. Tu peux redescendre.

Le jeune Qom Qae ne bougea pas. Mais il dit quelque chose.

— Je comprends, fit Luke. Pourtant, il faut que tu quittes ton refuge. Nous ne voulons pas risquer de te blesser avec nos sabres laser.

Un instant, Mara crut que le Qom Qae préférerait tenter sa chance avec les vibro-lames. A contrecœur, il déploya ses ailes et vint se percher sur le dôme de R2-D2.

— Quel est le programme ? demanda Mara à Luke. On recommence à jouer les tailleurs de pierre ?

— Le mur ne s'écroulera pas tout seul. Tu préfères que nous utilisions les grenades ?

Mara sonda le tunnel. Il n'y avait rien en vue, mais la marée d'insectes l'avait rendue circonspecte.

— Continuons avec les vibro-lames, dit-elle. Si Briseur de Pierres ramène les renforts promis avant que nous ayons fini, on pourra toujours aviser.

— Ça me paraît un bon plan, convint Luke. (Il décrocha son arme de sa ceinture et l'activa.) R2-D2, monte la garde et préviens-nous en cas de danger.

Le droïd bipa son assentiment, non sans nervosité, déploya son unité senseur et manqua déloger Enfant des Vents de son perchoir.

Luke se mit en position.

— On y va !

Mara activa son sabre laser.

— D'accord, dit-elle.

La lame du Jedi s'enfonça dans le roc et se désactiva. Celle de Mara fit de même.

Tout en travaillant, la jeune femme réalisa que *cela* s'était enfin produit. Ils avaient eu la conversation qu'elle savait inévitable depuis l'arrivée de Luke dans ces grottes.

Une conversation qu'elle avait redoutée et désirée avec la même intensité.

Même s'il n'avait pas sauté de joie en découvrant à quel point il s'était trompé ces dernières années, Luke avait mieux réagi qu'elle ne s'y attendait.

Mais que ferait-il de ces nouvelles informations ?

Il pouvait les prendre au sérieux et s'en tenir au chemin qu'il savait être le bon. Mais la séduction de la puissance et des solutions rapides risquait de le ramener sur la voie de la facilité.

Celle du Côté Obscur.

Mara n'avait qu'à attendre et voir ce qui se passerait.

16

Yan entendit une porte s'ouvrir derrière lui et tourna la tête pour voir Calrissian entrer sur la passerelle du *Dame Chance*.

— C'est fait, annonça Lando. Les systèmes sont coupés. Les moteurs, les senseurs, les ordinateurs. La totale ! (Il se laissa tomber sur le fauteuil du pilote.) Et j'aimerais signaler — pour la postérité — que l'idée me déplaît souverainement.

— Je n'aime pas ça non plus, reconnut Yan. Mais c'est ainsi qu'il faut procéder.

— Non : c'est ainsi qu'un clone impérial nous a *dit* de procéder, soupira Lando. J'ai fait des choses dingues dans ma vie, Yan, mais celle-là bat tous les records.

Le Corellien contempla les étoiles en silence. Lando avait raison : c'était dingue. A un micro-saut hyperspatial de là se trouvait la station Impériale de l'Ubiqtorate, dotée de défenses et d'une puissance de feu phénoménales.

Et ils flottaient immobiles, à *l'intérieur* du périmètre défensif, systèmes désactivés pour ne pas attirer l'attention des sondes. Ils attendaient le retour d'un clone qui devait leur apprendre où se trouvait la capitale de l'Empire, Bastion.

Yan secoua la tête.

— Leia a dit qu'il n'y aurait pas de problèmes.

— Faux, grogna Lando. Elle a dit que ce type n'avait pas l'intention de trahir... Pas qu'il était compétent. Ni qu'il ne s'effondrerait pas devant un agent de l'Ubiqtorate congénitalement soupçonneux.

— Tu n'aimes pas les clones, hein ? remarqua Yan.

Lando secoua la tête.

— Exact. Palpatine avait tort de vouloir classer les races selon une hiérarchie... Mais s'il y en avait une, les clones seraient en bas de l'échelle.

216

Le silence tomba sur la passerelle. Yan fixa les étoiles, caressa son blaster et essaya de ne pas se laisser gagner par la nervosité. Leia avait accepté de le laisser partir et Leia était une Jedi. *Elle aurait senti si les choses devaient mal tourner, non ?*

— Parle-moi du Baron Fel, dit subitement Lando. Je veux dire, de l'original. Comment était-il ?

— Un Corellien typique... commença Yan avant de se reprendre. Ou plutôt, non... Fel était un fils de fermier : il a obtenu une place à l'Académie en échange de son silence... Une histoire de procès contre le fils d'un ponte d'un agro-combinat. Nous étions ensemble à Carida, mais je ne le fréquentais pas beaucoup. Un type droit. Et un bon pilote.

— Aussi bon que toi ? demanda Lando.

— Meilleur, admit Yan, souriant. En tout cas, aux commandes d'un appareil de la taille d'un TIE.

— Comment s'est-il fait cloner ? Si je me souviens bien, Fel a quitté l'Empire pour rejoindre l'Escadron Rogue, puis il s'est fait reprendre. Excellent pilote ou non, pourquoi cloner un traître ?

Yan secoua la tête.

— Nous avons posé la question à Carib sur Pakrik Mineure. Il ne connaissait pas les détails de l'histoire. L'information ne faisait pas partie de l'enseignement accéléré qu'il a reçu dans les cylindres de clonage.

Lando grogna.

— Ça ne tient pas. Les Impériaux ont dû garder Fel en détention pendant trois ou quatre ans, le temps que Thrawn fasse fonctionner ses cylindres de clonage...

— Ils n'avaient pas vraiment besoin de Fel, murmura Yan. Du moins pas en entier. Pour cloner Luke, C'baoth a utilisé sa main... Celle qu'il avait perdue sur Bespin...

— Un des trophées de Palpatine. Désolé, Yan, mais je ne vois pas qui se serait amusé à conserver des *morceaux* de Fel. Personne ne connaissait l'existence des cylindres, ni ne pouvait prévoir que Thrawn les annexerait.

— Un point pour toi, concéda Yan. D'accord... Ils ont probablement maintenu Fel en vie quelque part.

— Oui, soupira Lando. Mais où ?

— Je ne sais pas. Nous n'avons trouvé aucune trace de lui dans les registres des prisons Impériales, ni dans ceux des colonies pénitentiaires libérées par la Nouvelle République. Son appartenance à l'Escadron Rogue l'avait rendu célèbre : sa présence ne serait pas passée inaperçue. (Yan hésita.) Ce n'est pas tout. Un mois ou deux après sa capture, la femme de Fel a disparu à son tour...

— Je me souviens : Wedge a fait allusion à cette affaire. Elle a « disparu », dis-tu... Je pensais qu'elle avait été capturée par l'Empire.

— C'est ce que tout le monde a cru à l'époque. Mais les preuves manquent. Et personne n'a jamais retrouvé sa trace.

Lando secoua la tête.

— Si tu voulais me rassurer, c'est raté. Pour convaincre Fel de rejoindre l'Empire, Isard aurait dû lui faire un lavage de cerveau. Tu imagines le résultat... Et cloné par Thrawn ensuite !

— Je ne sais rien de plus, avoua Yan avec un soupir. Leia a dit qu'il n'y aurait pas de problèmes.

— Ouais... Super.

— Et Lobot et Moegid ? Qu'est-ce qu'ils fabriquent ? demanda Yan.

— Ils peaufinaient leurs techniques de piratage avant que tu coupes l'ordinateur, répondit Lando. Maintenant, ils doivent vérifier l'équipement.

— Tu leur as dit où nous allions ?

Lando jeta à son ami un regard noir.

— Je les ai prévenus que nous allions franchir les frontières de l'Empire... Sans préciser où ni pourquoi.

— Nous devrions peut-être les mettre au parfum, suggéra Yan. Moegid pourrait réviser ses connaissances sur les systèmes informatiques Impériaux.

— Les Verpine n'ont pas besoin de *réviser*, dit Lando en se levant. Mais après tout, pourquoi pas ? Autant que nous ne soyons pas les seuls à nous ronger les sangs. Et je n'en peux plus de rester assis à attendre que le ciel nous tombe sur la tête.

— Ne t'inquiète pas, dit Yan en suivant des yeux Lando qui quittait la passerelle. Ça va marcher. Fais-moi confiance.

Lando disparut sans répondre. Yan se concentra sur les étoiles, guettant le retour du cargo de Carib.

Oui, il n'y avait aucune raison de s'inquiéter.

L'agent de l'Ubiqtorate était assis derrière sa console. Il dévisagea son visiteur.

— D'accord, dit-il d'une voix sèche et rauque. Votre identité est confirmée.

— Heureux de l'apprendre, dit Carib en s'efforçant de prendre un ton indigné. Vous êtes enfin prêt à m'écouter ?

— Bien sûr, fit l'agent. (Il contempla froidement son interlocuteur.) Si vous êtes prêt à accepter les charges qui seront retenues contre vous... au cas où votre « nouvelle » ne serait pas si urgente que vous le pensez. Bon sang, Devist, vous n'êtes pas censé venir ici en personne. Tous les rapports doivent suivre la voie hiérarchique...

Carib écouta le sermon avec une patience méritoire. La tirade était une des tactiques classiques utilisées par les agents de l'Ubiqtorate pour désarçonner leurs interlocuteurs. Il le savait.

Ou plus exactement, le Baron Soontir Fel le savait. Une information artificiellement transmise à Carib et à ses *frères*, comme ses talents de pilote et ses connaissances.

Oui, Carib avait des souvenirs qui n'étaient pas les siens, venus de l'esprit d'une personne qui n'était pas lui.

Ou qui ne l'était que trop.

Ces pensées déprimantes n'étaient pas nouvelles. Elles avaient valu à Carib de nombreuses nuits d'insomnie sur Pakrik Mineure. Il avait ensuite décidé d'enfouir ces questions au plus profond de son esprit.

Et il avait réussi... jusqu'à l'arrivée des maudits ordres de l'Empire. Son unité de combat était réactivée. Les doutes et les questions revenaient.

Il était un clone.

Un clone. Un clone...

Arrête !

Je m'appelle Carib Devist... Je suis l'époux de Lacy, le père de Daberin et de Keena... Carib Devist, fermier de la vallée de Dorchess, sur Pakrik Mineure. D'où je viens, comment je suis né, tout ça n'a aucune importance !

Je suis ce que je suis aujourd'hui.

Carib prit une inspiration prudente... et repoussa ses doutes dans les profondeurs de son esprit.

Qu'importaient ceux qui pensaient autrement ! Carib Devist était unique.

L'agent de l'Ubiqtorate commençait à s'essouffler : la tactique d'intimidation avait échoué, comprit Carib, amusé. Loin de l'avoir agacé ou inquiété, le discours lui avait laissé le temps de rassembler ses pensées et de se préparer à la joute verbale.

— Alors ? soupira l'agent. Voyons cette information « vitale »...

— Oui, monsieur. La Haute Conseillère de la Nouvelle République Leia Organa Solo a été attaquée dans l'espace de Pakrik Mineure, il y a cinq jours. L'embuscade a échoué.

— Merci, nous sommes au courant, dit l'agent, sarcastique. Ne me dites pas que vous avez violé les protocoles pour...

— La raison de cet échec est...

— Je vous parle, Devist ! cracha l'agent. Vous avez ignoré le règlement pour une histoire qui fait la une de Coruscant Info ?

— ... due à l'intervention...

— Allez-vous vous taire ? Je vous ferai mariner dans...

— ... d'un vaisseau inconnu.

— ... de la bave de Hutt... (L'homme s'interrompit.) Que voulez-vous dire ?

— Le vaisseau était d'une conception totalement originale, continua Carib. Il avait quatre panneaux de coque TIE, mais le reste de la structure était non Impériale.

L'agent fixa Carib un long moment.

— Je suppose que vous n'avez aucun enregistrement de la bataille, dit-il enfin.

— Non, fit Carib en sortant une datacarte. Mais nous avons obtenu quelques images du vaisseau.

L'agent tendit la main. Carib y laissa tomber la datacarte et croisa mentalement les doigts. Solo avait fait le montage à partir de deux enregistrements que sa femme et lui détenaient. Carib ignorait où ils s'étaient procuré les originaux.

Et il s'en moquait ! Les combats, les intrigues, la sécurité galactique, ni lui ni ses frères ne voulaient s'en mêler. Ils entendaient seulement élever leur famille et s'occuper de leur ferme...

Vivre en paix.

Après un coup d'œil à son databloc, l'agent émit un long sifflement.

— Par les dents de Tarkin, murmura-t-il. Ces relevés d'énergie sont corrects ?

— C'est ceux que j'ai obtenus, dit Carib. (Il ne put résister à une réflexion perfide :) Alors ? Cela valait-il la peine de « violer tous les protocoles de sécurité » ?

220

L'agent leva les yeux, mais déjà il ne voyait plus Carib.

— J'aurais tendance à dire oui, fit-il d'un air absent. (Il pianota sur son clavier.) Sûr. Faites attention en rentrant et n'oubliez pas de brouiller les pistes. Terminé.

La conversation était finie.

Carib soupira. Pas de « merci », pas de « bien joué ». Une conversation banale, à la frontière de nulle part, avec un petit agent de l'Ubiqtorate qui rêvait d'une promotion.

Mais le tour était joué, se dit Carib tout en se dirigeant vers la sortie. Il avait rempli son rôle : Solo prendrait le relais.

Carib allait pouvoir retrouver Lacy et ses frères, puis se fondre de nouveau dans l'anonymat qu'il désirait tant.

Sauf si...

Carib grimaça. Oui, l'agent de l'Ubiqtorate avait gobé l'appât. Les analystes militaires qui disséqueraient l'enregistrement sur Bastion feraient-ils de même ?

Et le Grand Amiral Thrawn ? S'il découvrait la vérité et que Solo se trouvait encore dans l'espace Impérial...

Tant pis. Carib secoua la tête pour chasser ses pensées négatives. *Non.* Il avait fait ce que la Nouvelle République voulait ; il avait risqué sa peau. La suite était entre d'autres mains.

Il avait accompli sa tâche. Point.

Accélérant le pas, il se dirigea vers le quai où l'attendait son cargo. Plus vite il retournerait à sa ferme, mieux ça vaudrait.

Le haut-parleur crachota.

— Solo ?

Yan retira prestement ses pieds du bord de la console de commande et accepta la communication.

— Je suis là, Carib, dit-il. Tu l'as ?

La porte de la passerelle s'ouvrit sur Lando :

— Devist ?

— Ouais, répondit Yan. (Il saisit une datacarte.) Tu es sûr que c'est le vecteur de Bastion ?

— C'est la direction prise par la sonde, répondit Carib. Je vous transmets une copie de l'enregistrement.

— Je veux dire : es-tu sûr que l'agent a transmis l'info à Bastion ? demanda Yan tandis qu'un bip sur la console lui confirmait la réception.

— Il n'a rien dit, précisa Carib. Mais j'ai vu les lueurs qui dansaient dans ses yeux. Qu'aurait-il pu faire d'autre ?

— Tout expédier à la base principale de l'Ubiqtorate sur Yaga Mineure, par exemple, gronda Lando. Suivant ainsi la chaîne de commandement habituelle...

— C'est ce qu'il aurait fait en toute autre circonstance, confirma Carib. Mais les informations militaires de premier niveau doivent être envoyées au Haut Commandement, c'est la règle. Et un vaisseau inconnu *est* une info de premier niveau...

— Souhaitons-le, murmura Lando.

— Et il n'a que cette solution ! Un employé Impérial, coincé sur une station comme celle-ci, est condamné à vie : ses supérieurs oublient vite son existence. Pour s'en sortir, il ne peut qu'essayer d'impressionner quelqu'un de haut placé dans la hiérarchie... Donc sur Bastion.

Yan jeta un coup d'œil à Lando.

— Ça paraît raisonnable.

— Je suppose, dit Lando d'un ton soupçonneux. (Il regarda le cargo qui flottait à côté du *Dame Chance*.) Après tout, le Baron Fel était un grand tacticien, non ?

Yan se tendit. Lando détestait peut-être les clones, mais il n'avait aucune raison de se montrer insultant avec leur allié. Surtout quand celui-ci essayait de les aider.

Et surtout quand ils rôdaient à la frontière de l'espace Impérial.

— Carib...

— Laissez tomber, Solo, dit Carib d'un ton neutre. Vous voyez, j'avais raison...

Yan baissa la tête. Carib lui avait parlé des préjugés des habitants de la Nouvelle République contre les clones...

— Ouais. Désolé.

— Laissez tomber, répéta son interlocuteur. J'ai accompli mon travail ; je rentre chez moi. Bonne chance.

Le cargo s'éloigna du *Dame Chance* et passa en hyperdrive.

— Il est pressé de filer, grogna Lando.

— Il retourne vers sa famille, soupira Yan, concentré sur la carte. En partant de la station, une trajectoire de quarante-trois sur quinze nous amènerait...

— ... dans le système Sartinaynien, acheva Lando en regardant par-dessus son épaule.

— Ouais.

— Drôle d'endroit pour une capitale Impériale, commenta Lando, dubitatif.

— Ça se discute, dit Yan. (Il survola les données de l'ordinateur du *Dame Chance*.) C'était une capitale de secteur, autrefois. Les habitants doivent avoir l'habitude de la bureaucratie.

— L'endroit n'a rien à voir avec les tours de Coruscant.

— Rien ne ressemble à Coruscant, coupa Yan. Allez... Nous perdons notre temps.

Lando se laissa tomber sur le fauteuil du copilote.

— Bien sûr. Filons droit vers la capitale Impériale. Pourquoi pas ?

— Lando, écoute...

— Economise ta salive, mon vieux. Je tiendrai parole. J'aurais préféré m'en passer, c'est tout. (Il tapota l'ordinateur de navigation.) Mais les souhaits ne distribuent pas les cartes... Préviens Lobot et Moegid. Dis-leur de s'accrocher.

— D'accord, acquiesça Yan. (Il attacha sa ceinture d'une main.) Ne t'inquiète pas. Tout va bien se passer.

— Ouais. Sûrement...

Ghic Dx'ono — le Sénateur Ishori — abattit son poing sur la table.

— Non ! C'est hors de question. Les Ishoris veulent une justice pleine et entière !

— La justice est notre but à tous, déclara d'une voix glaciale Porolo Miatamia, le Sénateur Diamala. Mais...

— Mensonge ! hurla Dx'ono, les oreilles rabattues. Les Diamalas exigent l'impossible et refusent le reste !

— Sénateurs, s'il vous plaît, intervint le Président Ponc Gavrisom, ses ailes battant furieusement. Nous n'allons pas résoudre la crise de Caamas ici et maintenant. Je vous demande seulement...

— Je sais ce que vous voulez ! cracha Dx'ono. Mais faire patienter la justice, c'est l'enterrer ! (Il pointa un doigt furieux sur Miatamia.) Et c'est ce que veulent les Diamalas !

— Les Diamalas désirent voir la vérité triompher, protesta leur représentant. Mais nous comprenons que des affaires plus urgentes sont prioritaires.

— Thrawn est mort ! cria Dx'ono. Il est mort ! Les archives Impériales le confirment !

— Je l'ai vu, Sénateur, répéta Miatamia. Je l'ai vu et entendu...

— Encore des mensonges ! coupa Dx'ono. Des mensonges pour nous distraire de la quête de la justice...

Assis dans une petite pièce, derrière la fausse cloison, Booster Terrik secoua la tête, écœuré.

— Imbéciles, murmura-t-il. Pas un pour racheter l'autre.

Sa fille — Mirax Terrik Horn — était debout à ses côtés. Elle posa une main affectueuse sur son épaule.

— Allons, Père. Leurs intentions sont bonnes.

— Et quelle route est pavée de bonnes intentions ? grogna Terrik. Tu connais la réponse. Où est ce satané Bel Iblis ? J'ai du travail.

— Vraiment ? A part la maintenance de l'*Aventurier Errant*, je ne vois pas quoi. Et encore, ta présence n'est pas indispensable.

Booster lui jeta un regard mauvais... qui n'eut guère d'effet.

— Quand vient le grand âge, je croyais que les filles devaient être pour leur père une source de confort et de fierté, grogna-t-il.

Mirax le regarda en souriant.

— On en reparlera quand tu seras vieux. (Elle se tourna vers la fausse cloison ; son sourire s'effaça.) La situation nous échappe. Tu as entendu : une centaine de systèmes demandent déjà à rejoindre l'Empire...

— Seulement vingt, d'après mes sources, dit Booster. La rumeur exagère, comme toujours.

— Ça reste inquiétant, protesta Mirax. Si Thrawn est vivant, et si les gens prennent peur et cherchent un pouvoir fort pour les protéger, l'Empire gagnera du terrain sans tirer une torpille.

— Les Impériaux ne convaincront personne, dit Booster à voix basse, moins confiant qu'il ne le paraissait. De toute manière, nous ne pouvons pas faire grand-chose.

La porte s'ouvrit derrière lui.

— Ah, Capitaine Terrik, dit le Général Bel Iblis, tendant la main. Merci d'être venu. Avez-vous apprécié le divertissement ?

Booster serra brièvement la main de l'officier. Il n'aimait guère les représentants de l'autorité, quel que soit leur bord.

— J'ai assisté à mieux, ronchonna-t-il. Et en parlant de divertissement, j'ai un problème à régler avec vous... A propos de cet incident, dans le système de Sif'kric, il y a trois semaines. Les bureaucrates ne m'ont toujours pas rendu la *Farce de Hoopster*.

— Je l'ignorais, dit Bel Iblis en coupant le haut-parleur. (Les voix furieuses moururent.) Je donnerai des ordres dès que nous en aurons terminé ici.

Le Général paraissait épuisé. Booster le regarda s'asseoir.

— Avant de terminer, il faut commencer, grommela-t-il.

— En effet. Gavrisom est un excellent médiateur, et le voir au travail est un beau spectacle, mais ce n'est pas la raison de votre venue. A propos... Ai-je besoin de vous dire que ce que vous avez entendu ici est confidentiel ?

— Vraiment ? dit Booster. Voyons... Les Ishori ne savent pas mener une négociation sans hurler... Ils veulent arracher la peau des Bothans pour l'offrir aux Caamasi survivants... Les Diamalas veulent aussi tuer les Bothans, mais seulement ceux qui ont aidé à détruire Caamas... A qui crois-tu que nous devrions vendre ces importants secrets, Mirax ?

La jeune femme se tourna vers Bel Iblis.

— Nous comprenons, Général, dit-elle. Que voulez-vous ?

— Je voulais que vous assistiez à cette conversation, dit Bel Iblis. (Il désigna les Sénateurs du menton.) Peut-être réaliserez-vous mieux la gravité de la situation... Bothawui n'est pas la seule planète à avoir une étrange concentration de vaisseaux en orbite. Le fait se répète partout dans la Nouvelle République. Les planètes et les peuples se rangent du côté d'Ishori et de Diamala. Seule solution pour désamorcer la crise : découvrir l'identité des Bothans qui ont saboté les boucliers planétaires de Caamas.

— S'il vous plaît, Général dit Booster. Vous ne valez pas mieux que ces politiciens... Allez au fait.

— Je veux emprunter l'*Aventurier Errant*, déclara Bel Iblis.

Booster fut trop surpris pour éclater de rire.

— Vous plaisantez, répondit-il enfin. Il n'en est pas question.

Mirax fronça les sourcils.

— Pourquoi en avez-vous besoin ?

— Nous pensons qu'il existe une copie du Document de Caamas dans la base de l'Ubiqtorate de Yaga Mineure. Gavrisom va lancer un raid pour essayer de s'en emparer.

— Vous voulez récupérer des informations sur une base de l'Ubiqtorate ? répéta Booster. Quel est l'imbécile qui a accouché d'un plan pareil ?

Bel Iblis le regarda froidement.

— Moi.

Le silence tomba sur la pièce. Booster étudia le visage de Bel Iblis. Derrière la fausse cloison, on voyait le Sénateur Ishori faire des moulinets théâtraux. L'effet était déstabilisant...

Mais c'était sans doute ce que désirait Bel Iblis.

— D'accord, dit enfin Booster. Je vois le genre. Vous avez besoin d'un Destroyer pour passer leurs défenses... Mais la Nouvelle République en a capturé un grand nombre. Pourquoi ne pas puiser dans les stocks ?

— Pour deux raisons, répondit Bel Iblis. Primo, les Destroyers en notre possession sont trop connus. Camoufler leurs marquages et la signature de leurs moteurs prendrait du temps.

— Et les Impériaux ne se laisseraient pas tromper longtemps, murmura Mirax.

Booster la fusilla du regard. Dans quel camp était-elle ?

— Exact, acquiesça Bel Iblis. Secondo : si nous retirerons un vaisseau de son groupe de patrouille, tout le secteur sera aussitôt alerté. Or vous savez à quoi tient un raid : si la cible a vent de l'opération, tout rate.

Booster croisa les bras sur sa poitrine.

— Navré, Général, dit-il. Je comprends votre problème et je sympathise, mais non. Ce vaisseau m'a coûté trop de sacrifices pour le risquer au nom d'un plan délirant... Dans un combat qui ne me concerne pas.

Bel Iblis eut un sourire amer.

— Qui ne vous concerne pas... Vous le croyez vraiment ?

Booster se tapota la poitrine.

— Vous voyez un insigne militaire de la Nouvelle République ?

— Et vous, vous voyez le Sénateur Diamala, derrière cette cloison ? Les Diamala sont les alliés de toujours des Mon Calamari... qui détestent les contrebandiers. Si la guerre éclate, ceux-ci seront les premières cibles, ne serait-ce que pour tarir une réserve potentielle de pirates. Vous avez un Destroyer Impérial en votre possession, Terrik. Quelle sera d'après vous votre place sur la liste ?

— Quelque part en haut...

— C'est là que je vous inscrirais, dit Bel Iblis, mais je ne suis pas Calamari. Réfléchissez. Je crains que le combat ne vous concerne au premier chef.

Booster se renfrogna. Bel Iblis avait raison, force lui était de le reconnaître.

Il sentait aussi le regard accusateur de Mirax peser sur ses épaules.

Si Bel Iblis se rendait sur Yaga Mineure, Corran, le mari de Mirax, et le reste de l'Escadron Rogue l'accompagneraient sûrement.

Mais risquer l'*Aventurier Errant* ? Non, c'était trop. D'accord, le vaisseau tombait en morceaux, la moitié des systèmes étaient inutilisables et le coût de fonctionnement aurait fait rougir un Baron Impérial.

Mais le Destroyer était à lui. Entièrement à lui...

Booster réfléchit, puis il fronça les sourcils. Il perdait ses bonnes habitudes. Il décroisa les bras et se cala confortablement dans son fauteuil.

— Hélas, même si j'acceptais, vous n'iriez pas loin, dit-il avec un demi-sourire. Oubliez l'*Aventurier Errant*, Général : même un technicien Wampa aveugle pourra vous dire que mon pauvre vaisseau est loin des standards Impériaux. Nous aurions besoin... eh bien, de batteries de turbolaser supplémentaires, de rayons tracteurs, de boucliers récents, d'une remise à neuf du système de commande... Et j'en passe.

Le regard de Bel Iblis se durcit.

— Je vois, dit-il sèchement. Airen Cracken m'avait prévenu.

Booster haussa les épaules.

— Heureux d'apprendre qu'il se souvient de moi. A vous de décider, Général. Je vous prête le vaisseau ; vous le remettez en état. Et que la mission soit un succès ou non, tout additif reste en place quand je reprendrai mes droits...

— Les Calamari vont adorer, grogna Bel Iblis.

— Si la guerre éclate, les Mon Calamari seront le cadet de mes soucis. Tous les pirates et tous les contrebandiers de la galaxie tenteront de mettre la main sur l'*Aventurier*. Voilà ma proposition... A prendre ou à laisser.

— Je prends, dit Bel Iblis en se levant. Où est le vaisseau ?

Booster se leva, dissimulant sa surprise. D'habitude, les négociations avec les représentants officiels de la Nouvelle République s'éternisaient. Et les militaires étaient les pires.

— Dans le système de Mrisst, répondit Booster. Où souhaitez-vous en prendre possession ?

— Je vous le dirai une fois à bord.

— Vous venez avec nous ? demanda Booster, sourcils froncés.

— Ainsi que deux cents de mes hommes, dit le Général. Nous vous assisterons pour piloter le vaisseau jusqu'à l'arrivée de l'équipage approprié.

— *J'ai* un équipage approprié, répliqua Booster.

— Pour une mission de contrebande, peut-être. Pas pour simuler l'arrivée d'un navire Impérial.

Booster se raidit.

— Que les choses soient claires, Général, dit-il. L'*Aventurier Errant* est mon vaisseau. Je reste aux commandes... ou il n'ira nulle part.

La réponse de Bel Iblis le surprit une fois de plus.

— Certainement, déclara le Général. Il n'était pas question d'autre chose. Une navette nous attend ; nous pouvons décoller.

— Comme vous voulez, grogna Booster. Mirax, prends ma navette et rentre à la maison. (Bel Iblis s'éclaircit la gorge.) Quoi, encore ?

— Mirax doit venir avec nous, je le crains, dit l'officier. La sécurité de cette mission doit être totale ; les personnes qui sont au courant ne peuvent être autorisées à se promener dans la nature.

— Si vous pensez que je vais laisser ma fille nous accompagner dans un raid contre la base de l'Ubiqtorate...

— Une fois encore, il n'en était pas question. Mirax et son fils resteront au point de rendez-vous, avec l'équipage intermédiaire.

Une fois de plus, Booster eut le sentiment de s'être fait avoir.

— Bien, grommela-t-il. Allons-y. Vous voulez pénétrer dans une base Impériale : autant s'y mettre tout de suite.

— Exact. Et laissez-moi vous remercier de votre aide. Ne vous inquiétez pas, tout se passera bien.

— Ouais, grogna Booster en prenant le bras de Mirax. Sûr.

17

Un dernier coup de sabre laser ; les débris s'écrasèrent sur les rochers.

— Là, dit Luke. (Il regarda dans le trou.) Qu'en penses-tu ?

Mara approcha sa lampe-torche de l'ouverture.

— Juste assez large pour le droïd, décréta-t-elle. Mais l'important, c'est que ça passe.

Luke regarda derrière lui. Huit Qom Jha étaient suspendus au plafond. Briseur de Pierres et Gardien des Promesses étaient revenus avec les chasseurs Qom Jha promis par Mangeur de Flammes Vives. Luke et Mara devaient se mettre en route, sous peine de perdre tout prestige aux yeux de leurs guides.

Le Jedi le sentait : si Maître *Marcheur au Ciel* paraissait indigne de leur admiration, les Qom Jha décideraient de rebrousser chemin. Aucun d'entre eux n'avait mentionné la fin violente de Maître des Lianes, mais ils évitaient soigneusement la zone où était mort leur ami.

Et ils ne faisaient aucun effort pour plaire à Enfant des Vents...

Oui, Luke et Mara devaient bouger, et vite.

— Nous sommes d'accord, souffla-t-il.

Accrochant son sabre laser à sa ceinture, Luke fit l'inventaire des objets qui avaient survécu aux raids des flammes vives. Il restait les rations, protégées par leurs enveloppes métalliques, les batteries des blasters, les lampes-torches et de la synthécorde. Rien d'autre.

Les matelas, la tente de survie, les kits de premiers soins et les détonateurs des grenades avaient été détruits.

— Récupérons ce qui peut encore l'être...

— J'y travaille, rétorqua Mara. (Une boîte de rations à la main, elle répartissait les barres nutritives dans les nombreuses poches de sa combinaison.) Première règle du soldat : sauver la nourriture.

— Compris, dit Luke.

Il imita sa compagne.

R2-D2 ouvrit un compartiment de son dôme.

— J'y range ce qui reste de la synthécorde, expliqua Luke à Mara. Au cas où tu en aurais besoin...

— Bien. Je suis prête.

— Moi aussi, dit son compagnon. (Il sonda les ténèbres.) On garde le même ordre de marche ?

— Toi devant, et moi derrière avec les bagages ? dit Mara en désignant R2.

Luke rougit.

— Non, je veux dire...

— Oh, je sais ce que tu veux dire, coupa Mara. D'ailleurs, pourquoi pas ? C'est toi le Jedi. S'il y a une bestiole aux grandes dents, il te sera facile de la faire rôtir. Alors, après toi.

— C'est parti, dit Luke avant de saisir son sabre laser. (Il leva les yeux vers les Qom Jha.) Nous sommes prêts, Briseur de Pierres.

Suivez-moi, dit le Qom Jha, qui se laissa tomber du plafond.

Le passage était une faille triangulaire creusée à même le roc. Au bout de trois pas, Luke dut ranger son sabre et glisser sa lampe-torche dans sa tunique pour avoir les mains libres. Derrière lui, il entendait les sifflements nerveux de R2 et les chocs étouffés que produisait Mara quand elle heurtait les parois.

Il réprima l'envie de lui proposer son aide. Si Mara avait besoin de lui, elle lui ferait signe.

Par bonheur, la faille ne faisait pas plus de trois mètres de long et s'achevait devant une paroi jaunâtre.

C'est l'entrée, dit Briseur de Pierres. *Au-delà de ce mur se trouve la Haute Tour.*

— Oui, nous y sommes, confirma Mara. Aucun doute : ce mur est artificiel.

— En effet, confirma Luke en tirant son sabre laser. Reculez.

La paroi était fine, sans veine de cortosis. Trois coups de lame plus tard, un nouveau passage était créé.

Luke passa le premier, ses sens de Jedi en éveil, prêt à tout. Il fit son entrée dans une immense salle. Le plafond était très haut, et le sol poussiéreux s'étendait au-delà de la portée de sa lampe-torche. Des supports de torches ouvragés étaient suspendus aux murs à deux hauteurs différentes. Au-dessus des appliques, des trous étaient la preuve que la paroi commençait à s'écrouler.

Il n'y avait aucun autre élément de décoration.

— Ça ne ressemble pas à Hijarna, murmura Mara dans le dos du Jedi.

Luke fronça les sourcils.

— Quoi ?

— Il y a une forteresse en ruine sur la planète Hijarna. Karrde l'utilise parfois comme point de rendez-vous.

Luke hocha la tête.

— Oui, il m'en a parlé sur Cejansij. Selon lui, si cette forteresse est de la même trempe que son repaire, elle résistera à toutes ses attaques...

— Aux siennes, et à celles de la Nouvelle République, dit Mara. La forteresse d'Hijarna était faite d'une pierre noire incroyablement résistante... Du genre à absorber les tirs de turbolasers au petit déjeuner. (Sa lampe-torche à la main, elle fit le tour de la salle.) De l'extérieur, je trouvais l'architecture similaire... Mais ici, les parois sont claires.

R2 fit osciller ses unités de détection.

— Ça ne veut rien dire, répondit Luke à Mara. (Il lut les données qui s'affichaient sur l'écran du droïd.) Les deux bâtiments ont pu être construits par deux groupes différents d'un même peuple.

— Peut-être. Que raconte R2 ?

— Il pense que les appliques ne font pas partie de la décoration d'origine. Ne me demande pas pourquoi... (Il se redressa et désigna une zone obscure de la pièce.) Il détecte aussi une source d'énergie... Par là.

— Vraiment ? s'étonna Mara avant de se diriger à grands pas dans la direction indiquée. Allons jeter un coup d'œil...

Non ! dit brusquement Gardien des Promesses, qui voletait au-dessus de Luke.

— Attends, souffla le Jedi à Mara. (Gardien des Promesses était perché sur une des appliques, les ailes tremblantes.) Qu'y a-t-il ?

Ce chemin mène à la destruction, déclara le Qom Jha. *D'autres que nous ont exploré cette voie. Aucun n'est revenu.*

— Il dit qu'il y a du danger, traduisit Luke. Pas de détails.

— Un danger dévoreur de Qom Jha, je suppose, déduisit Mara. Désolée, mais c'est la seule sortie...

Non, il y a un autre chemin, déclara Briseur de Pierres. *Venez.*

Il vola vers la paroi de gauche et s'approcha d'un trou béant, juste sous le plafond.

Ici, dit-il. *C'est l'entrée du passage secret.*

— Vraiment, dit Luke, surpris. (Les Qom Jha n'avaient jamais mentionné de passage secret.) Il mène à la Haute Tour ?

Venez, dit Briseur de Pierres. *Vous verrez.*

— Un passage secret, hein ? commenta Mara en traversant la salle, R2 sur les talons. C'est nouveau.

— En effet, dit Luke. Il s'agit peut-être simplement d'un oubli.

— Ou d'une dissimulation... très gênante. (R2 bipa, interrogateur.) Gênante parce que les passages secrets ont par définition des sorties, expliqua Mara au droïd. Bref, à moins que les Qom Jha aient tout cartographié, nous risquons d'avoir des surprises...

— Alors, Briseur de Pierres ? demanda Luke. Etes-vous déjà entrés dans la forteresse ?

Nous avons parcouru ce passage, répondit le Qom Jha. *Il y a des endroits où l'on peut voir les Prédateurs et écouter leurs paroles.*

— Laisse-moi deviner, dit Mara. Ils ne se sont jamais aventurés dans la Haute Tour, mais ils sont certains de pouvoir s'y retrouver quand même.

Luke soupira.

— Bien résumé, répondit-il d'un ton grave. Je crains que malgré leurs beaux discours, aucun n'ait jamais mis une aile dans le bâtiment.

Enfant des Vents intervint :

Des Qom Qae l'ont fait.

Luke le regarda, sourcils froncés.

— C'est vrai ? Qui ? Quand ?

Des amis issus d'autres nichées se sont faufilés par le passage, expliqua Enfant des Vents. *Ils ont été rapidement expulsés et n'ont vu que peu de choses...*

— Peut-être, mais ils ont été plus habiles que vous, déclara Luke avec un coup d'œil désapprobateur à Briseur de Pierres.

Vexé, le Qom Jha se cantonna dans un silence crispé.

— Es-tu entré, Enfant des Vents ? demanda Luke.

Non. Seulement des Qom Qae... d'une autre nichée.

— Quel est l'objet du débat ? demanda Mara.

— Enfant des Vents affirme que des jeunes Qom Qae de la région ont fait un tour dans les sections supérieures de la Haute Tour, expliqua Luke. Comment se fait-il que tu connaisses d'autres Qom Qae, Enfant des Vents ? Chasseur de Vents a dit que les questions extérieures à la nichée n'étaient pas de ton ressort.

Seuls les Qom Qae adultes en débattent, dit Enfant des Vents. *Mais les jeunes peuvent voler où ils le veulent.*

— Ah...

Les Qom Qae adultes avaient donc un sens aigu du territoire, alors que leurs enfants se mêlaient les uns aux autres sans se soucier des frontières...

Jouaient-ils le rôle d'ambassadeurs officieux et de collecteurs d'informations ? Possible. Luke décida de garder cette information en mémoire pour le jour où la Nouvelle République déciderait d'établir un contact officiel.

A côté de lui, Mara s'éclaircit la gorge.

— Votre fascinante conversation nous aidera-t-elle à pénétrer dans la Haute Tour ?

— Pas vraiment, soupira Luke, contraint de reporter à plus tard son analyse des structures sociales des Qom Qae.

Avançant vers le mur où était perché Briseur de Pierres, il passa la main sur la surface polie. S'il y avait une entrée secrète, elle était bien cachée.

— Devons-nous chercher un mécanisme ?

Pour toute réponse, Mara activa son sabre laser.

— Pousse-toi. Toi aussi, Qom Jha.

Briseur de Pierres voleta jusqu'à une applique. En trois coups habiles, Mara découpa une ouverture dans la paroi. Sabre laser brandi, elle sauta dans le trou, s'accroupit et progressa vers la droite. Luke la suivit.

Ils se retrouvèrent dans un étroit passage. A quelques pas de là, ils aperçurent un escalier.

— Par là, Mara, dit Luke.

Les marches étroites étaient avalées par l'obscurité. Au-dessus du Jedi, la voûte était en pente : sans doute une nouvelle volée de marches, reliée à la première par un palier. Au centre de l'escalier passait une série de gros cylindres.

— C'est par là, déclara Mara. Hum...

— Quoi ? demanda Luke.

Il utilisa la Force pour mieux voir autour de lui.

Et ne détecta aucun danger.

— Les marches, dit sa compagne. (Elle éclaira l'une d'elles.) On dirait de la pierre d'Hijarna.

— Comment en être sûrs ?

— Un ou deux tirs de blaster suffiraient à le prouver, mais le bruit nous trahirait. Pour l'instant, c'est sans importance ; nous ne lançons pas encore d'attaque à grande échelle.

— Tu as raison. Une entrée discrète nous suffit. Il va falloir marcher l'un derrière l'autre.

Mara balada le faisceau de sa lampe-torche sur les marches.

— Ça devient une habitude... Cet endroit me rappelle le passage secret de Palpatine, dans le palais Impérial.

— Et moi, le puits de service d'Ilic sur New Cov, commenta Luke, se souvenant de l'escalier qui les avait conduits, Yan et lui, sur une plate-forme d'atterrissage couverte d'Impériaux.

— Les architectes des escaliers dérobés devraient avoir la courtoisie d'installer des ascenseurs, soupira Mara. Ou au moins des monte-droïds.

— Ce ne serait pas plus mal. Bon... il ne nous reste plus qu'à grimper.

Briseur de Pierres et les autres Qom Jha passèrent devant.

Luke se chargeait du droïd tandis que Mara et Enfant des Vents fermaient la marche.

Mara avait affirmé qu'elle n'était pas fatiguée et qu'elle pouvait s'occuper de R2. D'après Luke, l'escalier était sûr. Sa décision était prise : il ferait léviter le droïd.

Mara en fut soulagée. R2 pesait son poids, et elle n'était pas mécontente de se débarrasser un moment du fardeau.

Levant les yeux, elle compta une vingtaine de cylindres.

— De quoi s'agit-il ? Tu as une idée ? demanda-t-elle à Luke. Ça ne ressemble pas à des conduits de ventilation.

Le droïd bipa.

— D'après R2, il s'agit de conduits d'alimentation. Ils viennent sans doute de la source d'énergie que nous avons repérée en bas... et ils montent vers la Haute Tour.

— Ce truc a une sacrée capacité. Sont-ils tous opérationnels ?

Le droïd trilla.

— Trois sont en service, traduisit Luke. Mais tous sont fonctionnels. Ils alimentent peut-être des systèmes d'armement ou des générateurs...

Mara secoua la tête.

— C'est ce que je me demandais... Près de l'entrée de la caverne, quatre tours s'élèvent de la forteresse : trois intactes et une brisée.

— Je me souviens d'avoir lu ça dans les comptes rendus du *Glacier Etoilé*, dit Luke. Tu penses que le tir qui a abattu cette tour pourrait avoir creusé une partie du ravin... (Il soupira.) La pierre d'Hijarna est-elle aussi dure ?

— Je l'ignore, répondit Mara, le regard sombre. Mais la pierre d'Hijarna protégée par des boucliers alimentés par dix-sept lignes d'alimentation... qui sait ?

Luke secoua la tête.

— Cet endroit paraît inexpugnable. Je n'aime pas cette idée.

— Je *déteste* cette idée, renchérit Mara. Si la forteresse est entre des mains hostiles, la situation rappellera celle du Mont Tantiss, en pire.

Ils atteignirent le palier et continuèrent à monter. Mara compta deux cent cinquante marches avant d'abandonner.

Au quatrième palier, elle sentit une présence étrangère, mais voulut confirmer son intuition avant de se prononcer.

Au cinquième palier, elle se pencha vers le Jedi.

— Luke, murmura-t-elle. Nous avons de la compagnie.

— Je sais, souffla-t-il. Je les ai repérés depuis un moment. Nous devons nous rapprocher des parties habitées de la Haute Tour.

— Rien de familier ?

— Hélas, si. Les occupants de ce charmant endroit sont de la même espèce que les pilotes qui ont essayé de m'abattre.

— Sur ce point, je dois te croire sur parole, dit Mara d'une voix blanche. (Un frisson lui parcourut l'échine.) Mais une des présences ne m'est pas inconnue...

Luke se figea.

— Thrawn ?

— Thrawn.

Ils restèrent immobiles un long moment, debout sur les marches glacées.

— Tu t'y attendais, rappela Mara. Ses hommes occupent peut-être la Haute Tour... C'est toi même qui l'as dit.

— Et il semble que je ne me suis pas trompé. Briseur de Pierres ?

Un battement d'ailes retentit. Le Qom Jha se posa sur une marche, devant Luke.

— Tu as dit qu'il y avait des endroits où on pouvait voir et écouter ce qui se passait dans la Tour, dit le Jedi. Sommes-nous proches de l'un d'eux ?

Briseur de Pierres parla. Fatiguée de réclamer une traduction, Mara s'approcha et prit la main de Luke.

La voix du Qom Jha résonnait dans l'esprit du Jedi.

... pas très loin. Encore deux tournants et une demi-volée de marches.

— Une demi-volée ? répéta Mara, sourcils froncés.

— L'endroit doit se trouver entre deux paliers, expliqua Luke. (Il désigna les cylindres.) Les lignes d'alimentation devraient aider à cacher notre présence. Pratique.

— Mais R2 ne sera pas capable de détecter grand-chose, dit Mara. Moins pratique.

Cela ne devrait pas vous poser de problèmes, intervint Enfant des Vents. *Vous contrôlez la Force.*

Luke acquiesça. Mara fit la grimace.

— Mouais... Enfin, certains plus que d'autres...

Comme sur Wayland, dix ans plus tôt, Luke avait dispensé à Mara des bribes d'enseignement Jedi pendant leur progression dans les cavernes. Pourtant, la jeune femme ne réussissait toujours pas à entendre sans aide les conversations entre les Qom Jha et les Qom Qae.

Et la chose commençait à l'agacer. A l'agacer sérieusement.

Quelle barrière invisible l'empêchait d'atteindre le niveau de Luke ? Comment la traverser ?

Mara n'avait pas la réponse. Luke peut-être, mais pas elle.

Et il était hors de question qu'elle lui demande...

Plutôt mourir.

Elle lui lâcha la main, furieuse sans trop savoir pourquoi.

— Bon, allons-y, grogna-t-elle. Quand faut y aller, faut y aller.

— Oui, répondit Luke. (S'il avait senti l'altération de son humeur, il n'en dit rien.) Avançons, Briseur de Pierres. Et que les tiens se montrent discrets.

Ils reprirent leur ascension. Mara suivait Luke, concentrée sur les présences qui se rapprochaient. Elles paraissaient encore lointaines, mais la jeune femme se méfiait.

Deux volées de marches et demie plus loin, ils atteignirent le poste d'observation promis par Briseur de Pierres.

— C'est bien une sortie, murmura Mara.

Une alcôve large de trois mètres s'ouvrait sur le flanc de l'escalier. Elle était fermée par un panneau de pierre noire... lui-même équipé d'un volant de verrouillage et de deux poignées de déblocage.

Au centre du panneau, à travers un petit trou, brillait un faisceau de lumière écarlate.

— La porte s'ouvre vers l'extérieur, on dirait.

— Oui... (Luke avança pour étudier le mécanisme.) Intéressant, ce volant de verrouillage. Pourquoi fermer de ce côté ?

— Certains personnages importants aimaient peut-être observer sans risquer de l'être, hasarda Mara. (La présence étrangère était bien là, mais toujours voilée.) Si tu veux te lancer, vas-y... Tout baigne.

Luke pressa son visage contre la porte et regarda à travers le judas. Puis il agrippa le volant et le tourna vers la gauche.

Mara se tendit, mais aucun grincement métallique ne résonna. Les deux blocs de pierre polie glissèrent l'un sur l'autre avec un bruit sourd.

Après avoir fait faire une rotation complète au volant, le Jedi saisit les deux poignées.

— C'est parti, murmura-t-il avant de débloquer la porte.

Ceux qui avaient imaginé le système de lubrification du volant avaient aussi étudié les charnières. La porte s'ouvrit sans encombre. Une seconde plus tard, Mara était de l'autre côté, blaster au poing, les sens en alerte.

Un couloir long d'une vingtaine de mètres menait à une vaste salle au centre de laquelle se dressait un grand pilier rougeoyant. Dans le corridor, Mara vit cinq portes, chacune flanquée d'appliques identiques à celles de la première salle. Mais cette fois, le sommet des appliques brillait d'une lueur blanche qui venait se mêler aux reflets pourpres du pilier. Le sol et le plafond du couloir, tapissés de mosaïques, contrastaient avec les murs métalliques.

Un sifflement discret s'éleva derrière Mara.

— R2 dit que la lumière rouge est d'un spectre identique à celui du soleil, expliqua Luke. Soit nous sommes près du sommet, soit les résidents de la Tour transmettent sa lumière jusqu'ici.

— La seconde solution est la plus probable, dit Mara. Mais le décor est surprenant. Dans la forteresse d'Hijarna, il n'y avait que de la pierre noire. Prêt pour une mission de reconnaissance ?

— Prêt. Briseur de Pierres, si tu sais quelque chose, c'est le moment de t'exprimer...

Après une brève conversation, les huit Qom Jha s'envolèrent vers la grande salle. Arrivés devant le pilier, ils se séparèrent et disparurent.

Luke sourit.

— En résumé : ils nous ont tout expliqué, et ils ont hâte d'en apprendre plus.

— Tant qu'ils ne rameutent pas les autochtones, grommela Mara. (Elle éteignit sa lampe-torche et la rangea dans sa poche.) Tu devrais laisser le droïd ici.

— C'est ce que je comptais faire. R2, retourne dans l'alcôve et ferme la porte. Enfant des Vents... tu restes avec lui.

Le jeune Qom Qae protesta.

— Pas maintenant, déclara Luke avec fermeté. Plus tard, peut-être... Viens, Mara.

Ils descendirent le couloir, Enfant des Vents pépiant toujours derrière eux.

— On dirait une zone résidentielle, dit le Jedi avec un coup d'œil aux portes.

Sourcils froncés, Mara étudia le pilier central. On aurait cru un gigantesque escalier en colimaçon, sauf que les marches étaient remplacées par une rampe.

— La rampe bouge...

— On dirait une grande spirale qui monte, confirma Luke.

Ils atteignirent l'extrémité du couloir. Mara regarda furtivement dans la salle. D'autres passages semblables à celui qu'ils venaient d'emprunter s'ouvraient dans la paroi, comme des rayons de soleil qui auraient eu pour centre l'escalier.

— Une section de baraquements, conclut Mara. Où est la rampe de descente ?

— Ici, dit Luke. (Il désigna le pilier.) Regarde... la section interne de la spirale se dirige vers le bas.

— Je vois. Il ne doit pas être évident de sauter pour l'atteindre.

— Nous aurons probablement la chance d'essayer, dit Luke.

Il posa un bras sur l'épaule de Mara.

Celle-ci le regarda, sourcils froncés, mais la voix de Gardien des Promesses résonna avant qu'elle ait pu protester.

... personne, expliquait le Qom Jha, ses paroles audibles dans l'esprit de Luke comme dans le sien. *Certains couloirs sont des impasses, d'autres s'ouvrent sur des cavernes similaires à celles-ci.*

— Avez-vous vu quelqu'un ? demanda Mara.

Personne, répondit Gardien des Promesses du ton énervé de quelqu'un qui a déjà répondu à la question.

— Merci, dit Luke. (Il tourna les yeux vers Mara.) Que préfères-tu ? Dessous ou dessus ?

— Dessus, répondit Mara en se dégageant.

Parler à quelqu'un dont le visage se trouvait à moins de quinze centimètres du sien était... déconcertant.

Quant à sa réponse, elle était logique : dans la forteresse d'Hijarna, les salles de commandes étaient en haut.

— En haut donc, dit Luke. (Il se dirigea vers la rampe en spirale.) Tout paraît calme. Tu sens un danger ?

— Rien de plus qu'il y a dix minutes, soupira Mara. Bien, allons-y.

— D'accord, dit le Jedi. (Il fit un signe à Gardien des Promesses.) Venez, les Qom Jha... nous montons.

Ensemble, Luke et Mara posèrent le pied sur la partie extérieure de la rampe. Ils trébuchèrent un peu avant de compenser le mouvement de la spirale.

— Nous nous rapprochons de nos ennemis inconnus, commenta Luke tandis que le groupe de Qom Jha passait devant eux. J'aurais aimé en savoir plus sur eux.

— Et moi, je voudrais savoir où ils sont, grogna Mara tandis que les Qom Jha s'éparpillaient de nouveau.

L'un d'eux apparut au-dessus de leur tête.

— Il dit qu'ils n'ont trouvé personne là-haut, traduisit Luke. Briseur de Pierres a suggéré...

Son sixième sens avertit Mara.

— Luke !

— Baisse-toi ! ordonna le Jedi.

Il activa son sabre laser.

Mara avait déjà un genou à terre. L'arme à la main, elle cherchait une cible. Un mouvement attira son attention vers un couloir.

Elle leva son blaster...

Et le monde explosa.

La jeune femme riposta d'instinct. Un nouvel éclair bleu vira au vert quand le sabre laser le fit ricocher à travers la pièce. Puis un autre jaillit, de nouveau dévié par Luke.

Mara eut la satisfaction de voir le tireur reculer...

— Derrière toi ! cria Luke.

Mara se jeta à plat ventre sur la rampe avant de se retourner. De l'autre côté de la salle, deux soldats en uniforme rouge remontaient un couloir, protégés par un véhicule qui ressemblait à un engin de maintenance. Elle tira deux fois et rata sa cible.

Un des tireurs leva son arme. Mara dirigea son blaster vers lui et remarqua son étrange peau bleue, puis les yeux rouges étincelants qui la fixaient...

— Attention !

L'avertissement arriva trop tard. Mara tira, se retourna pour parer la nouvelle menace.

Un éclair bleu...

... une lance de feu s'enfonça dans son épaule gauche. Le noir.

Quand Mara reprit connaissance, Luke était à genoux à côté d'elle. Malgré la souffrance, la jeune femme lut de la peur dans le regard du Jedi.

Il posa la main sur la blessure ; la douleur recula sous l'influence de la Force.

— J'ai une proposition à te soumettre, souffla Mara, la voix rauque. Si on décidait qu'on en a assez vu ?

— Bonne idée, dit Luke.

Son sabre laser bourdonnait furieusement et déviait les éclairs bleus.

— Bon...

Mara cligna des yeux de surprise. Au-dessus d'elle, un palier de la forteresse s'éloignait. Ils étaient presque revenus à leur étage de départ.

— Comment nous sommes-nous retrouvés sur la rampe descendante ?

— Tu as roulé dessus quand tu as été touchée, dit Luke, en lui passant tendrement une main sous les épaules. Tu ne te souviens pas ?

Mara secoua la tête. Le mouvement lui envoya une décharge de douleur dans le bras.

— Réflexe de combat, je suppose. Attends... Mon blaster !

— Ne t'inquiète pas, Gardien des Promesses l'a récupéré. On y va.

Il se redressa ; Mara se sentit soulevée par la poigne intangible de la Force. D'un bond, Luke survola la rampe et atterrit sain et sauf sur le sol. La jeune femme serrée contre lui, il se précipita vers le couloir qui menait à la porte secrète.

— Je suis capable de marcher, s'insurgea Mara, après un coup d'œil par-dessus l'épaule de Luke. Tu n'as pas besoin de me porter.

A l'exception de quelques Qom Jha, personne ne les suivait... Pour l'instant du moins.

— Ne discute pas, dit Luke, la voix chargée d'inquiétude. Pourvu que R2 n'ait pas verrouillé la porte... Ah.

Devant eux, le battant s'ouvrit, poussée par Enfant des Vents. Ignorant la douleur, Mara utilisa la Force pour l'aider.

Le droïd — qui se précipitait pour offrir son assistance — bipa de surprise et recula pour laisser passer Luke et Mara, suivis par quatre Qom Jha.

La voix de Briseur de Pierres résonna dans l'esprit de Luke.

Verrouillez la porte.

— Et les autres ? demanda Luke au moment où deux Qom Jha se posaient sur les poignées.

Ils ont emprunté les passages supérieurs, dit le Qom Jha. *Ils vont essayer d'attirer les Prédateurs autre part.*

— Espérons qu'ils réussiront, répondit Luke une fois le panneau refermé. Verrouillez tout... Je ramène Mara au premier palier.

Il courut vers l'escalier.

— Non, monte, souffla Mara, qui prit sa lampe-torche de la main gauche. S'ils trouvent la porte, leur premier réflexe sera de se dire que nous sommes *descendus.*

— Bien raisonné. (Luke se tourna vers son droïd.) R2, assure-toi que les Qom Jha ferment correctement le mécanisme et monte la garde.

Une minute plus tard, ils atteignaient le palier supérieur.

— Dommage que nous n'ayons plus nos matelas, remarqua le Jedi avant de déposer avec douceur Mara sur la pierre nue. (Il lui prit sa lampe-torche.) Comment te sens-tu ?

— Comme si quelqu'un faisait rôter un Ewok sous ma peau, chuchota Mara. Mais j'ai connu pire. Tu t'es servi d'un truc qui supprime la douleur, c'est ça ?

— Ça devrait être plus efficace, répondit Luke. (La lampe-torche entre les dents, il retira le blouson de la jeune femme.) Il fonctionne mieux sur moi que sur les autres.

Il roula le vêtement en boule et le glissa sous la tête de Mara.

— Je savais que j'aurais dû rester plus longtemps à l'Académie, dit celle-ci d'une petite voix.

Luke posa la lampe-torche sur la poitrine de Mara et entreprit de retirer les lambeaux de vêtements brûlés collés à la plaie. La jeune femme serra les dents pour ne pas crier.

— Je suppose que tu ne donnes pas de cours de rattrapage...

— La maîtrise est le couronnement d'un long parcours... (Sourcils froncés, Luke contempla la blessure.) Aïe...

Mara regarda son épaule et regretta immédiatement son geste.

— « Aïe » est un doux euphémisme...

Elle laissa sa tête retomber et sentit la nausée monter. La brûlure était plus grave qu'elle ne l'avait pensé.

— Finalement, je regrette le médipac plus que le matelas.

— Ne t'avoue pas vaincue, la réprimanda Luke avec gentillesse. Je connais deux ou trois trucs.

Il se mit à masser le cou et les épaules de la jeune femme ; la douleur diminua de nouveau.

— Ça fait du bien, dit Mara, les yeux fermés.

— Je vais te plonger dans une transe thérapeutique, expliqua Luke, la voix lointaine. Le processus est lent, mais parfois aussi efficace qu'une cuve bacta.

— « Parfois » ? Eh bien, croisons les doigts, murmura Mara, subitement exténuée. Un autre merveilleux tour de Jedi que tu devras m'apprendre un jour... Bonne nuit, Luke. N'oublie pas de me réveiller si les méchants viennent jouer les trouble-fête.

— Bonne nuit, Mara, articula doucement Luke.

La jeune femme dormait déjà.

Est-ce qu'elle va mourir ? demanda une voix anxieuse à côté de lui.

Concentré sur Mara et sur la transe thérapeutique, Luke n'avait pas remarqué l'arrivée d'Enfant des Vents.

Quel piètre Maître Jedi il faisait...

— Non, elle s'en remettra. La blessure n'est pas dangereuse, et j'ai quelques talents en matière de médecine.

Enfant des Vents fixa la jeune femme allongée.

Est-ce ma faute, Jedi Sky Walker ? demanda-t-il enfin. *N'ai-je pas ouvert la porte assez vite ?*

— Non, le rassura Luke. Ça n'a rien à voir avec toi.

Alors c'est la faute des Qom Jha.

Luke étudia le jeune Qom Qae. Malgré la rivalité existant entre les deux groupes, il sentait de la tristesse dans la constatation d'Enfant des Vents, mais ni condamnation ni sentiment de supériorité.

— Peut-être, soupira Luke. Mais rien n'est moins sûr. Si les Prédateurs ont détecté notre arrivée, ils ont pu monter une embuscade. D'ailleurs, n'oublie pas que les Qom Jha vivent dans les cavernes. Dans les salles illuminées, ils voient sans doute moins bien que nous...

Enfant des Vents réfléchit.

Si les Prédateurs ont tendu un piège, ils vont venir te chercher ici...

— Possible. S'ils sont au courant de l'existence de cet endroit. La poussière indique que l'escalier n'a pas été employé depuis un moment...

Ils peuvent le connaître quand même, rappela Enfant des Vents. *Ton ami mécanique et les Qom Jha attendent en dessous. Est-ce que quelqu'un ne devrait pas monter aussi la garde dans les étages supérieurs ?*

— Bonne idée. Va demander à Briseur de Pierres d'envoyer deux de ses chasseurs surveiller la prochaine sortie, au-dessus de nous.

A tes ordres. Mais il n'enverra qu'un chasseur. Je monterai la garde avec lui.

Luke ouvrit la bouche pour protester, puis il la referma. Depuis qu'ils avaient pénétré dans la caverne, Enfant des Vents devait supporter l'hostilité des Qom Jha. Voilà qu'il pouvait maintenant accomplir une tâche utile et pas trop dangereuse.

— D'accord, Enfant des Vents. Merci.

Nul besoin de remerciements. Pour moi, il est juste d'aider le Jedi Sky Walker. (Il pencha la tête pour regarder Mara.) *Et sa compagne bien-aimée.*

Il s'envola dans les ténèbres de l'escalier ; son dernier commentaire résonna longtemps dans l'esprit de Luke.

Compagne bien-aimée. Compagne. Bien-aimée...

Il baissa les yeux sur Mara. Les traits familiers de la jeune femme étaient transfigurés par la lueur de la lampe-torche.

Bien-aimée...

— Non, murmura-t-il.

Non.

Il aimait bien Mara... Il l'aimait beaucoup, même.

La jeune femme était intelligente et énergique. Sa résistance mentale et émotionnelle en faisait une personne sur qui il pouvait compter. Elle avait de l'humour et une irrévérence rafraîchissante qui contrastait avec le respect qui accompagnait désormais chaque pas de Luke.

Mara s'était montrée une alliée sûre en des temps difficiles. Elle s'était rangée de son côté, avec Yan et Leia, quand bien même la hiérarchie de la Nouvelle République avait décrété qu'elle n'était pas digne de confiance.

Et la Force était puissante en elle... Mara était habile à la contrôler. Grâce à ses dons, elle était à même de partager les pensées de Luke, de lire ses émotions les plus intimes, de devenir plus proche de lui que Yan ne l'avait jamais été de Leia...

Mais Luke ne l'aimerait pas. Non... il ne pouvait prendre un tel risque. Par le passé, chaque fois qu'il s'était permis le luxe de s'attacher à une femme, quelque chose de terrible était arrivé. Gaeriel avait été tuée. Callista avait perdu ses pouvoirs de Jedi avant de le quitter.

La liste des tragédies semblait sans fin.

Pourtant, si la théorie de Mara était juste, ces désastres s'étaient produits alors que Luke subissait encore les effets de son contact avec le Côté Obscur.

Les choses seraient-elles différentes aujourd'hui ?

Pouvaient-elles être différentes ?

Le Jedi secoua la tête. Non. Il pouvait appeler à la rescousse toute la logique du monde et trouver des dizaines de « bonnes » raisons pour s'autoriser à tomber de nouveau amoureux, mais pas maintenant.

Pas de Mara.

Le souvenir de la vision qu'il avait eue sur Tierfon le hantait encore... Leia et Yan, en danger au milieu d'une foule hostile.

Wedge, Corran et l'Escadron Rogue pris dans le feu de l'action.

Talon Karrde qui lui apprenait la disparition de Mara...

Et cette image affreuse : Mara, dans l'eau. Paupières closes, bras et jambes inertes.

Comme morte.

Luke regarda la jeune femme endormie, le cœur serré.

Peut-être était-ce le destin de Mara. Et sans doute ne pouvait-il rien y faire. Mais il se battrait jusqu'à la dernière minute. Il mettrait sa propre existence en péril s'il le fallait pour empêcher cet horrible événement.

Et si cela signifiait éloigner Mara pour la protéger de l'influence destructrice du Côté Obscur, eh bien, il le ferait.

Pour l'instant, l'état de Mara nécessitait des soins. Et cela ne demandait que du temps et de l'attention.

— Bonne nuit, dit de nouveau Luke, pourtant conscient qu'elle ne pouvait pas l'entendre.

Il se pencha et l'embrassa doucement sur les lèvres.

Puis il s'allongea à côté d'elle sur la pierre froide, posa un bras sur la poitrine de la jeune femme et laissa ses doigts sur la plaie. La Force coulait en lui.

Dans une demi-torpeur, il se mit au travail.

18

Quelques minutes plus tard, Wedge retrouva enfin les autres à la terrasse d'un petit bar, tout proche du bureau d'enregistrement du trafic spatial.

— Vous voilà ! dit-il d'un ton accusateur.

— Quel est le problème ? demanda Moranda, qui buvait un verre de liqueur. Je vous avais dit que nous serions dans la rue, par là...

— C'est vrai, j'aurais dû *deviner* l'endroit exact, grogna Wedge en s'asseyant. (Il désigna le verre.) N'est-il pas un peu tôt pour commencer à boire ?

— Quoi ? Ça ? protesta Moranda. (Elle fit miroiter le verre sous les premiers rayons du soleil matinal.) Ce n'est rien. Et vous ne seriez pas cruel au point de refuser à une vieille dame un de ses derniers plaisirs, non ?

— L'excuse de la vieille dame commence à faire long feu, dit Wedge avec un regard noir à la chope que tenait Corran. Et toi ? Comment comptes-tu te justifier ?

— Je lui tiens compagnie, décréta le pilote. A voir ton humeur, je subodore que la recherche d'un vaisseau suspect s'est mal passée...

— Elle ne s'est pas passée du tout, grommela Wedge.

Il soupira, conscient qu'un verre lui aurait fait du bien. Mais après sa tirade moralisatrice, il lui était difficile d'appeler un droïd pour passer commande...

Une main mécanique posa une chope devant lui. Wedge leva les yeux, surpris.

— Qu'est-ce que c'est ?

— Nous l'avons commandé en vous voyant arriver, expliqua Moranda. Après une longue discussion avec les bureaucrates Bothans, vous avez sans doute envie de quelque chose de plus fort qu'un chocolat chaud...

Mon aura de Commandant vient d'en prendre un coup, se dit Wedge avec un sourire forcé.

Il but.

— Merci.

— Alors, que s'est-il passé ? demanda Moranda. Ils n'ont pas voulu vous laisser inspecter les enregistrements des vaisseaux en approche ?

— Il faut remplir une quinzaine de formulaires, répondit Wedge. C'est dingue. Tout ce qui se trouve sur ces listes est du domaine public ! Si je voulais m'asseoir dans le spatioport, regarder les vaisseaux atterrir et noter leur nom, personne n'aurait le droit de m'en empêcher !

— Ils sont nerveux, expliqua Corran. Ils imaginent les terroristes de Vengeance en train de tirer au jugé sur leurs meilleurs clients...

— Inutile d'affronter la bureaucratie, conclut Moranda. A ce jeu, on perd toujours. Raisonnons logiquement...

— Je vous en prie, nous sommes tout ouïe, dit Wedge, sans déguiser son ironie.

Moranda avala une gorgée de liqueur.

— Nous sommes tous d'accord : contre le générateur de bouclier de Drev'starn, un assaut frontal est exclu. A moins d'avoir un lanceur de torpilles à protons portable, le bâtiment est trop bien protégé.

— Ils devront recourir à la ruse, acquiesça Corran. Ça paraît évident.

— Merci. Prenons aussi pour un fait acquis que les techniciens et les employés ne se laisseront pas corrompre. Pourrait-on implanter quelque chose dans leurs corps à leur insu ?

— Une bombe ? demanda Wedge. J'en doute. L'endroit est grand. Pour des dégâts sérieux, il faudrait une grosse quantité d'explosifs, qui serait facilement détectable.

Corran secoua la tête.

— Et je suppose qu'ils obligent leurs employés à changer de tenue avant d'entrer dans l'enceinte du générateur. Ne serait-ce que pour éliminer les mouchards électroniques...

— Très bien, oublions donc les employés pour l'instant. (Moranda fronça les sourcils.) Quels sont les conduits souterrains accédant au bâtiment ? Ceux qui transportent de l'eau, ou l'énergie ?

— Il n'y a pas de conduits d'eau, expliqua Wedge, pensif. L'eau et la nourriture sont apportées de l'extérieur et soumises à trois analyses pour rechercher les éventuels produits contaminants. (Il regarda Corran.) L'énergie, en revanche...

— Oui, on tient peut-être quelque chose, coupa Corran. Chaque générateur de bouclier possède une alimentation secondaire autonome, mais l'alimentation principale vient de l'extérieur.

— D'où tirez-vous toutes ces informations ? demanda Moranda. Ce n'est pas la propagande Bothane, j'espère ?

— Non... Nous avons passé au crible les fichiers militaires de la Nouvelle République, répondit Wedge. Hélas, les détails manquent.

— Paranoïa typique des Bothans, grogna Moranda. Je suppose que vous n'avez pas la moindre idée d'où se trouvent les conduits ?

Wedge hocha la tête.

— Gagné.

— Bien... Voilà donc notre deuxième priorité. Obtenir les plans de ce bâtiment.

Corran sourit.

— Vous ne pensez pas que les Bothans vont nous les donner, j'espère.

— Bien sûr que non. C'est pour ça que j'ai dit : « notre *deuxième* priorité ». Nous n'irons pas visiter le cadastre de jour.

— Mais le bâtiment n'est ouvert *que* de jour... protesta Wedge.

Moranda esquissa un sourire.

— Vous comprenez vite.

— Corran ? (Wedge lança à son ami un regard interrogateur.) Qu'en penses-tu ?

— Nous avons nos ordres, répondit Horn en haussant les épaules. Et la protection des Bothans n'est pas la seule chose en jeu.

Wedge soupira.

— Je suppose.

Décidément, ses principes en prenaient un coup. Pourtant, il était forcé de reconnaître que le raisonnement de Moranda se tenait.

Hélas.

— Admettons... Et quelle est notre *première* priorité ?

— Inspecter les enregistrements des transmissions extérieures de ces derniers jours, dit Moranda. Si Vengeance prépare quelque chose, le groupe doit probablement émettre des rapports.

Wedge la regarda, ébahi.

— Vous voulez passer les communications au crible ? Avez-vous une idée de la quantité d'informations ? Surtout sur une planète de cette taille...

— Oui, et c'est pour cette raison que nos terroristes ne prendront pas de précautions particulières, expliqua Moranda. Ils penseront que personne n'est assez fou pour aller fouiller un tel volume de données.

— A part nous, visiblement.

— La tâche n'est pas aussi titanesque qu'il y paraît. Nous éliminerons les transmissions des corporations majeures... Même si l'une d'entre elles était impliquée, elle n'enverrait pas de message l'incriminant. Puis nous rejetterons les messages non codés et les messages contenant — disons — plus de cinquante mots. Le travail deviendra plus raisonnable.

— Moins de cinquante mots ? Pourquoi ? demanda Wedge.

— Plus le message est court, plus il est difficile à déchiffrer, expliqua Corran. C'est une des choses que j'ai apprises à la CorSec. Une question se pose cependant : pourquoi s'amuser à chercher un message que nous ne pourrons pas déchiffrer ?

— Pour découvrir sa destination, bien sûr, dit Moranda. (Elle vida son verre.) Les agents sont sans aucun doute d'une discrétion à toute épreuve, mais leurs contacts le sont peut-être moins. Une fois le système repéré, je n'aurai qu'à prévenir les hommes de Karrde.

— Ça paraît dingue, déclara Wedge. (Il regarda Corran.) Ton opinion ?

— Bof... Ce n'est pas *plus* dingue que de s'introduire illégalement dans le bâtiment des archives...

— Merci de me le rappeler, fit Wedge avec un soupir. Bon, tentons notre chance. J'espère que l'ordinateur de notre navette sera assez puissant pour ce travail.

Moranda se leva.

— Dans le cas contraire, nous utiliserons celui de mon vaisseau. Allez... C'est parti.

— Capitaine ?

Debout sur le pont du Destroyer Impérial *Tyrannic*, Nagol contemplait les ténèbres.

— Oui ?

Oissan, le chef des Renseignements, effectua un salut impeccable.

— Un message de la force au sol, Monsieur. Je crains que vous n'appréciiez guère les nouvelles.

Il tendit un databloc.

— Vous m'en direz tant, grommela Nagol.

Le *Tyrannic* étant aveugle, les messages des agents des Renseignements Impériaux présents à la surface de Bothawui étaient leur seul contact avec l'extérieur. Mais toute transmission secrète, même si elle semblait innocente et était envoyée par un relais, donnait à l'ennemi une chance de les repérer.

Alors, si le message contenait de mauvaises nouvelles...

Le message était bref, comme d'habitude.

Dix jours avant achèvement du point flash. Gardons le contact pour mettre à jour emploi du temps.

— Dix jours ? rugit Nagol en regardant Oissan. C'est quoi ce délire ? Il y a quarante-huit heures, le compte à rebours était à six jours !

Oissan secoua la tête.

— Je ne peux pas vous renseigner, Monsieur. Les messages se doivent d'être courts...

— Je sais, coupa Nagol. (Il regarda de nouveau le databloc.) Dix jours de plus dans le noir absolu. L'équipage va sauter de joie. J'espère que ces types informent la hiérarchie de Bastion mieux que nous...

— J'en suis certain, Capitaine, répondit l'officier. Paradoxalement, il est plus sûr d'envoyer une longue transmission sur une fréquence commerciale, via l'HoloNet...

— Je connais la théorie des communications, merci, dit Nagol d'un ton glacial.

Il dévisagea son subordonné. Un homme prudent se serait retiré rapidement après avoir été porteur de telles nouvelles. Soit Oissan n'était guère psychologue, soit il se sentait suffisamment énervé pour risquer une altercation avec son Capitaine.

A moins qu'il veuille tester son humeur. Nagol soupira. L'isolation et l'inaction commençaient également à lui peser.

Il s'obligea à garder son calme.

— Je crains que ce délai supplémentaire ne complique la tâche des stratèges de Bastion, expliqua-t-il. Comment peuvent-ils se permettre de perdre six jours sur un emploi du temps de deux mois ? J'aimerais qu'on m'explique !

Oissan haussa les épaules.

— Sans connaître la nature de leur mission, je ne peux pas avancer d'hypothèse. Ayons confiance en leur jugement. Et fions-nous au génie du Grand Amiral Thrawn, bien sûr.

— Bien sûr, murmura Nagol. J'espère que nos têtes brûlées, en bas, sur Bothawui, seront capables de patienter dix jours avant de tirer sur tout ce qui bouge. A propos... Où en sommes-nous du compte des vaisseaux ?

— Le dernier rapport est dans ce dossier, Monsieur. Mais je crois me rappeler que nous en sommes à cent douze.

— Cent douze ? répéta Nagol. (Il consulta le rapport.) Impossible !

Pourtant, le chiffre s'afficha sur sa console.

Cent douze.

— Trente et un nouveaux vaisseaux sont arrivés au cours des dix dernières heures, expliqua Oissan.

Nagol inspecta la liste. Les forces restaient équilibrées. Quatorze vaisseaux Diamalas et D'farians, donc pro-Bothans, contre dix-sept vaisseaux Ishoris...

— Incroyable, dit-il en secouant la tête. Ils n'ont donc que ça à faire ?

— D'après les rapports des droïds-sondes, c'est justement parce que la Nouvelle République a mieux à faire que nous n'avons pas vu arriver trois fois plus de vaisseaux. Ne vous inquiétez pas, Monsieur, ajouta l'officier avec un sourire. Les talents diplomatiques de la Nouvelle République sont remarquables. Les divers ambassadeurs calmeront les esprits jusqu'à ce que nous soyons prêts à agir.

— Je l'espère, dit doucement Nagol.

Il se retourna vers l'espace.

Après une si longue attente, il espérait faire un massacre.

Ou alors, il se mettrait en colère.

Très en colère.

Le carillon du *Paradis des Animaux Exotiques* sonna.

Navett sortit de l'arrière-boutique pour voir Klif fermer la porte derrière lui.

— Les affaires marchent, on dirait, commenta ce dernier après un coup d'œil dans la boutique vide.

Il longea une rangée de cages jusqu'au comptoir.

— Tout comme j'aime, répondit Navett en faisant signe à son visiteur de s'asseoir. Les messages sont partis ?

— Ouais, dit Klif. (Il inspecta la boutique avant de se laisser tomber sur un fauteuil.) Ils ne vont pas apprécier, là-haut.

Navett haussa les épaules.

— Ce contretemps est gênant pour nous aussi. Il va falloir repousser la date de livraison des mawkrens... Enfin, tant pis. Si les Bothans décident d'enfermer leurs techniciens pendant six jours, nous ne pouvons pas y faire grand-chose.

— Ouais, grogna Klif. Impossible de faire passer nos petites bombes à retardement avec la prochaine relève, j'imagine.

Navett sourit.

— Ne t'inquiète pas. Notre couverture est sûre, et laver la vaisselle plus longtemps ne fera pas de mal à Horvic et à Pensin. Nous pouvons patienter six jours.

Klif secoua la tête.

— Je n'en suis pas si sûr. Devine qui j'ai repéré au centre de transmission, quand je suis venu relever mes messages ?

Navett fronça les sourcils.

— Pas les deux militaires de la Nouvelle République quand même ?

— Et si ! En chair et en os ! Et ils n'étaient pas seuls. Une vieille dame les accompagnait. Elle semblait connaître parfaitement les lieux. Une marginale, sans aucun doute.

— C'est elle qui leur a rendu leurs portefeuilles, tu crois ?

— En tout cas, ils les avaient. Tu as raison ; ça paraît logique. (Klif soupira.) Des militaires de la Nouvelle République en compagnie d'une voleuse. Amusant.

— Ils étaient là pour une émission ou pour une réception ?

— Ni l'un ni l'autre. Ils ont sorti la liste des transmissions des cinq derniers jours.

— Intéressant, dit Navett. Ton analyse ?

— Ils nous cherchent, grogna Klif. Ou plutôt, ils cherchent quelqu'un. Et ils soupçonnent une arnaque liée au générateur de bouclier de Drev'starn. Sinon, ils ne s'attarderaient pas ici.

— Qu'est-ce que tu préconises ?

— On les tue, dit brusquement Klif. Ce soir.

Navett regarda la vitrine. Des centaines de piétons se hâtaient dans la rue sillonnée de véhicules.

Drev'starn était une ville où tout allait vite. La présence des vaisseaux de guerre n'avait fait qu'augmenter le stress ambiant.

— Non, dit-il doucement. Non, ils ne nous cherchent pas... Pas encore. Au mieux, ils soupçonnent que quelque chose se prépare, mais ils ne sont sûrs de rien. La meilleure solution est de garder profil bas.

Klif hésita, avant d'acquiescer.

— Je n'aime pas ça, mais c'est toi le chef. Ils cherchent sans doute un indice qui les mènera à Vengeance... Et nul ne pourrait se douter de la présence d'un groupe aussi dangereux dans une animalerie.

— Et s'ils se rapprochent, nous organiserons une nouvelle émeute. Si tu es prêt à faire ton numéro, bien sûr.

— Deux manifestations sur Bothawui... Ça risque de faire beaucoup, remarqua Klif en haussant les épaules. Mais pourquoi pas ? Je suis paré.

Un des animaux émit un cri aigu avant de retomber dans son sommeil. Sans doute une des mawkrens qui attendaient des petits. Il allait falloir commencer les injections, ou une multitude de lézards risquaient de voir le jour trop tôt.

— J'aimerais quand même savoir qui sont nos adversaires, ajouta Navett après un bref silence.

— Voilà qui n'est pas impossible, dit Klif en sortant un databloc. Je les ai suivis jusqu'à leur vaisseau. Un Sydon MRX-BR Pacifier de surplus.

Navett grimaça. Le Pacifier était jadis le vaisseau de reconnaissance préféré des Impériaux... Un bâtiment de grande classe, capable à la fois de découvrir de nouveaux mondes et de leur infliger une terrible correction si le besoin s'en faisait sentir. Considéré comme trop agressif par la Nouvelle République, le modèle n'était plus utilisé. Un rappel de plus, s'il en fallait, de la décadence de la galaxie depuis la bataille d'Endor.

— Tu as obtenu un nom ?

— Et un code d'enregistrement, répondit Klif en lui tendant le databloc. Hélas, c'est le vaisseau de la femme... mais nous pourrons sans doute les retrouver grâce à elle.

— Excellent, approuva Navett. Le *Rossignol*, hein ? Ça sonne bien, pour une voleuse. Il doit y avoir un comptoir du Bureau des Vaisseaux et des Services dans Drev'starn. Déniche-le et vois ce que tu peux découvrir.

Moranda était installée dans une alcôve, concentrée sur l'écran de l'ordinateur de son vaisseau.

— Ah, souffla-t-elle. Bien, bien, bien...

Dans le salon adjacent, Wedge détourna le regard de la fresque qui recouvrait la cloison. Une magnifique œuvre d'art. Comment Moranda était-elle entrée en sa possession ?

Mieux valait ne pas se poser la question.

— Vous avez trouvé quelque chose ? demanda-t-il.

— Peut-être, dit Corran, qui était debout derrière la vieille femme depuis maintenant deux heures. Trois messages, tous courts et codés, ont été expédiés ces cinq derniers jours. Le plus récent date de ce matin.

— Ce matin à quelle heure ? s'enquit Wedge en se levant pour les rejoindre.

— Dix minutes avant notre arrivée au centre, le renseigna Moranda en fixant son écran. Nous n'aurions pas dû flemmarder au bar. Dommage.

Wedge secoua la tête. « Dommage » n'était pas le mot qu'il aurait choisi. Avec les pouvoirs de Corran, ils auraient peut-être réussi à identifier l'expéditeur s'ils s'étaient trouvés là au bon moment...

Si.

— Quelle était la destination de la transmission ?

— Le secteur Eislomi, dit Moranda. Plus précisément, la station de relais HoloNet d'Eislomi III.

Wedge réprima un soupir.

— Une impasse.

— On dirait bien.

— Ils ont déjà envoyé trois messages, et ils vont peut-être en envoyer d'autres, dit Corran, d'un ton qui ne trahissait pas la déception qu'il devait certainement ressentir. Au pire, nous pouvons toujours nous mettre en planque devant le centre.

— Ce serait une perte de temps, rétorqua Moranda. Nos adversaires ne sont pas bêtes. Ils repéreront un observateur à soixante mètres, les yeux fermés.

— Ça dépend de la façon dont nous nous organisons, objecta Corran. Et de qui fait l'espion.

Moranda le toisa.

— Qui ? Pas vous, au moins ? cracha-t-elle. Vous seriez aussi discret qu'un Soldat de Choc à un méchoui Ewok.

— L'expression consacrée n'est-elle pas « comme un Wookie dans une réunion familiale de Noghris » ?

— Dans votre cas, les deux expressions sont valables.

— Oh, grogna Corran. Merci beaucoup.

Wedge s'interposa :

— Calmez-vous, tous les deux ! Corran est un très bon espion... Mais Moranda n'a pas tort. Nous n'avons ni le temps ni le personnel nécessaire pour surveiller tous les utilisateurs du centre, même si nous étions sûrs que nos mystérieux adversaires y reviennent.

La vieille dame haussa les épaules.

— Eh bien... Au moins, nous sommes maintenant sûrs que quelqu'un mijote quelque chose. C'est déjà pas mal.

— Mais pas suffisant, murmura Corran.

— Attendez ! dit Wedge. Il reste une piste que nous n'avons pas suivie. Le groupe Vengeance ne s'est pas développé ici... Les terroristes ont dû s'installer en ville, quelque part. Mais où ?

Moranda claqua des doigts.

— Une boutique ! Ce doit être une boutique !

— Elle a raison, approuva Corran, sa blessure d'orgueil oubliée. Un appartement ne conviendrait pas : de nombreuses personnes qui vont et viennent à des heures étranges attireraient l'attention. Dans une boutique, il est toujours possible de recevoir des livraisons, ou d'accueillir des équipes de nettoyage...

— Ceux que nous cherchons doivent être leurs propres patrons, sinon ils n'auraient pas la liberté de mouvement nécessaire, ajouta Moranda. La boutique doit donc avoir ouvert récemment... et être proche du générateur de bouclier.

Wedge hocha la tête.

— Vous lisez mes pensées. Et puisque nous ne pouvons pas aller fouiller tout de suite le bâtiment des archives...

— Eh bien, qu'attendons-nous ? demanda Corran.

Il avança à grands pas vers le sas d'accès.

— A Drev'starn, quelqu'un doit bien avoir la liste des nouveaux commerces. Trouvons-la.

19

— Non, dit le Capitaine Ardiff, fourchette en l'air. Je n'y crois pas.

— Et les rapports ? protesta le Colonel Bas. Nous sommes au bout du monde, coupés de tout, et nous en avons déjà reçu cinq ! S'il s'agit d'une intox, elle est aussi bien montée qu'un mulet de quatre ans... (Il jeta un coup d'œil embarrassé à l'Amiral Pellaeon, assis à ses côtés.) Pardonnez-moi l'expression, Monsieur.

— Je pardonne, Colonel, répondit Pellaeon avec un demi-sourire.

Le Colonel Bas avait gravi un à un les échelons. Entré dans l'Armée Impériale en qualité de pilote de chasseur TIE, il était aujourd'hui commandant en second du *Chimaera*. Malgré ses efforts pour imiter le langage châtié de ses pairs, il laissait fréquemment son naturel reprendre le dessus.

Un naturel que Pellaeon appréciait. Le langage de Bas trahissait un caractère direct et honnête. L'officier n'avait pas peur d'exprimer ses opinions. Contrairement à bas nombre de ses collègues, il ne dissimulait pas ses pensées derrière une façade de glaciale courtoisie.

Ardiff secoua la tête.

— Ce ne sont que des rumeurs, Colonel. Thrawn est mort. L'Amiral Pellaeon peut en témoigner. Permettez-moi d'ajouter que...

Baissant les yeux sur son assiette, Pellaeon cessa d'écouter. Depuis que le Lieutenant Mavron avait mentionné « l'apparition » de Thrawn dans le système de Kroctar, les conversations des officiers tournaient autour de ce sujet. Pellaeon était las d'entendre les mêmes arguments, les mêmes opinions, les mêmes spéculations. Chacun donnait son avis sans persuader quiconque et l'atmosphère du vaisseau devenait irrespirable.

Mais la longue attente allait bientôt s'achever. Le Général Bel Iblis avait eu un mois et demi pour se préparer et le *Chimaera* était à Pesitiin depuis deux semaines...

Le message était clair : Bel Iblis ne viendrait pas.

Pellaeon avait décidé de rentrer chez lui... au sein de l'Empire, à Bastion. Il voulait découvrir ce que mijotait le Moff Disra.

Oui, dès son repas terminé, il donnerait l'ordre du départ.

Si Bel Iblis n'arrivait pas dans l'heure qui suivait...

La voix du Major Tschel sortit des haut-parleurs de la pièce :

— Amiral Pellaeon, Capitaine Ardiff... Ici la passerelle. Répondez, s'il vous plaît.

— Ici le Capitaine Ardiff. L'Amiral est avec moi. Qu'y a-t-il ?

— Un vaisseau vient de pénétrer dans le système, Monsieur, déclara Tschel.

Ardiff regarda Pellaeon.

— Les pirates désirent un deuxième service ?

— Je ne pense pas, Monsieur, dit la voix de l'officier. Nous n'avons détecté qu'un vaisseau : un cargo léger YT-1300, avec un armement minimum. Ses occupants demandent la permission de monter à bord pour s'entretenir avec l'Amiral.

— Y a-t-il un nom accompagnant la transmission ?

— Oui, Monsieur, dit doucement Tschel. Celui de Leia Organa Solo, Haute Conseillère de la Nouvelle République.

Le *Faucon* avançait dans l'ombre du hangar du Destroyer, escorté par quatre chasseurs TIE.

— Eh bien, nous voilà dans le feu de l'action, souffla Elegos.

— Oui, soupira Leia. On dirait.

Le rayon tracteur du *Chimaera* attirait lentement le vaisseau.

— Cela vous trouble ? demanda le Caamasi. A quoi pensez-vous ?

Leia haussa les épaules.

— Je regrette de m'exposer au danger, bien sûr. Un être rationnel préfère toujours éviter les risques... Ce qui ne veut pas dire qu'il ne faut jamais en prendre. (Leia se tourna vers son compagnon, un étrange sourire aux lèvres.) Quant à la deuxième question... Eh bien, je pensais à C-3PO. S'il était là, il dirait : « Mon Dieu, nous allons tous mourir ! »

Elegos émit une sorte de gloussement.

— Très bien, dit-il. Je ne savais pas grand-chose de vous, Conseillère... Ce voyage fut court mais instructif. Quoi que l'avenir nous réserve, sachez que j'ai été honoré de passer ces quelques jours en votre compagnie.

Leia le regarda avec reconnaissance. Venant de quelqu'un d'autre, ces paroles auraient pu sonner de façon inquiétante. Mais Elegos les avait dites avec tant de chaleur qu'elle sentit une vague d'espoir et de détermination déferler en elle.

Quelque part au fond de son âme se trouvait une réserve secrète de courage, que la seule présence du Caamasi avait suffi à révéler.

Il n'était guère étonnant que le Sénateur Palpatine ait voulu éliminer un peuple aussi dangereux pour lui...

Au pied de la rampe du *Faucon*, une silhouette solitaire les attendait.

Un officier de taille moyenne... Les cheveux blancs, le visage marqué par l'âge, le corps gardait cependant la dignité un peu raide des soldats Impériaux. Leia trouva que son uniforme et ses galons d'Amiral lui seyaient à merveille.

— Conseillère Organa Solo, dit-il d'une voix grave. Je suis l'Amiral Pellaeon. Bienvenue à bord du *Chimaera*.

— Merci, Amiral, dit Leia en lui rendant son salut. Notre dernière rencontre remonte à bien longtemps...

Pellaeon fronça les sourcils.

— Vous avez meilleure mémoire que moi. J'ignorais que nous nous étions déjà vus...

— Nous n'avons pas été présentés à l'époque. Mon père vous tenait pour l'un des officiers les plus prometteurs de la Flotte. J'avais dix ans... Vous étiez venu assister à la Grande Réunion annuelle d'Alderaan, au Pavillon Royal.

— Je me souviens, dit Pellaeon avec calme. D'une certaine façon, je préférerais avoir oublié. (Son regard se porta sur Elegos, à la gauche de Leia.) Peut-être pourriez-vous me présenter aux membres de votre délégation ?

— Certainement. Voici Elegos A'kla, porte-parole des Survivants de Caamas.

— Porte-parole A'kla, ravi de faire votre connaissance, dit Pellaeon avec un sourire poli.

Elegos baissa la tête selon le rituel Caamasi.

— Amiral Pellaeon...

Leia désigna ensuite le Noghri.

— Sakhisakh, du clan Tlakh'sar.

L'Amiral ne se départit pas de son sourire, mais Leia crut lire dans ses yeux un léger agacement.

— Un Caamasi, un Noghri, et une représentante d'Alderaan, constata-t-il. Trois êtres qui ont les meilleures raisons de la galaxie de détester l'Empire.

Sakhisakh ouvrit la bouche, mais Elegos fut plus rapide :

— Nous n'avons aucune haine contre vous, Amiral, ni d'animosité envers les peuples Impériaux. Nos mondes ont été détruits par l'Empereur Palpatine. Aujourd'hui, il est mort. Inutile d'attiser les flammes d'une haine passée.

— Merci, Porte-parole, dit Pellaeon. Votre générosité et votre sagesse vous honorent. (Son regard passa sur Sakhisakh avant de se poser sur Ghent, debout à côté d'Elegos.) Et vous, Monsieur ? Qui représentez-vous ?

— Moi ? balbutia Ghent. Non... Je ne fais pas partie du groupe. Je veux dire... J'ai... hum... décodé le message de Vermel.

Sur le visage de Pellaeon, le sourire s'effaça pour de bon.

— Comment ça, « décodé » ? Le Colonel n'a pas présenté son message en personne ?

— Il n'a pas pu, répondit Leia. Votre émissaire était en orbite de Morishim quand sa corvette a été interceptée par un Destroyer.

Le regard de Pellaeon se fit glacial.

— Interceptée et détruite ?

— Non... Du moins pas à notre connaissance. Le Destroyer a attiré le vaisseau dans sa soute avant de disparaître.

— Je vois.

Pellaeon resta immobile un long moment, le visage dur, presque cruel.

Leia essaya d'analyser ses émotions, sans succès. Elle hésita. Devait-elle rompre le silence ou attendre que l'officier parle le premier ?

Elegos prit sa décision avant elle.

— Le Colonel Vermel était un de vos amis, je suppose...

Pellaeon le dévisagea.

— J'espère qu'il l'est encore. Sinon, quelqu'un paiera pour sa mort. Mais vous êtes venus parler de paix... pas de vengeance. Si vous voulez bien me suivre, j'ai fait préparer une salle de conférence.

Leia ne bougea pas.

— Je préférerais mener les discussions à bord de mon vaisseau, si ça ne vous ennuie pas. Mes gardes du corps insistent sur ce point.

De l'incertitude passa dans l'esprit de Pellaeon. Puis Leia la sentit s'effacer. Un sourire flotta sur les lèvres de l'officier Impérial.

— J'imagine que d'autres Noghris sont à bord, observa-t-il en regardant le *Faucon*. Ils doivent nous observer, armes dégainées.

Elegos secoua la tête.

— Vous ne courez aucun danger, Amiral, sauf si vous préparez quelque chose...

Pellaeon désigna la rampe.

— Dans ce cas, Conseillère, j'accepte votre invitation. Je vous en prie...

Une minute plus tard, Leia, Pellaeon et Elegos étaient installés autour de la table de jeu du *Faucon*. Un lieu étrange pour une occasion si solennelle... mais c'était le seul endroit du vaisseau où il était possible de s'asseoir confortablement.

Sakhisakh se posta devant la porte, à une place où il pouvait à la fois écouter les débats et surveiller la rampe d'accès. Ghent se dirigea vers la console technique pour s'occuper de l'ordinateur du *Faucon*.

— J'irai droit au fait, Conseillère, commença Pellaeon après un bref coup d'œil à Ghent et au Noghri. La guerre qui a commencé il y a une vingtaine d'années est terminée. L'Empire l'a perdue.

— Je suis d'accord, dit Leia. Les autres officiers Impériaux partagent-ils votre opinion ?

— Nos citoyens ont accepté la vérité depuis longtemps, soupira Pellaeon. Seuls certains membres du Haut Commandement espéraient encore retarder l'inévitable...

— Se sont-ils rendus à la raison ?

— Oui. A contrecœur... Mais oui. Les huit Moffs m'ont chargé de demander l'ouverture officielle de négociations de paix avec la Nouvelle République.

Leia sentit sa gorge se serrer. Elle avait entendu le message de Vermel, elle était montée à bord du *Tyrannic*, elle avait vu Pellaeon devant la rampe d'accès du *Faucon*...

Mais elle réalisait seulement maintenant ce que cela signifiait.

La paix. Avec l'Empire.

— Comme vous venez de le dire, l'Empire a perdu, remarqua Elegos. Que reste-t-il à négocier ?

Leia remercia mentalement Elegos pour ce rappel subtil de sa mission. Elle représentait la Nouvelle République ; pas question de laisser ses émotions lui faire oublier les réalités politiques.

— Le Porte-parole A'kla a raison, dit-elle. Ce que vous obtiendriez en signant la paix est évident. Qu'y gagnerions-nous ?

— Pensez-vous que les choses sont si simples ? interrogea Pellaeon. Les peuples de la Nouvelle République se déchirent, et la situation ne peut que s'aggraver. (Il désigna Elegos.) Plusieurs Moffs estiment que le problème Caamasi déclenchera une terrible guerre civile. Dans l'anarchie qui en résultera, les vestiges de l'Empire passeront facilement inaperçus... En ce cas, pourquoi subir l'humiliation d'un traité ?

Leia frissonna. L'analyse n'était que trop exacte.

— Si vous nous pensiez au bord de la catastrophe, vous ne seriez pas là, déclara-t-elle.

— Peut-être, répondit Pellaeon. Pour être sincère, je crois que les adversaires les plus virulents de l'Empire continueraient de nous combattre même en cas d'implosion de la Nouvelle République... (Il fixa Leia.) Une implosion que je peux vous aider à éviter.

— Et de quelle façon ? s'enquit son interlocutrice, sourcils froncés.

— Laissez-moi d'abord vous citer les conditions exigées par l'Empire. Nous voulons la confirmation de nos frontières actuelles, ainsi que des garanties de libre circulation permettant le commerce entre nos mondes et ceux de la Nouvelle République. Plus de harcèlement, plus d'escarmouches aux frontières, plus de propagande contre notre gouvernement...

— Et les populations non humaines qui vivent sous la domination Impériale ? demanda Sakhisakh. Devons-nous accepter leur esclavage ?

Pellaeon secoua la tête.

— L'Empire qui asservissait et exploitait les créatures pensantes est mort. La domination humaine prônée par Palpatine a depuis longtemps fait long feu. Pour survivre, les peuples coopèrent à l'intérieur de nos frontières.

— Tous vos sujets acceptent-ils avec joie cette nouvelle... « égalité » ? demanda Leia.

— Sans doute pas, concéda Pellaeon. Mais une fois le traité signé, tout système Impérial désireux de rejoindre la Nouvelle République sera libre de le faire. L'inverse devra être vrai.

Sakhisakh étouffa une injure Noghri.

— Quel peuple serait assez fou pour vous confier sa liberté ? remarqua-t-il avec mépris.

L'Amiral secoua la tête.

— Vous seriez surpris. La liberté est une valeur relative, et très subjective. D'ailleurs, comme je vous le disais, nous ne sommes plus l'Empire que vous avez connu...

Le Noghri grommela, mais garda le silence.

— Bien sûr, les mêmes lois joueraient en votre faveur, ajouta Pellaeon à l'intention de Leia. Pas d'attaques de forces Impériales sur les planètes de la Nouvelle République, pas de provocations, pas de mercenaires. (Il sourit.) Et bien sûr, si nous découvrions une autre « super-arme » dissimulée par Palpatine, nous collaborerions avec vous pour la détruire.

— Et la « super-arme » que vous utilisez en ce moment ? demanda Leia.

Pellaeon la dévisagea avec étonnement.

— Laquelle ?

— Celle qui a déjà failli nous battre. Le Grand Amiral Thrawn.

L'Amiral pinça les lèvres. Leia le sentit lutter contre une vague d'incertitude, puis de peur.

— Je ne peux pas vous répondre, Conseillère. Je n'ai aucune idée de ce qui se passe.

Leia jeta un regard à Elegos.

— Que voulez-vous dire ?

— Ça fait deux semaines que je suis en orbite autour de Pesitiin, à attendre le Général Bel Iblis. Nous sommes en manque de communications. Il n'y a que quelques jours que j'ai appris que Thrawn avait été... déclaré vivant.

Leia recourut à la Force et ne détecta aucune duplicité.

— « Déclaré vivant ». Une étrange expression, Amiral, dit Elegos. Vous ne croyez pas à sa réapparition ?

— Je ne sais que penser, Porte-parole, répondit Pellaeon. J'ai... j'avais toutes les raisons de considérer Thrawn comme mort. J'étais à ses côtés, sur la passerelle du *Chimaera*, quand il a paru s'éteindre.

— « Paru s'éteindre »... (Elegos se pencha vers l'officier Impérial.) Vous êtes très prudent. Est-il mort devant vos yeux, oui ou non ?

— Comment savoir ? soupira Pellaeon. Thrawn était un non-humain, avec une physiologie non humaine et... (L'officier secoua la tête.) A-t-il été *vu* par quelqu'un de la Nouvelle République ? Quelqu'un en qui vous avez confiance et dont vous respectez le jugement ?

— Mon ami Lando Calrissian a été « invité » à bord de l'*Implacable* en compagnie du Sénateur Diamala, dit Leia. Tous les deux ont déclaré qu'il s'agissait de Thrawn.

— L'*Implacable*, murmura Pellaeon, sourcils froncés. Le vaisseau de Dorja... Dorja connaissait Thrawn. Difficile de croire qu'il se soit laissé abuser, ou qu'il ait risqué la vie de son équipage sans une excellente raison.

Leia hésita, mais ne trouva pas de manière polie d'aborder la question.

— Il semble, Amiral, que ces négociations soient prématurées. Si Thrawn est vivant, vous ne resterez probablement pas Suprême Commandeur de l'Armée Impériale.

— S'il est vivant, Thrawn me relèvera sans aucun doute du Commandement Suprême en effet, constata Pellaeon d'un ton égal. Mais les débats d'aujourd'hui ne sont pas liés à ma position. Les militaires obéissent aux Moffs, qui m'ont autorisé à négocier ce traité.

— Je comprends... Pourtant, dans le cas d'un retour de Thrawn, cette autorité ne serait-elle pas aussi remise en question ?

— Peut-être, reconnut Pellaeon. Mais jusqu'à ce que je sois informé d'une telle décision, mon autorité demeure incontestable.

— Je vois, murmura Leia.

Elle regarda le vieil Amiral avec une estime nouvelle.

Pellaeon avait appris le retour de Thrawn une semaine auparavant. Au lieu d'essayer d'en savoir plus, il était resté sur place.

Pourquoi ?

La réponse était simple. Pour s'assurer qu'il aurait toujours l'autorité de négocier à l'arrivée d'Iblis. Pour lancer un processus de paix que ni les Moffs ni Thrawn ne pourraient facilement enrayer.

Ce n'était pas un jeu.

L'Amiral Pellaeon — le Suprême Commandeur des Forces Impériales — voulait réellement ce traité.

— Thrawn a-t-il parlé à Calrissian ou au Sénateur? demanda Pellaeon. On les a autorisés à partir, j'imagine. Il n'est pas facile de s'échapper d'un Destroyer Impérial.

— D'une certaine façon, le discours de Thrawn était proche du vôtre, expliqua Leia. Il nous a avertis que la Nouvelle République courait à sa perte et il nous a offert son aide.

— Avez-vous pris son offre en considération ?

— Hélas, sa méthode a été jugée inacceptable par le Sénat, répondit Leia. Il voulait parler en privé avec les dirigeants Bothans pour déterminer qui avait saboté les boucliers Caamasi.

— Intéressant, remarqua Pellaeon. (Il se frotta le menton.) Je me demande comment il aurait accompli ce prodige. A moins que les chefs de clans ne connaissent la vérité.

— Ils jurent ne rien savoir, dit Leia. Avec les nuages qui s'amoncellent au-dessus de leurs têtes, je pense qu'ils nous donneraient l'information s'ils l'avaient.

— Vous avez déclaré avoir un moyen d'empêcher la guerre civile, rappela Elegos à l'Amiral. Pouvez-vous approfondir la question ?

— Une version complète du Document de Caamas permettrait de résoudre la plupart de vos problèmes, expliqua Pellaeon. En échange de la signature du traité, l'Empire est prêt à vous céder une copie de ce document.

Leia jeta un œil à Sakhisakh. Yan et Lando devaient être en ce moment même sur Bastion, en train de mener des recherches.

— Vous nous le donneriez... comme ça ? demanda-t-elle à Pellaeon. Tout simplement ?

— Je vous le donnerai, confirma l'Amiral. Du moins dès que je l'aurai en ma possession. En effet, si ce document existe, il doit être dans la section Dossiers Spéciaux des archives Impériales — une section protégée et codée. Je n'ai aucun moyen d'y accéder et je ne connais personne capable de le faire. Si vous voulez le récupérer à temps, la Nouvelle République devra nous prêter un expert du chiffre.

Quelqu'un hoqueta du côté de la console technique. Leia jeta un coup d'œil rapide à Ghent.

— Où cet expert devrait-il se rendre ? demanda-t-elle. Sur Bastion ?

— Non, sur la base de l'Ubiqtorate de Yaga Mineure. Le commandant est un ami personnel : je connais une station d'accès informatique isolée que nous pourrions utiliser. Bastion est beaucoup trop dangereuse.

Leia le regarda. Son cœur battait plus vite.

— « Trop dangereuse » ? Que voulez-vous dire ?

— Bastion est la place forte du Moff Disra, un des représentants les plus belliqueux de l'Empire, expliqua l'Amiral. Disra livre une guerre privée... Il a utilisé des fonds illégaux pour engager des gangs de pirates.

— Nous sommes au courant de leurs activités, déclara Leia. (Yan et Lando sur Bastion, quelle idée effroyable...) Je suppose que le Moff Disra n'apprécierait pas la visite impromptue de représentants de la Nouvelle République...

Pellaeon eut un rire amer.

— Des représentants venus fouiller dans les dossiers Impériaux ? Non, Conseillère, il n'apprécierait pas, comme vous dites. Disra ne mettrait pas longtemps à repérer votre expert, et un incident fâcheux lui arriverait. Mais votre agent sera en sécurité sur Yaga Mineure.

— Je suis heureuse de l'apprendre, dit Leia.

Elle regarda Sakhisakh.

La douleur et la peur se lisaient sur le visage du Noghri. Leia savait ce qu'il imaginait. Yan sur Bastion, au cœur de la forteresse d'un Moff haineux...

— Vous serait-il possible de nous fournir un tel expert ? demanda Pellaeon.

— Je ne sais pas, répondit Leia avec un effort suprême pour repousser ses peurs. Je... ne crois pas.

Pellaeon la regarda, surpris.

— Vous ne *croyez* pas ?

— Non. (Leia jeta un coup d'œil vers la console technique. Ghent s'était retourné pour suivre la conversation.) Peut-être plus tard, quand nous aurons un accord officiel. Mais pas maintenant...

— A ce moment-là, il sera trop tard, protesta Pellaeon. Nos vaisseaux éclaireurs ne captent que peu de rapports, mais je n'ignore pas que la situation de la Nouvelle République s'aggrave d'heure en heure. Même avec l'aide d'un expert, exhumer le document prendra un certain temps. Et ce n'est pas tout. Il est possible qu'un des agents du Moff Disra ait déjà accédé aux Dossiers Spéciaux. Nous ignorons ce qu'il était venu chercher... Peut-être le Document de Caamas ! S'il revient et qu'il l'efface, nous ne connaîtrons jamais la vérité. Seule une action immédiate peut...

— D'accord, coupa Ghent. D'accord. Je suis partant.

Leia cligna des yeux. Une fois encore, Ghent la surprenait.

— Tu n'es pas sérieux, dit-elle. Ça peut être dangereux.

Pellaeon secoua la tête.

— Le danger est minime, répéta-t-il.

— Le danger n'a aucune importance, confirma Ghent d'une voix tremblante. Pendant le voyage, Elegos m'a raconté ce qui est arrivé à son monde. Tous ces êtres exterminés... Même les animaux... J'ai méprisé les Bothans qui ont permis que cette horreur se produise. (Il se tourna vers Elegos.) Mais lui... Il m'a dit que la haine était une erreur, qu'elle blessait plus celui qui l'avait au cœur que celui qui en était la cible.

« Il peut exister une justice sans haine, une punition sans vengeance. Nous sommes responsables de nos actes et de nos faiblesses. Nul ne doit payer pour un crime commis par un autre.

Autour de la table, tous l'écoutaient en silence. Ghent plongea son regard dans celui de Leia.

— Je suis un expert, Conseillère Organa Solo. Un des meilleurs. Et comme vous, comme Elegos, je dois prendre mes responsabilités. Si je peux vous aider et que je ne le fais pas, je serai aussi coupable que ces criminels. (Il agita la main.) Les discours ne sont pas mon fort. Vous comprenez ce que j'essaye d'exprimer ?

— Parfaitement, le rassura Leia. Et j'apprécie beaucoup ton offre. Mais ai-je le droit de te faire courir ces risques ?

— La réponse est facile à trouver, Conseillère, dit Elegos. Vous êtes un Jedi. Est-ce la bonne voie ? Le Chef du Chiffre Ghent doit-il partir sur Yaga Mineure ?

Leia soupira. Une fois de plus, le Caamasi frappait droit au cœur. En quelques mots, il lui rappelait où se trouvait la source de ses intuitions.

Mais cette fois, la Force ne jouait pas son rôle, ou Leia ne savait pas l'analyser. Elle avait beau se concentrer, elle ne voyait que sa peur pour Yan.

266

Ces terreurs n'étaient pas nouvelles ; jusque-là, elle avait toujours réussi à les étouffer. Mais pas aujourd'hui. Les émotions tournoyaient dans son esprit. La culpabilité d'avoir autorisé, voire encouragé Yan à se rendre sur un monde hostile. Le ressentiment, la colère contre la Nouvelle République...

Toutes ces années de sacrifice, et ce n'était pas terminé. Quand il s'agissait de tout mettre en péril pour les autres, à qui faisait-on appel ? A Yan et à elle, toujours...

Les larmes montèrent aux yeux de Leia. Elle réussit in extremis à les refouler. La nausée l'envahit... Un tourbillon noir dévorait son esprit.

Le calme des Jedi lui échappait. Elle était incapable de lire l'avenir de Ghent.

— Je ne sais pas, admit-elle enfin. Je ne vois rien.

— Cela signifie-t-il que vous ne pouvez garantir sa sécurité ? demanda Pellaeon.

— La sécurité d'un individu n'est jamais garantie, Amiral, même par un Jedi, remarqua Elegos avec un sourire mélancolique. La plupart d'entre nous traversent la vie sans aucune assurance de suivre la bonne voie. Si ce n'est celle de leur intuition...

— Elegos tient ce genre de discours depuis que nous avons quitté Coruscant, soupira Ghent. Je suppose qu'il a fini par me convaincre. (Il se leva.) C'est la bonne voie. Et je suis prêt. Quand partons-nous ?

— Tout de suite, dit Pellaeon. Je vais vous rédiger une lettre d'introduction pour le Général Hestiv. Un de mes meilleurs pilotes vous conduira sur Yaga Mineure. (Après un coup d'œil à la tenue de Ghent, il ajouta :) Nous pourrons aussi vous fournir un uniforme Impérial. Disra a peut-être des informateurs sur Yaga Mineure ; inutile d'attirer l'attention en introduisant un civil dans une base militaire.

— Pourquoi ne l'accompagnez-vous pas avec le *Chimaera* ? demanda Leia.

Pellaeon secoua la tête.

— Notre réunion terminée, je rentrerai à Bastion. Le Moff Disra me doit quelques réponses...

— Je vois.

— Avec votre permission, je vais préparer le transit du Chef du Chiffre, dit Pellaeon. Ou plutôt du Lieutenant Ghent, des forces Impériales, se corrigea-t-il avec un sourire. Suivez-moi, Lieutenant.

L'Amiral se dirigea vers le sas du *Faucon*.

— D'accord, dit Ghent. Au revoir, Elegos. A bientôt, Conseillère.

— Le sagesse et le courage vous accompagnent, dit gravement Elegos.

— Que la Force soit avec toi, ajouta Leia. Et merci.

Quand Pellaeon sortit du turbo lift, le Capitaine Ardiff l'attendait.

— Le *Faucon Millenium* est hors du périmètre de surveillance et il est passé en hyperdrive, annonça-t-il.

— Bien, dit Pellaeon, en regardant l'espace.

Au loin, la lumière dansait sur les panneaux solaires des chasseurs TIE qui revenaient vers le *Chimaera*.

— Et le Lieutenant Mavron ?

— Son passager et lui sont partis il y a une demi-heure, dit Ardiff avant de lever un sourcil. Puis-je vous demander... ?

— ... comment se sont déroulées les négociations ? (Pellaeon haussa les épaules.) Comme toutes les prises de contact. Organa Solo n'impliquera pas la Nouvelle République sur ma seule parole, et je ne peux accepter la sienne comme garantie des actions futures de Coruscant. Bref, de nombreuses et interminables réunions en perspective...

— Mais elle est prête à discuter.

— Oui, dit Pellaeon. Sur presque tous les points.

— « Presque » ? répéta Ardiff.

— Elle me cachait quelque chose, répondit l'Amiral. Quelque chose d'important, j'en suis sûr. Mais quoi ? (Il secoua la tête.) Je l'ignore.

— Des informations confidentielles liées aux Bothans, peut-être, suggéra Ardiff. Ou un problème plus personnel ? Elle s'est déjà trouvée en position de faiblesse sur Coruscant. Peut-être perd-elle de son influence ?

— J'espère bien que non, dit Pellaeon. Des dissensions entre elle et la hiérarchie de Coruscant compliqueraient encore le processus. Les Sénateurs pourraient rejeter nos propositions pour la simple raison qu'Organa Solo est impliquée dans le traité...

Ardiff sourit.

— A moins qu'ils les soutiennent pour les mêmes raisons... (Il secoua la tête.) Si l'affaire de Caamas prend de nouvelles proportions, les conséquences politiques peuvent influencer sur le vote du traité...

— Oui. C'est une de mes inquiétudes, dit Pellaeon. La paix sera rejetée par certains Sénateurs simplement parce que leurs adversaires la soutiennent. (Il avança sur la passerelle de commandement.) Mais nous avons seulement les cartes que nous a distribuées l'univers. Si Organa Solo refuse de nous montrer les siennes, tant pis. Il faut jouer la partie quand même. Et nous avons d'autres problèmes à régler. Cap sur Bastion, Capitaine. Il est temps que j'aie une petite discussion avec le Moff Disra.

Devant le *Faucon*, les étoiles se transformèrent en lignes blanches étincelantes. Leia s'affaissa sur son fauteuil.

— Pensez-vous qu'il était sincère ? demanda-t-elle à Elegos.

Le Caamasi la regarda, amusé.

— L'Amiral Pellaeon l'était... Mais vous le savez mieux que moi. La question que vous voulez poser, j'imagine, est : « Ces négociations aboutiront-elles ? »

Leia secoua la tête.

— Vous avez raison, je n'ai senti aucune duplicité chez Pellaeon. Mais avec le retour de Thrawn... (Elle soupira.) Thrawn. On ne pouvait jamais prévoir ses intentions, vous savez. Il réussissait à vous manipuler même quand vous connaissiez ses objectifs... Il utilise peut-être l'initiative de paix de Pellaeon pour atteindre une tout autre fin.

— Est-ce pour cela que vous avez caché à l'Amiral la présence du Capitaine Solo sur Bastion ? demanda Elegos.

Leia sursauta.

— Comment le savez-vous ? Je ne vous ai pas dit que Yan était parti là-bas.

— Je sais lire les indices, répondit Elegos en souriant. Et comprendre les Noghris. Il ne m'a pas été très difficile de reconstituer le puzzle. (Ses yeux bleu-vert plongèrent dans ceux de Leia.) Pourquoi n'avez-vous pas prévenu Pellaeon ?

Le regard de Leia se posa sur la console technique du *Faucon*.

— Les Impériaux encouragent certaines des violences actuelles, dit-elle, la gorge serrée. Les émeutes sur Bothawui, par exemple... Mon garde Noghri a découvert des éléments qui laissent à penser que les tirs venaient d'un modèle d'arme Impériale très rare utilisé par les tireurs d'élite.

— Intéressant, murmura le Caamasi. Vous n'en avez pas non plus parlé à Pellaeon.

— Nous n'avons pas de preuve. Et même si... Thrawn est une ombre, Elegos ! Impossible de le combattre. Il n'est jamais là où on croit le trouver ; il n'agit jamais comme on pense qu'il le fera. Chacun de ses actes est une manipulation.

— Mais l'incertitude ne doit pas vous paralyser, sinon la technique de Thrawn lui permettra de gagner par défaut. Un jour à l'autre, il faut agir... décider qui croire, et à qui faire confiance.

Leia réprima les larmes qui lui montaient aux yeux.

— Je ne peux pas me fier à Pellaeon, dit-elle, la voix rauque. Pas encore. Si Thrawn dirige cette opération, Yan serait pour lui un otage idéal. Je ne peux pas courir le risque que Pellaeon parle.

— Mais vous lui avez laissé Ghent, murmura Elegos.

Leia se tendit.

— Ghent était volontaire, rétorqua-t-elle, consciente que le terrain était glissant. De plus, il n'est d'aucune utilité pour Thrawn.

— Ce n'est pas vrai, Conseillère, protesta le Caamasi. Ghent connaît toutes les techniques de chiffrage de la Nouvelle République. Si la guerre éclate, ses connaissances seront vitales pour l'Empire.

— Nous en avons déjà discuté, coupa Leia. (Dans son cœur, la culpabilité se mêlait à la colère. Qui était Elegos pour lui rappeler son devoir ?) A un certain niveau, impossible d'éviter les risques.

— Je suis d'accord, acquiesça Elegos. Et je ne prétends pas que vos décisions soient mauvaises...

La colère de Leia se transforma en incertitude.

— Que pensez-vous, dans ce cas ?

— Avez-vous utilisé votre pouvoir et votre autorité pour protéger votre mari tout en acceptant de risquer la vie de Ghent ? Vous êtes inquiète, Conseillère. Vous vous demandez si vous avez trahi la confiance qui vous a été accordée... N'est-ce pas ?

Une voix dure s'éleva derrière eux.

— Elle n'a pas à vous répondre, Porte-parole A'kla.

Leia tourna la tête. Debout dans l'encadrement de la porte, Sakhisakh les observait.

— Un problème ? demanda-t-elle.

— Aucun, assura le Noghri. Je suis venu vous avertir que personne ne nous suivait. Barkhimkh a coupé les systèmes d'armement. (Il foudroya Elegos du regard.) Elle a choisi de protéger un membre de son clan. Et alors ? Ça ne vous regarde pas.

— Exact, dit Elegos. Comme je l'ai déjà précisé, je ne suis pas là pour juger.

— Pourquoi la harceler, dans ce cas ? demanda Sakhisakh.

— Elle n'est pas convaincue d'avoir eu raison, répondit Elegos. Il faut qu'elle réfléchisse et qu'elle parvienne à une conclusion. Soit elle valide ses décisions et elle continue, soit elle reconnaît ses erreurs...

— Pourquoi devrait-elle le faire ? demanda Sakhisakh.

Le Caamasi sourit tristement.

— Parce qu'elle est une Haute Conseillère, une diplomate et une Jedi. Leia Organa Solo doit être en paix avec elle-même pour atteindre la sagesse dont nous aurons tous besoin dans les prochains jours.

Un long moment, personne ne parla.

Leia contemplait les lumières qui dansaient dans le ciel. La morsure acide de la honte se mêlait aux émotions qui s'agitaient en elle.

Une fois de plus, Elegos avait raison.

Elle détacha son harnais et se leva.

— Vous auriez dû être un Jedi, Elegos, dit-elle.

— Je n'ai pas la capacité de contrôler la Force, fit Elegos, une étrange mélancolie dans la voix. Mais vous n'êtes pas si loin de la vérité. Une légende court dans mon peuple. Elle dit que le premier Chevalier Jedi est venu sur Caamas pour apprendre comment utiliser son pouvoir en accord avec la morale.

— Je ne doute pas de la véracité de cette *légende*, dit Leia en désignant son fauteuil. Sakhisakh, prenez les commandes... Je vais dans la soute. J'ai besoin de réfléchir et de méditer.

20

Derrière le comptoir de la réception, l'antique droïd de service SE2 s'inclina.

— Bienvenue, citoyen-érudit de l'Ordre M'challa de l'Empire, dit-il. Comment la Bibliothèque Impériale et moi-même pouvons-nous vous aider ce matin ?

— Refile-nous une console, soupira Yan.

La journée s'annonçait chaude et lourde. Dans la robe traditionnelle des étudiants M'Challa, Yan se sentait mal à l'aise. Ses compagnons et lui avaient adopté ce costume à leur arrivée sur Bastion.

La situation était déjà suffisamment ridicule pour qu'il n'ait aucune envie d'échanger des civilités avec un droïd SE2.

— Nous gérerons nos recherches de données nous-mêmes, merci.

— Certainement, dit le droïd.

Il dévisagea Yan, Lando et Lobot.

Son regard s'attarda sur ce dernier, comme s'il se demandait pourquoi il portait son capuchon serré par une si belle journée.

— Vous êtes déjà venus ici, citoyens, continua le droïd. Ces trois derniers jours, si ma mémoire ne se dégrade pas.

— Nos études sont longues, dit Lando. Nous y consacrons beaucoup de temps.

— Voulez-vous de l'aide ? Le prix de location de nos interfaces et de nos droïds de recherche est très attractif.

— Merci, nous nous débrouillerons seuls, s'énerva Yan, se retenant de secouer le droïd jusqu'à ce qu'il se désagrège devant lui.) Allez-vous nous donner une console, oui ou non ?

— Certainement, citoyen-érudit. Console 47A. Passez les doubles portes sur votre gauche et...

— Nous connaissons le chemin, coupa Yan.

Il tourna le dos au SE2 et partit à grands pas.

— Et... merci beaucoup, ajouta Lando avant de le suivre.

Il rattrapa Yan au moment où celui-ci passait les doubles portes.

— Tu pourrais essayer d'attirer encore plus l'attention, grogna Lando tandis que son ami se frayait un chemin dans le labyrinthe de stations de travail. Fracasse donc la tête du droïd sur le comptoir. Avec un peu de chance, ça devrait marcher.

Yan haussa les épaules.

— De nombreux Impériaux n'aiment pas les droïds. Même chez les érudits. On bosse, maintenant, tu veux bien ?

Lando ne répondit rien et Yan se sentit vaguement coupable. Il avait tort de se défouler ainsi sur son ami. Lando lui rendait un fier service en l'accompagnant.

Mais son humeur était morose. Trois jours ! Ça faisait trois jours qu'ils étaient à Bastion, supportant des Impériaux mielleux, des escrocs propriétaires de bar et des crétins de droïds SE2. Normal que ses nerfs commencent à lâcher.

Surtout avec leur efficacité ! Tout ce travail, et ils n'avaient pas avancé d'un pouce. La section des Dossiers Spéciaux restait toujours inaccessible.

Arrivé devant la console 47A, Yan tira trois sièges.

— On recommence, souffla Lando. (Il activa le champ de confidentialité et regarda Lobot s'asseoir devant le clavier.) Tu as un bon contact avec Moegid ?

Pour seule réponse, Lobot posa les mains sur le clavier.

Après un moment de réflexion, il commença à taper sur les touches.

Yan s'assit derrière Lando et ravala ses sarcasmes.

Cette fois, ils auraient peut-être de la chance.

Ça faisait une heure que le vaisseau était silencieux. Assise dans les ténèbres, Karoly dut admettre la vérité : une fois de plus, elle s'était trompée.

Agaçant. Exaspérant, même.

Avoir fait tout ce chemin et passé toutes ces journées enfermée dans la cache de contrebande du yacht de Calrissian pour ne pas trouver Karrde et Shada au bout du voyage...

C'était à devenir folle.

Après une longue inspiration, Karoly tenta de se calmer. Karrde et Shada avaient peut-être été retardés. Ils étaient sans doute en chemin.

Il lui fallait se montrer patiente.

En attendant, inutile de rester là à s'apitoyer sur son sort.

Karoly actionna le verrou qui ouvrait le panneau d'accès de la cache et le fit glisser sur le côté. Elle resta immobile un moment, accroupie, à l'écoute. Enfin, elle sortit dans la coursive et respira à fond pour chasser l'air rance de ses poumons.

Personne. Ce n'était pas surprenant. Solo, Calrissian et le cyborg qu'ils appelaient Lobot étaient partis ce matin, laissant le Verpine délégué à son poste habituel, dans la salle de contrôle de poupe. Ils agissaient ainsi depuis leur arrivée, et rien dans les bribes de conversations qu'elle avait captées n'indiquait un éventuel changement. Devait-elle se glisser à l'arrière du vaisseau pour voir ce que faisait le Verpine ? Non, inutile. Les deux dernière fois, elle n'avait rien repéré d'intéressant, et elle n'avait pas de temps à perdre.

Ou plutôt : il fallait qu'elle fasse quelque chose.

Mais quoi ?

Karoly n'avait pas trente-six solutions. Les trois dernières fois, elle avait suivi Solo et ses compagnons à la Bibliothèque Impériale. Après les avoir espionnés pendant deux jours, elle s'était fatiguée de les voir taper sur des touches. Pour se distraire, elle avait fait le tour du quartier.

Revenue à bord la nuit précédente, elle avait voulu vérifier si Shada ne profitait pas de l'absence de Solo pour rencontrer le Verpine. Mais sa théorie était fausse... et Karoly était à court d'idées.

Peut-être Shada ne viendrait-elle pas...

Une pensée décourageante. Karoly avait-elle mal interprété la conversation entre Solo et Calrissian ? Avait-elle fait pour rien cet interminable voyage ?

D'ailleurs, où était-elle ? A l'intérieur de l'Empire, Karoly l'avait compris en voyant les indigènes, bien avant l'apparition du premier uniforme. Mais quant à savoir sur quelle planète, elle l'ignorait.

Le nom de l'endroit n'avait d'ailleurs pas grande importance, sauf si Solo et Calrissian disparaissaient en la laissant en plan. Karoly aurait alors quelques difficultés à rentrer. Mais un départ précipité paraissait improbable : de leur conversation de ce matin, la jeune femme avait déduit que ses hôtes étaient loin d'avoir atteint leur objectif.

Et pourtant, Karrde avait été mentionné par Solo. Peut-être se montrait-il discret.

Karoly décida d'effectuer une nouvelle reconnaissance, puis d'espionner Solo et ses compagnons pendant leur pause, en début d'après-midi.

Cette fois, peut-être diraient-ils quelques mots dignes d'intérêt.

Elle traversa le couloir, les sens en éveil, avant de se diriger vers le sas.

— Un nouveau rapport, Votre Excellence, annonça Tierce. (Il posa deux datacartes sur le bureau de Disra.) Une copie du traité signé entre les systèmes Ruuriens et l'Empire.

— « Les systèmes » ? répéta Disra, sourcils froncés. Je pensais que le traité n'en impliquait qu'un.

— Au début, oui, Votre Excellence. Mais notre démonstration de force contre les Maraudeurs Diamalas a convaincu trois nouvelles colonies de nous rejoindre. Leurs habitants préfèrent se trouver du côté du vainqueur.

— Les colonies Ruuriennes sont nées de la coopération d'une demi-douzaine d'espèces. Les copropriétaires de ces mondes ont-ils tous accepté de signer ?

— Apparemment, dit Tierce. Les traités mentionnent l'intégralité des systèmes coloniaux, sans préciser de régions ou de districts. (Il sourit.) Les Ruuriens savent se montrer très persuasifs.

— Ils ne sont pas les seuls, dit Disra. (Il se tourna vers Flim, affalé sur un fauteuil.) Félicitations, Amiral. Depuis notre retour à Bastion, vous avez gagné trois systèmes supplémentaires sans lever le petit doigt.

Flim garda le silence. Disra le dévisagea avec mépris. L'escroc continuait de bouder.

— Ne vous inquiétez pas, dit Tierce, amusé. Il s'en remettra.

— Ou « il » se retrouvera empalé sur une pique dans les Régions Inconnues, grogna Flim, les yeux tournés vers la fenêtre. En votre compagnie.

Disra regarda Tierce.

— Quel est son problème ?

— Rien de sérieux, dit Tierce d'une voix glaciale. La présence du vaisseau inconnu l'inquiète, c'est tout.

Disra sourit.

— Ah. Le mystérieux vaisseau dont le passage a été repéré et enregistré. Alors ? Qu'en est-il ?

275

— Les techniciens auront bientôt terminé leurs analyses, le rassura Tierce. Ça pourrait être le bon, Votre Excellence.

Disra sentit un frisson courir le long de son échine.

— La Main de Thrawn, dans ce vaisseau ? Vous le pensez ?

— Vous avez vu sa conception, Votre Excellence. Moitié chasseur TIE, moitié... autre chose. Oui... Il appartient à la Main, ou à son agent, ou à un homme du Capitaine Parck. Conclusion : nous avons débusqué notre cible et réussi à l'attirer à découvert.

Flim grogna.

— Comme si on pouvait « débusquer » une Etoile Noire, murmura-t-il.

Les réserves de patience de Tierce s'épuisaient.

— N'en remettez pas dans le tragique, Amiral ! Nous les empêcherons d'approcher assez près pour comprendre que vous êtes un imitateur.

— Vraiment ? Et s'ils veulent me dire bonjour ? objecta Flim. Qu'allez-vous leur répondre ? Que j'ai une laryngite ? Que mon médecin m'a arrêté une semaine ?

Le voyant des communications clignota.

— Arrêtez, tous les deux ! coupa le Moff. Voilà les nouvelles. (Il accepta la communication.) Moff Disra...

Un homme entre deux âges apparut, les yeux glauques après des années à fixer un écran d'ordinateur.

— Colonel Uday, Votre Excellence : analyse des Renseignements Impériaux. J'ai le compte rendu final de l'enregistrement que vous m'avez envoyé.

— Excellent, dit Disra. Transmettez-le.

— Oui, Monsieur, répondit Uday en tapant sur des touches, hors champ. Nous n'avons pas obtenu grand-chose sur le vaisseau lui-même... Tout ce que nous avons est dans le rapport.

Un nouveau voyant clignota sur le bureau de Disra pour confirmer le transfert du fichier.

— Merci, dit le Moff en dissimulant son impatience. (Plus tôt la communication serait terminée, plus vite ils pourraient lire le fichier.) Vous avez fait vite. Je vous félicite.

— Deux détails encore, si je peux me permettre, Votre Excellence...

— Je suis sûr que tout est dans le rapport, dit Disra, qui s'apprêtait à éteindre la console. Merci...

Uday l'ignora :

— La note qui accompagne l'enregistrement affirme que celui-ci a été réalisé à bord d'un chasseur TIE, au large de Pakrik Mineure. C'est faux.

La main de Disra s'immobilisa.

— Expliquez-vous.

— Cet enregistrement est la compilation de deux documents. L'un vient du système de Kauron, l'autre du système de Nosken, ou de Drompani. Aucun n'a été réalisé à partir d'un TIE.

Disra fixa Tierce. Le Garde Royal regardait l'écran, pétrifié.

— Comment le savez-vous ? demanda Disra.

— Les images n'ont pas été prises par des chasseurs TIE ! Le profil des senseurs est faux. Les premiers devaient appartenir à une Aile-X ou A, les seconds à un bâtiment de combat bien équipé. Le vaisseau inconnu n'a rien à voir avec la Nouvelle République : la signature ne correspond pas. Quant à la provenance de l'enregistrement, il suffisait de regarder les matrices stellaires. L'enfance de l'art.

Disra prit une inspiration prudente.

— Merci, Colonel. Vous nous avez été très utile. Vous aurez une citation pour ce travail.

Uday s'inclina.

— Merci, Votre Excellence.

Disra écrasa un bouton ; le visage de l'officier disparut.

— Eh bien, dit le Moff à Tierce. Il semble qu'on nous ait menti.

— En effet. (La voix de Tierce vibrait de haine.) Je pense, Votre Excellence, que nous avons été trahis.

— Ce putain de clone ! jura Disra. Nous n'aurions pas dû nous y fier. Thrawn n'aurait jamais dû lancer ce foutu projet !

— Calmez-vous, dit Tierce. Thrawn savait ce qu'il faisait. Et n'oubliez pas que de nombreux clones sont morts pour l'Empire.

— Ce sont quand même des abominations, grogna le Moff.

Il avait parlé à des clones, il en avait mené au combat, et il en avait même vendu aux Pirates Cavrilhu en échange des Oiseaux de Proie de Zothip. Mais le seul fait d'y penser lui donnait la nausée.

— Impossible de leur faire confiance, répéta-t-il.

Flim haussa les épaules.

— Pourrait-on oublier Carib Devist et l'infamie des clones un instant ? Pourquoi nous a-t-on envoyé un faux enregistrement ? C'est ça qu'il faut savoir.

— Il a raison, dit Tierce. Disra, comment l'enregistrement nous est-il parvenu ?

— A bord d'une sonde venue de la station de contact de l'Ubiqtorate sur Parshoone, répondit le Moff. Elle a été transmise par l'agent en charge...

— Et envoyée directement ici ? coupa Tierce. Pas de détours, de changements de trajectoire ?

— Non, répondit Disra. (Il serra le poing. La solution était évidente.) Ils cherchaient l'emplacement de Bastion.

Tierce prit son comlink.

— Et ils l'ont trouvé ! Major Tierce à la Sécurité de la Capitale. Alerte générale. Possibilité d'espions dans la ville ; localisez-les et mettez-les sous surveillance. Ne pas les intercepter ! La confirmation du Moff Disra suit. (Il coupa la communication.) Vous devez confirmer, Votre Excellence.

— Je sais, répondit Disra. Veuillez m'excuser si je vous parais idiot, mais pourquoi ne pas les arrêter ?

— Je ne crois pas qu'il s'agisse de saboteurs, dit Tierce. Ils sont là depuis au moins deux jours et rien n'a explosé.

— Quel réconfort ! s'emporta Disra. Je répète ma question : pourquoi les laissez-vous libres ?

— Comme Thrawn le disait souvent : « A chaque problème, une occasion de bien faire », déclara Tierce. Nous en tenons là une très intéressante.

Il regarda Flim, un sourire aux lèvres.

— Vous n'imaginez pas... Vous n'y pensez pas ! protesta ce dernier, mal à l'aise.

Tierce fit un pas vers lui.

— Mais si ! Une équipe d'espions Rebelles confrontée au Grand Amiral Thrawn ? Ce serait le clou de votre performance !

— L'allumette mettant le feu à mon bûcher, plutôt, répondit Flim. Avez-vous perdu l'esprit ? S'ils me croisent, vous aurez le cadavre d'un Grand Amiral sur les bras.

— L'idée me plaît, répondit Disra. (Il confirma l'ordre de Tierce.) Allez, remettez-vous, Flim. Tierce a raison, c'est la chance de votre vie. Prouvez votre génie !

— Super ! J'ai hâte d'y être.

— Nous les aurons repérés dans quinze minutes, déclara Tierce. D'ici une demi-heure, tout sera terminé.

Un bip se fit entendre.

— Votre Excellence ?

278

Disra prit la communication.

— Oui ? cracha-t-il.

Le visage d'un jeune militaire apparut sur l'écran.

— Major Kerf, Votre Excellence... dit-il d'une voix timide. Contrôle du Spatioport. Vous serez heureux d'apprendre que la navette vient de se poser.

Disra regarda Tierce.

— De quelle navette parlez-vous ?

— Je... je pensais que vous étiez au courant, Monsieur, balbutia le jeune soldat, stupéfait. Il a dit qu'il allait au palais pour vous voir... J'ai supposé que...

— Nous n'avons que faire de vos suppositions, Major. De qui s'agit-il ?

— Mais... de l'Amiral, Monsieur, expliqua Kerf. Vous savez bien : l'Amiral Pellaeon.

Le garçon posa les trois assiettes sur la petite table en terrasse, accepta le paiement avec un sourire narquois et s'en fut.

— Quelle amabilité, grogna Lando.

— Les érudits M'challa ne reconnaîtraient pas un bon serveur s'ils en voyaient un, alors pourquoi se fatiguer ? C'est ce qu'il doit penser, dit Yan.

Il trempa une tranche de trimpian dans la sauce au miasra.

La matinée n'avait apporté aucun progrès notable. Pourtant, son humeur s'était améliorée. Curieusement, c'était au tour de Lando d'être sur les nerfs.

— Et alors ? Notre argent devrait leur suffire ! Je te le dis, Yan, les Impériaux deviennent un peu trop suffisants.

— Ouais, je sais... grogna Yan.

Il avala une bouchée de son plat et observa les gens qui se pressaient dans les rues avoisinantes. Leur pas était léger ; l'optimisme se lisait sur les visages. Pas besoin d'être Jedi pour deviner pourquoi.

Le Grand Amiral Thrawn était de retour.

— Ils devraient réaliser que nous sommes trop nombreux pour eux, ronchonna-t-il, la bouche pleine. Ils possèdent quoi ? A peine un millier de systèmes.

— Ce n'est pas beaucoup, en effet, acquiesça Lando avant d'attaquer enfin son assiette. Mais on ne le dirait pas, à les voir.

Lobot, avec sa détermination habituelle, avait déjà fini son repas.

Yan soupira.

Des Impériaux heureux, joyeux et confiants. C'était suffisant pour transformer son équanimité en mauvaise humeur.

Un morceau de trimpian s'était coincé entre ses dents. Il leva la main pour le déloger... et se figea. Un camion qui manœuvrait vers une rampe de chargement entravait la circulation.

Et dans l'un des speeders bloqués à quelques mètres du bar...

— Lando, regarde, souffla Yan en désignant le véhicule du menton. Vert foncé, décapoté... Le type avec la barbe blonde.

Lando tira sur sa capuche pour avoir une meilleure visibilité.

— Que je sois maudit, murmura-t-il. Zothip ?

— Ça lui ressemble, en tout cas, acquiesça Yan.

Il réprima l'envie de se couvrir le visage. Le Capitaine Zothip, chef des Pirates Cavrilhu, était un des êtres les plus répugnants qu'il lui ait été donné de rencontrer. Avec la prime offerte pour sa tête, il n'aurait pas dû pouvoir ne serait-ce que poser le pied sur une planète civilisée.

Et pourtant il était là, assis dans un speeder, entouré de cinq gardes du corps... En plein centre de la capitale Impériale, il criait des obscénités au chauffeur du camion comme si la ville lui appartenait.

Yan se pencha vers son ami.

— Lando... Je crois que nous avons trouvé le lien entre les clones, les pirates et l'Empire... Celui que nous cherchions, Luke et moi.

Calrissian réprima un frisson.

— Je crains que tu n'aies raison. Tu ne vas pas proposer de le suivre, au moins ?

Yan secoua la tête.

— Sûrement pas, mon vieux. Zothip est dangereux. Nous nous sommes rencontrés une fois, il y a très longtemps, et je n'ai aucune envie de revivre l'expérience.

— Moi non plus, dit Lando. Tu sais quoi, Yan ? Nous vieillissons.

— Ne m'en parle pas... Allez, on finit de manger et on retourne à la Bibliothèque. (Il leva les yeux. Le soleil brillait dans un ciel sans nuages.) C'est marrant mais cette ville me paraît beaucoup moins amicale qu'il y a cinq minutes !

Le camion termina sa manœuvre. La circulation reprit ; Solo et les autres se penchèrent de nouveau sur leurs assiettes.

Karoly n'avait pas fini son repas, ce qui ne l'empêcha pas de payer et de quitter discrètement la table, son attention attirée par quelque chose de plus intéressant que Solo, Calrissian et leurs activités de rats de bibliothèque.

Oui, quelque chose de beaucoup plus intéressant.

Le speeder Kakkran vert foncé s'était éloigné de quelques centaines de mètres quand elle trouva ce qu'elle cherchait : une vieille Ubrikkian 9000, garée au bord du trottoir. Une fois installée à la place du conducteur, la jeune femme saisit la manette de contrôle et glissa dans le tableau de bord la fiche de son démarreur universel Mistryl. Le moteur démarra à contrecœur. Après un coup d'œil par-dessus son épaule, elle s'engagea dans le flot de la circulation.

Rien dans son attitude n'était susceptible d'alerter les passants. Et si le propriétaire du véhicule n'était pas dans les environs, elle n'avait rien à craindre.

Elle se rapprocha suffisamment du Kakkran pour apercevoir l'éclat émeraude de la carrosserie. Les bâtiments officiels — dont le palais du gouverneur — étaient situés sur les hauteurs, au nord de la ville. Si Solo avait raison et que les pirates étaient de mèche avec les Impériaux, Zothip allait tourner à gauche.

A sa surprise, le Kakkran continua plein est, pour dévier vers le nord une fois le palais loin derrière lui. Il atteignit les faubourgs de la ville avant de se diriger vers les collines. La circulation était moins dense ; pour éviter de se faire repérer, Karoly dut laisser plus d'avance au speeder.

Les pirates changèrent encore de direction deux fois, puis continuèrent de filer vers le nord. Karoly regretta de ne pas s'être procuré une carte de la région. La route semblait faire une grande boucle autour de la ville. Etrange...

A moins, bien sûr, que les pirates ne veuillent atteindre le palais par l'autre côté.

Karoly étudiait cette possibilité quand le Kakkran monta sur le bas-côté et disparut parmi les arbres.

Ayant garé son véhicule, la jeune femme s'enfonça à pied dans la forêt. Elle n'eut pas à progresser longtemps avant d'entendre du bruit.

— Vous êtes sûr que c'est là ? dit une voix rauque. Ça ne ressemble pas à une sortie de secours.

— Faites-moi confiance, Capitaine, dit un homme à l'accent plus cultivé. J'ai inspecté la zone la dernière fois. (Un

281

mouvement agita les feuilles. Karoly se mit à l'abri derrière un buisson.) Vous voyez... C'est par là que les Impériaux quittent le navire comme des rats...

Karoly dénombra six pirates. L'un d'entre eux écarta les branches d'un arbre qui se dressait le long d'une paroi rocheuse.

Zothip grogna et se baissa pour regarder.

— Il y a deux speeders à l'intérieur, déclara-t-il. Le tunnel est-il assez large pour eux, Contrôle ?

— Nous allons bientôt le savoir, répondit l'homme cultivé. Grinner, démarre...

Les pirates disparurent dans la paroi. Une minute plus tard, Karoly entendit le son caractéristique des répulseurs. Le bruit augmenta avant de diminuer. La jeune femme compta jusqu'à dix, sortit de sa cachette et courut vers le passage.

Une petite pièce creusée dans le roc était dissimulée par les arbres. La paroi du fond s'ouvrait sur un tunnel qui s'enfonçait sous les collines.

Un petit speeder Slipter était garé le long du mur. Au loin, la lueur des feux arrière du deuxième véhicule s'éloignait rapidement.

La jeune femme n'hésita pas longtemps. Avec son gadget Mistryl, elle fit démarrer le Slipter. Puis, espérant que le bruit du moteur des pirates couvrirait le sien, elle se lança à leur poursuite.

Une voix sortit de la console de communication.

— Rapport de l'Equipe de Sécurité Huit, Monsieur. (Le jeune soldat s'exprimait sur un ton net et tranchant, comme on le lui avait appris à l'Académie.) Trois suspects ont été repérés dans un speeder, à l'extérieur du Bâtiment Timaris. L'Equipe de Sécurité Deux en surveille deux autres, qui viennent d'entrer dans une bijouterie de l'avenue Bleaker.

— Données bien reçues, annonça un soldat devant sa console. Comparaison faciale en cours...

— Ils vont comparer les visages des suspects avec ceux du fichier de la Flotte, Votre Excellence, expliqua le Lieutenant debout au côté de Disra. Si ces espions ont déjà croisé le chemin de l'Empire, nous les repérerons.

— Très bien, Lieutenant, répondit Disra.

Il regarda la salle de contrôle du palais avec un mélange de satisfaction et d'envie.

Les officiers installés là depuis un an travaillaient avec l'efficacité qui avait fait la gloire de l'Armée Impériale. Hélas, ce n'était pas pour lui qu'ils faisaient ainsi des prouesses.

— Une suggestion, Amiral ?

Debout derrière la station de communication principale, Thrawn leva poliment les sourcils. Dans la pénombre, ses yeux rouges semblaient plus brillants qu'à l'habitude.

— Je suggère, fit-il d'un ton appuyé, que nous laissions l'équipe accomplir son travail, Excellence. Nous n'avons rien à gagner à dévoiler nos cartes avant d'être sûrs de l'identité des espions.

— Les cinq suspects sont peut-être tous impliqués, grogna Disra, fatigué de feindre le respect pour un escroc qui avait fréquemment besoin d'être remis à sa place. Coruscant se bat depuis deux ans pour découvrir la position de Bastion. Si ces gens ont enfin réussi, ce n'est pas pour envoyer un ou deux espions...

Il y eut un court silence. Le Moff sentit sur lui les regards désapprobateurs de Tierce et des Gardes.

Thrawn se tourna vers lui.

— Quelle est votre opinion, Excellence ? Pensez-vous qu'une équipe de saboteurs ait été envoyée pour détruire notre bouclier planétaire avant une attaque ?

Disra le regarda, bouche bée, choqué au point d'en oublier sa colère. C'était *leur* plan... Celui qu'ils avaient mis au point contre les Bothans. Au nom de l'Empire, comment Flim osait-il en parler si ouvertement ?

Seule l'intervention du soldat de la console informatique lui permit de reprendre contenance.

— Le rapport, Amiral. Les suspects ne sont pas des espions. Leur identité a été confirmée ; ce sont tous des citoyens Impériaux.

Thrawn hocha la tête.

— Très bien. Continuez les recherches. Votre Excellence... Vous n'avez pas oublié votre rendez-vous, j'imagine.

Disra regarda sa montre. Pellaeon allait arriver au palais d'une minute à l'autre.

Flim est très fort. Il avait réussi à lui clouer le bec sans aucune agressivité. Comme l'aurait fait le véritable Thrawn, il avait gardé l'avantage.

Disra aurait dû s'en féliciter.

— Merci de ce rappel, Amiral, dit-il. Continuez. Et prévenez-moi à la seconde — j'insiste : *à la seconde* — où vous aurez
trouvé quelque chose.

Ils avaient repris leurs recherches depuis une demi-heure
quand les doigts de Lobot s'immobilisèrent au-dessus du
clavier.

— Que se passe-t-il ? demanda Yan. Nous y sommes ?

— Je ne sais pas, dit Lando, le regard rivé sur le cyborg.

Le visage du son ami s'était pétrifié. Plus important encore :
la matrice sur laquelle s'affichait le repérage de fréquence de
son implant cyborg avait changé de configuration.

— Quelque chose a interrompu son contact avec Moegid.

— Aïe, murmura Yan. Tu crois qu'ils nous ont repérés ?

— Je ne sais pas, répéta Lando.

Il scruta le profil de Lobot et se demanda s'il devait lui
parler.

Le cyborg fixait le vide, en transe, ou perdu dans ses
pensées.

— Je n'ai jamais vu cette configuration de communication,
enchaîna Lando.

— Hum.

Yan tendit la main et toucha l'épaule de Lobot. Aucune
réaction.

— Il est sans doute sur une fréquence de secours ?

— J'ignorais qu'ils avaient une deuxième fréquence biocom,
mais pourquoi pas ? Ce serait logique, murmura Lando. J'aimerais seulement...

La configuration de la matrice changea une fois de plus.

— Attention, croassa Lobot d'une voix qui imitait l'accent
insectoïde d'un Verpine. Fréquences de sécurité très actives.

— Moegid s'exprime à travers lui, dit Lando avec une sensation bizarre au creux de l'estomac. Moegid ? Vous m'entendez ?

Il y eut une longue pause, comme si une traduction maladroite était en cours dans les deux sens.

— J'entends, dit enfin Lobot. Attention. Fréquences de
sécurité très actives.

— Ils nous cherchent, dit Yan en repoussant son siège.
Venez, on se tire d'ici !

— Tu crois que c'est une bonne idée ? demanda Lando. (Il désigna le champ de confidentialité.) Au moins, ici, ils devront s'approcher pour nous voir de près.

— Sauf s'ils relient un écran au droïd de l'entrée, dit Yan. Aide-moi : Lobot ne pourra pas se lever tout seul. Moegid, quelqu'un rôde autour du vaisseau ?

Ils eurent le temps de traverser la moitié de la salle, le cyborg entre eux, avant que la réponse de Moegid leur parvienne.

— Personne, croassa Lobot. Instructions ?

— Restez prêt, dit Yan. Nous arrivons dès que possible. Coupez toute transmission avec Lobot.

— Et ne touchez à rien, ajouta Lando. Si vous allumez les moteurs, les Impériaux vous sauteront dessus dans la minute qui suit.

— Ils nous repéreront de toute façon, dit Yan tandis qu'ils se dirigeaient vers la sortie. Dès qu'ils réaliseront que l'enregistrement de Carib n'a pas été fait à Pakrik Mineure... Il leur suffira de regarder la liste des vaisseaux arrivés après le droïd-sonde.

— A moins que Moegid n'ait pénétré dans le système du spatioport pour falsifier notre date d'arrivée...

— C'était son intention ?

— Il allait essayer, en tout cas. J'ignore s'il a réussi.

Sur l'implant de Lobot, les voyants changèrent de nouveau. Comme un somnambule qui se réveille, le cyborg se redressa et son pas se raffermit.

— Nous devons rentrer aussi vite que possible, déclara Lando.

Il lâcha le bras du cyborg et saisit le petit pistolet indétectable caché sous sa cape.

Indétectable en théorie, bien sûr.

— Espérons que nous arriverons là-bas avant eux.

Devant Karoly, les feux arrière des pirates cessèrent de danser. La jeune femme arrêta son véhicule et coupa aussitôt les répulseurs.

Juste à temps. Son speeder cessa de vrombir au moment où mourait le bruit des turbines de celui des pirates.

Ayant sauté à bas du speeder, Karoly courut vers eux, rapide et silencieuse.

Ses précautions étaient inutiles. Zothip se fichait bien du bruit.

— Typiquement Impériale comme sortie de secours ! s'exclama-t-il. (Ses paroles résonnaient à l'infini entre les parois du tunnel.) Où va cet ascenseur ?

— Dans le palais, je suppose, répondit Contrôle à voix basse. Je n'ai jamais vraiment...

— Mais le tunnel continue, protesta un autre pirate. Où va-t-il ?

— Je l'ignore, répéta Contrôle. Je ne suis jamais entré ici.

Karoly était maintenant assez près pour voir le groupe éclairé par le halo des phares du speeder.

— Nous devrions aller jeter un coup d'œil au bout, grogna Zothip. Grinner, appelle l'ascenseur et garde-le en bas. Les autres, suivez-moi. Partons nous balader.

Cinq hommes traversèrent le faisceau des phares. Zothip était au milieu. Les quatre pirates formaient un écran protecteur autour de lui. Le sixième membre du groupe — Grinner — appuya sur le bouton d'appel de l'ascenseur et se retourna pour regarder ses camarades s'éloigner.

Karoly avait atteint l'arrière du speeder quand la cabine arriva. Elle se cacha derrière la carrosserie, immobile, blaster à la main.

Grinner bâilla, puis étudia les lieux et regarda en direction de la jeune femme. Par bonheur, la lumière des phares l'empêchait de voir clairement. Après un dernier coup d'œil au speeder, il entra dans la cabine pour appuyer sur le bouton d'arrêt.

Son devoir accompli, il s'éloigna de quelques mètres pour attendre le retour de Zothip.

Karoly n'avait pas le choix. Elle aurait pu régler l'ardoise des Mistryls sur-le-champ, comptant sur la surprise et sur son entraînement pour compenser le nombre.

Mais quelque chose d'intéressant semblait se tramer.

Un assassinat, peut-être ? Ou un coup d'Etat ?

Non qu'elle se souciât de ce qui pouvait arriver aux gouverneurs Impériaux, aux soldats et aux Moffs. Qu'ils meurent tous, elle ne verserait pas une larme. Mais des pirates qui s'infiltraient dans le palais d'un gouverneur Impérial... la scène avait de quoi piquer sa curiosité.

Silencieusement, elle se glissa derrière Grinner.

Le regard dans le vague, le pirate ne l'entendit pas. La jeune femme avança, soucieuse de ne pas passer dans le champ de vision de son adversaire.

Enfin, elle pénétra dans la cabine.

Comme elle l'avait deviné, il s'agissait d'un ascenseur militaire, sans doute récupéré sur un Cuirassé. Ce genre de modèle était doté de deux portes, l'une en face de l'autre.

Un regard suffit à Karoly pour constater que la seconde n'avait pas été utilisée récemment. Pourtant, elle ne semblait pas verrouillée.

Il y avait une seule façon de s'en assurer... et c'était maintenant ou jamais. Des pas résonnèrent au loin. Karoly se tourna vers le tunnel et vit Grinner partir à la rencontre de ses amis.

Il lui fallut cinq secondes pour sortir ses griffes d'escalade de son sac, les ouvrir, les attacher et les insérer dans les interstices, entre les deux portes. Les dents serrées, elle se mit à tirer.

Rien ne se passa. Karoly redoubla ses efforts. Qui allait gagner, le métal ou des muscles sculptés par l'entraînement des Mistryls ?

Les portes cédèrent. Avec une soudaineté surprenante, elles s'ouvrirent sans bruit.

Contrairement à la cabine, la cage d'ascenseur n'avait pas été prise sur un vaisseau de combat mais taillée dans la roche. Un cadre léger supportait les éléments mécaniques du système.

L'espace existant entre la cabine et le cadre grillagé était étroit, mais suffisant. Karoly s'y installa, se retourna et entreprit de fermer les portes.

Elles venaient de coulisser quand Zothip entra dans l'ascenseur.

La jeune femme s'immobilisa. Si Grinner remarquait que les portes n'étaient pas aussi hermétiquement fermées que tout à l'heure, les ennuis commenceraient.

Mais les dons d'observation de Grinner semblaient réduits... De toute manière, Karoly n'y pouvait rien.

En revanche, si elle ne réussissait pas à s'accrocher, elle resterait en bas.

Il n'y avait pas de poignée : elle allait devoir en créer une. Le bruit de sa manœuvre couvert par l'entrée d'un pirate dans la cabine, elle accrocha ses griffes d'escalade à la grille qui protégeait deux panneaux lumineux. Elle venait de les arrimer quand elle sentit la vibration des portes qui se refermaient et la secousse de départ.

La voix de Grinner résonna dans la cabine.

— Alors ? Qu'y a-t-il à l'autre bout ?

Contrôle répondit à la place de Zothip :

— On aurait dit une sorte d'appartement. Plutôt bien aménagé.

— Il y avait quelqu'un ?

— Pas pour l'instant. Mais le type qui vit là a de drôles de goûts... Il a un fauteuil de Capitaine de Destroyer dans son salon.

— Un fauteuil de Destroyer ? répéta Grinner. Au nom de Dark Vador, qui s'amuserait à en avoir un chez lui ?

— Voilà, dit Contrôle. Tu as tout compris. Maintenant, si tu nous donnais la réponse, on pourrait faire sauter les bouchons de champagne.

— Je n'aime pas ça, grogna Zothip. Pas du tout. Ce type joue un jeu dangereux.

— Nous le découvrirons assez tôt, assura Contrôle. Mais un peu de silence serait le bienvenu, les amis.

— Oh, ça, nous allons être discrets, marmonna Zothip. Ne t'inquiète pas. *Il* n'entendra rien.

21

Ils avaient longé cinq pâtés de maisons quand les événements s'accélérèrent.

— Yan ? murmura Lando tandis qu'ils traversaient une rue en compagnie de dizaines d'autres passants. Le speeder de la sécurité, sur la gauche, vient de ralentir.

— Je sais, dit Yan, sinistre.

Il se retourna, sa vision limitée par son absurde capuchon d'érudit. Deux hommes se trouvaient dans le véhicule, jeunes et sans doute armés jusqu'aux dents.

— C'est le troisième qui s'intéresse à nous, non ?

— Environ, soupira Lando. Où sont Luke et ses trucs de Jedi quand on a besoin de lui ?

— Luke ou Leia, ajouta Yan, qui regrettait d'avoir été si convaincant quand il avait refusé que sa femme l'accompagne. (Si elle avait été là, peut-être se seraient-ils fait repérer plus tôt, mais au moins auraient-ils eu une Jedi pour alliée.) Ce coup-ci, on est cuits.

— Ne désespère pas, dit Lando. Tu bénéficies toujours d'un statut officiel dans la Nouvelle République. Nous pourrons peut-être nous en sortir en négociant. Les Impériaux savent comment réagit Leia quand un membre de sa famille est en danger...

Yan rougit.

— Tu veux dire quand un de ses enfants est kidnappé ou que son mari se fait tabasser ?

Lando sourit.

— Loin de moi l'idée de faire allusion à un passé douloureux...

— Merci tout de même, grogna Yan.

Regardant autour de lui, il chercha l'inspiration... qui vint sous la forme d'un bar aux vitres teintées, de l'autre côté de la rue.

L'enseigne annonçait : AUJOURD'HUI TOURNOI DE SABACC.

— Là ! s'exclama-t-il en flanquant un coup de coude à Lando. Tu as ton lance-ogive ?

— Heu... oui, répondit Lando, prudent. Qu'as-tu en tête ?

— A quoi des agents de la sécurité sont-ils incapables de résister ? demanda Yan. En particulier les jeunes qui roulent des mécaniques...

— Je ne sais pas, dit Lando. Frapper leurs prisonniers ?

Yan secoua la tête.

— Une bonne explosion, expliqua-t-il en désignant le bar. Emmène Lobot et fais sortir tout le monde. Je m'occupe du reste.

— D'accord. Bonne chance.

Ils traversèrent la rue et entrèrent dans le bar. L'endroit était comme Yan l'espérait : grand, bien éclairé, rempli de joueurs de sabacc et de spectateurs penchés sur leurs épaules.

Une fois à l'intérieur de l'établissement, Yan se glissa sur la droite et laissa Lando et Lobot se frayer un chemin vers le bar. Il réussit à se débarrasser de sa robe d'érudit, l'envoya valser d'un coup de pied, essuya ses paumes moites et attendit que ses amis agissent.

Ce ne fut pas long.

— Bon, ça suffit ! cria Lando, sa voix coupant le murmure des conversations comme une vibro-lame.

Toutes les têtes se tournèrent vers le bar...

... pour voir avec terreur un lance-ogive ouvrir un trou béant dans le plafond de l'établissement.

— Nous allons régler ça tout de suite et maintenant, espèce de cervelle de Bantha frite ! beugla Lando pour couvrir le vacarme. Les autres, dehors !

Comme les pauvres clients, Yan ignorait qui était la cervelle de Bantha frite. Mais considérant l'exode subit qui accompagna ces paroles, personne ne semblait vouloir revendiquer ce titre. Boissons, cartes et dignité oubliées, joueurs et spectateurs foncèrent vers la sortie comme un seul homme.

Yan en laissa passer la moitié, avant de se mêler au courant, et de se retrouver dans la rue.

Les agents de la sécurité avaient eu la réaction qu'il attendait. *Deux gamins*, pensa Yan.

Sans aucune discrétion, blaster au poing, ils fendirent la foule pour atteindre le bar et arrêter le responsable de l'explosion. Selon une trajectoire d'interception étudiée, Yan se glissa jusqu'à eux.

Le premier passa sans lui adresser un regard. Le Corellien attendit que le second apparaisse. Il saisit la main armée du garde, pivota et lui enfonça son coude dans l'estomac. L'air s'échappa des poumons du garde avec un soupir pathétique. Le « gamin » était hors de combat.

Hélas, un cri étouffé avertit son partenaire... qui se retourna au moment où Yan arrachait le blaster de la main de sa victime.

L'agent de sécurité était jeune et agile. Mais dans sa position, il ne pouvait pas faire feu immédiatement... Yan le mit en joue. Avec une prière silencieuse, il appuya sur la gâchette.

Sa prière fut exaucée. A la place de l'éclair mortel d'un rayon de blaster, l'arme cracha les anneaux bleus et brillants caractéristiques d'un tir anesthésiant.

Le garde s'écroula devant les passants qui commençaient à se disperser. Le blaster levé, Yan sauta par-dessus le corps immobile et fonça dans le bar.

L'établissement était désert. Même le barman avait disparu.

— L'ambiance craint un peu, commenta Lando. (Il enleva sa robe.) Parle-moi du bon vieux temps, dans la Bordure Extérieure. C'était autre chose...

— Heureusement, lui rappela Yan. Sur Tatooine ou sur Bengely, tu te serais fait descendre quinze fois avant d'avoir tiré une deuxième ogive. Viens, la porte de derrière est par là.

Malgré ses belles paroles, Yan ressentit une bouffée de nostalgie.

La Bordure Extérieure.

Ils y avaient vécu quelques bons moments...

Disra leva les yeux du databloc et prit un ton indigné, mais sans excès. Inutile d'en faire trop.

— Je ne sais que vous dire, Amiral. Je nie catégoriquement ces accusations...

Pellaeon le foudroya du regard.

— Bien sûr. Il ne s'agit que d'une campagne de diffamation orchestrée par vos ennemis politiques.

Disra se mordit la langue. C'était exactement la ligne de défense qu'il comptait exploiter. Que Pellaeon soit maudit...

— Peut-être pas tout à fait, dit-il avec un sourire crispé. Certaines de vos *sources* sont sincères, j'en suis persuadé. Mais leurs informations sont fausses. Et je m'interroge sur la motivation des autres...

Pellaeon échangea un regard avec Dreyf, assis à côté de lui, avant de se retourner vers le Moff.

— Vraiment ? Et douteriez-vous aussi de la « motivation » du Commandant Dreyf, qui a découvert les données concernant Muunilinst ?

— Section quinze du fichier, confirma Dreyf. Au cas où vous l'auriez manqué...

Disra serra les dents et regarda le databloc. Que Dark Vador les emporte tous les deux !

— Quelqu'un doit avoir délibérément truqué les chiffres, dit-il.

Une défense faible. Tous les hommes présents dans le bureau le sentirent. Pellaeon ouvrait la bouche pour protester quand les doubles portes coulissèrent brusquement. Disra leva les yeux, prêt à couvrir d'insultes l'intrus qui avait la témérité de s'immiscer dans une conversation privée...

— Votre Excellence ? demanda Tierce. (Il regarda, surpris, les deux soldats armés que Pellaeon avait eu l'effronterie de faire entrer avec lui.) Oh, je suis navré, Monsieur...

— Tout va bien, Major, dit Disra. Qu'y a-t-il ?

— Un message urgent, Votre Excellence, annonça Tierce. (Il hésita, les yeux rivés sur Pellaeon.) Des services de surveillance du palais.

— Eh bien, donnez-le-moi, grogna Disra.

Même pour des nouvelles importantes, Tierce aurait pu le joindre sur l'intercom. Le haut-parleur était réglé pour que seul Disra entende son correspondant. Que le Major se soit déplacé n'augurait rien de bon.

Tierce tendit le databloc à Disra... qui s'aperçut vite qu'il avait eu raison de s'inquiéter.

Espions ennemis identifiés. Les anciens Généraux de la Nouvelle République Yan Solo et Lando Calrissian, en compagnie d'un inconnu doté d'un implant cybernétique crânien. Les sujets ont été repérés au croisement de Regisine et de Corlioon, mais ils ont échappé à la surveillance de nos agents. La Sécurité tente actuellement de rétablir le contact.

Disra leva les yeux vers Tierce.

— Je n'aime pas recevoir ce genre de rapports, dit-il d'une voix glaciale. Qu'a décidé le Lieutenant ?

— Tous nos officiers travaillent sur le sujet, répondit Tierce. Je pense qu'ils font de leur mieux.

— Un problème ? demanda Pellaeon. (L'Amiral avait posé la question à Disra, mais il observait Tierce avec attention.) S'il est urgent, peut-être Son Excellence désire-t-elle s'en occuper en personne...

Disra serra les dents. Oui, il aurait aimé le faire. Mais Pellaeon ne lui aurait pas proposé de se dégager du piège dans lequel il s'engluait s'il n'avait pas une idée diabolique en tête.

Disra réprima un sourire. Bien sûr... Pellaeon voulait avoir une occasion de s'entretenir en privé avec Tierce.

Et Tierce était venu dans cette intention. Voilà pourquoi il n'avait pas utilisé l'intercom...

— Merci, Amiral, dit Disra, avant de se lever. Je crains que ce soit en effet nécessaire. Major Tierce... Tenez compagnie à l'Amiral et à ses hommes en attendant mon retour.

— Moi, Monsieur ? s'étonna le Major. (Il regarda les visiteurs avec de grands yeux.) Certainement, Monsieur. Si l'Amiral n'y voit pas d'inconvénient.

— Pas du tout, répondit Pellaeon. Ce sera un plaisir.

Disra sourit.

— Je serai vite de retour.

Trente secondes plus tard, il faisait irruption dans les bureaux des services de surveillance.

— Que s'est-il passé, au nom de Dark Vador ?

— Calmez-vous, Votre Excellence, dit Thrawn. Nous les avons temporairement perdus.

Disra ravala ses insultes. Si ce gâchis était la faute de Flim, il le clouerait lui-même contre un mur.

Mais plus tard. La vengeance devrait attendre.

— Et puis-je vous demander comment cet événement a pu se produire... Amiral ?

— Solo et Calrissian sont des as. Ils ont de l'expérience, répondit Thrawn. Contrairement aux gardes de la sécurité chargés de leur surveillance. (Il haussa les épaules.) A dire vrai, l'incident a été instructif. Il souligne qu'il existe certaines carences dans l'entraînement des forces de sécurité de la capitale. Nous devrons y remédier.

— Je suis sûr que nos meilleurs officiers seront ravis de vous écouter, grommela Disra. (Il regarda le tableau où était indiqué l'emplacement des unités de sécurité.) Ne serait-il pas plus intelligent de concentrer notre surveillance sur le spatio-port ? Les espions vont certainement essayer de retourner à leur vaisseau.

— En effet, acquiesça Thrawn. Mais s'ils se heurtent à des Soldats de Choc en chemin, ils trouveront un autre moyen de quitter Bastion.

— Vous avez raison, admit Disra à contrecœur. (Tierce avait dû lui faire la leçon. Dans les paroles de Thrawn, Disra croyait presque reconnaître certaines inflexions du Major.) Que suggérez-vous ?

Thrawn tourna ses yeux rouges vers le tableau.

— Pour capturer une proie, il faut d'abord penser comme elle, déclara-t-il. (Une fois encore, ces paroles auraient pu sor-tir de la bouche de Tierce.) Quelle était leur mission et comment comptaient-ils l'accomplir ?

— Un sabotage ? interrogea Disra. C'est une possibilité.

— Non, répondit Thrawn. La Nouvelle République n'au-rait pas envoyé Solo ou Calrissian pour ça. Elle a des agents plus appropriés.

— Amiral Thrawn ? dit un soldat. J'ai un profil partiel de nos cibles. Les fichiers d'un droïd indiquent qu'ils ont passé les trois derniers jours à la Bibliothèque Impériale.

— Très bien, dit Thrawn.

Il regarda Disra et désigna le fond de la pièce du menton.

— J'aimerais m'entretenir un instant avec vous, Amiral, dit aussitôt le Moff, qui avait compris l'allusion. En privé, si pos-sible.

— Certainement, Votre Excellence, répondit Thrawn.

Ils s'éloignèrent de quelques pas pour fuir les oreilles indis-crètes.

— Ne me dites rien, laissez-moi deviner, murmura Disra. Ils cherchent le Document de Caamas.

— Votre intuition est admirable, Excellence, dit Flim. (Sa voix était subtilement différente de celle de « Thrawn ».) Mais je ne suis pas sûr de comprendre. Ni Solo ni Calrissian ne sont formés pour un piratage de cette envergure...

Disra fronça les sourcils. Flim se montrait impertinent, soit, mais il avait néanmoins raison.

Le Moff avait mis des années à s'introduire dans les Dossiers Spéciaux de l'Empereur. Et ce avec une équipe d'experts à son service...

— Le pirate doit être le cyborg qui les accompagne...

Flim secoua la tête.

— Ça m'étonnerait. L'identification n'est pas certaine, pourtant je pense qu'il s'agit de Lobot, l'ancien administrateur de Calrissian sur Bespin. Un type efficace, mais loin d'avoir le niveau nécessaire pour...

Il s'interrompit, le regard dur.

— Qu'y a-t-il ? demanda Disra.

— Ça me rappelle quelque chose, murmura l'escroc, sourcils froncés. Une histoire de piratage qui date de quelques années. Ne dites rien, Votre Excellence... Laissez-moi réfléchir.

Les secondes passèrent. Dans la salle, seules résonnaient les voix étouffées des agents qui faisaient leur rapport. Aucune nouvelle des espions. Disra lutta pour garder son calme.

Il y avait des agents ennemis en liberté dans *sa* ville...

Flim se tourna d'un bloc vers lui.

— Les Verpine, dit-il avec un accent de triomphe. C'est ça : des Verpine !

Il avança vers une console.

— Lieutenant, lancez un scan multi-fréquences à large bande, ordonna-t-il. (Il avait repris la voix profonde de Thrawn.) Concentrez-vous sur les fréquences biocom Verpine.

Si le Lieutenant fut surpris, il ne le montra pas.

— Bien, Monsieur, dit-il avant de se mettre au travail.

— Attendez, dit Disra, qui réprimait son envie de prendre « l'Amiral Thrawn » par les épaules et de le secouer. Les fréquences biocom Verpine ?

Flim se rapprocha du Moff.

— Un truc impressionnant, murmura-t-il. Le pirate Verpine se cache quelque part, n'importe où, tandis que l'agent interfacé, branché sur sa fréquence biocom personnelle, se rend dans le système à pirater. Avec le flux de données géré par l'interface, il s'agit presque d'un lien télépathique. Le Verpine voit à travers les yeux de l'interfacé ; il travaille sur sa console... Les doigts de l'agent reproduisent ses gestes sur le vrai système.

— Un manipulateur et une marionnette, conclut Disra, mal à l'aise.

Une créature immonde qui contrôlait un humain, même un interfacé... L'idée était obscène.

— D'une certaine manière, acquiesça Flim. Comme je l'ai dit : un tour vraiment impressionnant.

— Je vous crois sur parole, gronda Disra. (Pour l'escroc, de telles abominations faisaient probablement partie du quotidien.) Et s'ils ont coupé le lien ?

Flim haussa les épaules... Un mouvement ample et profond, identique à celui du véritable Thrawn. Même quand il n'était plus à portée de voix des soldats, l'imitateur restait dans la peau de son personnage.

— Nous trouverons quelque chose d'autre.

Disra se tourna vers le tableau lumineux.

— Et si nous essayions d'émettre sur les fréquences biocom ? demanda-t-il. Si nous ordonnions au Verpine d'activer les répulseurs ? Ça nous permettrait au moins de repérer leur vaisseau.

— Pour ça, il faudrait connaître l'encodage des messages Verpine, répondit Flim. Je doute que nous puissions trouver quelqu'un pour s'en occuper à temps.

— Un droïd protocolaire pourrait se charger de la traduction ?

— Pas sans module spécial. Les modèles standard ne sont pas équipés pour traduire le Verpine. Pas assez de demandes... (Flim se mordit la lèvre inférieure, songeur.) D'un autre côté... Supposons que Lobot ait gardé son lien ouvert. En tombant sur la bonne fréquence, nous capterons peut-être un écho de résonance. Quand nous affrontions des planètes plus évoluées, nous avions parfois ce genre de problèmes avec nos comlinks. Si nous réussissons à approcher un récepteur d'assez près — et avec de la chance —, nous pourrons peut-être les repérer...

Disra soupira.

— Ça fait beaucoup de « si »...

— Désolé, soupira Flim. C'est ce que j'ai trouvé de mieux, alors autant essayer. (Il désigna la porte.) Vous devriez rappeler Tierce. Quand il s'agit de tactique, c'est lui l'expert.

Disra hocha la tête. Pellaeon et Tierce avaient eu largement le temps de discuter.

— Je vais l'appeler. Tenez-moi informé, Amiral.

La cabine de l'ascenseur s'arrêta.

— C'est là ? grogna la voix de Zothip à l'intérieur.

— J'espère, dit Contrôle tandis que les portes s'ouvraient. Oui, je pense.

— De quel côté ? demanda un des pirates.

Karoly se pencha pour regarder entre les panneaux de métal. Les pirates sortaient de la cabine : Zothip se tenait dans un passage étroit, les poings sur les hanches.

— Je ne sais pas, répondit Contrôle. (Il désigna la gauche.) Essayons par là d'abord.

— Bien, dit Zothip. Grinner, verrouille la cabine. Je n'ai pas envie que quelqu'un nous attaque par-derrière.

— D'accord, s'inclina le pirate, avant de taper quelque chose sur le tableau de commande. Voilà, c'est réglé.

Les pirates disparurent sur la gauche. Karoly compta jusqu'à cinq avant d'ouvrir les portes arrière de la cabine avec ses griffes spéciales.

Elle était dans l'ascenseur et commençait à les refermer quand elle entendit des bruits de pas dans le couloir.

Les pirates revenaient.

Plus le temps de réfléchir. Karoly tira sur les deux panneaux. Ils se coincèrent, laissant un espace de deux centimètres, mais ce n'était pas le moment de faire la fine bouche. Karoly traversa la cabine et se dissimula de son mieux dans le coin avant gauche.

Juste à temps. Les pirates repassèrent devant l'ascenseur.

— Qu'il ait de la compagnie ou non, quelle importance ? grommela Zothip. D'ailleurs je n'ai entendu que deux voix...

— Ça ne veut pas dire qu'il n'y ait pas plus de gens dans le bureau, remarqua Contrôle. Si nous sommes vus par les mauvaises personnes, notre arrangement tombera à l'eau.

— Et alors ? grogna Zothip. L'idée est d'annuler l'arrangement et d'en finir avec Disra par la même occasion, non ?

— Nous devons d'abord en discuter, dit Contrôle. Reformuler les termes.

— Hé, Grinner, t'es un pro des panneaux de commande ! lança une voix. Tu sais que t'as ouvert les portes du fond quand tu as verrouillé la cabine ?

Karoly se tendit, prête à agir, mais Grinner se contenta de marmonner une obscénité. Les pirates s'éloignèrent de nouveau. Après avoir compté jusqu'à cinq, la jeune femme récupéra ses griffes d'escalade, sortit son blaster et les suivit.

Elle avait fait quelques mètres quand elle sentit un léger courant d'air. Une porte venait de s'ouvrir quelque part.

Karoly accéléra le pas et arriva juste à temps pour voir un rectangle de lumière disparaître presque entièrement.

Elle pressa son oreille contre le panneau entrouvert.

— Dites donc, c'est joli, dit un pirate. (Le mépris et l'envie se le disputaient dans sa voix.) Regardez-moi ça, des draps de soie Ramordian, avec les oreillers assortis.

— Il t'en donnera peut-être une paire, grommela Zothip. Où est le... Ah, voilà.

Le bruit d'un fauteuil qu'on tire sur un tapis épais... Jetant un coup d'œil par l'ouverture, Karoly aperçut une tenture luxueuse.

— Qu'allez-vous faire ? demanda Contrôle.

— Appelez son bureau, rétorqua Zothip. S'il a des visiteurs, ils devront patienter.

— Navré, Amiral, protesta le Major Tierce, qui se frotta les mains sur son pantalon. Avec tout le respect que je vous dois, je ne comprends pas. Je ne suis jamais allé sur Yaga Mineure. Ou alors, au cours d'un entraînement, quand j'étais cadet. En tout cas, pas il y a six semaines...

— Six semaines, c'est ça, dit Pellaeon.

L'Amiral aurait aimé avoir assez de preuves pour ordonner une analyse de vérité. Tierce mentait ; Pellaeon en était persuadé. Mais avant de prendre des mesures, il devait pouvoir identifier *formellement* le pirate qui s'était introduit dans le système informatique de Yaga Mineure...

A moins que l'expert de la Nouvelle République, Ghent, ne découvre des preuves...

Les portes du bureau s'ouvrirent.

— Toutes mes excuses pour ce retard, Amiral, dit Disra. (Il passa devant le Commandant Dreyf.) Ce sera tout, Major.

— Bien, Votre Excellence, fit Tierce.

Leurs yeux se croisèrent. Pellaeon crut voir Disra faire un signe de tête à son aide de camp.

Le Major sortit de la pièce, apparemment soulagé d'échapper à l'interrogatoire que lui faisait subir Pellaeon.

— Le Major Tierce a été de bonne compagnie, j'espère, s'inquiéta Disra.

— Très bonne, assura Pellaeon.

Il étudia le visage du Moff. C'était plus un masque qu'un visage. Oui, un masque froid, travaillé au fil des ans pour dissimuler un esprit tortueux.

Pellaeon savait ce qui se tramait derrière le regard glacé de Disra. Hélas, il ne pouvait pas en convaincre les autres. Pas encore.

Mais qu'il mette la main sur une preuve, une seule...

— Où en étions-nous ? demanda Disra. (Il se renversa dans son fauteuil, prêt à tout. La petite pause lui avait fait le plus grand bien.) Ah oui... Nous étudiions les accusations insultantes colportées sur mon compte. Une idée m'est venue, Amiral...

Le Moff fut interrompu par le signal d'appel de l'intercom. Il appuya sur un bouton.

— Oui, aboya-t-il. Que... ?

Il se raidit. Son regard se riva sur Pellaeon.

— Je suis occupé, grogna-t-il. Et je n'apprécie pas d'être dérangé de cette façon pour...

Disra s'interrompit. Pellaeon tenta d'entendre la conversation, mais le haut-parleur était réglé pour qu'aucun son n'en filtre.

Les pupilles de Disra s'élargirent de nouveau...

Pellaeon assista alors à une scène qu'il croyait impossible.

Le Moff Disra *pâlit*.

L'être le plus vil, le plus menteur et le plus magouilleur de tout l'Empire venait de recevoir un choc.

Dreyf s'en aperçut également.

— Votre Excellence ? dit-il en se levant.

Il commençait à faire le tour du bureau pour venir en aide au Moff quand l'expression d'incrédulité de Disra céda la place à une colère noire.

— Stop ! cracha-t-il à Dreyf. (Il leva la main comme pour éloigner un animal dangereux.) Tout va bien. Restez là.

Dreyf se figea et adressa un regard étonné à Pellaeon.

— Un problème, Votre Excellence ? s'enquit l'Amiral.

— Tout va bien, dit Disra, la voix rauque. (D'un geste furieux, il coupa la communication.) Si vous voulez m'excuser de nouveau... Un autre problème exige mon attention. Je reviens tout de suite.

Le Moff s'élança vers les doubles portes.

— Bien sûr, dit Pellaeon derrière lui. Prenez votre temps...

— Eh bien ! Voilà qui était... intéressant, commenta Dreyf, après un court silence. Un autre truc pour gagner du temps ?

— Je ne crois pas que ces deux interruptions aient été préparées, dit Pellaeon.

Il étudia la décoration du bureau, sourcils froncés.

Peu d'êtres dans la galaxie avaient les moyens de s'offrir des meubles et des œuvres d'art de ce prix. Des politiciens, des industriels, des chefs de gangs...

Et tous avaient quelque chose à cacher.

— Non, il se passe quelque chose d'autre ici, continua l'Amiral. Quelque chose d'important.

— Je vois, murmura Dreyf. Dois-je aller faire un tour pour essayer d'en apprendre plus ?

— Plus tard, dit Pellaeon. Pour l'instant... Eh bien, il semble que nous soyons seuls dans *le bureau de Disra*.

Les yeux de Dreyf volèrent de son supérieur à la table.

— En effet. Euh... Légalement, toute intervention quelle qu'elle soit est discutable. (Du menton, il rappela à son supérieur la présence des soldats.) Nous n'avons pas de mandat de perquisition et Disra n'a pas encore été inculpé.

— J'en prends la responsabilité, trancha Pellaeon. Allez-y, voyez ce que vous pouvez trouver.

— Oui, Monsieur, répondit Dreyf avec un sourire triomphal. Ce sera un plaisir.

Il fit le tour du bureau.

Tierce attendait Disra près de la porte de la salle de surveillance.

— Nous avons un écho, déclara avec satisfaction l'ancien Garde. Une fois la triangulation réalisée, nous pourrons...

— Zothip est ici ! coupa Disra. Dans mes quartiers.

Le sourire de Tierce s'effaça.

— Comment a-t-il fait ?

— Comment voulez-vous que je le sache ? cracha Disra. Mais il est ici ! J'ai reconnu mes meubles quand il m'a appelé.

Tierce jeta un coup d'œil aux consoles, puis à Flim.

— La situation s'améliore de minute en minute, remarqua-t-il. Pellaeon se doute-t-il de leur présence ?

— Je ne pense pas, répondit Disra. Dreyf a commencé à faire le tour du bureau, mais il n'a rien eu le temps de voir.

— Nous devons nous débarrasser de l'Amiral.

— Brillante déduction, grogna le Moff. Vous avez des suggestions ? Il n'est pas venu seul, vous savez.

Tierce regarda de nouveau les consoles.

300

— Je ne peux pas partir d'ici pour l'instant, dit-il. Solo et Calrissian risquent de nous glisser entre les doigts à n'importe quel moment.

— Nous ne pouvons pas non plus ignorer Zothip, insista Disra. Vous ne comprenez pas ? Il est dans mes appartements. Il pénétrera dans mon bureau si l'envie lui en prend... Il peut aller voir l'Amiral Pellaeon !

Tierce le dévisagea.

— Vous avez laissé Pellaeon seul ?

— Bien sûr ! Que vouliez-vous que je fasse ? Demander aux gardes de le surveiller ?

— Et pourquoi pas, répliqua Tierce. D'accord. Procédons par ordre. Pellaeon... Solo et Calrissian...

Un soldat se tourna vers Thrawn.

— Nous venons d'obtenir un deuxième écho de résonance sur une fréquence biocom, Amiral. Les services de Sécurité signalent qu'ils sont prêts à intervenir dès que la cible sera localisée.

— Merci, dit Thrawn. (Il tourna ses yeux rouges vers Disra.) Continuez. Un problème, Votre Excellence ?

— Rien de grave, Amiral Thrawn, déclara Tierce avant que Disra ait ouvert la bouche. Pouvons-nous vous parler ?

Flim inclina la tête.

— Mais certainement.

— Que faites-vous ? siffla Disra tandis que l'escroc approchait. Vous ne suggérez pas...

— Il n'y a que deux façons de traiter avec quelqu'un comme Zothip, rétorqua Tierce, glacial. Le tuer ou le terroriser. Qui pourrait lui faire plus peur qu'un Grand Amiral ?

Flim entendit la dernière phrase.

— A qui devons-nous faire peur ?

— Au Capitaine Zothip, répondit Disra. Il est dans mes appartements.

Les yeux de Flim s'écarquillèrent. Il regarda Tierce.

— Tout ira bien, assura le Garde Royal. Zothip veut de l'argent, et votre présence garantit qu'il y en a à la clé. Il ne vous touchera pas.

L'escroc secoua la tête.

— A moins qu'il soit là pour se venger de ce que Pellaeon lui a fait sur Pesitiin, vous vous souvenez ?

— Il oubliera tout à la seconde où il vous verra, assura Tierce. De toute façon, je vous accompagne. S'il y a du danger, je m'en occuperai. Tout ira bien.

— Et Solo ? insista Flim. S'ils le perdent à nouveau ?

— Plus maintenant, dit Tierce. Nous avons repéré deux échos et nous savons dans quelle partie de la ville se trouvent les espions. Le temps que nous revenions, ils les auront arrêtés. Partons.

Flim fit une grimace, mais il acquiesça.

— Continuez l'opération, Lieutenant, ordonna-t-il. (Aucune nervosité ne s'entendait dans la voix de Thrawn.) Je reviens dans quelques minutes.

Tierce désigna la porte ; ils sortirent tous les trois.

— Je n'aime pas ça, murmura Flim à l'intention de Disra. Je n'aime pas ça du tout.

Le premier signe fut un mouvement brusque de Lobot.

— Que se passe-t-il ? demanda Yan, avec un coup d'œil au cyborg.

— Il a hésité, répondit Lando.

Il retira le chapeau à large bord qui camouflait l'implant cérébral de Lobot.

La matrice avait changé de configuration.

— Il a peut-être trébuché, dit Yan. (Il sonda la foule.) Viens, il faut filer.

— Attends, insista Lando.

Il connaissait Lobot depuis des années. Ce mouvement brusque et l'expression étrange de son ami prouvaient que quelque chose de bizarre se passait.

— Lando...

— Une minute.

Lobot eut un nouveau spasme ; les voyants changèrent de configuration. Ils restèrent stables un instant, puis changèrent encore...

Quand Lando comprit ce qui se passait, une sueur froide coula le long de sa colonne vertébrale.

— Ils font une recherche d'écho, souffla-t-il à Yan. Sur la fréquence biocom des Verpine.

— Super ! dit Yan. (Il aida Lobot à se redresser.) Ils ont la bonne fréquence ?

— Je ne crois pas, chuchota Lando avant de regarder autour de lui en quête d'inspiration.

A pied, une bonne demi-heure de marche les séparait du spatioport. Un speeder leur ferait gagner du temps, mais il faudrait en voler ou en louer un. Les deux possibilités étaient risquées.

Ses yeux se posèrent sur une enseigne étincelante, à quelques mètres de là. *Des centaines de droïds en stock,* annonçait un panneau lumineux. *Les meilleurs de l'Empire, en solde pendant vingt-quatre heures seulement...*

— Viens, dit Lando. (Il tira sur l'autre bras de Lobot.) Làdedans ! J'ai une idée.

Ils entrèrent dans le magasin. Sur l'implant cérébral, la matrice changea de nouveau de configuration.

— Et maintenant ? murmura Yan.

Il étudia la foule de clients qui avait envahi le magasin.

— Par là, lui dit Lando. (Il se fraya un chemin vers la section des droïds astromechs.) Il nous faut une douzaine de modèles R2 ou R8.

— Pas de problème, assura Yan, en se haussant sur la pointe des pieds pour apercevoir les rayons. Il y en a une vingtaine. Lando ? Tu sais dans quel état sont nos finances ?

— Nous n'allons pas les acheter, dit Lando, mais leur parler.

Ils jouèrent des coudes pour parvenir à la section voulue, bien moins fréquentée que les rayons des droïds serviteurs ou cuisiniers.

— Bien le bonjour, dignes citoyens, déclara un droïd argenté en se dirigeant vers eux. Je suis C-5MO, droïd protocolaire. Puis-je vous aider à faire votre choix ?

— Oui, merci, dit Lando. Nous recherchons un droïd qui puisse servir d'interface com longue distance sur des gammes de fréquences très précises.

— Je vois, Monsieur, dit le droïd. Puis-je vous suggérer une unité de la gamme R2 ou R8 ? Les modèles standard sont équipés de systèmes com pleine fréquence.

— Ça m'a l'air parfait, dit Lando. (Il approcha des R8.) Puis-je les soumettre à un petit test ?

— Bien sûr, répondit le droïd protocolaire. Faites-leur passer toutes les épreuves que vous désirez.

— Merci, dit Lando. (Il désigna le premier R8.) Toi, j'aimerais que tu émettes un signal multiton sur la fréquence suivante. (Il récita les chiffres avant de s'approcher du droïd suivant.) Toi, j'aimerais que tu émettes différentes tonalités sur différentes fréquences...

— Un instant, Monsieur, protesta le droïd protocolaire, soudain nerveux. J'ai peur que vous ne puissiez émettre des signaux non autorisés en pleine ville...

Une unité R8 bipa un court message.

— Oh, dit le droïd protocolaire, perplexe. Tu es certain qu'aucune de ces fréquences n'est utilisée ici ? Par personne ?

L'unité R8 lui répondit d'un bip affirmatif.

— Je vois. Mes excuses, Monsieur. Je vous en prie, continuez.

Lando longea la rangée de droïds et donna à chacun une des principales fréquences biocom Verpine.

— Très bien, dit-il une fois qu'il en eut fini. (Il se retourna vers C-5MO.) Excellent. Assurez-vous qu'ils continuent d'émettre : je vais rejoindre mon speeder pour vérifier qu'ils tiennent bien les fréquences.

— Vous voulez qu'ils continuent de transmettre ? demanda le droïd, de nouveau paniqué. Mais, Monsieur...

— Vous n'imaginiez pas que nous allions faire un tel investissement sans vérification ? le coupa Yan. Ne vous inquiétez pas, un de nos employés reste ici.

Il désigna un homme en manteau vert debout devant le rayon des droïds serviteurs.

— Il attendra dans le magasin que les tests soient terminés, ajouta Lando. Vous acceptez les cartes d'entreprise pour les achats de plus de vingt unités, j'imagine.

— Certainement, Monsieur, s'inclina le droïd, rassuré. Vous me montrerez votre autorisation au moment de passer commande...

— Parfait, dit Lando.

Il jeta un coup d'œil à Yan.

Comprenant l'allusion, celui-ci dirigea Lobot vers la sortie la plus proche.

— Nous serons là dans quelques minutes.

Ils sortirent sans demander leur reste.

— Pas mal, le coup de l'employé, commenta Lando. Quelques minutes de gagnées avant que le droïd commence à se poser des questions.

— Tant qu'il ne décide pas d'aller faire la conversation au type... grogna Yan. Alors ? Quel est le plan ? On retourne au vaisseau ?

— *C'était* le plan. Sauf si tu penses que nous devrions nous montrer plus retors.

— Je me demande... dit Yan. Les transmissions des droïds occulteront toutes les recherches d'écho, pour l'instant au moins. Mais ils savent que nous sommes en ville... Si nous avions un camion, nous pourrions faire le tour du spatioport et y accéder par l'autre côté.

— Si nous ne nous faisons pas repérer, le contra Lando. Les auto-stoppeurs ne sont pas appréciés dans le coin.

— Le jeu en vaut la chandelle, déclara Yan. (Sa décision était prise.) Viens, l'accès le plus proche est par là.

22

La conversation — du moins les quelques phrases surprises par Karoly — avait été brève et tendue.

Et passionnante. Les Pirates Cavrilhu, alliés à l'Empire ?

Ce n'était pas une surprise après ce qu'elle avait appris en écoutant Solo et Calrissian. Les Impériaux traitaient secrètement avec les pirates depuis des années, comme le prouvaient les relations entre Palpatine et le Prince Xisor. Aujourd'hui, l'Empire aux mille étoiles était réduit à quelques pitoyables systèmes... Son armée voulait de l'aide.

Mais il y avait du nouveau. Zothip avait parlé à Disra non comme un mercenaire à son patron, mais d'égal à égal.

Et à en croire son ton et ses insultes, il était très énervé.

Mieux encore : Zothip ayant menacé de « tout révéler », Karoly en avait déduit que l'« arrangement » n'était pas connu du Haut Commandement Impérial.

Karoly suivait Zothip pour se venger de la participation des pirates au massacre de Lorardian, trois ans plus tôt. Mais ce qu'elle venait d'entendre était bien plus intéressant.

— Tu penses qu'il va venir ? demanda soudain un pirate.

— Bien sûr, grommela Zothip. Crois-tu qu'il ait envie de nous entendre exposer notre petit contrat sur toutes les fréquences Impériales ?

— Il ne viendra pas seul, prévint Contrôle. Il y aura des gardes.

— Pas en grand nombre. Ce magouilleur ne fait pas confiance à grand monde.

— La présence d'une équipe de secours me paraît nécessaire, dit Contrôle. Au cas où...

— Bien... Si tu veux, concéda Zothip. Crans, Portin, retournez dans la coursive. Au premier bruit suspect, entrez et tuez tout ce qui bouge.

Karoly recula derrière le coude du couloir. Un rai de lumière signala la sortie des pirates, puis disparut quand la porte se referma.

La jeune femme était confrontée à un choix difficile. A plus de quatre mètres de la porte, il devenait impossible d'espionner ce qui se disait. Et l'idée que ces bandits montaient une embuscade lui déplaisait — même si un Moff Impérial était la future victime.

L'ironie de la situation lui arracha un sourire. C'était de ce problème qu'elle avait parlé avec Shada, cinq semaines auparavant, sur un toit de Borcorash battu par les vents...

Mais l'introspection devrait attendre. Les Pirates Cavrilhu avaient envers les Mistryls une dette de sang, et ils allaient payer. Rangeant son blaster, la jeune femme sortit deux poignards et avança.

Devant la porte, Crans et Portin chuchotaient avec animation. Ils se réjouissaient par avance du massacre à venir.

Ils ne l'entendirent pas arriver.

La jeune femme mit une minute à tirer les cadavres au bout du couloir, dans un coin sombre. Puis elle revint près de la porte entrouverte, s'accroupit et posa une de ses lames sur la moquette.

L'image qui se reflétait sur le métal était minuscule et déformée, mais Karoly savait comment l'interpréter. Les quatre pirates faisaient face au mur de droite pour surveiller la porte principale. Zothip était affalé dans le fauteuil du Moff. Les autres s'étaient adossés aux parois. Ils vérifiaient leurs blasters, prêts à agir.

La jeune femme peaufinait son plan quand un léger déclic se fit entendre. La porte d'entrée s'ouvrit et deux hommes apparurent.

Celui de droite — âgé et gonflé d'arrogance — ne pouvait être que le Moff. Quant à son compagnon...

Karoly réprima un frisson.

L'homme était un guerrier.

Pas un soldat, un *guerrier*. Elle le voyait à sa tenue, à sa manière de marcher, à la façon dont il avait jaugé ses adversaires à son entrée.

Contrôle avait mentionné des gardes. Les pirates étaient-ils capables de reconnaître la valeur de l'individu qui leur faisait face ?

Pas Zothip, en tout cas.

— Vous en avez mis, du temps, ronchonna-t-il tandis que le guerrier fermait la porte. C'est qui, le rigolo qui vous accompagne ?

— Quittez ce fauteuil ! ordonna le Moff.

— C'est moi qui dirige la conversation, Disra, répondit le pirate. Hé... Attendez une minute... Je vous connais ! (Il désigna le guerrier.) Vous êtes le fils de Rancor qui m'a volé mes conseillers... Espèce de charognard de l'espace...

Karoly se raidit, s'attendant à une réaction violente. Mais le guerrier ne se départit pas de son calme.

— Exact, répondit-il d'une voix glacée. Je suis le Major Tierce. Comme je vous l'ai expliqué à l'époque, l'Empire avait plus besoin de ces hommes que vous.

— Alors vous vous êtes servi ! cracha Zothip, furieux. Peut-être est-ce les méthodes Impériales habituelles. Mais dans la Bordure Extérieure, quand on passe un marché, on le respecte. Ou on le regrette le reste de sa courte vie...

— On m'avait dit que les pirates savaient garder leur calme, dit Disra. Pellaeon vous a fait si peur ?

— Oubliez Pellaeon ! aboya Zothip. Je m'en occuperai plus tard. Pour l'instant, c'est vous qui êtes sur le gril. Pour commencer, je veux une compensation honnête pour mon croiseur et mes huit cents membres d'équipage...

— Vous aviez raison, Votre Excellence, ses nerfs ont lâché, déclara Tierce. La mise est trop grosse, il arrête la partie.

Zothip grogna.

— Des mots, toujours des mots. C'est votre spécialité, Disra. Des phrases, des promesses... Vous poussez les autres à faire votre sale boulot et à mourir à votre place... Mais le petit jeu est terminé. J'estime mes pertes à vingt millions de crédits.

— Nous avons mieux que des mots, rétorqua Tierce, un soupçon de défi dans la voix. Si nous vous *prouvions* que l'Empire reprend le dessus... voudriez-vous toujours laisser tomber ?

Zothip sourit, mais la haine brillait dans ses yeux.

— Une preuve, hein ? Si vous pensez pouvoir...

Il s'interrompit. Derrière Disra et Tierce, la porte coulissa. Un pirate leva son blaster...

— Bonsoir, Capitaine Zothip, dit l'homme qui venait d'entrer. Permettez-moi de me présenter. Je suis le Grand Amiral Thrawn.

Le Commandant Dreyf mit moins d'une minute à découvrir le tiroir secret dissimulé sous le plateau en ivoire du bureau. Il lui en fallut deux autres pour l'ouvrir à l'aide de quelques outils dont l'utilisation était prohibée.

A l'intérieur, il trouva huit datacartes. Trois d'entre elles portaient le logo de services gouvernementaux : ceux de l'Ubiqtorate et des services secrets de la Flotte.

Mais les cinq autres...

— Je veux des copies, ordonna Pellaeon à Dreyf, qui glissa la première dans son databloc. De toutes — même celles qui paraissent officielles. Voyons ce que les équipes de décodage du *Chimaera* pourront y dénicher...

Sortant une nouvelle carte de sa poche, Dreyf la glissa dans le lecteur auxiliaire.

— Si vous permettez, Monsieur, je voudrais essayer quelque chose... Nous avons le code utilisé par le Seigneur Graemon pour correspondre avec Bastion. Voyons si Disra a été assez négligent pour se servir du même... Oh ! Amusant. Je crois que Son Excellence a fait une erreur. (L'officier se tourna vers Pellaeon, avec un grand sourire.) Tout est là, Amiral.

Par-dessus l'épaule de Dreyf, Pellaeon regarda les données qui s'affichaient sur la console. Tout était là, en effet : les noms, les dates, les sommes, les détails des diverses transactions.

— Arriverez-vous à comparer ces informations avec celles découvertes chez Graemon ?

— Sans difficulté, dit Dreyf. (Il fit défiler le contenu des fichiers.) Avec les dates, il suffira de...

— Attendez, coupa Pellaeon. Je viens de voir quelque chose. Revenez en arrière. Non... Encore. Encore...

Il était là. Le nom que Pellaeon avait aperçu lorsque les données défilaient. Le nom, la localisation, l'ordre d'emprisonnement...

— Colonel Meizh Vermel, lut Dreyf, sourcils froncés. N'est-ce pas un de vos aides de camp, Amiral ?

— En effet, dit Pellaeon. (La satisfaction de cette découverte s'effaça pour céder la place à la colère.) Il a disparu pendant une mission spéciale.

— Vraiment ? Ainsi Disra fait aussi dans l'enlèvement...

— Seulement dans les grandes occasions.

L'Amiral regarda le tiroir secret. Dreyf avait forcé la serrure avec habileté, mais il n'y avait aucun moyen de dissimuler les dégâts. Dès que le Moff ouvrirait le tiroir, il comprendrait que quelqu'un l'avait fouillé.

Pellaeon prit sa décision.

— Inutile de les copier. Nous emportons les originaux.

Dreyf haussa les sourcils.

— Monsieur ? Mais...

— Et nous partons, ajouta Pellaeon à l'intention d'un soldat. Prévenez le *Chimaera*. Que le Capitaine Ardiff soit prêt à décoller dès que nous serons à bord. Appelez le Lieutenant Marshian dans la navette et dites-lui que nous sommes en chemin.

— Oui, Monsieur, fit l'homme, sortant son comlink.

— Et Disra ? demanda Dreyf. Nous n'en avons pas terminé avec lui.

— Disra attendra. Je veux libérer Vermel avant que le Moff comprenne qu'il ne vaut plus rien.

— Vous y allez vous-même ?

— Oui, dit Pellaeon, en refermant le tiroir. Tout dépend de la façon dont Disra a rédigé l'ordre d'emprisonnement. Il faudra peut-être que je fasse jouer mon autorité personnelle pour le libérer... Je ne peux plus faire confiance à personne en dehors de l'équipage du *Chimaera*. Il se peut que les autres soient tous à la solde de Disra.

Dreyf secoua la tête.

— Ou de Thrawn...

Pellaeon fit la grimace.

— S'il est vivant. De toute façon, j'y vais.

— Amiral, soyez prudent, dit Dreyf. (Il emboîta le pas à son chef.) La Station de Rimcee est à deux jours de vol. Disra ne mettra pas vingt-quatre heures à s'apercevoir de la disparition des datacartes...

— Ne vous inquiétez pas, j'ai encore quelques tours dans mon sac, déclara Pellaeon. Soldat ?

— Le Lieutenant Marshian affirme que la navette sera prête à décoller dès notre arrivée, Monsieur. Même message du Capitaine Ardiff, à bord du *Chimaera*.

— Bien, dit Pellaeon. (Il fit signe aux soldats d'ouvrir les portes.) Ne les faisons pas attendre.

Le silence dura quelques secondes.

Disra savoura l'expression incrédule de Zothip. Enfin, le pirate était confronté à quelque chose qu'il ne pouvait pas maîtriser.

Si cet instant béni avait pu durer à jamais... Mais pour des raisons connues de lui seul, l'escroc choisit de briser le charme.

— Vous semblez surpris de ma présence, dit-il avec la voix suave de Thrawn. J'en conclus que vous n'avez pas prêté attention aux nouvelles en provenance de Coruscant.

La bouche de Zothip s'ouvrit, puis se referma.

— Non, je... j'avais entendu parler de votre retour, dit-il enfin. Mais je n'y croyais pas.

— Et pourquoi ?

Zothip regarda ses hommes comme pour s'assurer qu'il avait la situation bien en main.

— Si vous étiez vivant, pourquoi diable vous allier à ces crétins d'Impériaux ?

Tierce se raidit ; Thrawn se contenta de sourire.

— Pas mal, dit-il. Un peu lent, mais pas mal.

Zothip fronça les sourcils.

— De quoi parlez-vous ?

— L'Empire va se réveiller, déclara Thrawn. (Il dévisagea les trois autres pirates.) Nous n'avons pas besoin d'alliés, mais nous ne voulons pas décourager les vocations.

Derrière Zothip, un des bandits lâcha un rire méprisant.

— C'est ainsi que vous nous considérez ? Comme des alliés ?

— Contrôle a raison, grommela Zothip. Vous donnez les ordres, vous empochez les profits, nous faisons le sale boulot... Vous appelez ça une alliance ?

— Exact. Une alliance qui vous rapportera davantage que dans vos rêves les plus fous. Position, puissance, richesse... Des systèmes entiers seront à vous, si vous le désirez.

— Merveilleux. Et quand ce miracle est-il censé se produire ? demanda Contrôle en reculant d'un pas.

Disra nota que l'homme s'éloignait de Zothip, comme pour préparer une action brutale... Tierce, qui avait sans doute remarqué son manège, fit aussi un pas. Son mouvement le rapprochait à la fois de Contrôle et d'un deuxième pirate, adossé au mur.

Un seul bandit, sur la droite de Zothip, restait hors de portée. Disra espéra que Tierce ne l'avait pas oublié.

— Bientôt, assura Thrawn. La plupart des pièces sont en place. Je m'occupe des autres.

— Ces « pièces » sont vos autres alliés ? demanda Contrôle. Est-ce ainsi que vous nous voyez ? Comme des pions sur un échiquier ?

Zothip se pencha vers l'Amiral.

— Navré, mais je n'aime pas me faire traiter de pion ! rugit-il. Nous sommes des Pirates Cavrilhu. Nous ne jouons qu'un jeu : le nôtre, et... (Un bip de l'intercom interrompit sa tirade.) Vous attendiez un appel, Votre Excellence ?

Ignorant l'ironie, Disra tourna l'écran vers lui et l'alluma.

— Oui ?

En voyant le visage sinistre du Lieutenant sur l'écran, Disra comprit que les nouvelles étaient mauvaises.

— Votre Excellence, nous avons un problème. Les espions ont réussi à se glisser à travers les mailles du filet.

— Comment ?

— Des droïds, dans un magasin, ont couvert les fréquences biocom Verpine, expliqua l'officier. Le temps que nous ayons repéré la boutique et coupé leurs transmissions, les cibles avaient réussi à sortir du rayon d'action de nos détecteurs d'écho... Le Grand Amiral Thrawn est-il avec vous ?

— Oui, dit l'escroc. Je serai de retour dans un instant. Disposez vos détecteurs d'écho autour de leur dernière localisation. Quadrillage total !

Le lieutenant hocha la tête.

— A vos ordres, Monsieur.

Avec un regard noir pour Tierce, Disra éteignit le moniteur. Il n'aurait jamais dû se laisser entraîner dans cette confrontation alors que Solo et Calrissian étaient encore en liberté.

Il se tourna vers Thrawn.

— Nous devrions remonter.

Contrôle sourit.

— Vraiment ? Vous comptez nous laisser ici ?

Il fit un nouveau pas en arrière.

« L'Amiral Thrawn » semblait fatigué de Zothip et de sa bande.

— Ne soyez pas absurdes, lâcha-t-il sans grande conviction. Vous ne voulez pas être dans le camp des vainqueurs ? Tant mieux, nombreux sont ceux qui demandent à prendre votre place. Major Tierce, appelez une escorte pour raccompagner nos visiteurs...

— Tu te calmes ! s'énerva Zothip, en mettant la main sur son blaster. Nous partirons quand j'aurai mes vingt millions. Et que ça saute, ou sinon...

— Sinon quoi ? cria Disra. Espèce de minable ingrat...

— Ça suffit ! cracha Zothip.

Il porta un doigt à sa bouche et émit un sifflement strident.

Les mains des deux pirates se dirigèrent vers leurs blasters...

Alors, Tierce agit.

Le pirate le plus proche n'eut pas le temps de sortir son arme. D'un bond, Tierce fut sur lui. Un coup sec, un craquement étouffé : il s'affaissa sur le tapis. L'homme à droite de Zothip cria quelque chose, mais Disra n'eut pas le temps de se retourner. Le bras de Tierce se détendit. La garde d'un poignard sortait de la poitrine du malheureux...

... qui avait déjà un couteau planté dans le cou.

Les yeux écarquillés, Disra regarda le cadavre du pirate, puis la jeune femme grande et mince qui se tenait devant la porte.

Un nouvel éclair argenté...

Zothip était plié en deux ; Tierce venait de lui envoyer son pied dans l'estomac. Avec un râle étrange, il s'écroula sur le bureau. Le blaster s'échappa de sa main inerte.

Un poignard était planté entre ses omoplates.

Un nouveau cadeau de la mystérieuse jeune femme, comprit le Moff.

Sans un regard pour les trois Impériaux, l'inconnue traversa la pièce à pas lents et se dirigea vers le chef des pirates agonisant.

De la main gauche, elle lui souleva la tête.

— Pour Lorardian, dit-elle d'une voix dure.

La bouche de Zothip remua. Sans qu'un son en sorte. Ses yeux se révulsèrent. Quand la jeune femme lâcha prise, son crâne heurta la table avec un bruit sourd.

Une nouvelle fois, le silence se fit.

Une nouvelle fois, Thrawn fut le premier à le rompre.

— Bien joué, dit-il. Merci de votre aide.

— Qui était inutile, ajouta Tierce d'une voix moqueuse. (Un petit blaster à la main, il tenait l'inconnue en joue.) Qui êtes-vous ?

La jeune femme étudia Tierce avec un profond mépris.

— Vos hommes n'ont pas de la reconnaissance la même définition que vous, Amiral Thrawn.

— Veuillez excuser Tierce, répondit Thrawn, impassible. Ma sécurité est sa constante préoccupation, et il prend ses responsabilités très au sérieux. Mais il ignore sans doute qui vous êtes... Rangez votre arme, Major. Les Gardiennes des Ombres ne tuent pas sans raison.

Disra regarda la ravissante jeune femme avec horreur. Une Gardienne des Ombres ? Ici, dans son palais ?

L'inconnue battit des paupières, surprise.

— Comment le savez-vous ?

— Allons, dit Thrawn, désignant les cadavres. Après une telle démonstration, comment douter de votre identité ? Sans compter, bien sûr, la référence à Lorardian. Toutes mes condoléances, à ce propos.

— Merci, soupira la jeune femme. J'ignorais que quelqu'un savait ce qui s'était passé là-bas, et s'en souciait...

— Etre informé fait partie de mon travail, remarqua Thrawn.

— J'imagine. (L'inconnue fit un geste vers sa gauche.) Que comptez-vous faire de lui ?

L'Amiral sourit.

— Je ne sais pas encore. Dites-moi, Contrôle, qu'allons-nous faire de vous ?

Disra s'obligea à quitter l'inconnue des yeux... et réalisa que le dernier pirate était encore debout.

Contrôle était resté parfaitement immobile, les mains ouvertes, le blaster rangé dans son holster. Son visage n'exprimait aucune inquiétude. Il se contentait d'observer la scène.

— Mes félicitations, Amiral. (Il s'inclina vers Thrawn, puis vers Tierce.) Ainsi qu'à vous, Major. Je m'attendais à des Soldats de Choc cachés dans le faux plafond... Votre méthode s'est révélée beaucoup plus subtile. En revanche, votre apparition, Mademoiselle, était très inattendue. Vous vous êtes faufilée derrière nous, j'imagine. Je paierais cher pour savoir comment vous avez accompli ce prodige.

— Je n'ai qu'une chose à vendre à un pirate : la mort, rétorqua Karoly d'un ton glacial. Donnez-moi une raison de ne pas vous abattre.

Contrôle haussa les épaules. Mais Disra aurait parié qu'il était moins tranquille qu'il ne le laissait paraître.

— Vous avez déjà vengé les vôtres, déclara-t-il. C'est Zothip le responsable. Aucun de nous n'aurait pu intervenir. (Il se tourna vers Disra.) C'est aussi Zothip qui exigeait vengeance

314

pour le fiasco de Pesitiin, Votre Excellence. Je propose que nous oubliions nos malentendus pour repartir sur des bases nouvelles...

— Quelle bravoure ! fit Tierce, dédaigneux.

Disra se contenta de sourire.

— Vous n'avez pas saisi, Major. Contrôle n'essaye pas de sauver sa peau. Il avait *organisé* cette confrontation. Ai-je tort ?

L'inconnue fronça les sourcils.

— Que voulez-vous dire ?.

— La place de second ne lui convenait plus, expliqua Disra. (L'imperceptible sourire du pirate lui prouva qu'il avait vu juste.) Tout ça n'est que politique...

— Il y a plus en jeu, Votre Excellence, déclara Contrôle. Zothip avait des tripes, mais pas l'intelligence nécessaire pour être à la tête d'une organisation aussi importante que la nôtre. Je tire les ficelles depuis des années. Il était grand temps que j'améliore ma position.

— Nous vous avons nettoyé le terrain, déclara Thrawn avec un soupçon d'ironie. Pouvons-nous vous aider d'une autre façon ?

Contrôle sourit, l'air à la fois suffisant et mielleux.

— Pour commencer, j'aimerais sortir d'ici vivant. (Il hésita, puis se tourna vers Thrawn.) Zothip n'avait pas tort de vouloir revoir notre arrangement, Monsieur. Les risques sont grands, et la Nouvelle République nous a pris pour cible. Il est temps que nous nous fassions discrets.

— Quand viendra la victoire de l'Empire, la galaxie sera partagée entre ses alliés, dit Disra d'une voix lasse. (Pourquoi essayait-il de négocier avec Contrôle ? Après tout, il se moquait bien des Pirates Cavrilhu.) Vous venez d'abandonner un butin qui vous revenait de droit.

— Nous verrons bien... (Contrôle se tourna vers l'escroc.) Vous êtes peut-être un génie, Amiral, mais franchement, je doute que vous réussissiez.

Thrawn sourit.

— Comme vous voudrez... Vous maintiendrez en activité les chaînes de production des Oiseaux de Proie...

— Les usines continueront de tourner, promit Contrôle. Comme cadeau de bienvenue, je vous cède nos intérêts dans l'opération. Considérez ce geste comme un remerciement pour notre association passée... et comme gage d'une séparation à l'amiable.

Thrawn inclina la tête.

— Un investissement, au cas où vous vous tromperiez sur « l'étendue de mon génie ».

— La dernière fois que vous avez attaqué la Nouvelle République, Amiral, de nombreuses organisations se sont retrouvées prises entre deux feux. Je préférerais ne pas voir les Pirates Cavrilhu dans cette position.

— Très bien. Nous ferons de notre mieux pour l'éviter. En tout cas, tant que la livraison des Oiseaux de Proie continuera.

— Parfait. (Après un coup d'œil inquiet à la Gardienne des Ombres, Contrôle se dirigea vers la porte.) Si vous le permettez... j'ai une organisation à restructurer. Bonne chance, Amiral.

— A vous aussi, Capitaine Contrôle, répondit Thrawn. J'espère ne pas vous croiser avant longtemps dans l'espace Impérial.

— Oui, Monsieur, dit Contrôle en reculant vers la porte. Oui...

Il sortit et disparut.

— J'espère que vous avez eu raison de le laisser partir, murmura Disra.

Pellaeon était à l'autre bout du couloir. Ils n'avaient que la parole de Contrôle pour les protéger d'une trahison...

— Ne vous inquiétez pas, assura Thrawn. Manipuler Zothip pour en arriver là a dû être épuisant. Non, il retourne à son vaisseau, j'en suis certain...

— Et elle ? demanda Tierce avec un coup d'œil pour la jeune femme. (Il avait baissé son blaster, mais son regard était dur.) Elle est arrivée avec eux.

— *Derrière* eux, corrigea l'inconnue. J'ai entendu parler de clones, d'alliances entre les pirates et l'Empire et...

— De clones ! la coupa Disra. Qui a mentionné des clones ?

— Deux agents de la Nouvelle République. Yan Solo et Lando Calrissian. Vous en avez peut-être entendu parler.

— A vrai dire... oui. (Thrawn eut un étrange sourire.) En fait, nous essayons d'entrer en contact avec eux en ce moment même.

La jeune femme soupira.

— Ça ne m'étonne pas...

— Et votre réponse à ma proposition ? demanda Thrawn.

— Quelle proposition ?

— Vous ne vous en souvenez pas ? s'étonna l'Amiral. J'ai déclaré que votre réaction avait été un peu lente... avant de parler du souhait de l'Empire de trouver des alliés.

— Vous vous adressiez à Zothip, pas à moi. Vous ignoriez que j'étais là !

— Au contraire, la contra Thrawn, impressionnant de sérénité. Je le savais. Repensez à ce que j'ai dit. Je n'ai mentionné ni Zothip ni ses pirates.

L'inconnue le dévisagea pour évaluer sa sincérité.

Admiratif malgré lui, Disra se tourna vers la porte.

Flim et ses « tours » ! Qui fonctionnaient même quand l'auditoire était hostile...

Hélas, le Moff n'avait pas le temps d'assister au spectacle.

— Je suis sûr que la dame et vous avez beaucoup à vous dire, Amiral, murmura-t-il. Si vous voulez bien m'excuser, je dois retourner auprès de l'Amiral Pellaeon.

— Certainement, Votre Excellence, fit Thrawn. (Il le congédia d'un geste.) Nous allons continuer cette conversation ailleurs, si vous le voulez bien, chère Demoiselle. Si ma proposition vous intéresse, bien sûr.

— Nous n'avons jamais travaillé pour l'Empire, dit la jeune femme, prudente.

— C'était l'Empire de Palpatine, commença Thrawn. Celui que je me propose de rebâtir...

La porte refermée derrière lui, Disra n'entendit pas le reste de l'argumentaire de vente. Il emprunta une série de couloirs pour rejoindre son bureau. Opter pour le passage aurait été plus rapide, mais l'utiliser devant Pellaeon lui aurait fait perdre son caractère « secret »...

Il arriva enfin devant les gardes.

— L'Amiral Pellaeon a-t-il demandé de mes nouvelles ? s'enquit-il en ouvrant la porte.

— Non, Votre Excellence, répondit un soldat. D'ailleurs, il est déjà parti.

Disra s'immobilisa.

— Que voulez-vous dire ? (Il inspecta le bureau vide.) Où est-il passé ?

Le garde s'inclina.

— Il ne nous l'a pas précisé, Votre Excellence.

Disra fit le tour de la petite pièce.

Ça n'avait aucun sens. Pourquoi Pellaeon et Dreyf étaient-ils partis ? Auraient-ils décidé subitement de le laisser tranquille ?

Son regard se posa sur le bureau.

Il en fit le tour en cinq enjambées, la sueur perlant à son front. Non. Ce n'était pas possible.

Si !

Le tiroir secret avait été forcé.

Et les datacartes avaient disparu.

23

D'une main tremblante, Disra appuya sur le bouton de l'intercom.

— Tierce, venez vite ! (Le sang bourdonnait à ses tempes ; sa vision était floue.) *Tout de suite !* (Il bascula sur la fréquence des gardes.) Quand Pellaeon est-il parti ?

— Il y a cinq ou six minutes, Votre Excellence.

Cinq minutes. L'Amiral devait avoir quitté le palais pour gagner le spatioport. Les forces de Sécurité qui auraient pu l'intercepter étaient dispersées dans la ville à la recherche de Solo et Calrissian.

Disra serra les dents et vit son grand dessein s'écrouler sous ses yeux. Tout son plan se trouvait sur ces datacartes. *Tout.* Codé, bien sûr, mais quand Pellaeon déchiffrerait les données...

Puis son cœur s'arrêta de battre la chamade. Le Colonel Vermel, retenu dans une cellule de détention sur la station de Rimcee...

Il fallut une minute pour que l'appel longue distance soit relayé jusqu'au système de Rimcee.

La porte secrète du bureau s'ouvrit ; Tierce entra.

— Nous les tenons, annonça-t-il avec une sombre satisfaction. Leur vaisseau est sur le quai 155...

— Pellaeon a les datacartes, coupa Disra.

— Quoi ?

— Les datacartes, crétin ! Le plan Vengeance, notre arrangement avec les pirates de Zothip, les noms et les détails de mon réseau financier... Il a tout !

Tierce jeta un coup d'œil au tiroir secret.

— Incroyable, marmonna-t-il. Il a effectivement forcé vos archives personnelles. Je ne l'en aurais pas cru capable... Ce doit être l'idée de Dreyf.

— Ce détail sera discuté lors du procès ! cracha Disra. Je me fous de savoir à qui l'idée revient ! Qu'allons-nous faire ?

Tierce haussa les épaules.

— Que *devons*-nous faire ? Les datacartes sont codées, n'est-ce pas ? Quand Pellaeon les déchiffrera...

— C'est déjà fait, déclara Disra. En tout cas, en partie. Il sait que Vermel se trouve sur la station de Rimcee.

— Vraiment ?

— J'ai essayé de contacter le centre de détention... Pellaeon a fait bloquer toutes les transmissions destinées au système.

Tierce regarda l'écran vide.

— Rapide, murmura-t-il. Du bon travail, Amiral.

— On s'en fout ! lâcha Disra, malade de peur et de colère. Tierce ne comprenait-il pas que tout menaçait de s'effondrer ?

— Nous *devons* l'arrêter. Nous devons sortir Vermel de là avant que Pellaeon puisse...

— Non ! Notre priorité est de capturer Solo et Calrissian avant qu'ils rejoignent leur vaisseau. Laissons le Grand Amiral faire son numéro.

— Etes-vous fou ? Solo peut aller au diable ! C'est de ma tête qu'il s'agit, et...

— Calmez-vous ! cracha Tierce. Les informations récupérées par Pellaeon n'ont aucune importance. Vous saisissez ? Aucune importance. Nous avons la datacarte ultime : le Grand Amiral Thrawn. Nous prendrons le commandement et déclarerons que nos actions visaient un seul but : son retour ! Maintenant, sortez de votre transe !

Disra fixa Tierce avec une fureur aussi silencieuse qu'impuissante. Toutes ces années de travail, reléguées aux oubliettes...

Mais Tierce avait raison.

Le Moff toussota.

— Bien. Oublions Pellaeon pour l'instant. Alors ? Que faisons-nous ?

— Vous n'avez pas écouté, dit Tierce. (Il dévisagea Disra avec inquiétude.) Nous avons leur numéro de quai... La fille — D'ulin — était dissimulée dans la soute. L'Amiral et moi devons atteindre le vaisseau avant que Solo et Calrissian ne reviennent. *Vous comprenez ?*

— Oui, je comprends, grogna Disra, qui se remettait lentement du choc. Je ne suis pas un enfant !

— Heureux de vous l'entendre dire, rétorqua froidement Tierce. Parce qu'il faut que vous parliez à D'ulin. Vous allez découvrir ce qu'elle veut et ce qu'il faut faire pour attirer les Mistryls de notre côté...

Disra le regarda, ébahi. Les Mistryls...

— Vous voulez conclure une alliance ? Avez-vous perdu la raison ? Elles haïssent l'Empire !

— Nous avons besoin de remplacer les Pirates Cavrilhu, Votre Excellence, dit Tierce d'un ton las. Et nous n'avons pas le temps d'en discuter. Thrawn et D'ulin sont dans votre bibliothèque. Allez prendre le relais : j'emmène l'Amiral au spatioport. Compris ? Alors, *action* !

L'ordre fit sursauter Disra.

— Ne me parlez plus jamais sur ce ton, Major ! Jamais.

— Ne faites plus jamais de crise de nerfs, Votre Excellence, riposta Tierce. (Si la menace l'avait impressionné, il ne le montra pas.) Allons-y.

Pas de légions Impériales au spatioport. Pas de gardes ou de droïds de surveillance aux points d'accès principaux. Pas de Soldats de Choc devant la porte du quai d'embarquement.

Ils semblaient avoir réussi leur coup et ça suffisait à inquiéter Yan. Lando partageait son sentiment.

— Je n'aime pas ça, Yan, murmura-t-il tandis que son compagnon déverrouillait la porte. Trop facile.

— Ouais... Je sais.

Yan jeta un coup d'œil derrière lui avant de prendre Lobot par le bras.

La reprogrammation de l'implant avait peut-être égaré les Impériaux, mais, depuis, Lobot semblait comme drogué. S'ils devaient se battre sur la rampe d'accès du *Dame Chance*, il ne leur serait d'aucune aide.

Le passage sombre qui menait à la zone de maintenance était également désert.

— Dès que nous serons à l'intérieur, active les moteurs, dit Yan à Lando. (Le *Dame Chance* était là, exactement comme ils l'avaient laissé.) Je m'occupe des armes. Moegid réussira peut-être à pirater l'ordinateur du spatioport pour nous procurer une fenêtre de sortie immédiate...

Une voix s'éleva dans leur dos :

— Ce ne sera pas nécessaire.

Yan se retourna, blaster au poing. Un hologramme était apparu sur le sol de permabéton. Celui d'un homme à la peau bleue vêtu d'un uniforme Impérial blanc...

Lando émit un curieux gargouillis.

— C'est lui, murmura-t-il.

Yan acquiesça, les genoux tremblants.

En effet. C'était bien lui.

Le Grand Amiral Thrawn.

— Posez vos armes sur le sol, s'il vous plaît, dit l'Amiral. Je préférerais vous parler en chair et en os, mais vous comprendrez que je n'ai guère envie de me faire tirer dessus...

— C'est assez normal, admit Yan, sans lâcher son blaster.

Il étudia la zone d'envol. Il devait y avoir des soldats quelque part, mais où ?

Thrawn sourit.

— Voyons, Capitaine Solo, dit-il d'un ton doucereux. Soyez raisonnable. Je sais que vous vous êtes sorti par miracle de nombreux pièges... mais nous sommes à Bastion. La capitale Impériale. Ne souhaitez-vous pas revoir votre femme et vos enfants ?

Yan affirma sa prise sur le blaster. De la sueur coulait le long de ses tempes.

— Ouais, c'est un peu le but du jeu, non ?

L'Amiral secoua la tête.

— Vous vous méprenez, Capitaine. Vous n'avez rien à craindre de moi. Je désire seulement quelques minutes de votre temps... Ensuite, vous et vós compagnons serez libres de vous en aller. (Il désigna Lando.) Demandez à Calrissian. Je lui ai permis de quitter mon Destroyer.

— La situation est loin d'être identique, grommela Lando. Bastion est votre capitale secrète. Nous connaissons son emplacement. Vous ne nous laisserez jamais partir vivants...

— Hélas, Capitaine, je ne crois pas que cette information disparaîtrait avec vous. Le siège de l'autorité Impériale a souvent été déplacé ; il peut l'être encore. (Thrawn sourit.) Enfin, je vois que vous avez besoin d'être convaincus...

Un mouvement apparut à la périphérie de la vision de Yan. Il leva les yeux...

Des Soldats de Choc étaient alignés au bord du toit, blasters levés.

Ils n'y étaient pas quelques secondes auparavant.

Yan soupira. Ils auraient dû foncer vers le *Dame Chance* quand l'hologramme s'était matérialisé, au lieu de laisser Thrawn les piéger.

Il était trop tard, à présent.

— Comment nous avez-vous trouvés ? demanda-t-il, en posant son blaster sur le sol, à ses pieds.

— Ce n'était pas difficile, expliqua l'Amiral tandis que Lando abandonnait aussi son lance-ogive. Aucun d'entre vous ne maîtrisait la technique nécessaire pour pirater les fichiers des Dossiers Spéciaux. J'ai deviné qu'un Verpine vous accompagnait, et j'ai ordonné à mes hommes d'effectuer un balayage de ses fréquences com.

— Pour chercher un écho. (Yan secoua la tête.) J'aurais juré l'avoir coupé avant que vous ne réussissiez à nous localiser.

— Vous vous méprenez de nouveau, Capitaine. Ce n'est pas un écho que je cherchais.

L'hologramme s'effaça ; Thrawn lui-même sortit de derrière une pile de caisses. Son uniforme immaculé brillait sous la lumière de l'après-midi... comme l'armure des six soldats qui l'entouraient.

La gorge de Yan se serra. En fin de compte, ils avaient eu raison de ne pas s'enfuir.

— Je voulais seulement confirmer la présence d'un Verpine, continua Thrawn. Une fois cela fait par le balayage des fréquences biocom, je n'ai plus eu qu'à chercher dans les archives du spatioport un vaisseau arrivé huit, douze ou dix-sept jours *avant* le droïd-sonde.

— Je ne vous suis pas, dit Yan, sourcils froncés. Huit, douze ou dix-sept jours ?

Thrawn sourit.

— Ce sont des chiffres importants pour les Verpine. Votre ami les utilise, sans doute inconsciemment. Etant au courant de cette particularité, j'ai conclu qu'il avait dû altérer les enregistrements du spatioport pour dissimuler l'arrivée du vaisseau. Ai-je besoin de continuer ?

— Non, dit Yan.

Un frisson glacé courut le long de sa colonne vertébrale.

A la Tour Orowood, où Leia et lui habitaient, Lando avait juré avoir vu Thrawn. Malgré tous les arguments et toutes les preuves du contraire, il n'était jamais revenu sur son témoignage.

A l'époque, Yan s'était demandé comment son ami avait pu se laisser avoir...

Maintenant, il comprenait.

— Bien, dit Thrawn. Passons aux choses sérieuses. (Il haussa le ton.) Major ?

Un homme plus jeune sortit de derrière une deuxième pile de caisses, les yeux rivés sur les prisonniers. Dans la main droite il tenait un blaster ; dans la gauche, une datacarte.

— Vous vous souvenez sûrement de notre dernière conversation, Capitaine Calrissian, continua Thrawn. Vous m'avez dit que, pour sauver la Nouvelle République, il me suffisait de vous donner une copie intacte du Document de Caamas...

— Oh, je m'en rappelle ! cracha Lando. Vous avez déclaré que ce serait trop long...

Le Major s'arrêta à un mètre d'eux.

— J'avais surestimé l'ampleur de la tâche, déclara Thrawn en souriant. (Le Major leva une datacarte.) Le voici.

— Comment ça, « le voici » ? demanda Lando, les yeux rivés sur l'objet comme s'il s'attendait à ce qu'il explose.

— Le Document de Caamas. Il est à vous. Prenez-le.

Avec mille précautions, Lando saisit la datacarte. Tierce fit un pas en arrière.

— Où est le piège ?

— Il n'y a pas de piège, assura Thrawn. Je souhaite réellement vous aider.

— Bien sûr ! ricana Yan. Comme quand vous avez aidé à détruire le Bâtiment des Clans Unis sur Bothawui ?

Les yeux rouges de l'Amiral se posèrent sur lui.

— Expliquez-vous...

— C'est une équipe Impériale qui a déclenché l'émeute !

Yan devina plus qu'il ne la vit l'expression inquiète de Lando. Insulter un Amiral Impérial devant ses troupes n'était pas très malin...

Mais Yan n'en resterait pas là. Il ne pouvait prendre congé de Thrawn avec un sourire poli, pas après les morts et les destructions provoquées par ses magouilles.

— Nous avons découvert le cristal du Xerrol Nightstinger, expliqua-t-il.

Yan espérait voir un éclair de culpabilité, ou au moins de compréhension, passer sur le visage de Thrawn...

Curieusement, ce fut un sourire amer qui apparut.

— Un Xerrol Nightstinger... répéta l'Amiral. Une des armes favorites des assassins et des saboteurs... Vous cherchez dans la mauvaise direction, Capitaine. Les cinq derniers Xerrol de l'Empire ont été volés il y a six mois dans une cache de l'Ubiqtorate, sur Marquarra. (Ses yeux brillèrent.) Si vous voulez les retrouver, je vous suggère de chercher dans la propriété du Haut Conseiller Borsk Fey' lya.

Yan et Lando échangèrent un regard étonné.

— Fey'lya ?

— Oui, répondit Thrawn. Les soldats de sa milice privée les ont volés.

— Non, protesta Yan. C'est ridicule...

Et pourtant...

Fey'lya savait qu'il se rendait avec Leia au Bâtiment des Clans Unis pour vérifier l'état réel des finances des Bothans. Un audit interrompu par l'émeute, comme par hasard.

Ce ne serait pas le premier tour de cochon joué par les Bothans...

Thrawn haussa les épaules.

— Je ne tenterai pas de vous convaincre. La vérité est à vous, si vous daignez la chercher. Entre-temps... (Il désigna la datacarte que tenait Lando.) Bonne journée, Messieurs. Et bon voyage.

Sans attendre de réponse, il tourna les talons et se dirigea vers la sortie, suivi par la moitié de son escorte. Les trois autres soldats et le Major attendirent qu'il soit hors de vue pour quitter les lieux. Dès qu'ils eurent passé la porte, les Soldats de Choc disparurent à leur tour.

Yan, Lando et Lobot se retrouvèrent seuls.

Yan regarda son ami.

— Bien... Lando... Je suppose que je te dois des excuses, dit-il d'une voix rauque.

— On s'en tape ! grommela Lando tout en se baissant pour ramasser leurs armes. Partons d'ici, d'accord ? fit-il avec un regard nerveux vers le toit.

— Ouais, souffla Yan en poussant Lobot vers la rampe du *Dame Chance*. On dégage.

— Vous auriez dû voir leurs têtes, dit Flim en faisant tourner l'alcool ambré dans son verre. Ils étaient pétrifiés et ils essayaient de ne pas le montrer. C'était plutôt drôle.

Disra haussa les épaules.

— Je suis sûr que vous aviez du mal à ne pas rire. La question est : ont-ils gobé l'appât ?

— Ils l'ont gobé, assura Tierce avant de retirer une carte de son databloc et d'en prendre une autre sur la pile. Notre Grand Amiral a été aussi impénétrable qu'une plaque de transparacier. Quand Solo lui a balancé le commando Bothawui à la figure, il n'a même pas frémi !

— Le commando Bothawui ? répéta Disra d'une voix aiguë. *Notre* commando sur Bothawui ? Le groupe de Navett ?

— Du calme. Il parlait de l'émeute du Bâtiment des Clans Unis. Ils ignorent que Navett est sur Bothawui.

— Je l'espère, grogna le Moff.

Les détails du plan figuraient sur les datacartes volées par Pellaeon. Mais il y avait peu de risques que l'Amiral coure prévenir Coruscant.

— Comment ont-ils découvert que nous avions fomenté l'émeute ?

Tierce haussa les épaules.

— Qui sait ? Ça n'a pas d'importance : l'Amiral a dévié l'attaque avec brio. (Il se tourna vers Flim.) Et d'ailleurs cette histoire de cache d'armes sur Marquarra... c'est la première fois que j'en entends parler...

Flim avala une gorgée.

— Forcément : j'ai tout inventé. Je me suis dit que...

— Vous avez inventé ? coupa Disra. Quelle est cette nouvelle folie ?

— Une ruse qui m'a permis de me débarrasser de Solo, voilà tout ! protesta Flim. Quoi ? Ça ne vous plaît pas ?

Le Moff se leva.

— En effet ! Ce n'est pas dans le personnage. Thrawn ne mentait pas. Quand il ignorait quelque chose, il n'hésitait pas à le reconnaître.

— Calmez-vous, Votre Excellence, dit Tierce. Il fallait bien qu'il improvise. Notre offre aurait perdu toute crédibilité si nous avions avoué avoir organisé la révolte... Et la Nouvelle République va devoir vérifier l'information. Nous avons gagné du temps.

— Si peu...

— Suffisamment. Dans sept jours, la guerre civile déchirera la Nouvelle République. A ce moment-là, nul ne se souciera plus d'une ancienne émeute et d'un Xerrol Nightstinger. (Il désigna la porte secrète.) Comment s'est passé votre entretien avec notre invitée ? Allons-nous pouvoir acheter les services des Gardiennes de l'Ombre ?

— Je l'ignore, répondit Disra, les lèvres serrées. « Les Mistryls ne travaillent pas pour les Impériaux »... Elle me l'a répété une bonne quinzaine de fois. Je l'ai convaincue d'appeler une de ses supérieures pour en discuter. Les Mistryls veulent quelque chose, c'est sûr, mais je n'ai pas pu lui faire dire quoi.

— La vengeance, dit Flim. Comme tout le monde.

— Contre qui ?

— Une guerre a dévasté leur monde il y a quelques décennies. On raconte que l'argent gagné par les Mistryls sert à aider les survivants.

— Leur monde... répéta Disra. Quel est son nom ?

— Je l'ignore. Les Mistryls restent très discrètes sur le sujet. Peut-être craignent-elles que les agresseurs ne reviennent terminer le travail.

— Vous avez parlé de l'affaire de « Lorardian », rappela Tierce. Peut-être s'agit-il du nom de leur système ?

Flim haussa les épaules.

— Je n'en ai aucune idée.

— Comment ça ? s'étonna le Moff. On aurait cru que vous connaissiez toute l'histoire...

— Et aussi que j'avais détecté la présence de cette fille, répliqua Flim. Je suis un escroc. Mon travail consiste à faire croire que je suis au courant de plus de choses que je n'en sais vraiment.

Disra fit la grimace. Un escroc...

— Bien sûr. J'avais oublié, susurra-t-il avec un infini mépris.

— Ne le prenez pas sur ce ton avec moi, Disra ! cracha Flim, les yeux brillants de rage. Les raids des Pirates Cavrilhu sur les convois de la Nouvelle République étaient aussi une arnaque. Comme l'est Vengeance, votre précieux petit mouvement. Quelques agitateurs Impériaux prétendant représenter un mouvement de civils mécontents : mensonge, rien que mensonge ! Et cette mascarade autour de Thrawn... Vous n'aimez pas les escroqueries ? Dommage. Vous y êtes plongés jusqu'au cou, tous les deux. Et vous n'avez pas le choix. Pas dans l'état où est l'Empire.

Il se leva, une étrange expression sur le visage.

— Laissez-moi vous dire autre chose. Même si vous réussissez, vous aurez toujours besoin de moi. Je suis le seul dans ce groupe à connaître les bas-fonds. Je fréquentais les pirates et les mercenaires. Je sais où trouver les bons chasseurs de primes. Vous voulez engager de nouveaux corsaires ? Il faudra venir me voir. C'est moi qui ai deviné qui était D'ulin à sa façon de combattre...

— Nous ne remettons pas vos talents en cause, protesta Disra, secoué par la violence de la tirade. Qu'essayez-vous de dire ?

— Si la Main de Thrawn se montre, cette mascarade deviendra peut-être inutile, répondit Flim. Mais vous aurez toujours besoin de moi.

Un long moment, le silence régna dans la pièce.

— Vous avez terminé ? demanda enfin le Major.

— Oui. La nouvelle de ma réapparition va faire du barouf dans les chaumières, Tierce. De Coruscant à la Bordure Extérieure. La Main de Thrawn en entendra parler, c'est sûr.

— Je vous ai déjà dit que nous vous protégerions. Et nous le ferons. Ne vous inquiétez pas.

— Ouais, dit Flim. Ouais. Bien sûr.

Lando passa en hyperdrive. Les étoiles se transformèrent en lignes blanches étincelantes.

— Je suppose que c'était ce qu'il voulait. Nous laisser partir, dit-il d'une voix rauque.

Yan ne répondit rien. Il n'avait pas prononcé trois phrases depuis le petit numéro de Thrawn. Lando lui jeta un regard inquiet.

— C'était vraiment lui, hein ? demanda enfin Yan, les yeux rivés sur le paysage fantasmagorique de l'hyperespace.

Lando acquiesça, la gorge serrée.

— Calme. Serein. Trois étapes d'avance sur nous. Oh oui, c'était bien Thrawn...

— Je ne l'aurais jamais cru, dit Yan. (Il secoua la tête.) D'ailleurs, je ne *l'ai* pas cru. Ce que je t'ai dit à la Tour Orowood...

— Oublie ça, fit Lando, qui d'un geste accepta les excuses de Yan. La première fois, je n'y croyais pas moi-même ! Ou plutôt, je ne voulais pas y croire...

Yan soupira.

— Les problèmes commencent. A partir de maintenant, tout peut avoir une double signification. Les événements, les informations... Nous ne pouvons plus avoir confiance en personne. Pas avec Thrawn de retour.

— Je n'en suis pas sûr... protesta Lando. Thrawn ou pas Thrawn, l'Empire ne contrôle que huit secteurs. Cette ordure espère sans doute perturber Coruscant.

— Qui sait ? gronda Yan, sa légendaire énergie retrouvée. (A tout prendre, il préférait être furieux que sonné ou démoralisé.) Ce type me rend dingue. On agit contre lui, pour s'apercevoir qu'on a fait exactement ce qu'il voulait... Et si on s'abstient de bouger, il en profite...

— D'après toi, qu'attend-il de nous ? demanda Lando en brandissant la datacarte.

— Je l'ignore, dit Yan en la lui prenant des mains. Mais je vais te dire ce que nous allons faire. D'abord, lire ce truc et voir s'il contient les noms tant convoités. Ensuite appeler Leia — dès que nous serons à portée de l'HoloNet — pour lui dire que nous l'avons. Et enfin... nous allons demander à Moegid de décortiquer les données de ce fichier... Pour voir s'il trouve les surprises laissées par Thrawn.

Lando regarda la datacarte avec inquiétude.

— Tu penses qu'il y a des surprises ?

— C'est *Thrawn* qui nous l'a donnée, rappelle-toi.

Yan se leva pour jeter un dernier coup d'œil au tableau de bord.

— Viens, je préfère ne pas laisser cette... chose... près de l'ordinateur du vaisseau. Allons chercher un databloc pour voir ce qu'elle a dans le ventre.

24

A sa première tentative, le *Wild Karrde* n'avait rien trouvé. Les lueurs diffuses de la Faille de Kathol, les volutes colorées des courants de gaz ionisés et les nébuleuses miniatures déchiraient la noirceur infinie de l'espace.

Au troisième balayage infructueux, Shada commença à se demander si Exocron n'était pas un mythe.

Au cinquième, ils trouvèrent la planète.

— Un endroit plutôt plaisant, commenta C-3PO. J'espère que les indigènes se montreront amicaux.

La petite planète grossissait derrière les baies du *Wild Karrde*.

— Je ne compterais pas là-dessus, dit Shada, la gorge serrée.

Si Jade et Calrissian avaient raison, Jorj Car'das les attendait quelque part dans le secteur...

Odonnl était aux commandes. Il se tourna vers son patron.

— Ne devrions-nous pas armer les turbolasers ? Au cas où ils n'apprécient pas de nous voir violer leur intimité...

Shada regarda Karrde. Il paraissait nerveux.

— Nous sommes ici pour négocier, pas pour nous battre, dit-il. Je ne voudrais pas lui donner de fausses impressions.

— Oui, mais après Dayark...

— Nous sommes ici pour *négocier*, répéta le contrebandier sur un ton sans appel. H'sishi, détectons-nous des sondes ? Ou des transmissions, Chin ?

— [Pas de sondes pour l'instant, Chef], annonça la Togorienne.

Shada remarqua que sa fourrure était hérissée. Sans doute avait-elle senti l'humeur de Karrde.

— Rien dans les transmissions pour l'instant, Chef, ajouta Chin. Ils ne nous ont peut-être pas vus venir.

— Oh, je parie que si, grommela Karrde. Je me demande seulement...

Un bip s'éleva des haut-parleurs.

— Vaisseau en approche, ici l'Amiral Trey David, officier en second de l'Amiral Suprême Horzao Darr de la Flotte Combinée Aérospatiale d'Exocron, dit une voix ferme mais courtoise. Identifiez-vous, s'il vous plaît.

Chin tendit la main vers sa console...

— Laisse-moi faire, souffla Karrde. (Il appuya sur un bouton.) Amiral David ? Ici Talon Karrde, à bord du cargo *Wild Karrde*. Nos intentions sont pacifiques. Nous demandons la permission d'atterrir.

Une pause suivit... Longue, *très* longue. Dans les bureaux de la Flotte Combinée d'Exocron, la discussion devait être animée.

Enfin la voix répondit :

— *Wild Karrde*, ici l'Amiral David. On m'a dit que vous étiez venu rencontrer Jorj Car'das. Pouvez-vous confirmer ?

Shada observa Karrde. Seul un battement de paupières trahit sa réaction.

— Oui, je confirme, dit-il. Je dois parler avec lui d'un problème essentiel.

— Je vois. (Une nouvelle pause, plus courte.) Il attend votre visite ?

Nouveau battement de paupières.

— *Attendre* n'est peut-être pas le terme approprié. Mais je pense qu'il est au courant de ma venue...

— « Vous pensez », répéta la voix. Très bien, *Wild Karrde*, posez-vous sur le cercle 15 du terrain militaire de Rintatta Ville. Les coordonnées viennent de vous être transmises.

— Merci, répondit Karrde.

— Je les ai, murmura Odonnl en étudiant son écran de navigation. Tout semble correct.

— Une escorte est en route, continua David. Je vous conseille de coopérer...

Karrde hocha la tête.

— Bien sûr. Vous verrai-je là-bas ?

— J'en doute, dit l'homme. Mais qui sait ? Nous aurons peut-être tous de la chance... David, terminé.

Le silence retomba sur la passerelle. Shada regarda ses compagnons. L'expression tendue, le regard inquiet... Ils venaient de comprendre dans quoi ils s'engageaient. Pourtant, aucun ne semblait avoir envie de reculer.

Un équipage loyal et soudé. Fidèle à son chef.

Comme Shada avait autrefois été fidèle aux idéaux des Mistryls. Même quand celles-ci avaient oublié pourquoi elles se battaient...

Le cœur serré, Shada se concentra sur le moment présent.

— Des instructions, Capitaine ? demanda Odonnl.

Karrde n'hésita pas une seconde.

— Procédure d'atterrissage.

Le centre de Rintatta Ville était composé de bâtiments militaires et de terrains d'atterrissage où attendaient de nombreux vaisseaux. Ensuite venait une vaste ceinture de bâtiments civils, d'immeubles d'habitation et de commerces. A l'ouest, on distinguait les contreforts d'une petite montagne escarpée. A l'est s'étendaient de grandes plaines.

A l'inverse de leur arrivée sur Pembric II, aucun problème ne survint. Le *Wild Karrde* ne subit aucun contrôle douanier. Les deux vaisseaux de patrouille envoyés par l'Amiral David l'escortèrent jusqu'à son emplacement, attendirent qu'il se soit posé, puis repartirent. Dans le spatioport, des centaines d'hommes et de femmes s'affairaient ; des douzaines de petits véhicules filaient en tout sens, sans s'intéresser au vaisseau étranger.

Karrde et ses deux compagnons sortirent.

On les attendait devant la rampe d'accès.

— Bonjour, Capitaine Karrde, dit N2 Nee. Bienvenue à Exocron. Je vois que vous avez réussi à nous trouver... Et sans mon aide... Bonjour, Shada, bonjour C-3PO...

— Bonjour, Maître N2 Nee, répondit C-3PO, soulagé de voir un visage familier. J'avoue que je ne m'attendais pas à vous trouver ici.

— Et moi, je m'inquiétais à votre sujet, déclara N2 Nee en souriant. Quand je vous ai vus sur Dayark, vous sembliez avoir des difficultés avec les pirates. (Il regarda le vaisseau.) Votre charmante Togorienne se joindra-t-elle à nous ?

— Non, H'sishi reste à bord, répondit Karrde avec un sourire amusé.

H'sishi était un membre valeureux de son équipage, mais Karrde n'aurait pas utilisé le mot « charmante » pour la qualifier.

— Dommage... (Le vieil homme évalua Shada et C-3PO du regard.) C'est tout ? Vous ne voulez pas que d'autres amis vous accompagnent ?

Karrde sentit sa gorge se serrer. Bien sûr qu'il aurait aimé que d'autres amis l'accompagnent. Tout l'équipage du *Wild Karrde*, plus celui du *Glacier Etoilé*, la force d'intervention de la Nouvelle République du Général Bel Iblis, l'Escadron Rogue et quatre clans de guerriers Noghris...

Mais cela n'aurait servi à rien. Car'das l'attendait, et il ne voulait faire courir de risques inutiles à personne.

— Oui. C'est tout. Allez-vous m'emmener voir Car'das ?

— Si vous le désirez, dit le petit homme.

L'aspect inoffensif de N2 Nee n'est qu'un masque, pensa Talon. *Une habile illusion...*

Il hocha la tête. N2 Nee sourit.

— Bien. Allons-y.

Près du cercle d'atterrissage, un speeder à quatre places était garé. Karrde soupira. La « surprise » de N2 Nee devant la maigreur de son escorte était donc feinte.

Les voyageurs s'installèrent et le véhicule démarra. Le petit homme se fraya adroitement un chemin sur les routes encombrées avant de se diriger vers la montagne.

— Que se passe-t-il ici ? demanda Shada tandis que N2 Nee doublait un camion de carburant.

— Ils préparent des manœuvres, je suppose, répondit N2 Nee. Les militaires aiment bien ça.

Karrde se fichait pas mal de l'emploi du temps de la Flotte Combinée d'Exocron.

— Où allons-nous ? demanda-t-il, la voix rauque. Est-ce loin ?

N2 Nee secoua la tête.

— Pas vraiment. Regardez... Le bâtiment bleu clair, droit devant... Sur la colline. C'est là.

Karrde se protégea les yeux du soleil pour mieux voir. A cette distance, l'édifice ne paraissait pas particulièrement impressionnant. Ce n'était pas une forteresse, même pas un manoir.

N2 Nee quitta la zone militaire. Le bâtiment bleu clair se rapprochait. *C'est une simple maison*, constata le contrebandier, étonné.

Shada fronça les sourcils.

— Car'das vit là, ou est-ce seulement un lieu de rendez-vous ?

N2 Nee sourit.

— Comme d'habitude, avec vous... il n'y a jamais que des questions.

— Y répondre fait partie de mon travail, répliqua Shada.

— Pas du mien ! Allons, ne soyez pas impatiente. Ce n'est plus très loin. Détendez-vous et profitez du voyage...

Plus ils s'approchaient, plus la maison semblait miteuse. Sa surface au sol était ridicule et les murs paraissaient décrépis.

— Comme vous voyez, la maison est construite à flanc de montagne, commenta N2 Nee. (Le speeder passa devant un dernier groupe d'habitations avant de filer vers une pente herbeuse.) L'ancien propriétaire voulait la protéger contre les vents d'hiver, j'imagine.

— Qu'est-il arrivé au côté gauche ? demanda Shada en avisant un mur partiellement écroulé. Il s'est effondré ?

— Il n'a jamais été terminé, répondit N2 Nee. Car'das voulait agrandir les lieux, mais... enfin, vous verrez.

Karrde frissonna.

— « Nous verrons ? » Que voulez-vous dire ? Pourquoi n'a-t-il pas effectué de travaux ?

N2 Nee ne répondit pas. Karrde et Shada échangèrent un regard inquiet.

Une minute plus tard, N2 Nee arrêta le speeder devant une porte blanche à la peinture écaillée.

Shada se glissa devant Karrde.

— Passez le premier, dit-elle à N2 Nee. Je vous suis, Karrde fermera la marche.

Le petit homme secoua la tête.

— Oh non. Je suis navré, mais le Capitaine Karrde et moi devons entrer les premiers.

Shada plissa les yeux.

— Laissez-moi vous expliquer...

— Non, Shada. C'est bon... (Karrde avança vers la porte.) Si Car'das veut me voir seul, j'obéirai.

Il leva la tête vers les fenêtres désertes, se sentant dangereusement exposé.

— C'est hors de question, rétorqua Shada. Que les choses soient claires, N2 Nee. Ou je viens avec lui, ou il reste là.

Karrde lui jeta un regard noir.

— Shada...

Voulait-elle qu'ils se fassent tuer avant qu'il ait une chance de plaider la cause de la Nouvelle République ?

— S'il voulait m'éliminer, Car'das en aurait eu l'occasion en chemin. Et il pourrait sûrement m'abattre ici-même...

— Je sais, répliqua Shada. Mais ça n'a pas d'importance. Je suis votre garde du corps, et j'entends faire mon travail.

Karrde la regarda. Lors de la réunion à la Tour Orowood avec Solo, Organa Solo et Calrissian, Shada avait seulement accepté de les aider. Quand cette « aide » s'était-elle transformée en emploi de garde du corps ?

Ils n'étaient partis que depuis deux semaines et demie...

— Shada, j'apprécie votre sollicitude, dit-il, une main posée sur la sienne. Mais vous devez vous souvenir de ce qui est en jeu. Ma vie n'est pas le plus important.

— Je suis votre garde du corps, s'entêta Shada. Pour moi, votre sécurité passe avant tout.

— S'il vous plaît... intervint N2 Nee. Vous vous méprenez. Le Capitaine Karrde et moi devons entrer en premier, mais vous pourrez nous suivre. C'est simplement que... vous verrez bien.

Shada acquiesça à contrecœur.

— D'accord. Mais souvenez-vous, N2 Nee, vous êtes dans ma ligne de mire. Très bien, allons-y... Je vous suis avec C-3PO.

— Maîtresse Shada, protesta le droïd, est-il vraiment nécessaire que je vous accompagne ? Je devrais peut-être garder le speeder...

N2 Nee sourit.

— A vrai dire, sa présence nous sera peut-être utile. Viens, C-3PO, tout se passera à merveille.

— Bien, Maître N2 Nee, répondit le droïd, résigné. Mais j'ai un mauvais pressentiment...

Shada jeta un coup d'œil à C-3PO. Etait-ce lui qui venait de marmonner derrière son dos ?

— Parfait ! lança gaiement N2 Nee. (La crise passée, il paraissait de nouveau inoffensif.) Je vous attends.

La porte n'était pas fermée. Karrde suivit N2 Nee dans une salle à manger noire et humide. Shada se tendit. Dans les ombres, il paraissait si vulnérable...

La pièce n'avait pas servi depuis longtemps. Les meubles étaient vieux et poussiéreux. Les trois fenêtres, tellement menaçantes vues de dehors, n'étaient qu'affreusement sales, leurs vitres malmenées par des années de lutte contre les vents de sable. D'immenses toiles d'araignées pendaient du plafond, étincelantes sous les rares rayons de lumière.

— Par ici, dit N2 Nee.

Sa voix guillerette tranchait avec l'atmosphère étrange de l'endroit.

Il marcha jusqu'à une porte.

— Il est là, Capitaine Karrde. Préparez-vous.

Karrde inspira profondément. Derrière lui, il entendit un léger frottement : Shada dégageait son blaster de son étui.

— Je suis prêt, déclara-t-il. Finissons-en.

— Bien...

N2 Nee effleura la commande de la porte, qui s'ouvrit avec un léger grincement.

Ce fut d'abord l'odeur qui frappa Karrde. Elle évoquait l'âge, les souvenirs lointains, les espoirs perdus.

Des effluves de maladie et de fatigue.

Des effluves de mort.

La pièce était minuscule. Les étagères croulaient sous un mélange hétéroclite de bibelots et de matériel médical. Un grand lit occupait le reste de l'espace.

Allongé sous plusieurs couvertures, un vieil homme fredonnait en contemplant le plafond.

— Jorj ? souffla N2 Nee. (Le chant s'interrompit, mais le regard du vieillard resta fixé au plafond.) Jorj ? Quelqu'un est venu vous voir.

Karrde entra à son tour, l'esprit en ébullition.

Non. Ce ne pouvait pas être Jorj Car'das. Pas l'homme ambitieux et charismatique qui avait créé une des plus grandes organisations de contrebande de la galaxie...

— Jorj ? souffla-t-il à son tour.

Le front ridé de l'homme se plissa ; il leva la tête.

— Mertan ? demanda-t-il d'une voix chevrotante. Mertan ? C'est toi ?

Karrde soupira. La voix, les yeux... C'était bien Car'das.

— Non, Jorj, dit-il d'une voix douce. Pas Mertan... Karrde. Talon Karrde.

Les paupières du vieil homme papillotèrent.

— Karrde ? répéta-t-il de la même voix incertaine. C'est vous ?

— Oui, Jorj, c'est moi. Vous vous souvenez ?

Un sourire illumina le visage du vieil homme... puis s'effaça comme si ses muscles étaient trop vieux pour le garder en place.

— Oui, répondit-il. Non. Qui êtes-vous ?

— Talon Karrde, répéta le contrebandier, le goût amer de la défaite dans la bouche.

La déception et la fatigue l'envahirent.

Tout ce chemin ! Ils avaient fait tout ce chemin pour voir Car'das et le supplier de les aider. Les tourments de Karrde, ses angoisses, ses regrets, sa culpabilité... Toute cette boue remuée pour rien.

Le Jorj Car'das qui l'avait terrorisé durant des années avait disparu depuis longtemps. A sa place, il ne restait qu'une coquille vide.

Une main se posa sur son épaule.

— Venez, Karrde, dit doucement Shada. Il n'y a plus rien à voir ici.

— C'était Karrde, hein ? demanda le vieil homme. (Un bras squelettique émergea de sous les couvertures.) Tarron Karrde ?

— Talon Karrde, corrigea N2 Nee, comme un père patient qui s'adresse à un très jeune enfant. Puis-je faire quelque chose pour vous ?

Car'das fronça les sourcils. Sa tête retomba sur l'oreiller.

— *Shem-mebal ostorran se'mmitas Mertan anial* ? marmonnat-il, d'une voix à peine audible. *Karmida David shumidas krree* ?

— C'est de l'ancien Tarmidien, murmura N2 Nee. La langue de son enfance. Il s'en sert de plus en plus souvent.

Shada se retourna.

— C-3PO ?

— Il demande si Mertan est passé aujourd'hui, traduisit le droïd, sans se soucier, pour une fois, de préciser combien de langages il maîtrisait. Ou le sympathique Amiral David.

— Non, ni l'un ni l'autre, murmura N2 Nee. (Il fit signe à Karrde de sortir.) Je reviens plus tard, Jorj. Essayez de dormir un peu, d'accord ?

Ses visiteurs de retour dans la salle à manger, il tendit la main vers la commande de la porte.

— Dormir ? soupira le vieillard avant de tousser. Je ne peux pas dormir maintenant, Mertan. J'ai trop de choses à faire. Il faut que...

La porte se referma, étouffant ses paroles.

337

— Vous comprenez à présent, chuchota N2 Nee.

Karrde acquiesça, un goût de cendres dans la bouche. Toutes ces années...

— Depuis combien de temps est-il dans cet état ?

— Et pourquoi nous avoir fait venir jusqu'ici ? demanda Shada.

— Que puis-je vous dire ? soupira N2 Nee. Il est vieux, très vieux... Diverses affections accompagnent le grand âge. (Ses yeux brillants se tournèrent vers Shada.) Et c'est vous qui désiriez venir.

— Nous voulions voir Jorj Car'das, protesta Shada. Pas... ça.

— Laissez tomber, Shada, souffla Karrde. C'est ma faute, pas celle de N2 Nee. J'aurais dû venir ici il y a des années. (Il cligna des yeux, sans chercher à dissimuler ses larmes.) Il ne me reste qu'une question... N2 Nee, Car'das avait une gigantesque bibliothèque de datacartes. Savez-vous où elle se trouve ?

N2 Nee haussa les épaules.

— Aucune idée. Il a dû s'en débarrasser bien avant que j'entre à son service.

Karrde hocha la tête. Leurs dernières chances de trouver un exemplaire du Document de Caamas venaient de s'envoler.

Toutes ces peurs sans objet... Et un voyage inutile.

Tout à coup, il se sentit très vieux.

— Merci, dit-il. (Il sortit son comlink.) *Wild Karrde* ?

La voix sarcastique de Dankin s'éleva dans la salle obscure.

— Ici, Chef. Ça marche ?

— Comme sur des roulettes, merci, répondit Karrde. (Le code signifiait que tout allait bien.) Préparez le vaisseau. Nous décollerons dès notre retour.

— Il y a... comme un problème, dit Dankin. Quelque chose va se produire ici, Chef. Quelque chose d'important. Autour de nous, tous les vaisseaux se préparent au combat.

Karrde fronça les sourcils.

— Tu en es sûr ?

— Affirmatif ! Ils arment les batteries de missiles et préparent les canons à ions... La totale ! Ils équipent aussi des vaisseaux civils...

— Rei'Kas et ses pirates, murmura N2 Nee. L'un d'eux vous a suivis.

Karrde secoua la tête. Une nouvelle hypothèse bonne à jeter à la poubelle... Il aurait juré que Rei'Kas avait été engagé par Car'das.

— Personne n'a pu nous suivre, protesta-t-il. Nous surveillons toujours nos arrières.

— Vous vous trompez, déclara N2 Nee. J'ignore comment, mais vous avez été repérés. L'Amiral David m'a dit que la flotte entière avait quitté la base. Les pirates approchent d'Exocron.

— Vous étiez au courant avant que nous nous posions ? s'étonna Shada. Pourquoi ne nous avez-vous pas prévenus ?

— Pour vous dire quoi ? Il était déjà trop tard. Ils avaient trouvé Exocron. (N2 Nee désigna le ciel.) C'est pour ça que j'avais proposé de vous accompagner, Capitaine Karrde. Ils n'auraient pas pu suivre mon vaisseau.

Karrde grimaça. Comme si sa culpabilité n'était pas assez grande...

— Dans combien de temps seront-ils là ?

C-3PO intervint avant que N2 Nee puisse répondre.

— Pardonnez-moi... Si des pirates sont en route, ne devrions-nous pas préparer notre départ ?

— Il a raison, dit le vieil homme. Mais vous n'avez aucune raison de vous presser. Ils ne seront pas dans le secteur avant huit bonnes heures. Peut-être plus.

— Et vous ? demanda Shada.

N2 Nee haussa les épaules.

— Tout ira bien. On m'a dit que la Flotte Combinée était très efficace.

— Contre des contrebandiers, peut-être, protesta Shada. Mais il s'agit de Rei'Kas...

— C'est notre problème, pas le vôtre, coupa N2 Nee.

Karrde réalisa que le comlink était encore allumé.

— Dankin ? Tu as entendu ?

— Bien compris, Chef, confirma Dankin. Vous voulez toujours que je prépare le vaisseau ?

Karrde regarda N2 Nee, puis les fenêtres poussiéreuses.

Derrière, en ville, il y avait des gens que ses actes — même s'il ne l'avait pas désiré — avaient mis en danger.

Il n'avait pas le choix.

— Oui, prépare-le, dit-il à Dankin. Au combat !

Il se tourna vers N2 Nee.

— Nous restons !

25

Le chaos régnait à bord de l'*Aventurier Errant.*

Booster Terrik soupira.

Il y en avait partout. Des milliers de techniciens et d'ouvriers de la Nouvelle République grouillaient dans son Destroyer. Réparant, ajoutant, retirant, améliorant... parfois même changeant des pièces pour le plaisir. Les hommes de Terrik avaient été submergés par les équipes de « restauration » qui déferlaient dans le vaisseau.

Et dans ce chaos, aussi calme que l'œil du cyclone, le Général Bel Iblis jubilait.

— Cinq bâtiments sont arrivés dans le système la nuit dernière, annonça un aide de camp tandis que le Général remontait la coursive d'alimentation Tribord-16. Le *Fou de Liberté,* l'*Esprit de Mindor,* le *Guerrier des Etoiles,* le *Sentinelle Stellaire* et la *Vengeance de Welling.*

— Bien, dit Bel Iblis. (Il s'arrêta près d'un panneau de contrôle des turbolasers.) Le *Garfin* et le *Beledeen II* ?

— Pas de nouvelles pour l'instant. Des rumeurs encore non confirmées courent sur la présence du *Webley.*

— Oh, il est arrivé, soupira Booster. En tout cas, le Capitaine Winger est là. Ses doigts mécaniques laissent des marques distinctes sur le métal des leviers.

L'aide de camp le foudroya du regard.

— Tous les vaisseaux doivent signaler immédiatement leur présence...

— Ne vous inquiétez pas, dit gentiment Bel Iblis. Alex se montrera bien assez tôt. Il veut probablement accorder un peu de repos à ses hommes.

— Ce ne sont pas les seuls à en avoir besoin, grommela Booster.

Bel Iblis fronça les sourcils comme s'il venait de remarquer sa présence.

— Vous désirez quelque chose, Terrik ?

— Je me demandais quand les travaux seraient finis...

— Nous y sommes presque. Lieutenant ?

— Réorganisation principale terminée dans douze heures, confirma le jeune officier après avoir consulté son databloc. Les derniers détails seront réglés pendant le voyage vers Yaga Mineure.

Bel Iblis se tourna vers Booster.

— Autre chose ?

— Oui, répondit Booster.

Il regarda avec insistance l'aide de camp.

— Lieutenant, soupira Bel Iblis, allez vérifier le rayon tracteur numéro 7. Assurez-vous que les réglages sont corrects.

— Oui, Monsieur, répondit l'officier.

Avec un regard mauvais pour Booster, il descendit le couloir au pas de charge.

— Allons dans un endroit plus tranquille, suggéra Bel Iblis.

Il se dirigea vers la porte rouge d'une station de secours d'urgence.

— Vous êtes resté très discrets sur le plan du raid, grommela Booster. Si vous me donniez quelques détails ?

Ils entrèrent dans la pièce.

Le Général secoua la tête.

— Il n'y a pas grand-chose à en dire. Nous allons conduire l'*Aventurier Errant* dans le périmètre de défense ennemi. Dès que nous y serons, le reste de la force de frappe sortira de l'hyperespace pour attaquer. Avec un peu de chance, les Impériaux seront trop occupés à se défendre pour s'intéresser à nous.

— En supposant que nous survivions jusque-là, grommela Booster. Mettons. Et ensuite ?

— Yaga Mineure est une installation Impériale unique en son genre. Le bâtiment principal est en orbite. Il est traversé par un tube d'accès d'une centaine de mètres. Les stations informatiques sont aux deux extrémités.

— Bizarre...

— L'idée était de permettre l'accès aux archives à des chercheurs civils sans avoir à les laisser entrer dans la base, expliqua le Général. Le Grand Moff Tarkin contrôlait Yaga

341

Mineure d'une main de fer. Il préférait que ses adversaires politiques ignorent ce qui s'y passait.

— D'accord... Je suppose que des sas d'accès n'ont pas été prévus...

— Il y a des sas, mais ils sont peu pratiques, dit Bel Iblis avec le plus grand sérieux. Nous allons devoir percer un trou dans le tube et munir nos *pirates* de combinaisons pressurisées.

Booster laissa échapper un rire méprisant.

— C'est ça, faites donc un trou dans la station. Personne ne le remarquera...

— C'est l'idée, en effet. Nos vaisseaux tireront des salves de torpilles à protons. Les Impériaux penseront peut-être que l'une d'elles a fait mouche.

— Et s'ils ne tombent pas dans le panneau ?

Bel Iblis haussa les épaules.

— Dans ce cas, vous, moi et l'équipage de l'*Aventurier Errant* devrons mériter nos salaires. Nous devrons occuper nos adversaires assez longtemps pour que les *pirates* copient le Document de Caamas et transmettent les données aux vaisseaux d'attaque.

— Ne le prenez pas personnellement, Général, soupira Booster, mais c'est le pire plan que j'aie entendu de ma vie. Que nous arrivera-t-il une fois le Document récupéré ?

Bel Iblis le regarda droit dans les yeux.

— Ça n'a aucune importance. S'ils acceptent notre reddition, tant mieux. Sinon... nous serons aux premières loges quand ils désintégreront l'*Aventurier Errant*.

— Un instant ! protesta Booster. Que voulez-vous dire par « *nous* » ? Je pensais que vous seriez à bord d'un vaisseau de la Flotte officielle.

— L'*Aventurier Errant* est la clé de voûte de l'opération. Il doit tenir assez longtemps pour permettre à nos hommes de trouver le Document de Caamas, puis de le transmettre malgré le brouillage des Impériaux. Ma présence à bord est indispensable.

— Attendez une putain de seconde ! grogna Booster. C'est mon vaisseau. Vous m'avez dit que je resterais Capitaine !

Bel Iblis hocha la tête.

— Vous resterez le Capitaine. Je serai l'Amiral.

Booster poussa un soupir à fendre l'âme. Il aurait dû savoir que Bel Iblis ne céderait sur rien.

— Et si je refuse de vous laisser le commandement ?

Bel Iblis lui jeta un regard las. Booster se détourna, un goût amer dans la bouche.

Il y avait des milliers de soldats de la Nouvelle République à bord. La réponse était évidente.

— Bien, marmonna-t-il. Je savais que j'allais le regretter.

— Rien ne vous oblige à venir, déclara Bel Iblis. Je suis certain que Coruscant vous dédommagera pour...

— Oubliez ça ! lâcha Booster. C'est mon vaisseau ; vous ne l'emmènerez pas au combat sans moi. Point.

Bel Iblis sourit.

— Je comprends, dit-il. Croyez-moi, je comprends. Autre chose ?

— Non, ça me suffit pour l'instant. Vous devriez trouver un meilleur plan.

— Je ferai de mon mieux.

Booster se dirigea vers la sortie... puis s'immobilisa.

— Attendez. Vous allez percer un trou dans le couloir d'accès de la station informatique... Que se passera-t-il si quelqu'un s'y trouve ?

— Il n'y aura personne, le rassura Bel Iblis. L'endroit est rarement utilisé. Et puis, c'est la seule solution.

— Supposons que vous vous trompiez... Les archives sont réservées aux civils. Si vous percez un trou dans la paroi, vous les tuerez, s'il y en a.

— Oui, répondit Bel Iblis. Je sais.

Klif consulta son chrono.

— Bien, dit-il. Ça fait quatre heures. Qu'en penses-tu ? Encore deux avant la panique ?

Navett refit mentalement le calcul. D'après Pensin, le transfert des bombes à retardement organiques sur les vêtements des techniciens Bothans s'était parfaitement déroulé.

Quatre heures s'étaient écoulées depuis l'entrée des employés dans le bâtiment du générateur. *Encore une heure avant qu'ils détectent la présence des bombes*, décida Navett. Deux de plus pour que les officiers mesurent l'ampleur du problème et admettent qu'ils avaient besoin d'aide...

— Disons trois. Les Bothans n'aiment pas être redevables à des étrangers.

Klif haussa les épaules.

— Bon... Nous sommes prêts, ils n'ont qu'à se décider, déclara-t-il.

Il étouffa un bâillement.

Le carillon tintinnabula et la porte de la boutique s'ouvrit. Navett prit son air d'honnête crétin avant de se lever...

... et se figea. Les deux militaires de la Nouvelle République venaient d'entrer dans le magasin.

A côté de lui, Klif sursauta.

— Du calme, murmura Navett. (Exagérant la béate stupidité de son sourire, il avança.) Une bonne et profitable journée à vous, Messieurs. Puis-je vous être utile ?

— Merci, nous ne faisons que regarder, dit le premier type.

Navett étudia discrètement les espions. Ils se ressemblaient : petits tous les deux, avec des cheveux châtains tirant sur le gris. Celui qui avait parlé avait les yeux noirs, et l'autre, verts.

Et de près, Yeux Noirs paraissait familier.

— Bien sûr, bien sûr... dit Navett, affable. Cherchez-vous quelque chose de particulier ?

— Pas vraiment, répondit Yeux Verts, planté devant une cage. Qu'est-ce que c'est ? Des polpiens ?

— Exact, répondit Navett. Monsieur est connaisseur.

Les deux hommes avaient l'accent Corellien.

— Un peu, répondit Yeux Verts. (Une étrange lueur brilla dans son regard.) Je croyais que les Bothans étaient allergiques aux polpiens.

Navett haussa les épaules.

— Certains le sont, je suppose.

— Et vous en importez ?

— Bien sûr, se défendit le faux commerçant avec une moue de surprise. Tous les Bothans ne sont pas concernés par ce problème, et d'autres peuples sont représentés ici...

Yeux Noirs éternua.

— Là, vous voyez, reprit Navett. Vous devez être allergique à quelque chose. Ce qui ne vous a pas empêché d'entrer, non ? Je parie que je peux vous dénicher un animal de compagnie idéal.

Le carillon de la porte résonna de nouveau. Navett se retourna pour découvrir une femme mince mais âgée. La voleuse mentionnée par Klif ?

— Bonjour, dit-il avec une courbette. Une heureuse journée de plaisir et de profit à vous, Madame. Puis-je vous aider ?

— Je l'espère, dit-elle. Avez-vous des ratiers tists ?

Navett sentit sa gorge se serrer. Des ratiers tists ?

— Je ne crois pas en avoir jamais entendu parler, admit-il. (Mieux valait ne pas s'aventurer sur un terrain glissant.) Je vais jeter un coup d'œil à ma documentation pour voir si je peux vous en commander. De quelle sorte d'animal s'agit-il ?

— L'espèce est plutôt rare, expliqua la femme. Ce sont de petites bêtes très agiles avec une fourrure rayée et des griffes rétractables. Les bergers en utilisant parfois pour garder le bétail dans les régions montagneuses.

Le ton de l'inconnue était enjoué, mais Yeux Verts et elle observaient Navett avec attention.

La voix de Klif résonna à l'autre bout de la salle. Il devait avoir discrètement consulté le datablc.

— Bien sûr, dit-il. Vous voulez parler des krisses korduliens.

Navett hocha la tête.

— Oh, évidemment, des krisses korduliens... J'ignorais que ces animaux avaient un autre nom. Klif, pouvons-nous en importer ?

— Laisse-moi vérifier.

Il sortit le datablc de sous le comptoir et fit mine de l'allumer.

Yeux Noirs passa devant la cage des mawkrens.

— Et ça ? C'est quoi ?

— Des bébés mawkrens, répondit Navett. (Il regarda avec amour les minuscules lézards.) Eclos ce matin. Mignons, n'est-ce pas ?

— Adorables, dit Yeux Noirs, sinistre.

La voix de Klif s'éleva de nouveau.

— Ah, voilà ! Des krisses korduliens. Voyons...

Le comlink signala un appel. Le cœur de Navett se serra.

— Veuillez m'excuser, dit-il.

Il sortit son appareil.

Si c'était la communication qu'il attendait...

— Allô ?

— Etes-vous Navett, le propriétaire du *Paradis des Animaux Exotiques* ? demanda une voix de Bothan.

— Exact. (C'était bien l'appel attendu. Et il y avait deux agents de la Nouvelle République dans le magasin.) Que puis-je faire pour vous ?

— Nous aider à régler un problème d'infestation, expliqua le Bothan. Nos efforts pour éliminer les insectes ont été inutiles. Peut-être pouvez-vous nous aider...

— Probablement, dit Navett. Avant de nous recycler dans le commerce, Klif et moi nous occupions d'exterminer les insectes nuisibles. De quel type s'agit-il ?

— Nos experts ne réussissent pas à les identifier. Ils sont minuscules, leur bourdonnement est insupportable... et ils résistent à toutes nos méthodes d'extermination.

— Des skronkies, suggéra Navett. Ils font un bruit épouvantable... A moins que ce ne soit des aphrens, ou... Attendez. Je parie pour des métalmites. J'espère que vous n'avez pas de matériel électronique ou de grosses machines dans le coin ?

Un gargouillis se fit entendre à l'autre bout du comlink.

— Hélas, si, répondit le Bothan. Que font les métalmites ?

Navett sourit.

— Elles dévorent le métal ! Enfin, le mot « dévorer » n'est peut-être pas approprié. Les métalmites sécrètent des enzymes qui...

— Epargnez-moi les détails ! coupa le Bothan. Comment les éliminer ?

— Voyons, voyons, dit Navett, se frottant le menton au seul bénéfice des agents de la Nouvelle République qui l'observaient. Avez-vous du... voyons... du CorTrehan ? Le nom complet est « cordioline trehansicol ».

— Je l'ignore, grommela le Bothan. Mais je suis sûr que nous pouvons en fabriquer.

— Avant de donner l'ordre, vérifiez que vous avez engagé des experts, avertit Navett. Asperger partout ne servira à rien.

Il y eut une courte pause.

— Que voulez-vous dire ?

— Qu'asperger partout serait inutile, point, répéta Navett, avec une impatience calculée. Le produit doit être pulvérisé aux endroits où les métalmites vont se nourrir, mais il faut leur laisser suffisamment de zones propres pour... (Il soupira.) Ecoutez, ce n'est pas un travail d'amateur. Nous avons l'équipement de pulvérisation... Il nous sert à nettoyer les cages. Trouvez du CorTrehan. Klif et moi ferons le boulot.

— Impossible, rétorqua sèchement le Bothan. Les étrangers ne sont pas admis dans la zone.

Navett haussa les épaules. Il se doutait que sa proposition serait rejetée.

— Oh... Bien, tant pis. Je voulais seulement vous être utile... Vous devriez parvenir à éliminer l'essaim avant qu'il fasse de réels dégâts. (Il fronça les sourcils, comme si une idée venait de lui traverser l'esprit.) Vous n'avez qu'un seul essaim, j'espère... Quand les métalmites bourdonnent, vous n'entendez qu'une note ?

Il y eut une courte pause.

— Non... plusieurs, répondit le Bothan. Cinq, peut-être six.

Navett laissa échapper un sifflement admiratif.

— Cinq ? Oh, putain ! Klif, ils ont cinq essaims ! Bonne chance, alors ! J'espère que vous trouverez quelqu'un avant que la guerre commence...

Il éteignit le comlink.

— Cinq essaims, murmura-t-il. Eh ben !

— C'est terrible, acquiesça Yeux Verts, une lueur dansant dans le regard. De petites pestes, ces métalmites.

— Elles s'introduisent parfois dans les vaisseaux les mieux protégés, confirma Navett.

L'agent de la Nouvelle République semblait troublé. La question était de savoir ce qui l'inquiétait. Navett ou les métalmites ?

— J'ai entendu dire qu'on trouvait aussi des Mynocks dans les spatioports, ajouta Navett sur le ton de la confidence. Ils s'accrochent à l'arrière des vaisseaux quand... (Son comlink bipa de nouveau.) Veuillez m'excuser. Allô ?

Le même Bothan. Le cœur de Navett battit plus fort.

— Ici le Contrôleur Supérieur Tri'byia. Nous nous sommes parlé il y a quelques instants...

— Ouais. Que puis-je pour vous ?

— On m'a chargé de vous demander vos tarifs, grommela Tri'byia.

Son ton montrait que l'idée ne l'enthousiasmait guère.

— Ils sont loin d'être prohibitifs, Monsieur. En fait, si vous fournissez le CorTrehan... Ecoutez. Un type à la douane nous a dit qu'il fallait une licence spéciale pour vendre nos animaux à l'extérieur de Drev'starn. Si vous nous l'obtenez, notre intervention sera gratuite.

— Gratuite ? répéta Tri'byia. (Sa voix descendit d'un ton.) Pourquoi tant de générosité ?

— Je connais bien les métalmites, expliqua Navett avec chaleur. Et je préférerais qu'elles n'envahissent pas la ville alors que je viens d'investir dans un nouveau commerce... Plus tôt nous attaquerons, plus il sera facile de s'en débarrasser. Dégotez-nous notre licence, et nous serons quittes.

— Ça peut s'arranger, j'imagine, déclara Tri'byia. Mais vous devrez vous soumettre à une détection totale avant d'avoir accès au complexe.

— Pas de problème. Ça nous rappellera le bon vieux temps. A quelle heure voulez-vous que nous venions ?

— Un speeder passera vous prendre dans une demi-heure, grommela le Bothan, soulagé malgré lui. Tenez-vous prêts.

— Entendu.

Le Bothan raccrocha sans un au revoir.

— C'est dingue, on ne sait jamais ce qui peut arriver, hein ? remarqua Navett, philosophe. (Il rempocha son comlink.) Navré de ces interruptions... Voulez-vous que nous commandions vos krisses, Madame ? Klif, tu as trouvé quelque chose ?

— Nous pourrions faire appel à un fournisseur d'Eislo... Il faudra compter deux ou trois jours de délai. Nous pouvons aussi les importer directement de Kordu. Ce sera moins cher, mais plus long.

Navett sourit.

— Voulez-vous passer commande aujourd'hui ? Nous demandons dix pour cent d'acompte.

La vieille femme secoua la tête.

— Merci. Je vais d'abord voir si un autre magasin en a en stock.

— Si vous n'en trouvez pas, revenez nous voir, dit Klif tandis que les trois « clients » se dirigeaient vers la porte. Même en express, nos tarifs sont très raisonnables.

— Nous nous en souviendrons, promit Yeux Noirs. Merci... Nous reviendrons peut-être.

Ils sortirent, passèrent devant la vitrine et disparurent.

— J'en suis persuadé, souffla Navett.

Mais ça n'avait aucune importance. Les agents de la Nouvelle République étaient arrivés trop tard. Les petites bombes à métalmites introduites dans les vêtements des techniciens avaient fait leur travail.

Et il était temps que Klif et lui s'acquittent du leur.

Navett se leva.

— Préparons-nous, dit-il en gagnant l'arrière-boutique. Nous ne devons pas faire attendre les Bothans.

— Et c'est ici que vous travaillerez, annonça le Général Hestiv.

Il tapa une combinaison sur le digicode de la porte.

Ghent jeta un coup d'œil dans le couloir, derrière eux.

— D'accord.

La base principale était loin et Hestiv lui avait assuré que le passage n'était plus utilisé. Mais Ghent était dans une station de l'Ubiqtorate Impérial... Il avait en permanence la sensation de regards hostiles pesant sur lui.

La porte s'ouvrit, laissant pénétrer une bouffée d'air rance.

— Nous y voilà, dit son hôte. Je vous en prie...

Au passage, Ghent étudia le visage du Général. L'Amiral Pellaeon s'était porté garant de lui. Mais l'homme restait un Officier Impérial, et Ghent appartenait à la Nouvelle République.

Si le Moff Disra voulait se débarrasser de lui, l'endroit était idéal.

La porte se referma...

Ghent regarda autour de lui.

— Voilà votre nouveau logis, déclara Hestiv derrière lui. Qu'en pensez-vous ?

Ghent ne l'entendit pas. Il avança, n'en croyant pas ses yeux.

Dans la pièce, il y avait un Everest 448, deux consoles Fedukowski D/2 de décodage, cinq processeurs périphériques Wickstrom K220 pour les calculs complexes, un analyseur numérique à hyperbande Merilang 1221...

— L'équipement est probablement très différent de celui que vous avez l'habitude d'utiliser, s'excusa Hestiv. Mais avec un peu de chance, ça suffira.

... et au milieu de la pièce, un OcTerminal Rikhous Masterline-70.

Un Masterline-70 !

— Oui... en effet, balbutia Ghent, les yeux rivés sur les machines. C'est pas grave...

Ils lui laissaient cette pièce pour son seul usage ?

— Bien, dit Hestiv. (Il traversa la salle et ouvrit une nouvelle porte.) Vos appartements sont par là. Vous n'aurez donc pas à quitter cette zone... Je vous conseille de changer le code de la porte après mon départ, pour que personne ne puisse vous surprendre.

— D'accord, dit Ghent, toute nervosité oubliée. Super. Je peux commencer tout de suite ?

— Dès que vous serez prêt, répondit Hestiv, étonné. Vous savez comment me joindre si vous avez besoin de quelque chose... Bonne chance.

— Merci, balbutia Ghent sans se retourner.

Une nouvelle bouffée d'air... et il se retrouva seul.

Posant son sac sur le sol, il le poussa du pied vers ses appartements.

Les Moffs Impériaux, le danger, les guerres civiles : tout était oublié. Il s'assit devant le Masterline-70.

Tout ça serait une partie de plaisir.

La fouille au corps prit une heure. La moitié du contingent de la Sécurité de Drev'starn semblait être présent. Enfin, avec le désespoir tranquille de quelqu'un qui n'a pas le choix, le Contrôleur Supérieur Tri'byia conduisit Navett et Klif dans les niveaux inférieurs du bâtiment du générateur de bouclier.

Au cœur du système de défense de Drev'starn.

— Impressionnant, dit Navett aux gardes. Je comprends pourquoi vous voulez vous débarrasser des métalmites.

Il hissa le container de CorTrehan sur son épaule.

— Bon, ajouta-t-il en faisant des moulinets avec le pulvérisateur. Première étape : montrez-nous le matériel délicat et les endroits que vous ne souhaitez pas voir envahis...

La fourrure de Tri'byia se hérissa.

— Ces insectes ne doivent toucher à rien ! aboya-t-il.

— Ouais, bien sûr. Je voulais juste dire : par où voulez-vous que nous commencions ? Nous devrions traiter le matériel le plus sensible d'abord...

— Ça paraît raisonnable, grommela Tri'byia. (Sa fourrure ondulait maintenant franchement. L'idée de montrer à deux humains les endroits les plus fragiles du générateur de bouclier le rendait malade.) Par ici, s'inclina-t-il enfin.

Navett connaissait chaque appareil du complexe et ni Klif ni lui n'avaient besoin qu'on leur montre les points stratégiques. Mais un propriétaire de magasin d'animaux se devait de se renseigner... De plus, il était curieux de voir jusqu'à quel point le Bothan se montrerait honnête, confronté à un pareil dilemme.

— Commencez ici, dit Tri'byia, en indiquant une console de secours qui n'avait rien de vital.

Navett hocha la tête.

— D'accord.

Pour l'honnêteté, on repasserait.

Ils travaillaient depuis quinze minutes, épandant les produits chimiques complexes capables de tuer les métalmites, quand les choses commencèrent à devenir intéressantes.

— Celle-là, dit Tri'byia.

Il posa la main sur une des consoles chargées de maintenir le couplage puissance-fréquence entre les différents pôles du bouclier planétaire.

— D'accord, acquiesça Navett, son cœur battant plus vite.

Enfin. Le premier coup porté à l'espèce qui avait tant coûté à l'Empire. Les techniciens Bothans avaient déjà retiré les panneaux d'accès. Navett s'accroupit, modifia sa prise sur le pulvérisateur, fit glisser l'embout dans le labyrinthe électronique et appuya.

Le liquide coula sur les circuits, les câbles d'alimentation et les conduits de ventilation.

Cette fois, il ne s'agissait pas seulement de CorTrehan. Navett avait aussi ouvert le petit réservoir dissimulé dans la poignée du pulvérisateur. Lors de la fouille, les agents Bothans avaient cherché des armes, du matériel d'espionnage, des explosifs, des soporifiques, des acides...

Pas de la nourriture.

Dans le bâtiment, personne n'aurait trouvé la mixture appétissante... pas même les métalmites. Les insectes avaient joué leur rôle, il était temps qu'ils meurent.

Navett et Klif passèrent les deux heures qui suivirent à pulvériser leur poison anti-métalmite dans le complexe. Sur une vingtaine d'endroits soigneusement sélectionnés, ils ajoutèrent une giclée de leur nutriment liquide.

Le traitement terminé, l'odeur douce-amère du CorTrehan était si forte qu'elle en devenait intoxicante.

— Très bien, la première étape est terminée, expliqua Navett quand les Bothans les reconduisirent vers l'entrée. Maintenant, il va falloir qu'un haut-parleur diffuse les tonalités liées aux différents essaims. Ça les empêchera de communiquer, et de se reproduire plus vite pour se battre entre eux. Nous laisserons ainsi le temps au CorTrehan d'agir. Vous voyez ?

— Oui, acquiesça Tri'byia, sensiblement rassuré maintenant que les étrangers étaient loin de ses précieuses installations. Combien de temps devrons-nous diffuser les notes ?

— Oh, une semaine devrait suffire. Mettons huit ou neuf jours, pour plus de sûreté. Certains essaims sont difficiles à exterminer. Ne vous inquiétez pas, le son empêchera les métal-mites de manger. Elles se contenteront de mourir...

— Très bien, approuva Tri'byia à contrecœur. Je n'ai plus qu'une question. Ces petites pestes sont rares. Comment ont-elles pu arriver ici ?

Navett haussa les épaules, avec autant de naturel que possible. Le piège était tendu, mais Klif et lui n'avaient pas encore quitté la cage aux lions. Si les Bothans soupçonnaient quelque chose et éliminaient le liquide nutritif, tous leurs efforts auraient été vains.

— Vous m'en demandez trop. Avez-vous reçu du matériel neuf, ces deux dernières semaines ?

La fourrure du Bothan fit des vagues.

— Nous avons réceptionné deux nouvelles consoles il y a sept jours. Mais elles ont été inspectées avant d'être installées...

— Vos détecteurs ne sont peut-être pas programmés pour repérer des formes de vie essentiellement métalliques, expliqua Navett. (Il ne risquait pas de se tromper : les détecteurs Bothans n'avaient pas repéré les bestioles dans les vêtements des techniciens.) A dire vrai, personne ne sait d'où les métal-mites viennent ni comment elles se déplacent. Des essaims apparaissent, et fichent une monstrueuse pagaille avant de disparaître... Vous devriez attraper un ou deux spécimens pour reprogrammer vos détecteurs...

— Merci du conseil, grommela Tri'byia, vexé.

Les Bothans n'aimaient pas que des étrangers leur démon-trent l'évidence.

— A votre service, dit Navett. (Sincère et stupide. Il jouait son rôle à la perfection, prenant tout au premier degré.) Heu-reux d'avoir pu vous être utile. Et n'oubliez pas notre licence, hein ?

— Je vais voir ce que je pourrai faire, soupira Tri'byia.

Voulait-il déjà manquer à sa parole ? Navett ne se départit pas de son sourire. Pas grave. Dans six jours, si tout se passait selon le plan, Tri'byia n'existerait plus... comme la cité de Drev'starn et la plupart des installations planétaires, pilonnées par les Destroyers Impériaux.

Et ce jour-là, debout sur une passerelle, Navett contemple-rait les ruines et rirait.

Aujourd'hui... Oui, aujourd'hui, il lui suffisait de sourire.

— Très bien, déclara-t-il avec entrain. Merci beaucoup. Et si vous avez besoin de quoi que ce soit, passez-nous un coup de fil.

Klif et lui ne se dirent rien d'important sur le chemin de retour. Pas un mot non plus dans l'animalerie... Du moins, pas avant de passer au détecteur de micros camouflé au fond de la cage des dopplefly.

Tri'byia ne les aimait pas, mais sa paranoïa avait des limites : ils ne portaient pas de micros.

— Travail d'amateur, grogna Klif. (Il remit le détecteur dans sa cachette.) Ils auraient au moins pu nous écouter jubiler d'avoir obtenu notre licence à si bas prix.

— Je suis sûr qu'ils ont vérifié nos casiers judiciaires avant de nous appeler, dit Navett. (Il renifla sa chemise avec dégoût ; l'odeur du CorTrehan y était incrustée.) Tu as pu voir où arrivait notre conduit ? Je n'ai pas été de ce côté.

Klif acquiesça.

— Je l'ai vu, oui. Ils ont fait une dérivation sur un des câbles, probablement pour alimenter le nouveau matériel dont parlait Tri'byia.

— Mais ils n'ont pas percé le mur ?

— Ils ne sont pas aussi stupides. Non, le mur est toujours là.

Navett haussa les épaules.

— Bien.

Une paroi impénétrable d'un mètre d'épaisseur, renforcée et armée, était un réel obstacle... Mais ils avaient tout prévu.

— Ça va prendre du temps, ajouta Klif.

— Ce n'est pas un problème, assura Navett. Le plus délicat sera d'atteindre le conduit d'alimentation en partant du bar Ho'Din, et de creuser sans déclencher les détecteurs.

— Tu crois qu'ils ont protégé le conduit ?

— Si j'étais à leur place, c'est ce que j'aurais fait. Horvic et Pensin pourront agir après les horaires de travail, mais ça ne nous laissera pas beaucoup d'heures chaque nuit. Nous devrons progresser lentement et sûrement. En comptant six jours, nous resterons dans les temps.

— Ouais, grommela Klif. A supposer que nous ayons six jours devant nous. As-tu enfin décidé de te débarrasser des agents de la Nouvelle République ? (Il claqua des doigts.) Putain ! Ça y est ! Je sais qui c'est ! Wedge Antilles !

— Tu as raison, soupira Navett.

Yeux Noirs. Le Général Wedge Antilles, commandant de l'Escadron Rogue, maintes fois maudit. Une simple formation d'Ailes-X qui avait causé plus de soucis à l'Empire que tous les Bothans de la galaxie réunis.

— Ça ne va pas faciliter les choses. Déjà qu'un triple meurtre va faire des remous ! Alors si Antilles est au nombre des victimes...

Il laissa son regard errer dans le magasin. Les cages, les sons, les odeurs... tout avait été étudié avec soin.

Comment Antilles aurait-il pu soupçonner une menace ?

Navett secoua la tête. Non. Sous-estimer l'adversaire serait trop dangereux. Les deux pilotes étaient là quand il avait reçu l'appel ; ils savaient que Klif et lui avaient été invités dans le bâtiment du générateur de bouclier.

Ils allaient s'intéresser de près à la question.

— Tu as raison, il ne faut pas qu'ils fourrent leur nez dans nos affaires. Il est temps de les retirer de la partie.

— Enfin, tu parles mon langage. Je m'en occupe.

Navett regarda Klif, étonné.

— Quoi ? Tout seul ?

— Ce ne sont que des pilotes, expliqua Klif. Hors de leurs cockpits, ils redeviennent de grands gamins.

— Peut-être. Mais ils nous ont trouvés. Et la vieille femme... Elle a l'air de connaître le métier.

— Ce qui signifie ?

— Que nous ne devons prendre aucun risque. Nous agirons ensemble.

Moranda avala une nouvelle gorgée de liqueur.

— Je ne sais pas, soupira-t-elle. Aucun ne m'a vraiment frappée.

— C'est une façon de voir les choses, dit Wedge.

Il se massa les tempes.

En quatre jours, ils avaient visité plus de cinquante magasins : des officines, des restaurants, des sociétés de service, tous établis à Drev'starn depuis l'arrivée des vaisseaux de guerre. La vitesse de rotation des commerces, sur Bothawui, devait être astronomique.

— Nous sommes dans une nouvelle impasse.

— Je n'irai pas jusque-là, protesta Corran. Il y a au moins trois lieux qui m'ont tapé dans l'œil. La bijouterie tenue par le Meshakian, pour commencer.

— Un receleur, dit Moranda. (Elle l'élimina d'un geste.) Il n'a pas cru un instant à notre couverture. Tu n'appartiens plus aux forces de sécurité Corelliennes, Corran. Arrête de te tenir si droit.

Le pilote l'ignora.

— Et ce bar Ho'Din... Il est construit juste au-dessus d'un des conduits d'alimentation du générateur.

— Ça fait des années qu'il se trouve là, rappela Moranda.

— Mais le propriétaire nous a appris qu'ils venaient d'engager deux humains pour l'entretien de nuit, tu te souviens ? Ça me chiffonne.

Wedge étudia son ami. Contrairement à Luke ou à Leia, Corran n'avait pas développé de talents de télépathe. Mais s'il ne pouvait pas lire les pensées, il « recevait » parfois des impressions et des images. Ses intuitions combinées à son entraînement d'agent de la CorSec en faisaient un enquêteur redoutable.

— Et il y a nos bons amis du *Paradis des Animaux Exotiques*.

Wedge regarda Moranda, attendant une objection.

Qui ne vint pas.

— Oui, évidemment, dit-elle, sourcils froncés. Je ne les aime pas du tout.

— Je pensais que tu avais dit qu'aucune boutique ne t'avait « frappée ».

Moranda hocha la tête.

— C'est justement le problème. Les types de l'animalerie ont parfaitement joué leur rôle. Mais combien de propriétaires de boutiques sont aussi des experts en infestation ? Les métalmites sont des créatures exotiques...

— Nous pourrions vérifier leurs dossiers pour voir s'ils ont mentionné leur expérience en la matière, suggéra Corran. J'aimerais bien savoir où les métalmites ont décidé de s'installer...

Wedge fronça les sourcils.

— Dans un endroit sous haute sécurité. Au début, leurs interlocuteurs ne voulaient pas les laisser entrer.

— Mais une fois le problème défini, la décision de les faire venir a été prise très vite, ajouta Moranda. Le matériel devait être sensible et vital.

Un moment, ils se regardèrent sans rien dire.

Corran brisa le silence.

— Le bâtiment du générateur de bouclier. Il n'y a rien d'autre à Drev'starn.

— Je suis d'accord, approuva Moranda. Ce qu'il faut savoir maintenant, c'est si l'invasion de métalmites est l'attaque ou l'appât. Si c'est l'attaque...

La sonnerie étouffée du comlink de Wedge l'interrompit. Le pilote sortit l'appareil des profondeurs de son blouson.

— Qui est au courant de votre présence ici ? demanda Moranda, soupçonneuse.

— Notre navette, répondit Wedge. Nous avons installé un relais de transmission. Rouge Deux, allez-y...

Le message était très court.

— Ici Père, dit la voix familière de Bel Iblis. Tout est pardonné ; rentrez à la maison.

Wedge serra plus fort l'appareil.

— Bien reçu. Nous sommes en route.

— Papa ? demanda Corran.

Wedge acquiesça.

— Papa. Il est temps de rentrer à la maison.

— Ce qui signifie ? s'enquit Moranda.

— Que nous devons partir, expliqua Wedge. Maintenant.

— Oh, c'est commode, grogna la vieille femme. Et le générateur de bouclier ?

— Les Bothans devront se débrouiller sans nous, répondit Wedge. (Il posa de la monnaie sur la table.) Je suis navré, mais nous étions un « prêt » temporaire.

— Je comprends, dit Moranda.

Wedge se leva.

— Vous devriez contacter la Sécurité Bothane pour lui signaler le problème lié à nos amis de l'animalerie...

— Ouais, dit Moranda. Bon vol.

— Merci. Viens, Corran.

Horn ne bougea pas.

— Attends une seconde. Je veux savoir ce que Moranda va faire.

— Oh, allez-y ! fit-elle avec de petits gestes pour les chasser. Tout se passera bien.

— Vous allez vous en occuper, ordonna Corran, l'index levé.

Moranda haussa les sourcils.

— Quelle autorité ! Vous avez appris ça à la CorSec ?

Wedge se rassit.

— Répondez. Vous allez appeler la Sécurité ?

— Pour dire quoi ? Nous n'avons aucune preuve. Pire encore : les Bothans ont certainement passé au crible les casiers judiciaires de ces deux types avant de les laisser entrer dans le générateur. Ils n'admettront jamais qu'ils ont pu se tromper...

— Alors, qu'allez-vous faire ? insista Wedge. Vous en occuper seule ?

— On m'a confié une mission, dit Moranda. Je dois rester ici et empêcher Vengeance de s'en prendre à Bothawui.

Corran la regarda, inquiet.

— Si Vengeance est contrôlé par les Impériaux...

— Et où allez-vous, tous les deux ? demanda Moranda. En vacances ? A la plage ? Je parie à cinquante contre un que votre destination est beaucoup plus dangereuse que la mienne.

— Moranda... commença Wedge.

— Vous n'avez pas le temps de discuter. Si votre « Papa » est celui auquel je pense, il n'aime pas que ses enfants soient en retard. Cassez-vous, tous les deux ! Et merci pour les tournées.

Wedge se leva à contrecœur.

Elle avait raison, bien sûr. Et elle était assez âgée pour prendre ses responsabilités.

— Viens, Corran. Moranda... Prends garde à toi, d'accord ?

— Vous aussi. Ne vous inquiétez pas pour moi. Tout ira bien.

26

Un étrange parfum flottait dans l'air. Mara revenait doucement à elle.

— Bonjour, dit la voix de Luke à travers le brouillard. Il fait beau, c'est le matin.

Mara se réveilla tout à fait.

Et le regretta aussitôt. Les yeux ouverts dans la pénombre, elle prit conscience de la douleur qui la torturait des pieds à la base du cou.

Un soupir s'échappa de ses lèvres. Luke se pencha vers elle, inquiet.

— Ton épaule te fait toujours mal ?

La jeune femme fronça les sourcils et cligna des paupières pour disperser le brouillard qui lui obscurcissait l'esprit. Son épaule droite... La brûlure. Elle se releva pour étudier sa blessure.

A travers la combinaison carbonisée, la peau était intacte.

Incroyable.

— Non, souffla-t-elle. L'épaule va bien. C'est... ta transe thérapeutique.

Luke lui adressa un sourire rassurant.

— La première fois, être désorienté est normal. Ne t'inquiète pas.

— Je ne m'inquiétais pas, grommela Mara.

Elle fit jouer les muscles de ses épaules malgré les picotements de son dos. Luke lui prit le bras pour l'aider à s'asseoir.

— « C'est le matin », disais-tu ? reprit la jeune femme. Quel matin ?

— A vrai dire, l'après-midi est bien entamé. Mais Yan m'a dit un jour que chaque réveil était comme un matin.

— Ça ne m'étonne pas de Yan. Combien de temps ai-je dormi ?

— Environ cinq jours. Calme-toi. Fais des gestes lents.

— D'accord, dit Mara, non sans réprimer une grimace de douleur.

Ses muscles, trop longtemps immobilisés, se révoltaient contre le traitement qu'ils subissaient.

— Je suis impressionnée, admit la jeune femme. (Elle plia et déplia son bras.) Une cuve bacta n'aurait pas été aussi efficace... en tout cas, pas en si peu de temps.

— La Force est puissante en toi, expliqua le Jedi. (Il lui effleura l'épaule.) Le processus thérapeutique en est facilité.

— Je veux apprendre ce truc, murmura Mara.

Elle regarda autour d'elle.

L'étrange arôme n'était pas un rêve. Il y avait bien une odeur...

Luke sourit.

— Un cadeau des Qom Jha. Une sorte d'oiseau rôti...

Mara se leva et fit quelques pas, les jambes flageolantes.

— Vraiment. (Il était bien là. Un oiseau rôti, dans un plat en métal.) C'est très gentil de leur part. Où as-tu trouvé un four ?

— Gardien des Promesses est retourné au *Defender* récupérer le matériel de survie, expliqua Luke. J'aurais préféré qu'il se risque jusqu'à mon Aile-X : le kit de Karrde est beaucoup plus complet. Mais depuis notre altercation avec les Prédateurs, les Qom Jha n'ont guère envie de mettre le nez dehors.

— Pourtant, ils dévorent les flammes vives... remarqua la jeune femme avec amusement. (Elle s'assit devant la cocotte et huma l'odeur qui s'en échappait.) Leur courage est sélectif.

— La vérité est plus complexe. (Accroupi à côté de Mara, Luke lui fit signe de se servir.) D'où le cadeau, d'ailleurs. Les Qom Jha considèrent que tu leur as sauvé la vie.

Mara arracha une aile de la bête.

— Je ne vois pas comment ils en sont arrivés à cette conclusion. C'est sur nous qu'on tirait, pas sur eux.

— Il y a une polémique à ce sujet. Briseur de Pierres pense que les Qom Jha étaient la première cible des Prédateurs... du moins jusqu'à ce que tu riposter. Il se peut qu'il ait raison, d'ailleurs.

Mara mâchonna une bouchée de viande malheureusement trop cuite. Mais elle avait goûté bien pire. Son estomac gargouilla. Une personne qui n'avait rien mangé depuis cinq jours ne pouvait se permettre d'être difficile.

— Peut-être... Mais quelle importance ? répondit-elle. Ceux qui nous ont tiré dessus n'aiment pas les étrangers, point à la ligne.

— Je me demande, souffla Luke. A ce propos... Pourquoi les Prédateurs ne sont-ils pas venus te chercher dans la caverne, quand tu t'es crashée ?

— Es-tu certain qu'ils ne sont pas venus ?

— C'est ce qu'affirment les Qom Jha en tout cas. Ils se seraient contentés de survoler la zone avec leurs vaisseaux. D'après Enfant des Vents, ils n'ont fait aucune exploration au sol dans ce secteur.

Mara mâcha en silence. Sans vouloir vexer Luke, Enfant des Vents n'était pas une source d'informations très fiable.

— Admettons, dit-elle enfin. Supposons que les Prédateurs se soient désintéressés de ma personne. Et alors ?

Luke fronça les sourcils.

— Ils attendaient peut-être que tu trouves toi-même le chemin de la Haute Tour ?

Mara prit une nouvelle bouchée de viande. L'idée lui déplaisait... D'autant qu'elle lui avait déjà traversé l'esprit.

— Karrde ne t'a peut-être pas expliqué comment nous avons découvert ce système, dit-elle. Nous avons suivi les vecteurs de fuite de deux de leurs vaisseaux jusqu'au point d'intersection. Je pensais que nous avions eu de la chance... qu'ils ne savaient pas que nous pouvions voir leurs vecteurs quelques micro-secondes après le passage en hyperdrive. A présent, je n'en suis plus si sûre.

— Tu crois qu'ils voulaient que nous venions ici ?

— Ce n'est pas impossible. Ça expliquerait qu'ils ne m'aient pas vraiment cherchée après mon atterrissage. Mais dans ce cas, pourquoi auraient-ils essayé de t'abattre ?

— Un invité à la fois leur suffit, suggéra Luke. Ou peut-être ne veulent-ils pas parler à un émissaire de la Nouvelle République... avant de t'avoir parlé à *toi*.

Mara l'observa attentivement. Quelque chose dans la voix de Luke...

— Ce n'est que ton opinion, ou tu viens juste de capter quelque chose dans la Force...

Le Jedi secoua la tête.

— Je ne suis sûr de rien, souffla-t-il, le regard dans le vide. J'ai le sentiment que... Non, rien...

— Comment ça, « rien » ?. protesta Mara. Allons, nous n'avons pas le temps de jouer !

Luke se tourna vers elle.

— C'est toi qu'ils veulent voir, déclara-t-il. *Toi*, spécifiquement.

Mara haussa les sourcils.

— Je suis flattée. Ma réputation augmente sans cesse...

— Mangeur de Flammes Vives a dit qu'il avait entendu les Prédateurs mentionner ton nom. J'aimerais connaître le contexte de la conversation...

Un battement d'ailes se fit entendre dans l'escalier. Un Qom Jha apparut et échangea quelques phrases avec Luke.

Incompréhensibles pour Mara, comme d'habitude.

— Merci, dit enfin le Jedi. Peux-tu aller voir si Gardien des Promesses a des nouvelles ?

Le Qom Jha disparut dans l'escalier. Luke se tourna vers Mara.

— Je les ai envoyés patrouiller dans les étages et écouter derrière les portes. Il paraît qu'il y a eu de l'activité dans les niveaux supérieurs de la forteresse, ce matin. Maintenant, tout est calme.

— Ah... Ces satanés Qom Jha et leur fichu langage...

— Quelque chose ne va pas ? demanda Luke.

Mara lui jeta un regard noir.

— Avec toi, Skywalker, difficile de garder ses pensées pour soi.

Le Jedi lui adressa un regard trop innocent pour être honnête.

— Bizarre. Il n'y a pas si longtemps, tu étais trop heureuse de m'en « assener » certaines...

Mara grimaça.

— Nos erreurs passées t'amusent ?

— Elles ne m'amusent pas, dit Luke. J'apprends à les reconnaître, à en tirer un enseignement... et à passer à l'étape suivante. J'ai eu du temps pour réfléchir, ces cinq derniers jours.

— Tu es arrivé à une conclusion ?

— Je sais pourquoi tu n'es pas passée du Côté Obscur, déclara-t-il. Et pourquoi ta connaissance de la Force est encore limitée.

Mara prit une autre bouchée avant de s'adosser au mur.

— Je t'écoute.

— L'essence du Côté Obscur est l'égoïsme. L'ambition personnelle, la volonté de faire passer ses désirs avant toute autre chose.

Mara acquiesça.

— Rien de nouveau sous le soleil.

— Mais il n'y avait aucun égoïsme dans ta dévotion à l'Empereur. Tu *servais* Palpatine... Même si Palpatine, lui, n'était guidé que par la vanité et la soif de pouvoir. Et servir les autres est l'essence des Jedi.

— Non, dit Mara après un instant de réflexion. Non, je n'aime pas cette idée. Servir le mal est *mal*. Il n'y a pas que les intentions qui comptent.

Luke hocha la tête.

— Nous sommes d'accord. Ce n'est d'ailleurs pas ce que j'ai dit. Certains des actes que tu as commis étaient monstrueux... Pourtant, c'est parce que tu n'agissais pas dans ton propre intérêt que tu n'as pas été dévorée par le Côté Obscur.

Mara baissa les yeux sur sa nourriture.

— Je vois la différence, déclara-t-elle enfin. Mais je n'aime toujours pas cette explication.

— La situation est comparable à celle des Jensaarai que Corran et moi avons rencontrés sur Susevfi, reprit Luke. Ils ignoraient comment devenir des Jedi, mais ils « servaient » du mieux qu'ils pouvaient.

— Et ils étaient tellement tordus qu'il vous a fallu des années pour les remettre sur le droit chemin, rappela Mara. Au moins, ils avaient un modèle à suivre... Quel était le nom de ce Jedi, déjà ?

— Nikkos Tyris, répondit Luke. Ce qui me donne une idée. Toi aussi, tu avais peut-être un modèle.

Mara secoua la tête.

— Aucune chance ! Personne à la cour Impériale n'avait ne serait-ce qu'un semblant de moralité.

— Peut-être est-ce quelqu'un que tu as connu avant d'être emmenée sur Coruscant, suggéra Luke. Tes parents, ou un ami proche.

Mara arracha un dernier morceau de viande et jeta la carcasse dans un coin.

— Cette discussion ne nous mène nulle part, grommela-t-elle. (Elle s'essuya les mains sur sa combinaison.) Concentrons-nous sur la tâche en cours. Où as-tu rangé mon blaster ?

Luke ne bougea pas.

— Je sais que ton passé est encore flou. Je comprends ce que tu ressens.

— Merci, dit Mara avec une petite révérence. C'est fou comme ça m'aide.

— Aimerais-tu le revivre ?

La jeune femme fronça les sourcils, submergée par des émotions contradictoires.

— Que veux-tu dire ?

— Certaines techniques Jedi peuvent réveiller les souvenirs enfouis. Et tu pourrais être un Jedi, Mara. Un puissant Jedi.

— Bien sûr, grogna-t-elle. Tout ce que j'ai à faire, c'est déclarer que je suis prête à servir la galaxie.

Elle capta de la surprise dans l'esprit de Luke.

— Et alors ? De quoi as-tu peur ? Tu as passé ta vie à servir, à aider des gens... Palpatine, Karrde, Leia... Yan et moi. Et quand tu donnes ta loyauté, tu ne la reprends pas. (Le Jedi soupira.) Tu peux réussir, je le sais.

Mara serra le poing. Elle n'avait qu'une envie, en finir avec le sujet une fois pour toutes. Mais Luke méritait une réponse.

— Je suis loyale envers certaines personnes. De là à me battre pour tous les ringards de la galaxie... (La jeune femme réprima une grimace.) Et puis il y a cette histoire de sacrifice personnel suprême... la dernière épreuve à passer pour devenir un Jedi. Je ne raffole guère de cette idée.

Luke frissonna.

— Ce n'est pas aussi terrible qu'il y paraît. Sur son lit de mort, Maître Yoda m'a expliqué que je devais affronter Dark Vador. A l'époque, je croyais que ce serait lui ou moi... Que je devais tuer mon père ou mourir de sa main. Les choses ne se sont pas déroulées ainsi.

Mara secoua la tête.

— Peut-être, mais tu étais prêt à faire ce sacrifice. Merci : je ne suis pas intéressée.

— Et par ce refus, tu limites tes possibilités, insista Luke. Si tu ne veux pas t'engager...

Une étrange lueur dansa dans les yeux de Mara.

— M'engager ? répéta-t-elle d'un ton sec. C'est toi qui abordes ce sujet ? Et Callista, et Gaeriel... Et toutes les femmes dont tu as croisé le chemin depuis dix ans... Tu t'es engagé, peut-être ?

La colère de Luke fut si soudaine que Mara eut un mouvement de recul.

— Tu peux parler... Et Lando ? Hein ?

Ils se mesurèrent du regard, aussi furieux l'un que l'autre.

Mara retint sa respiration, prête à tout. Puis la colère de Luke s'effaça, remplacée par un profond embarras.

— Je suis navré, s'excusa-t-il, les yeux baissés. Ma réflexion était tout à fait déplacée.

— Non, je... C'est moi qui devrais m'excuser, soupira Mara, en essayant de dissimuler ses émotions. Je connais la profondeur des sentiments qui t'ont lié à ces femmes, et ce qui leur est arrivé. Pardonne-moi.

Luke secoua la tête.

— Je suis peut-être à blâmer. J'étais tenté par le Côté Obscur...

— Tu reconnais tes fautes et tu en tires les enseignements nécessaires. Puis tu passes à l'étape suivante... (Mara sourit.) D'ailleurs, il est temps.

Luke se leva, évitant de croiser son regard.

— Tu as raison, il faut y aller. Pendant ton sommeil, j'ai envoyé les Qom Jha prendre quelques mesures... La porte de sortie, là-haut, devrait nous permettre d'atteindre un des trois derniers étages de la forteresse.

— Attends, souffla Mara.

Elle s'était toujours refusée à en parler... *Pas avant qu'il ne me pose la question*, s'était-elle promis. Mais c'était puéril.

Et maintenant qu'il lui avait jeté ça à la figure...

— Tu voulais savoir... pour Lando et moi.

Luke tressaillit.

— Non. Ce ne sont pas mes affaires.

— Maintenant, si. Ce qui s'est passé entre lui et moi... Ce n'était rien. Rien du tout.

Le Jedi fronça les sourcils.

— Que veux-tu dire ?

— La vérité, expliqua Mara. J'avais une mission importante à remplir pour Karrde, et Lando s'est invité. Les... « aspects personnels » n'étaient qu'un écran de fumée, pour donner le change.

Elle sentit que Luke essayait de sonder son esprit.

— Tu aurais pu me le dire, grommela-t-il, presque accusateur.

— Tu aurais pu me le demander. Tu ne paraissais pas vraiment intéressé.

Luke fit la grimace ; Mara devina son embarras.

— Je n'avais pas l'air intéressé, hein ?

— Pour tout dire, c'est toi qui as lancé cette affaire. Tu te souviens de la balise de rappel que tu as découverte sur Dagobah ? Celle que tu as rapportée chez Lando, sur Nkllon ?

— Oui... souffla le Jedi. J'y repensais il y a quelques jours, d'ailleurs. Je me demande pourquoi ça m'est soudain revenu à l'esprit.

— Une intervention de la Force, sans doute, déclara Mara. (L'explication en valait une autre.) Cette balise appartenait à une vieille connaissance de Karrde... Jorj Car'das, un type disparu depuis des années. Ça te dit quelque chose ?

— Non.

— Karrde m'a demandé de le retrouver. Pressentant que ça pourrait être source de profit, Lando a insisté pour m'accompagner.

— Les recherches ont dû durer longtemps, murmura Luke. Ce qu'on raconte sur Lando et toi...

— L'enquête a pris des années, précisa Mara. Pas à plein temps, bien sûr. La partie « romantique » de la couverture m'a rendue folle. Mais découvrir Car'das était important pour Karrde. Et comme tu dis, je suis loyale.

Elle laissa échapper un sifflement.

— Je me souviens de certaines occasions embarrassantes... Sur M'haeli, par exemple. Lando essayait d'arracher des informations au Vice-Baron Sukarian. Il faut savoir que Sukarian considère les femmes peu vêtues comme de simples objets sexuels... Comme il ne leur accorde aucune attention, elles bénéficient d'une grande liberté de mouvement. Bref, mon costume était purement symbolique. Bien sûr, il a fallu que Solo passe un appel com et que je réponde dans cette tenue... Je n'ai jamais eu le courage de lui demander ce qu'il en avait pensé.

— Connaissant Yan, sa haute opinion de toi n'en a été que renforcée, déclara galamment Luke. En revanche, tu as sans doute perdu l'estime de Sukarian.

Mara secoua la tête.

— Pas sûr. Quand je répondais aux appels de Sukarian, je portais une chemise de Lando. J'en ai laissé une sur la porte de son coffre... Après l'avoir éventré.

Luke sourit. Un sourire un peu honteux, mais un sourire tout de même.

— Sa réaction a dû être intéressante.

— J'aime à le penser.

Mara étudia Luke. Elle sentit un tourbillon d'émotions naître en lui, puis disparaître.

— Nous avons du travail, déclara-t-il abruptement. Le chemin sera long. Emballons les affaires et mettons-nous en route.

Effectivement la montée fut longue. Dans l'obscurité, l'escalier paraissait interminable. Mara étant convalescente, Luke *portait* R2 en plus du reste de l'équipement.

Oui, l'escalade aurait dû être pénible.

A la surprise de Luke, il n'en fut rien. Pour une raison précise : la barrière qui existait entre Mara et lui avait disparu.

Le plus curieux, c'était que Luke ignorait qu'il y en avait eu une. Le lien entre Mara et lui était déjà puissant : le Jedi n'imaginait pas qu'il puisse encore se renforcer.

Il se trompait.

L'expérience était à la fois euphorisante et inquiétante. Luke avait déjà été en contact intime avec un autre être, mais jamais à ce point. Les pensées et les émotions de Mara volaient vers lui, leur intensité uniquement limitée par la volonté de la jeune femme. Et l'inverse était vrai.

Un nouveau rapport s'était établi entre eux, leur relation avait pris plus de profondeur... Luke réalisait un peu tard combien leur intimité lui avait manqué. « Les confessions, les excuses et le pardon sont les outils qu'utilisent les amis pour transformer les murs en passerelles », disait souvent Tante Beru.

Luke en avait là un exemple parfait.

Du fait de l'état de Mara, il obligea le groupe à faire des pauses fréquentes, ce qui énerva autant la jeune femme que les Qom Jha. A ce rythme, il leur fallut une bonne heure pour atteindre leur but.

Mais Mara avait retrouvé son énergie.

— Bien, voici le plan, déclara Luke quand ils furent devant la porte. (Il utilisa la Force pour sonder les environs. La zone était déserte.) Nous laisserons R2 ici, avec les Qom Jha, et nous ferons tous les deux une sortie de reconnaissance.

Mara sortit son blaster.

— Ça me paraît bien.

La jeune femme dissimulait une évidente appréhension. Normal, après s'être fait tirer dessus... Luke avait connu les mêmes angoisses lors de son retour à la Cité des Nuages.

— Et si nous laissions un de nos comlinks ici ? proposa Mara.

— Bonne idée. (Le Jedi sortit son comlink et le posa sur le dôme de R2.) Ne raccroche pas sans le faire exprès.

R2 bipa, indigné.

— Je sais. Je plaisantais.

— Quoi ? demanda Mara.

Luke sourit.

— Il dit qu'éteindre le comlink au moment critique est une spécialité de C-3PO. Une vieille histoire... Tu es prête ?

Il sentit Mara puiser du calme et du courage dans la Force.

— Prête. Allons-y.

La porte dérobée s'ouvrit sans bruit, comme l'avait fait la première. Luke passa devant, Mara le suivit et referma derrière elle.

— Ah... On dirait l'intérieur de la forteresse d'Hijarna, souffla-t-elle.

Luke regarda autour de lui. Ils se trouvaient dans une vaste salle coupée par des cloisons à mi-hauteur. Aucune décoration : pas de mosaïques, pas d'appliques. Seulement de la pierre noire.

Pourtant, la salle semblait aérée.

— On dirait que les Prédateurs n'utilisent pas cette zone, dit Luke. Je me demande pourquoi.

Mara avança.

— Voilà ta réponse. Viens voir...

Elle disparut derrière une cloison. Le Jedi la suivit et remarqua pour la première fois un léger courant d'air. A l'autre extrémité de la pièce, la pierre noire brisée révélait le ciel.

— Dommages collatéraux, décréta Mara. Liés à la destruction de la tour.

— Sois prudente, dit Luke.

— Ouais, ouais... (Devant la déchirure, Mara se pencha.) J'avais raison, dit-elle. La voilà... Ou ce qu'il en reste.

Luke s'approcha. Sous leurs pieds, le toit descendait en pente douce. A une centaine de mètres à gauche se dressaient les ruines de la tour dont parlait Mara. Difficile de voir à cette distance, mais les murs paraissaient légèrement fondus.

— Tu disais que cette pierre absorbait les tirs de turbo-lasers...

— Comme une éponge, dit Mara. Les attaquants ont dû donner tout ce qu'ils avaient.

Luke soupira.

— Espérons que la destruction de la tour leur a suffi et qu'ils n'ont pas l'intention de revenir...

Il se tourna vers la droite. Une autre tour se dressait, intacte et surmontée d'excroissances menaçantes. Sans doute des armes. Deux cents mètres plus loin, à l'extrémité du toit, Luke aperçut deux postes de garde qui protégeaient l'entrée principale. Derrière, au-delà du toit, serpentait une route.

Au centre de la forteresse, il remarqua une structure plane d'environ trente mètres de long.

— Une piste d'atterrissage, constata Mara. Regarde : on voit les marquages au sol.

Luke acquiesça. Les lignes étaient bien visibles quand on savait où les chercher.

— Ils doivent allumer les projecteurs quand un appareil ami approche...

— Et les turbolasers veillent. (Mara se glissa par l'ouverture et fit quelques pas prudents sur le toit.) La zone située sous la piste d'atterrissage est ouverte, annonça-t-elle. Ce doit être un hangar. Bon à savoir si nous nous faisons prendre...

La jeune femme se retourna...

Et se pétrifia.

— Eh bien... dit-elle enfin. Viens voir.

Luke sortit à son tour par la fissure. Il vit une autre tour, au-dessus de leurs têtes, puis continua son inspection... Trois nouvelles tours montaient à la conquête du ciel, toutes surmontées d'armes.

— L'endroit devait être sacrément impressionnant avant, commenta Mara. (Son ton était neutre, mais Luke sentait son inquiétude.) Comme sur Hijarna. J'aimerais savoir pourquoi ce lieu a été construit. Pour protéger quoi ?

— Ou se défendre contre qui ? (Luke fit un dernier tour d'horizon : pas de lumière, pas de mouvement, aucun signe de vie.) Retournons à l'intérieur et cherchons un moyen de descendre.

Une nouvelle rampe en spirale les attendait de l'autre côté de la salle. Immobile, celle-là.

— Elle est soit endommagée soit désactivée, commenta Mara avec un coup d'œil prudent vers le bas. Le niveau inférieur a l'air vide lui aussi.

— Toute la zone est probablement inoccupée, dit Luke. (Il commença à descendre.) Vu l'inclinaison du toit, les niveaux inférieurs doivent être plus grands. Les résidents se sont probablement installés dans des étages plus spacieux.

Mara acquiesça.

— Pas idiot, comme hypothèse. Essayons de trouver un endroit où une rampe fonctionne. Ça sera un indice de civilisation.

Comme prévu, les niveaux s'élargirent à mesure de leur descente. L'emplacement des cloisons changeait à chaque fois.

Quatre étages plus bas, Luke entendit le bourdonnement d'une machinerie.

— Nous y sommes, murmura-t-il.

Il prit son sabre laser et se concentra sur la Force, sans sentir de présence.

— On dirait, souffla Mara. Le bruit est identique à celui de la rampe de la dernière fois. On va voir ?

— Je passe le premier. Suis-moi.

Le Jedi avança en silence, sans tenir compte de l'agacement de Mara. Qu'elle le maudisse si ça l'amusait : après l'avoir veillée durant cinq jours, il préférait être prudent.

A ce niveau, les cloisons étaient rares. Luke trouva facilement la rampe.

— Bien, murmura le Jedi. Maintenant...

Un appel mental de Mara le fit taire. La jeune femme n'était pas là où Luke l'avait laissée. Regardant autour de lui, le Jedi l'aperçut à vingt mètres sur sa gauche. Elle agitait la main.

Cette terreur soudaine en elle...

Luke la rejoignit au pas de course.

— Qu'y a-t-il ?

Mara désigna un mur.

— Regarde de l'autre côté.

Sabre laser en main, Luke obéit...

... pour découvrir un centre de commandement, aussi désert que le reste. Deux rangs de consoles faisaient face à des chaises vides ; les écrans et les voyants clignotaient, pour personne. Un grand fauteuil équipé d'un moniteur était installé sur une estrade.

Ce n'était pas le pire.

Le plus terrifiant, c'était la carte holographique de la galaxie qui tournait lentement au centre de la pièce. Les secteurs de la Nouvelle République, de l'Empire et des autres régions connues étaient identifiés par des couleurs vives. La mosaïque occupait un quart de la grande spirale puis se fondait dans une blancheur uniforme, là où les Territoires de la Bordure Extérieure laissaient place à l'immensité des Régions Inconnues.

Luke frissonna. Il s'agissait de la réplique exacte de l'hologramme galactique de la salle du trône de Palpatine, sur le Mont Tantiss.

Détournant le regard de cette vision de cauchemar, le Jedi étudia l'équipement. Les consoles étaient Impériales, aucun doute là-dessus. Le matériel et les fauteuils provenaient de la passerelle d'un Destroyer.

Et le plus grand fauteuil, sur l'estrade, était celui d'un Amiral de la Flotte Impériale...

Semblable à celui du Grand Amiral Thrawn.

Mara s'approcha.

— Le lien avec les Impériaux est tout trouvé, souffla Luke. On sent même l'influence de Palpatine...

La jeune femme lui posa une main sur l'épaule.

— Tu as raté le plus important, Luke. Regarde l'hologramme... Je veux dire, regarde-le bien.

Le Jedi se concentra de nouveau sur la spirale galactique. A quoi Mara faisait-elle allusion ?

C'est alors qu'il se figea. *Non.* Non... Ce n'était pas possible... Il avait des visions...

Hélas, il ne se trompait pas. A la frange de la galaxie, là où l'hologramme de Palpatine ne montrait que les étoiles blanches des Régions Inconnues, une nouvelle zone avait été colorée.

Une zone énorme.

— C'est plein d'ironie, non ? dit Mara. Il s'est fait exiler de la cour Impériale, tu sais. Virer, en d'autres termes.

— Qui ?

— Le Grand Amiral Thrawn. Il a fait le mauvais choix lors d'une des innombrables cabales de la cour. Tous les membres de son mouvement ont été dégradés, emprisonnés... ou nommés dans les garnisons de la Bordure Extérieure. Une véritable torture. Mais pas Thrawn. Oh, non ! Même un poste dans la Bordure Extérieure était trop bon pour ce non-humain ingrat qui n'avait pas su apprécier sa chance d'être admis parmi les courtisans Impériaux. Ils lui ont réservé un traitement spécial.

— L'exil dans les Régions Inconnues ?

Mara acquiesça.

— Les Moffs ont convaincu Palpatine d'envoyer Thrawn dans un Destroyer avec un aller simple pour le néant. Et pour plus d'affront encore, ils ont baptisé ça une mission d'exploration. Imagine un des meilleurs stratèges de l'Empire, réduit à cartographier une région déserte. La sentence ruinait sa vie et sa réputation. Ces chiens en gloussaient encore des années plus tard...

Luke secoua la tête.

— Je ne vois pas l'ironie...

— Eux non plus n'avaient rien vu, répondit Mara, le regard noir. Palpatine avait toujours un coup d'avance sur ses courtisans. Et un stratège comme Thrawn, au moins deux...

Luke dévisagea la jeune femme.

— Tu veux dire que Thrawn et Palpatine avaient tout mijoté depuis le début ?

— Exact, fit Mara. (Elle pointa un index sur l'hologramme.) Regarde le territoire qu'il a ouvert. Impossible d'accomplir un tel exploit avec un seul Destroyer. Palpatine a dû lui fournir des hommes et des vaisseaux en chemin.

— Ce n'est pas un territoire Impérial, protesta Luke, la voix rauque. Je veux dire... Ce n'est pas possible.

— Pourquoi pas ? Oh, d'accord, on n'y trouvera probablement que quelques colonies... Mais aussi des garnisons Impériales, des centres de renseignement, des stations d'écoute... Peut-être même des chantiers navals. Sans compter que Thrawn a sûrement signé des alliances avec les indigènes.

— Mais s'il s'agit d'un territoire Impérial, pourquoi l'Empire ne l'a-t-il pas utilisé ? J'ai vu les données, Mara. Nos ennemis n'ont pratiquement plus rien !

La jeune femme sourit avec amertume.

— La réponse saute aux yeux. Les Impériaux ne l'ont pas utilisé parce qu'ils ne connaissent pas son existence.

Une longue minute, aucun des deux ne parla.

Luke gardait les yeux rivés sur l'hologramme et écoutait le bourdonnement lointain de la rampe, épouvanté par les terribles implications de ces petits points brillants. Il y avait là

371

l'équivalent de deux cent cinquante secteurs, soit trente fois la taille actuelle de l'Empire.

Les Impériaux pouvaient-ils gagner ? Avec trente fois plus de vaisseaux, de garnisons et de chantiers navals ?

Peut-être. Si toutes ces ressources étaient soudain mises à la disposition de Bastion...

— Il nous faut plus d'informations, dit-il enfin. Voyons sur ces consoles s'il y a un jack où brancher R2.

— C'est risqué, avertit Mara. Un centre de commandement est forcément conçu pour intercepter les intrus.

Luke s'immobilisa. Bien sûr. Elle avait raison.

— D'accord. (Il se tourna vers elle.) Quel est ton plan ?

Mara prit une grande inspiration.

— Aller directement à la source. Je descends et je leur parle.

— Et tu dis que mon plan est risqué ? protesta Luke, épouvanté.

— Tu as une meilleure suggestion ?

— Non, grogna-t-il. Mais si quelqu'un doit descendre, c'est moi.

— Hors de question, rétorqua Mara. *Primo* : ils ont tiré sur toi, pas sur moi. *Secundo* : tu affirmes qu'ils veulent me voir. *Tertio* : si la situation dégénère, tu pourras venir à mon secours avec tes pouvoirs de Jedi. *Quatro*...

Avec un sourire crispé, Mara décrocha son sabre laser de sa ceinture.

— *Quatro* : ils ignorent peut-être à quel point je contrôle la Force, ajouta-t-elle en tendant l'arme à Luke. Ça peut me donner un avantage décisif.

Luke prit le sabre laser. Des souvenirs lui revinrent...

Son premier sabre laser, celui que lui avait donné Obi-Wan et qu'il avait offert à Mara sur le toit du palais de Coruscant. Il était plus jeune qu'elle quand il s'en était servi au combat.

Plus jeune, moins expérimenté et plus effronté.

Et pourtant...

— Je refuse que tu me paternes, déclara Mara, une lueur dangereuse dans le regard. J'ai survécu toutes ces années sans ton aide. Je suis une grande fille...

Luke plongea son regard dans le sien. Etrange. Il avait oublié combien les yeux verts de Mara étaient brillants. Peut-être était-ce seulement dû à l'éclairage...

— Je ne réussirai pas à te dissuader, n'est-ce pas ?

— A moins que tu aies une meilleure idée, décréta la jeune femme. (Elle sortit son comlink et son blaster.) Tiens, je n'en ai pas besoin. Ils me les prendront de toute façon... Je vais garder mon BlasTech ; ils soupçonneraient quelque chose si j'arrivais désarmée.

Luke prit les objets. Leurs mains se touchèrent...

Puis Mara recula.

— Je regrette d'avoir laissé le comlink à R2, soupira le Jedi. Nous aurions pu rester en contact.

— Si les choses tournent mal, appelle les Qom Jha à la rescousse. Et tu me suivras grâce à la Force...

— Je sentirai ta présence, admit Luke. Je capterai tes émotions, peut-être même quelques images... Mais je ne pourrai pas te parler, ni entendre ce qu'on te dit.

— Dommage que tu ne sois pas Palpatine. Avec lui, je communiquais sans problèmes.

Une vague de culpabilité et de honte submergea Luke. Son bref passage du Côté Obscur lui revenait à la mémoire.

Mara sentit ses émotions et sourit.

— Je plaisantais, assura-t-elle. Ecoute comme tu peux. Je te ferai un rapport exhaustif à mon retour.

— D'accord. Sois prudente.

A sa surprise, elle lui prit la main.

— Tout se passera bien, dit-elle. A bientôt.

Elle disparut.

Luke s'accroupit, le dos contre la pierre noire. Il ferma les yeux et invoqua la Force.

Sur Dagobah, sur Tierfon et en quelques autres occasions, Luke avait réussi à capter de fugitives visions du futur. Cette fois, il essaya de se concentrer sur le présent pour voir ce qui allait arriver à Mara.

Il réussit, au moins en partie. L'image de Mara et de son environnement était faible et brouillée par les émotions changeantes de la jeune femme. Après quelques instants, Luke obtint un résultat acceptable. Sa vision n'était pas idéale, mais il ne pouvait pas faire mieux.

La rampe de cet étage était identique à celle qu'ils venaient d'emprunter. Mara prit place sur la section intérieure et descendit, sans tenter de se dissimuler. Luke eut l'impression d'entendre du bruit, mais l'absence d'agressivité, dans les émotions de la jeune femme, impliquait qu'elle n'avait vu personne.

Un étage, puis un second. Mara était agacée par l'indifférence des soldats ainsi que par leur incompétence en matière de sécurité interne.

Un autre niveau...

Une secousse, accompagnée d'une brève douleur.

Luke ouvrit les yeux et bondit sur ses pieds. Mais Mara le rassura rapidement : la rampe avait changé de direction et la jeune femme était tombée.

Une fois le choc dissipé, son agressivité de guerrière étincela littéralement.

Mara n'était plus seule.

Luke serra les poings et essaya de voir la scène. Plusieurs personnes encerclaient Mara. Elles étaient de la même espèce que les soldats avec qui ils étaient entrés en contact.

Et l'une d'elles appelait Mara par son nom.

L'être parla. Luke crut comprendre qu'il demandait à Mara de les accompagner.

Mara accepta. *Ses hôtes* la débarrassèrent de son BlasTech ; le groupe s'éloigna de la rampe et s'engagea dans un couloir.

Bientôt, Mara et son escorte atteignirent une porte. Un nouveau dialogue, un malaise vite réprimé chez Mara...

Elle entra dans la pièce. Seule.

On l'attendait. Un des hommes, peut-être plusieurs, lui adressa la parole. Mara répondit. Ses émotions étaient difficiles à interpréter.

Elle avança encore...

Et soudain, le contact se rompit.

Luke ouvrit les yeux sur les voyants du centre de contrôle. Le cœur battant, il tenta désespérément de rétablir le contact.

Mara ? Mara !

Inutile. Aucune réponse.

Plus de présence.

Plus rien.

Mara avait disparu.

27

Mara franchit le seuil et regarda autour d'elle.

La pièce était grande et étroite : environ cinquante mètres de long sur cinq de large. Près du mur du fond, il y avait un solide fauteuil dont elle ne voyait que le dossier. Contre le mur attendaient cinq non-humains à la peau bleue et à l'uniforme bordeaux. Ils arboraient fièrement des galons Impériaux. Au centre, sur un fauteuil identique au premier, un homme était assis...

Les cheveux gris, la peau ridée par l'âge, mais les yeux alertes et le regard fier. Il portait l'uniforme d'un Amiral Impérial.

D'un geste, il invita la jeune femme à s'approcher.

— Vous voilà enfin, Mara Jade. Vous avez pris votre temps.

— Navrée de vous avoir fait attendre...

Consciente de l'inquiétude de Luke, Mara essaya de le rassurer. Ces gens savaient qui elle était, ce qu'elle était, et pourtant, ils la laissaient avancer librement.

— Si vos hommes n'étaient pas aussi nerveux, je me serais montrée plus tôt.

L'Amiral baissa la tête.

— Toutes mes excuses. C'était un accident. Venez, asseyez-vous...

Mara avança sans cesser de garder les soldats à l'œil. S'il y avait un piège, il se déclencherait avant qu'elle soit trop près de l'Amiral...

Soudain la présence immatérielle de Luke disparut.

Le cœur de Mara se serra ; seul son instinct la poussa à continuer d'avancer.

Luke ? Luke ! Où es-tu ?

Pas de réponse. Pas d'émotion, pas la moindre pensée.

C'était incroyable, impossible.

Il avait disparu.

Disparu.

— Venez vous asseoir, répéta l'Amiral. J'imagine que vous devez être épuisée...

— Vous êtes trop bon, répondit Mara sans réfléchir.

Elle se força à poser un pied devant l'autre. Qu'était-il arrivé ?

Une seule réponse possible. *Ils* avaient réussi à le surprendre malgré ses pouvoirs... *Ils* avaient lancé une attaque soudaine, indétectable et imparable.

Luke Skywalker était inconscient.

Ou mort.

Cette pensée s'enfonça dans son cœur comme une dague. Non, ce n'était pas possible. *Pas maintenant !*

L'homme aux cheveux gris ne la quittait pas des yeux. Il fallut à Mara un immense effort de volonté pour chasser la peur et la douleur. Si Luke était inconscient, ils pouvaient encore s'en sortir. S'il était mort, elle le rejoindrait sûrement bientôt.

Ce n'était pas le moment de laisser ses émotions prendre le dessus.

Elle s'assit avec prudence.

— Ne vous inquiétez pas, dit l'Amiral. Nous ne vous ferons aucun mal.

Mara le foudroya du regard.

— Bien sûr que non. D'ailleurs, vous n'avez pas l'habitude de tirer sur les visiteurs...

— Je le répète : c'était un regrettable accident. Mes hommes visaient la vermine qui volait autour de vous. Ces créatures nous ont valu quelques problèmes par le passé. Vous avez riposté, et mes soldats en ont tiré des conclusions hâtives... Je vous présente mes plus sincères excuses.

— Elles me font chaud au cœur, grogna Mara. Et maintenant ?

L'Amiral la regarda, surpris.

— Maintenant ? Parlons. Si nous vous avons donné notre position, c'est que nous attendions votre visite...

— Ah.

Elle avait donc raison. Les deux vaisseaux avaient délibérément suivi les vecteurs qui l'avaient amenée ici.

A moins que l'Amiral mente pour dissimuler la stupidité de ses pilotes.

— Vous auriez pu m'envoyer une invitation, dit-elle tout en essayant de sonder l'esprit de l'officier. Ça m'aurait simplifié la tâche.

Bizarre. Elle n'arrivait pas à le toucher avec la Force. Ni lui ni ses soldats...

L'Amiral sourit.

— Vous ne seriez pas venue seule. Quelque chose de moins... formel... me semblait plus approprié. Navré de ne pas avoir prévu d'escorte, votre atterrissage nous a pris par surprise.

— Tout comme votre arrivée dans la forteresse, ajouta le soldat à la peau bleue, à droite de l'Amiral. (Sa voix était douce et ses intonations aimables. Ses yeux rouges étaient rivés sur Mara.) Nos hommes se seraient montrés plus prudents si nous avions su que vous étiez dans la place. Puis-je vous demander comment vous êtes entrée ?

Mara inclina la tête.

— C'est une évidence, voyons. Nous nous sommes transformés en vermine pour voler jusqu'ici.

L'Amiral hocha la tête.

— Bien entendu. A moins que vous n'ayez escaladé la forteresse pour passer par une fissure ?

— Désolée. C'est un secret.

— Ah, soupira l'Amiral, sans se départir de son sourire. Ça n'a guère d'importance ; j'étais simplement curieux. L'essentiel est que vous soyez ici, Mara... Puis-je vous appeler Mara ? Ou préférez-vous Capitaine Jade ?

— Ça m'est égal. Mais vous devriez également vous présenter. A moins que personne ici n'ait de nom ?

— Tous les êtres pensants ont un nom, Mara. Je suis l'Amiral Voss Parck, pour vous servir... Et je suis enchanté de vous rencontrer.

— Moi de même, dit Mara, franchement surprise.

Voss Parck. C'était le nom du Capitaine du Destroyer qui avait découvert Thrawn sur un monde désert avant de le présenter à la cour Impériale. Le même homme l'avait ensuite accompagné dans son « exil », pour partager sa honte.

Mais...

— J'ai l'air plus vieux que vous ne l'imaginiez, remarqua Parck. Si vous imaginiez quelque chose, bien sûr. Je me flatte sans doute en pensant que la Main de l'Empereur se rappelle mon nom ou mon visage...

Mara l'étudia avec attention.

— Je me souviens très bien... Les courtisans se moquaient de vous : ils pensaient qu'il n'y avait pas plus piètre politique. Mais après tout, ils ont cru au prétendu châtiment de Thrawn...

— Et vous pensez que la mission de Mitth'raw'nuruodo était autre chose ? demanda le soldat bleu, toujours aussi affable.

— Je le *sais*, déclara Mara. (Elle le regarda avec mépris avant de se retourner vers l'officier Impérial.) Dites-moi, Amiral, les membres de cette race s'expriment-ils tous comme Thrawn ? Ou dressez-vous vos soldats à bien se comporter lors des thés dansants ?

Les yeux du non-humain se plissèrent.

— Calmez-vous, Stent, le rebroua sèchement Parck. Mara Jade a le don d'énerver les gens. C'est un talent : un homme en colère ne raisonne pas clairement, vous comprenez...

— Ou peut-être que vous me déplaisez, coupa Mara, agacée par la remarque de Parck. (L'Amiral avait vu juste et elle n'aimait pas ça.) Mais assez parlé de moi. Evoquons votre grande percée dans les Régions Inconnues. Vous avez dû abandonner beaucoup de choses : Coruscant, la chaleur et la camaraderie de la Flotte Impériale... La civilisation...

Stent la foudroya du regard, mais Parck se contenta de sourire.

— Vous avez rencontré Thrawn. (Une sincère admiration s'entendait dans sa voix.) N'importe quel guerrier aurait tout donné pour avoir une chance de servir sous ses ordres.

— Sauf ceux de son peuple, d'après ce que j'ai compris. A moins qu'on m'ait menti sur les circonstances de son arrivée sur Coruscant.

Parck haussa les épaules.

— Non, je suis sûr que vous êtes au courant. Mais l'histoire est incomplète.

— Pour l'instant, dit Mara en souriant.

Elle se cala contre le dossier et croisa les jambes. Un mouvement calculé, conçu pour souligner son calme et mettre ses adversaires à l'aise. Discrètement, elle fit basculer le fauteuil pour évaluer son poids. Très lourd, hélas.

Impossible de s'en servir comme arme de jet, donc.

— Je pense avoir un peu de temps devant moi. Commencez par le début...

Stent posa une main sur l'épaule de Parck.

— Amiral, prenez garde...

— Tout va bien, Stent, le coupa Parck. Elle ne pourra pas nous offrir son aide si elle n'a pas tous les éléments en main...

— Mon aide ? Pourquoi ?

Parck ignora sa question.

— Tout a commencé il y a environ cinquante ans, avant que ne commence la Guerre des Clones. Le projet Vol dans l'Infini était prêt. Vous n'étiez pas née, bien sûr. J'ignore si vous en avez entendu parler.

Mara hocha la tête.

— Vol dans l'Infini... J'ai lu quelque chose à ce sujet. Ça parlait d'un groupe de Maîtres Jedi qui avaient choisi de se rendre dans une autre galaxie, en mission d'exploration...

— Leur destination était en effet une autre galaxie. Mais avant que l'expédition soit lancée, il fut décidé de les envoyer en croisière d'essai... Un grand cercle à travers les Régions Inconnues de notre galaxie. (Parck désigna Stent et les autres soldats.) Une trajectoire qui allait les amener jusqu'à un territoire contrôlé par les Chiss.

Les Chiss. C'est donc ainsi qu'ils se nommaient. Mara fouilla dans sa mémoire sans rien trouver.

— Les Chiss n'étaient pas d'humeur hospitalière ?

— Les familles régnantes n'eurent pas l'occasion de décider de leur humeur, expliqua Parck. Palpatine venait de décréter que les Jedi étaient une grave menace pour l'Ancienne République. Une force d'assaut partit intercepter la mission Vol dans l'Infini...

— Laissez-moi deviner, dit Mara avec un soupir. Ils préparaient leur embuscade quand Thrawn les découvrit...

L'Amiral hocha la tête.

— Il faut comprendre la situation pour l'apprécier pleinement. D'un côté, quinze vaisseaux de combat dirigés par les unités d'élite de l'armée privée de Palpatine. De l'autre, le Commandant Mitth'raw'nuruodo du Corps de Défense Chiss, avec une douzaine de patrouilleurs insignifiants sous ses ordres...

— Oh, j'apprécie, souffla Marra. Comment Thrawn les a-t-il exterminés ?

— Avec méthode, répondit l'Amiral, tout sourire. Il n'épargna qu'un seul vaisseau Impérial, avec l'intention d'interroger les survivants. Parmi eux se trouvait le chef de la force d'assaut : Kinman Doriana, un conseiller de Palpatine.

Kinman Doriana. Mara se souvenait de ce nom. Le bras droit de Palpatine, un des grands architectes de sa montée au pouvoir.

— Oui, j'en ai entendu parler...

— C'est bien ce que je pensais. Doriana était un conseiller de l'ombre ; peu sont ceux qui ont entendu prononcer son nom. Moins encore ceux au fait de son véritable pouvoir. On dit que sa mort laissa un vide que Palpatine essaya de combler avec trois autres personnes : Dark Vador, le Grand Amiral Thrawn... Et vous.

— Vous êtes trop bon, murmura Mara.

Ainsi, elle était importante aux yeux de Palpatine. Peut-être plus qu'elle ne l'imaginait...

Ça n'avait plus aucun intérêt à ses yeux ! Cette partie de sa vie était enterrée depuis longtemps et elle ne la regrettait pas.

— Vous êtes bien informé, dit-elle.

Parck leva une main.

— Cette forteresse était la base personnelle de Thrawn. Et l'information — peut-être l'avez-vous remarqué — est l'une de ses obsessions. Nos bases de données sont les plus complètes de la galaxie.

— Magnifique. Dommage que toutes ces connaissances ne l'aient pas sauvé.

Elle espérait obtenir une réaction, mais les soldats restèrent impassibles.

— Vous allez trop vite, dit l'Amiral. D'ailleurs, où en étais-je ?

— Doriana et la mission Vol dans l'Infini...

— Merci. Doriana expliqua la situation à Thrawn et réussit à le convaincre que l'anéantissement de la mission Vol dans l'Infini était nécessaire. Deux semaines plus tard, quand le vaisseau arriva dans l'espace Chiss, Thrawn l'attendait...

— Au revoir, Vol dans l'Infini, murmura Mara.

— Exact. Hélas, la crise passée, les problèmes commencèrent pour Thrawn. La philosophie militaire des Chiss ne reconnaissait pas les frappes préventives. Dans leur esprit, l'acte de Thrawn s'apparentait à un meurtre.

Mara secoua la tête.

— N'y voyez aucune offense, Amiral, mais c'est *votre* philosophie militaire qui est à revoir. La destruction d'un vaisseau d'exploration *est* un meurtre...

— Vous comprendrez, Mara, dit Parck, la voix tremblante. En temps voulu, vous comprendrez.

Mara fronça les sourcils. L'homme était un excellent acteur ou quelque chose le terrifiait. Elle essaya à nouveau de le sonder avec la Force. Sans succès.

Parck se ressaisit.

— Les actions de Thrawn furent donc contestées par les familles Chiss régnantes. Il réussit à conserver son poste, mais il demeura sous haute surveillance. Un malentendu survint alors qu'il *traitait* un peu violemment avec ses ennemis. Il fut poursuivi, dégradé et envoyé en exil sur un monde inhabité, à la frange de l'espace Impérial.

Mara prit la parole et poursuivit le récit :

— Un Destroyer passa un jour par là, commandé par un officier qui décida de prendre le risque de le ramener sur Coruscant. Sauf que... le risque n'était pas si grand, j'imagine.

— En effet, admit Parck. J'appris plus tard que Palpatine avait déjà essayé à deux reprises de contacter Thrawn pour lui offrir un poste dans son futur Empire. L'Empereur fut ravi de mon cadeau. Bien sûr, il préféra en dissimuler la valeur.

— Thrawn suivit un entraînement militaire et s'éleva jusqu'au grade le plus haut que Palpatine pouvait lui proposer. (Mara étouffa un bâillement.) Et après ? Il s'est fait renvoyer là-bas pour se venger des Chiss qui l'avaient exilé ?

Parck la dévisagea, choqué.

— Certainement pas. Les Chiss sont le peuple de Thrawn. Pourquoi les ferait-il souffrir ? Bien au contraire, il est reparti pour les protéger.

— De quoi ?

Stent la foudroya du regard.

— *De quoi ?* répéta-t-il d'une voix dure. Espèce de femelle molle et suffisante... Vous paressez sur des mondes protégés par une armada de vaisseaux de guerre, et vous croyez que le reste de la galaxie est sûr ? Des milliers de menaces errent parmi les étoiles. Elles vous glaceraient les sangs si vous les connaissiez. Les familles régnantes ne peuvent pas les arrêter toutes... *Nous* devons protéger notre peuple !

Mara soupira.

— Très bien. Et qui êtes-vous ?

Stent se redressa.

— Nous appartenons à la Phalange de la Maison du Syndic Mitth'raw'nuruodo, déclara-t-il. Nous vivons pour le servir, et à travers lui nous servons les Chiss.

— Qu'ils veuillent de votre aide ou non, je suppose, souffla Mara.

Elle avait remarqué l'usage du présent dans le discours du Chiss. Parck et Stent semblaient convaincus que Thrawn n'était pas mort. Etaient-ils à ce point déconnectés de la réalité ?

— Connaissent-ils votre existence ? demanda Mara.

— Ils savent que les forces de l'Empire les protègent, dit Parck. Alors que les familles régnantes s'appliquent à ignorer notre existence, les Chiss nous rejoignent, de plus en plus nombreux, pour s'engager dans nos garnisons et se battre à nos côtés !

Mara réprima un grognement. Ils avaient donc bien des bases dans les environs.

— Palpatine n'aurait pas été ravi de voir des... créatures étrangères se mêler aux forces Impériales, remarqua-t-elle. Je doute que le régime de Bastion le soit.

Parck se raidit.

— En effet. Ce qui nous conduit à un point crucial... Si sa mort était annoncée, Thrawn nous a dit que nous devions continuer notre tâche ici et attendre son retour, dix ans plus tard.

Mara regarda Stent, puis Parck, ébahie.

— L'attente sera longue, dit-elle. Thrawn s'est fait tirer dans le dos, à travers son fauteuil de commandement. La plupart des gens ne se remettent pas d'un tel traitement.

Stent secoua la tête.

— Thrawn n'est pas comme la plupart des gens.

— « N'était pas », corrigea Mara. A l'imparfait. Thrawn est mort à Bilbringi.

— En êtes-vous certaine ? demanda Parck. Avez-vous vu le corps ? Obtenu des informations de sources non Impériales ?

Mara ouvrit la bouche... et la referma. Parck était penché vers elle, les yeux brillants.

— Votre question n'est pas rhétorique. Vous voulez vraiment connaître ma réponse ?

Parck sourit.

— Je vous l'avais dit, elle est maligne. C'est vrai, Mara, la question n'est pas rhétorique. Le réseau d'informations de Talon Karrde est à votre disposition... Si quelqu'un connaît la vérité, c'est vous.

— Vous me cherchiez... comprit alors Mara. Quand vous avez appelé la base de Cavrilhu et le Destroyer de Terrik, vous me cherchiez, *moi*.

— Bravo ! lança Parck. Quand Dreel a repéré votre présence près du Destroyer, il a cru que Thrawn et vous aviez déjà conclu un accord. D'où sa communication... qui demandait à Thrawn de prendre contact.

Mara secoua la tête.

— Je sais que vous êtes ici depuis longtemps et que l'attente a dû être dure à supporter. Mais vous devez accepter la réalité. Thrawn est mort.

— Vraiment... Dans ce cas, pourquoi l'HoloNet colporte-t-il des rumeurs sur son retour ?

— Il a été vu par de nombreux dirigeants de secteurs planétaires, expliqua Stent. Y compris le Sénateur Diamala et l'ancien Général Lando Calrissian.

Mara le fixa sans y croire. *Lando ?*

— Non. Vous faites erreur. Ou vous bluffez.

— Je vous assure... commença Parck.

L'Amiral s'interrompit. Une porte venait de s'ouvrir. Mara se retourna, prête à tout...

Mais ce n'était qu'un vieil homme, qui s'approcha en longeant le mur. Malgré son âge, il portait l'uniforme d'un pilote de chasseur TIE Impérial. Un bandeau couvrait son œil droit.

— Oui, Général ? demanda Parck.

— Transmission de Sorn, Amiral, dit l'homme. (Il dévisagea Mara de son œil unique.) Sa mission dans le système de Bastion n'a pas été concluante. De nombreuses spéculations, mais aucune preuve tangible... Les rumeurs affirment que Thrawn est actuellement là-bas...

— Attendez, dit Mara. Vous savez où se trouve Bastion ?

— Oh oui ! assura Parck. Thrawn se doutait que le siège du gouvernement changerait de place périodiquement... Il a fait installer un mouchard dans un fichier de la Bibliothèque Impériale centrale. Nous y avons libre accès.

— Un mouchard Chiss, ajouta Stent. Dormant, sauf dans l'hyperespace, où personne n'effectue de détection. Nous avons suivi les mouvements de Bastion de système en système...

— Sorn est-il de retour ? demanda Parck au pilote.

— Il sera là dans trois heures. (L'homme désigna Mara.) A-t-elle apporté du nouveau ?

— Pas vraiment, répondit Parck. Mais j'oublie les bonnes manières. Mara Jade, je vous présente le Général Baron... (il marqua une pause dramatique) Soontir Fel.

Mara n'eut aucune réaction.

Le Baron Soontir Fel. Un pilote de chasseur TIE légendaire qui avait tourné le dos à l'Empire pour devenir membre de l'Escadron Rogue. Après être tombé dans un piège tendu par Ysanne Isard — le Directeur des Renseignements Impériaux —, il avait disparu et personne n'en avait entendu parler. Ses amis pensaient qu'Isard l'avait exécuté pour trahison.

Et pourtant, il était là.

Collaborant avec les forces Impériales.

Et Général, de surcroît.

— Général Fel, répéta Mara, comme si le nom ne lui disait rien. Etant donné le ton de l'Amiral, dois-je me montrer impressionnée ?

Le jeune Fel aurait pris cette remarque comme une offense. Le vieil officier se contenta de sourire.

— Bien essayé, Jade, dit-il d'une voix grave. Mais ici, la fierté n'a plus d'importance. Quand vous nous aurez rejoints, vous comprendrez.

— J'en suis sûre, dit Mara.

Elle amplifia pour la troisième fois ses sens.

La Force était là. Elle la sentait couler en elle. Mais elle ne réussissait à toucher personne, humain ou Chiss. Un phénomène similaire se produisait avec les ysalamiris, des créatures de Myrkr. Mais il n'y en avait pas dans la salle...

Mara se figea.

Parck, les Chiss... Ils étaient dos au mur, tous. Pourquoi ?

Bien sûr... Les créatures étaient dans la pièce d'à côté. Collées contre la paroi, elles protégeaient l'Amiral et ses hommes de ses sondes mentales.

Voilà pourquoi Fel avait longé le mur en entrant.

Ils en ont peut-être même mis au plafond...

La tension de Mara disparut. Elle inspira profondément et sentit le soulagement et la joie l'envahir.

Il y avait des ysalamiris dans le plafond. Qui avaient coupé sa liaison avec Luke.

Autrement dit, il était encore vivant.

Une fois de plus, elle respira à fond. Parck et Fel avaient les yeux rivés sur elle.

— Votre proposition me flatte, dit-elle, avec l'espoir que ses interlocuteurs n'avaient pas remarqué sa courte *absence*. Navrée de vous décevoir, mais j'ai déjà un emploi.

Trop tard.

— Elle a deviné, déclara Fel.

— Oui, dit Parck. Je suis surpris qu'il lui ait fallu si longtemps. Surtout qu'elle a détecté l'action des ysalamiris en entrant... J'ai vu une infime hésitation dans sa démarche.

Fel acquiesça.

— Elle a bien des pouvoirs de Jedi. Nous ne nous sommes pas préparés en vain.

— Félicitations, dit Mara. Vous avez hérité du génie de Thrawn et de sa clairvoyance militaire. Si nous arrêtions les salamalecs ? Que voulez-vous de moi ?

— Que vous nous rejoigniez, précisa Parck. Comme le Général Fel l'a dit.

Mara secoua la tête.

— Vous plaisantez.

— Pas du tout. Je...

— Amiral ? coupa Stent, la tête inclinée comme s'il écoutait quelque chose. Quelqu'un essaye d'accéder à l'ordinateur de la Salle de Commandement supérieure.

— Skywalker, dit Fel. C'est bien aimable à lui de nous éviter une longue traque. Que les Phalanges le ramènent, Stent. N'oubliez pas... seuls ceux qui portent des ysalamiris doivent l'approcher.

Le Chiss s'inclina.

— Oui, Monsieur.

Il longea le mur et gagna la porte en marmonnant dans sa langue natale.

Mara vit un petit appareil dans son oreille... Sans doute la version Chiss d'un comlink.

— Il nous rejoindra dans quelques minutes. (Fel se tourna vers Mara.) Luke Skywalker en personne, volant à votre secours... Coruscant doit vous considérer comme un élément de valeur. J'espère qu'il ne nous opposera pas une trop grande résistance. Je ne voudrais pas que les Chiss le blessent.

— Permettez-moi de m'inquiéter plutôt pour eux, répartit Mara, qui essayait de paraître confiante.

Luke s'était déjà battu sous l'influence des ysalamiris... mais il y avait de cela longtemps.

Elle se tourna vers Fel.

— En parlant de blessures, Général, qu'est-il arrivé à votre visage ? A moins que ce bandeau soit un accessoire pour impressionner les indigènes ?

Fel se tendit.

— J'ai perdu mon œil lors d'une bataille contre un seigneur de guerre. Nos ressources médicales sont limitées et j'ai choisi de ne pas me faire poser une prothèse pour ne pas léser des pilotes qui en avaient plus besoin que moi. (Il sourit. Un court instant, Mara entrevit le jeune homme un peu canaille qu'il avait dû être.) De plus, même avec un œil, je reste le meilleur pilote ici...

— J'en suis certaine, dit Mara. Mais imaginez ce que vous seriez avec les deux... La guerre entre la Nouvelle République et l'Empire est presque terminée. L'Empire doit avoir toutes les prothèses nécessaires. Vous n'avez qu'à vous montrer et en demander une. Bien sûr, cela nécessiterait de mettre Bastion dans le secret. Et vous ne voulez pas. Pour quelle raison ?

L'Amiral soupira.

— Parce que tous nos sacrifices ont été faits pour Thrawn. Et nous ignorons de quel côté il combattra.

Mara le regarda, étonnée.

— Pardon ? Un Grand Amiral Impérial, et vous ne savez pas de quel côté il combattra ?

— L'Empire a été réduit à huit secteurs, rappela Fel. Sa puissance militaire est risible.

Parck hocha la tête.

— Et vous avez mentionné son racisme... Mais Coruscant aussi a son lot de problèmes. Entre autres l'incapacité du gouvernement à empêcher ses membres de s'entre-déchirer.

— Et c'est ici que vous intervenez, expliqua Fel. Vous étiez la Main de l'Empereur. Vous saviez beaucoup de choses sur l'Empire... Maintenant que vous êtes l'alliée de Skywalker, vous avez vos entrées au sein de la Nouvelle République. (Il sourit.) Et bien sûr, en tant qu'officier en second de Karrde, la galaxie n'a pour vous aucun secret... Votre valeur est inestimable. Avec votre soutien, nous pourrions résoudre ce conflit, unifier la région et nous préparer aux défis à venir.

— Vos connaissances sont essentielles pour nous, poursuivit Parck. Les récents problèmes que connaît ce secteur nous sont étrangers... Nous avons besoin de quelqu'un familiarisé avec l'actualité politique...

— Et vous avez pensé à moi.

— Ne soyez pas si désinvolte ! protesta Fel.

— Je ne suis pas désinvolte, souffla Mara, incrédule. Thrawn n'aurait pas approuvé qu'on m'engage comme conseillère aux affaires locales.

— Au contraire, dit Parck. Thrawn vous tenait en haute estime. Je sais qu'il comptait vous proposer de travailler avec nous une fois l'Empire revenu à sa gloire passée.

Un Chiss s'approcha.

— Amiral ? dit-il, accroupi à côté du fauteuil.

Il murmura quelque chose à l'oreille de l'officier. La conversation dura un certain temps. Mara étudia la situation, puis évalua les positions des soldats et leur vitesse de réaction.

Mais ce n'était qu'un exercice. Les regards des Chiss étaient braqués sur elle ; leurs mains reposaient sur leurs armes. Elle n'avait aucune chance de les éliminer avant qu'ils la tuent.

Pas sans la Force.

La conversation s'acheva.

Le Chiss se redressa et marcha vers la porte en longeant le mur.

— Pardonnez cette interruption, s'excusa Parck.

Mara regarda le Chiss quitter la pièce.

— Pas de problème...

Plus que Fel, Parck et quatre soldats. Non. Ses chances étaient encore trop faibles.

— Skywalker vous pose des problèmes ?

— Pas vraiment.

— Heureuse de l'apprendre.

Elle regretta amèrement de ne pas pouvoir lire les émotions de l'officier.

Il paraissait inquiet.

Si Mara avait eu une idée de ce que préparait Luke...

— Ainsi, Thrawn comptait me proposer un poste...

Parck hocha la tête.

— Il sait reconnaître les êtres de valeur. La compétence importe, bien sûr, mais pas seulement. Que l'on soit mentalement fort est essentiel. Le Général Fel en est un parfait exemple. Thrawn se fichait qu'il se soit rebellé contre Isard.

L'important, c'étaient ses sentiments, sa loyauté envers les peuples et les mondes de cette région. Et quand Thrawn a poussé Isard à le capturer...

— Une minute... Thrawn était impliqué ?

— C'était son plan, expliqua Fel. Isard n'était pas assez intelligente pour mettre ça au point toute seule... Thrawn m'a fait venir ici. Il m'a montré ce que nous affrontions et ce que nous devions faire pour résister. Il m'a prouvé une chose : même si l'Empire et la Nouvelle République alliaient leurs forces, la victoire n'était pas garantie...

— Au contraire... Il a même prévu la défaite, ajouta Parck. Des clones de ses meilleurs guerriers attendent, dispersés sur les territoires de l'Empire et de la Nouvelle République. Si Bastion et Coruscant tombent, ils formeront des noyaux de résistance. Des hommes qui aiment leurs terres, leurs mondes, qui donneront leurs vies pour les défendre...

Fel regarda Mara.

— Oui... Thrawn m'a expliqué le sens de sa lutte. Je n'ai eu d'autre choix que de le rejoindre.

— Comme vous le ferez aussi, dit Parck.

Mara secoua la tête.

— Navrée, mais j'ai d'autres plans.

— Nous verrons. Quand il reviendra, Thrawn saura sans doute vous convaincre.

— Et s'il ne revient pas ?

— Oh, il reviendra. Thrawn a toujours tenu ses promesses. Quant à la rumeur actuelle... (Parck regarda Fel.) Je suppose qu'il faut que j'aille sur Bastion pour vérifier sa véracité. Si Thrawn y a installé son quartier général, c'est qu'il a choisi son camp.

Mara serra les poings.

— Vous ne pouvez pas faire ça, s'insurgea-t-elle, la voix rauque. Vous ne pouvez pas tout livrer à l'Empire... Vos ressources, vos bases, vos alliances...

— Les Impériaux les utiliseront à bon escient. Nous nous en assurerons. Le défi qui nous attend est trop sérieux pour que la politique ou l'ambition personnelle s'en mêlent...

— Vous avez perdu le sens des réalités, Amiral, protesta Mara. Souvenez-vous de la cour de Palpatine... Du goût du pouvoir, des monstres qu'étaient devenus les officiers...

— Je suis navré... C'est un risque que nous devons prendre, rétorqua Parck d'une voix ferme. Nous serons prudents. Au retour de Sorn, nous étudierons les données avec attention. Mais la réapparition de Thrawn est un signe. Il est temps que nous contactions Bastion.

Mara prit une inspiration difficile.

— Je ne peux pas vous laisser faire ça.

— Pardon ? demanda Fel, choqué.

— Je ne peux pas, répéta Mara. Si vous offrez une telle puissance à Bastion, les Impériaux se retourneront aussitôt contre Coruscant.

Parck fronça les sourcils.

— Ne vous inquiétez pas... Nous ne leur donnerons rien avant d'être certains de la présence de Thrawn...

Mais Fel avait le regard rivé sur Mara.

— Amiral... Elle risque de nous poser des problèmes. Son refus viscéral d'une alliance avec Bastion la poussera à s'opposer à nos projets.

— Vous avez raison, admit Parck à contrecœur.

Il se leva de son fauteuil. Un Chiss s'approcha aussitôt pour lui offrir son bras.

— J'ai bien peur, Mara, que Skywalker et vous ne soyez obligés de rester nos « invités » un moment.

— Et si le retour de Thrawn ne me convainc toujours pas ? demanda Mara. Que ferez-vous ?

— Je suis sûr que nous n'en viendrons pas là, assura Parck, en évitant le regard de la jeune femme. Inutile de compliquer les choses... Nous y verrons plus clair dans quelques jours. Dans un mois tout au plus.

Un sourire amer étira la bouche de Mara.

— Vous n'êtes pas sérieux. Vous pensez vraiment que deux douzaines de ysalamiris nous retiendront longtemps, Luke Skywalker et moi ?

— Elle a raison, Amiral, acquiesça Fel. Il faudra plus que cela pour qu'ils se tiennent tranquilles.

Parck étudia Mara.

— Que suggérez-vous, Général ?

Fel désigna un Chiss.

— Brosh, votre charric. Niveau deux.

— Une seconde ! s'exclama Mara.

Elle bondit sur ses pieds.

Le Chiss dégaina son arme de poing.

Gagne du temps !

Cette pensée explosa dans le cerveau de Mara.

— Une seconde ! dit-elle. Je suis prisonnière et désarmée... protesta-t-elle tandis que les autres Chiss sortaient leurs armes.

— Je sais, dit Fel. Je suis profondément navré, mais les Jedi m'ont posé de graves problèmes par le passé... En vous forçant à entrer en transe de guérison, je vous protège contre vous-même.

Il regarda Brosh.

— Attendez, répéta Mara. *(Gagne du temps, gagne du temps, gagne du temps...)* Vous voulez passer un marché avec moi ? Je vous le dis tout net, me tirer dessus ne fera pas démarrer les négociations du bon pied. Cela risque même de me décider à ne jamais travailler pour vous.

Parck secoua la tête.

— Non... Vous changerez d'avis quand vous connaîtrez l'étendue de la menace...

— Rien n'est moins sûr. Et n'oubliez pas Karrde. Si vous voulez des informations, c'est à lui qu'il faudra parler. Or, il déteste qu'on tire sur ses agents... Je l'ai vu détruire des organisations entières à cause de ça. Je me souviens d'un groupe de Hutts...

— Mara, vous prenez l'affaire trop au sérieux, coupa Parck. Une brûlure de charric ne posera pas de réel problème à quelqu'un qui, comme vous, a les pouvoirs Jedi qui permettent de supprimer la douleur... D'ailleurs, le Général a raison : nous devons nous assurer de vous quelques jours.

— Je comprends. Son idée est brillante. Mais un détail cloche : je ne connais aucun truc pour supprimer la douleur ou pour guérir !

— Allons, protesta Parck. (Il désigna la combinaison carbonisée de la jeune femme.) Votre épaule prouve le contraire.

— Skywalker m'a plongée dans une transe thérapeutique ! Et il n'est pas là. Je peux mourir du choc, ou me vider de mon sang...

— Vous n'en ferez rien, assura Parck. Je connais la puissance des charrics. Considérez notre acte comme un moyen supplémentaire de convaincre Skywalker de se rendre.

Il fit un signe de tête.

Le Chiss leva son arme...

Et un éclair vert jaillit.

28

Le cœur battant, Luke tentait désespérément de rétablir la liaison.

Mara ? Mara !

Inutile. Aucune réponse.

Les gardes avaient dû réussir à lancer une attaque soudaine et foudroyante.

Mara était inconsciente. Ou morte.

— Non, murmura Luke. (Une fois de plus, le destin frappait un être cher.) Non !

Des ondes de souffrance traversèrent son esprit comme une vague sombre et cruelle. Puis la douleur se transforma en rage. Ils voulaient jouer avec la mort ? Il la leur offrirait.

Luke se vit descendre la rampe en spirale et faire tomber comme des quilles les soldats non humains. Leurs corps se brisaient sur les pierres noires. Son sabre laser tranchait allégrement leurs membres.

Il laisserait derrière lui un monceau de cadavres...

Son sabre laser.

Il le regarda... Ce n'était pas l'arme qu'il avait conçue dans la chaleur oppressante du désert de Tatooine, mais celle de son père.

L'arme qu'il avait donnée à Mara.

Luke ferma les yeux et se purgea de la colère et de la haine. Un frisson le parcourut quand il réalisa ce qu'il avait failli faire.

Une fois encore, il avait presque cédé au Côté Obscur... A la haine, au besoin de vengeance... Au désir irrépressible d'utiliser sa puissance à des fins égoïstes.

Si sur le chemin du Côté Obscur tu t'engages, à jamais ta destinée il dominera.

Les paroles de Maître Yoda résonnèrent dans son esprit.

— D'accord, murmura-t-il.

Non, il ne vengerait pas Mara. Du moins pas pour le plaisir de se laisser aller à la violence. Il chercherait à savoir ce qui lui était arrivé, puis il déciderait en conséquence.

Toute sa volonté fut nécessaire pour chasser les dernières émotions négatives de son esprit.

Luke utilisa la Force, la concentrant sur l'endroit où Mara avait disparu. Il devrait au moins sentir la présence de son corps...

Rien.

Pas de cadavre. Il ne repéra pas non plus les êtres vers qui elle avançait quelques instants plus tôt. Une zone entière lui était inaccessible, comme si quelque chose bloquait la Force...

Le Jedi soupira, soulagé et honteux. Bien sûr. Leurs adversaires avaient placé des ysalamiris entre Mara et lui. Même à quatre étages de là, il aurait dû comprendre. Il avait oublié les leçons de Yoda : ne jamais agir sur le coup d'une émotion trop forte.

Mais l'autocritique devrait attendre. Dans le champ d'influence des ysalamiris, les pouvoirs balbutiants de Mara ne lui serviraient à rien. C'était à Luke de la sortir de là.

Il activa son comlink.

— R2 ? appela-t-il doucement. J'ai besoin de toi... Prends la rampe en spirale, derrière le mur à droite, et descends quatre étages. Briseur de Pierres... Laisse quelqu'un dans la cage d'escalier pour fermer la porte. Les autres, accompagnez R2. Compris ?

Le droïd trilla affirmativement et les Qom Jha pépièrent.

Luke gagna un coin sombre de la salle et amplifia ses sens. Des êtres se déplaçaient dans les niveaux inférieurs, mais aucun n'était directement sous lui.

La chose était risquée car il ignorait l'étendue des pouvoirs de ses adversaires. Pourtant, il devait descendre.

Il activa le sabre laser de Mara, prit la garde à deux mains et plongea la lame bleue dans le sol.

Pourvu que la pierre noire ne résiste pas au sabre laser, comme dans les cavernes... Non ! La lame trancha le roc sans difficulté. Luke lui fit décrire un cercle parfait, un peu plus grand que R2, puis orienta la lame vers l'intérieur de façon à ce que le « bouchon » ne tombe pas tout seul.

Sa tâche achevée, il vérifia à nouveau qu'aucun soldat ne se promenait sous ses pieds. Puis il invoqua la Force, ferma les yeux et fit léviter la pierre.

Le *bouchon* était plus lourd que son volume ne le laissait penser. Luke le déposa sur le côté, prit une grande inspiration et se laissa tomber à l'étage inférieur.

Le sol était quatre mètres plus bas, une hauteur ridicule pour un Jedi.

Luke amortit l'impact et s'accroupit. Rien n'indiquait qu'il s'était fait repérer.

Maître Marcheur au Ciel ?

Gardien des Promesses avait passé la tête par le trou.

— Ne bouge pas, dit Luke. Où sont les autres ?

Ils descendent. Certains escortent votre machine : elle est très lente.

— Préviens-moi dès son arrivée.

Le Jedi sonda le niveau inférieur. Des non-humains... Encore lointains. Sabre laser à la main, il fit un nouveau trou, exactement sous le premier.

Il avait sauté quand un petit bip lui signala l'arrivée de R2.

Le droïd se pencha avec prudence au-dessus du trou, deux étages au-dessus.

Luke lui fit un signe et activa son comlink.

Le droïd recula en bipant.

— Bien, répéta le Jedi en regardant autour de lui.

La pièce où il se trouvait était déserte. Un peu plus loin, des ombres bougeaient derrière une porte.

— Tu vois les consoles de contrôle ? souffla-t-il. Trouve un jack d'accès, branche-toi et essaye de dénicher un plan de la forteresse. S'il n'y en a pas, fais un tour d'horizon et vois ce que tu trouves... Mais reste sur tes gardes. A mon appel, tu te déconnectes et tu reviens ici aussi vite que possible. Compris ?

La communication se termina sur un bip un peu inquiet.

Luke leva le sabre laser de Mara et sonda les esprits qui l'entouraient.

Les secondes passèrent...

Puis les émotions des non-humains changèrent. Ni peur ni surprise : Luke capta le calme et la détermination de soldats bien entraînés.

R2 avait déclenché les alarmes. Les habitants de la forteresse se préparaient à l'action.

Luke se baissa, conscient que l'avenir de Mara dépendait peut-être de leur réaction. Si les non-humains se contentaient de ne pas bouger et d'attendre l'attaque, il devrait se frayer un chemin parmi eux.

S'ils se dirigeaient vers le niveau de R2...

Ils optèrent pour cette solution. Luke retint son souffle. Sous lui, les soldats avançaient vers la rampe empruntée par Mara.

S'il était prudent et rapide, il avait une chance...

Sabre laser activé, il découpa une nouvelle ouverture.

Il était descendu d'un niveau quand il sentit ce qu'il attendait : un changement subtil dans l'esprit des non-humains.

Les équipes d'assaut se préparaient à intervenir.

— R2, maintenant ! dit-il dans le comlink. Fais passer les Qom Jha à travers l'ouverture et suis-les ! Vite !

Le droïd trilla ; Luke leva les yeux. Les Qom Jha ne perdirent pas de temps. Ils se laissèrent tomber comme des pierres, replièrent leurs ailes pour franchir les deux trous, puis les étendirent pour ralentir leur chute. Le dôme de R2 apparut de nouveau près du bord. Le droïd bipa, surpris, en réalisant que son maître était beaucoup plus bas que la dernière fois.

Le trille se transforma en gémissement quand Luke le souleva avec la Force et le fit descendre.

Luke grimaça en entendant le babillage de R2, mais celui-ci comprit rapidement la situation, et se tut avant que son pépiement électronique ne les trahisse. Le Jedi le posa avec douceur à côté de lui, puis utilisa la Force sur le premier « couvercle ». De loin, la pierre était encore plus lourde, mais l'approche des guerriers non-humains était une motivation hors pair.

Trois secondes plus tard, le premier bouchon était en place ; les autres le suivirent rapidement.

— Mara est un niveau plus bas, dit Luke à R2 et au groupe de Qom Jha.

Aucun changement dans l'état mental des soldats. Ils n'avaient pas encore éventé son stratagème... Luke réalisa alors qu'il ne sentait plus la présence des membres des équipes d'assaut. Peut-être les non-humains étaient-ils porteurs de ysalamiris.

Tant pis. Il avait d'autres priorités.

— Restez près de moi, ordonna-t-il en s'attaquant au dernier trou. Et montrons-nous discrets.

Et s'ils nous découvrent ? demanda Enfant des Vents.

Luke leva les yeux vers le jeune Qom Qae, sourcils froncés. Il aurait dû insister pour qu'il reste à l'arrière.

Trop tard.

— Si l'alarme est donnée, séparez-vous et créez le plus de confusion possible. Attirez-les loin de moi, trouvez une sortie et rentrez chez vous.

Nous obéirons, dit Briseur de Pierres.

— Essayez de ne pas vous faire tuer, ajouta Luke. (Il fit léviter le disque de pierre hors de son logement.) Enfant des Vents, tu restes avec R2 et moi.

Il se pencha pour étudier la pièce.

— Parfait, soupira-t-il avant de glisser ses pieds dans l'ouverture. Allons-y.

Un peu plus tôt, il avait eu une vision floue de l'étage à travers les yeux de Mara. Le niveau était plus sophistiqué que les précédents, avec de grandes pièces et de larges couloirs. Pas exactement l'idéal pour une pénétration discrète en territoire ennemi...

Pourtant, pendant quelques minutes, le stratagème parut fonctionner.

Luke conduisit sa petite troupe vers la zone sombre où devaient se trouver les ysalamiris, surveillant tout à la fois son environnement et les guerriers assemblés près des rampes.

Une demi-douzaine de soldats croisèrent son chemin. Le Jedi détourna leur attention grâce à la Force.

Allait-il pouvoir attaquer par surprise les ravisseurs de Mara ?

Avec sa chance habituelle, Yan aurait sans doute réussi...

Pas Luke.

Il avait presque atteint son but quand il sentit le danger.

— Nous sommes repérés, murmura-t-il.

— Savent-ils où nous nous trouvons ? demanda un Qom Jha.

Le Jedi essaya d'interpréter la soudaine confusion des soldats, autour de lui.

— Je ne sais pas...

Le groupe d'assaut avait découvert le trou. A moins que les officiers aient deviné ses intentions. En tout cas, leur consternation s'était étendue au reste du groupe. Les non-humains avaient un système de communication extrêmement efficace...

Les geôliers de Mara savaient qu'il approchait !

Le temps pressait.

— J'y vais ! annonça Luke aux Qom Jha.

Il étudia le couloir. La porte était à droite.

— R2, Enfant des Vents, venez avec moi. Les autres, dispersez-vous.

Nous obéissons, Marcheur au Ciel, dit Maître des Lianes.

Les Qom Jha s'envolèrent.

— Restez derrière moi ! lança Luke au droïd et au Qom Qae.

Après un dernier coup d'œil dans le passage, il s'élança vers la porte, le sabre laser de Mara à la main. Il saisit le levier d'ouverture, le tourna, poussa la porte et bondit.

Il s'était trompé. La pièce vide était plongée dans la pénombre. Aucun signe de Mara...

Une inspection plus approfondie lui révéla la cause de son erreur. *Les ysalamiris...*

Les non-humains les avaient installés dans des cadres nutritifs avant de les plaquer contre le mur du fond.

R2 bipa, interrogateur.

— Elle est à côté, dit Luke avant de courir vers la rangée de cadres.

Son plan prenait forme. Si les ravisseurs de Mara n'étaient pas sensibles à la Force, ils ne remarqueraient pas que la barrière protectrice avait disparu.

Il suffisait à Luke de retirer suffisamment d'ysalamiris pour permettre à Mara d'accéder de nouveau à la Force... et la balance pencherait en leur faveur.

Le Jedi s'approcha du premier cadre. Le silence submergea son esprit comme une vague : il était à l'intérieur de la zone de neutralisation.

Il posa son sabre laser et souleva le cadre.

Il n'était pas très lourd — heureusement — car Luke ne pouvait pas se servir de la Force pour augmenter sa puissance musculaire. Il s'éloigna du mur et plaça le cadre sur une caisse.

Un deuxième suivit le même chemin...

Un bip de R2 fut le seul avertissement. Ses sens de Jedi toujours aveuglés, Luke lâcha le cadre, sauta en arrière et tendit la main vers le sabre laser.

Un des soldats à la peau bleue était accroupi devant la porte... blaster levé, un cadre nutritif accroché au dos.

Luke fit un deuxième pas en arrière. Sentant la Force revenir en lui, il *appela* de nouveau le sabre laser et se demanda pourquoi il n'était pas déjà dans sa main...

Alors il comprit. Il était sorti de la zone d'effet de neutralisation du ysalamiri, mais le sabre laser s'y trouvait encore.

L'arme du non-humain était pointée sur lui.

— Ne bougez pas, ordonna-t-il en basic.

R2 roula vers le soldat. Des yeux rouges se posèrent sur le droïd...

Avec un cri de défi et de terreur mêlés, Enfant des Vents se laissa tomber du plafond. Il atterrit serres déployées sur le bras du soldat.

Le blaster fit feu. Le faisceau bleu rata Luke mais toucha un cadre nutritif du mur. Le Jedi plongea dans la direction opposée et saisit son propre sabre laser, toujours accroché à sa ceinture. Il frappa un autre cadre et l'envoya s'écraser au sol.

Un bref instant, il sentit de nouveau la présence de Mara.

Le contact ne dura pas longtemps, peut-être une demi-seconde avant que Luke se retrouve dans la zone de neutralisation des deux ysalamiris posés contre les caisses.

Luke sentit que Mara allait bien. Il perçut le soulagement de la jeune femme à l'idée qu'il n'était pas blessé et entrevit les soldats alignés contre le mur devant elle.

Il eut le temps d'envoyer une instruction mentale — *Gagne du temps !* — avant que le contact soit à nouveau rompu.

Il activa le sabre laser, chargea et se demanda s'il aurait le temps de sortir de la zone de neutralisation avant que le tireur puisse viser.

Un instant, Luke crut que la bravoure d'Enfant des Vents allait lui coûter la vie. Au lieu d'essayer de se libérer, le soldat tenta d'assommer le Qom Qae avant de faire passer son arme dans sa main gauche pour abattre la créature nuisible.

Mais voyant Luke le charger, sabre laser à la main, il ouvrit le feu sur le Jedi.

Trop tard. Luke avait quitté la zone de neutralisation du ysalamiri. La Force de nouveau avec lui, un seul adversaire n'avait aucune chance de percer ses défenses.

Il fonça, anticipa les tirs et les dévia comme à l'exercice avec son sabre laser.

Le tireur se jeta sur la droite et passa derrière R2. Luke changea de direction. Le non-humain comptait-il utiliser le droïd comme bouclier ?

Il n'en eut pas l'occasion. Un arc électrique jaillit du droïd... Perdant l'équilibre, le tireur tomba sur le côté, Enfant des Vents toujours crocheté à son bras. Luke sauta par-dessus R2 et atterrit, un pied sur le blaster. Son lien avec la Force disparut une fois de plus quand il pénétra dans la zone de neutralisation du ysalamiri accroché au dos de son adversaire. Les yeux rouges du soldat fixèrent Luke avec une expression indéchiffrable quand le Jedi leva son sabre laser.

Voir la mort arriver. Quelle étrange impression...

Au dernier moment, Luke désactiva la lame et flanqua un coup du pommeau sur la tête du soldat, qui s'affaissa sans émettre un son.

— Tu vas bien ? demanda Luke à Enfant des Vents, en l'aidant à se dégager du bras du tireur.

La chair où les griffes du Qom Qae s'étaient enfoncées rougissait à vue d'œil.

Je ne suis pas blessé, dit Enfant des Vents en tremblant. *Pourquoi n'avez-vous pas pris sa vie ?*

— Il n'était pas nécessaire de le tuer, répondit Luke avant d'inspecter R2.

Le droïd semblait secoué.

Il rétracta son bras de soudure dans le compartiment idoine.

— Merci pour le coup de main, tous les deux, dit Luke. Venez, Mara a besoin de nous.

Il souleva les cadres nutritifs et les lança le plus loin possible. Il n'était plus question d'être subtil. Par les yeux de Mara, il avait vu des armes... Trois nouveaux cadres volèrent dans les airs. Luke ramassa le sabre laser de Mara puis s'approcha du mur.

La peur l'envahit : plus de temps à perdre. Dans le brouillard émotionnel de l'esprit de la jeune femme, une image se dessinait avec netteté. Quatre non-humains, armes levées...

Il posa son front sur la pierre, se concentra...

— Skywalker m'a plongée dans une transe thérapeutique ! disait Mara. Et il n'est pas là. Je peux mourir du choc, ou me vider de mon sang...

— Vous n'en ferez rien, répondit une voix. Je connais la puissance des charrics...

Luke n'attendit plus. Il puisa de l'énergie dans la Force et posa la pointe étincelante de la lame verte contre le mur, conscient qu'il n'aurait qu'une chance.

Soudain, avec une clarté surprenante, une image jaillit dans son esprit : un non-humain, à quelques centimètres de la porte, pointait son arme sur Mara. Luke serra les dents... et plongea son sabre laser à travers la paroi.

De l'autre côté du mur, la scène bascula dans le chaos.

Luke découpa une ouverture. Il entendit le bruit du combat : Mara était entrée en action. Il la sentit virevolter puis s'accroupir derrière le fauteuil, sa main tendue pour faire appel à la Force. Elle arracha une arme à son propriétaire, en tordit une autre afin de dévier le coup vers le plafond, puis se baissa et évita un nouveau tir, qui toucha le dossier et projeta des gouttelettes de métal fondu sur la joue de la jeune femme.

Enfin, la pierre s'écroula avec un bruit terrifiant. Luke bondit dans la pièce, lança un sabre laser à Mara, puis activa le second.

Son ancienne vibro-lame au poing, il avança. Les souvenirs de Tatooine, de Hoth et de Bespin tourbillonnaient dans son esprit.

La lame bleu clair renvoyait les tirs ennemis, détruisant les armes des tireurs. Un soldat bondit sur lui, poignard brandi. Luke le bloqua avec la Force, puis l'envoya percuter les deux autres.

— Arrêtez ! cria un homme aux cheveux gris en uniforme d'Amiral.

Les soldats s'immobilisèrent sans pour autant quitter Luke des yeux.

Le Jedi resta concentré, sabre laser levé.

— Nul ne doit mourir aujourd'hui, dit l'officier d'une voix solennelle. Laissez-les partir.

Impossible de savoir s'il était sincère ! Des ysalamiris, sur l'autre mur, protégeaient son esprit et celui d'un autre officier.

— Mara ? demanda Luke.

— Qu'en penses-tu ? demanda-t-elle, la lame verte du sabre laser prête à passer à l'action. Il essaye de sauver sa peau.

— Bien sûr, concéda l'Amiral. Ainsi que celle de mes soldats. Thrawn nous a appris à ne jamais gaspiller de vies. (Il sourit.) Et il est bien connu que le Maître Jedi Luke Skywalker ne tue pas sans raison.

— Il gagne du temps, déclara Mara. Ils préparent un piège.

— Dans ce cas, partons, dit Luke. (Il fit un signe vers le groupe.) On prend un otage ?

Mara siffla entre ses dents.

— Non. Parck est trop vieux, il nous ralentirait, et je ne fais pas confiance aux Chiss. Idem pour le Général Fel.

Luke hésita, puis il dévisagea le deuxième officier.

Le Baron Fel ?

— Oui, c'est moi, Luke, confirma Fel. Ça fait un bail.

— Comme tu dis, souffla le Jedi.

Le Baron Fel, de nouveau avec l'Empire ?

Mara lui flanqua un coup de coude.

— La réunion des vétérans des Rogues aura lieu une autre fois... Il faut y aller.

— D'accord, acquiesça Luke.

Il recula vers l'ouverture.

— Pensez à notre offre, Mara ! lança l'Amiral. Réfléchissez. Vous ne trouverez pas défi plus exaltant que de vous joindre à notre combat.

— Vous aussi, réfléchissez, répliqua Mara. Ne prenez pas contact avec Bastion.

L'Amiral secoua la tête.

— Nous ferons notre devoir.

— Dans ce cas, moi aussi. Ne dites jamais que je ne vous aurai pas prévenus.

Fel sourit.

— Bonne chance.

— La crainte de ce que fera l'Empire avec nos informations vous convaincra peut-être de nous rejoindre, ajouta Parck. Dans tous les cas, je suis sûr de vous revoir.

— Super, dit Mara. Je vivrai dans cette attente !

29

Luke suivit Mara hors de la pièce, désactiva le sabre laser et le lui tendit.

— Celui-là est à toi.

— Merci, dit-elle en reprenant son arme et en lui rendant la sienne. Je crois que je préfère ta garde à la mienne.

— Souviens-t'en le jour où tu fabriqueras ton propre sabre laser... (Le Jedi sortit un blaster de sa veste et le lui lança.) Ça aussi, c'est à toi. Fais attention, certains soldats portent des ysalamiris.

— Je sais. (Mara sonda le couloir.) Tout est calme, mais ça ne durera pas. Quel est le plan ? On remonte vers l'escalier ?

— Hélas, je l'ai fait verrouiller par les Qom Jha...

Luke jeta un dernier regard derrière lui. Les gardes Chiss n'avaient rien tenté pour les arrêter.

Mara avait raison ; ils préparaient quelque chose.

— Enfant des Vents, reste perché sur R2, ordonna le Jedi. Je ne veux pas que tu te perdes.

— Ou que tu nous gênes, ajouta Mara. Alors, où allons-nous ?

Avant que Luke puisse répondre, R2 roula vers la gauche, Enfant des Vents sur son dôme.

— Nous suivons le droïd, dit Luke. Il a dû trouver un plan dans les bases de données...

— Ou il cherche une prise pour se recharger. Tu réussis à repérer les ysalamiris ?

— J'ai plus de mal quand ils sont seuls, reconnut Luke.

Il fit appel à la Force et sentit de l'activité autour d'eux ; les Chiss se préparaient au combat.

Sur leur droite, il y avait un petit espace vide. Luke faillit ne pas le remarquer.

— Attention, dit-il à Mara.

Le Jedi levait son sabre laser quand un panneau camouflé coulissa. Le canon d'une arme en sortit. Derrière, dans l'alcôve obscure, Luke vit deux yeux écarlates ; au-dessus, une lueur se reflétait sur le cadre nutritif.

Mara visa le cadre. Un cri s'éleva dans l'esprit de Luke...

La zone de silence, autour du tireur, disparut.

L'arme du Chiss cracha un éclair bleu qui fila vers la poitrine du Jedi. Trop tard... Libéré de l'influence du ysalamiri, Luke bloqua le tir avec facilité.

Le tireur fit encore deux essais infructueux avant d'être frappé par l'onde bleue d'un tir paralysant.

Il s'écroula.

Mara modifia le réglage de son blaster.

— Parfait. Leur organisme n'est pas si différent du nôtre...

— C'est bon à savoir, acquiesça Luke.

Il se concentra sur la zone alentour.

Il ne sentit aucune menace. Mais ça ne voulait rien dire, comme l'intervention du soldat venait de le prouver.

— Tu ne l'as pas tué. Pour une raison particulière ? demanda-t-il à Mara.

— C'est toi qui veux que je commence à me conduire en Jedi, protesta la jeune femme.

R2 avait pris quelque mètres d'avance et trillait d'impatience, son dôme tournant en tout sens.

Luke et Mara se hâtèrent de le rejoindre.

— Le rayon d'action de l'étourdisseur n'est pas très grand, expliqua la jeune femme. S'ils sont assez intelligents pour garder leur distance, tu devras dévier les tirs en attendant que je dégomme un à un tous les ysalamiris.

— D'accord, répondit Luke, sourcils froncés.

Une zone sombre se développait dans l'esprit de Mara, protégée par une barrière mentale. Une pensée de mauvais augure, ou un but inavouable...

Le Jedi hésita, puis décida de ne pas lui poser de questions. Si la jeune femme ne le laissait pas partager ses pensées, elle avait ses raisons.

— Alors ? La réunion a-t-elle été fructueuse ? As-tu une idée de ce qu'ils veulent ? demanda-t-il.

— *Primo*, nous congeler quelques jours, expliqua Mara. Ils pensent que nous plonger en transe de guérison est le meilleur moyen de nous protéger de nous-mêmes.

— Avec des amis pareils...

— Ouais. *Secundo*, ils attendent le retour de Thrawn. (Luke sentit un flottement dans les émotions de la jeune femme. Dans son esprit, la zone obscure grandit.) Et puisqu'il est peut-être sur Bastion, Parck a décidé d'y aller.

Luke frissonna.

— Pour livrer la forteresse à l'Empire ?

— La forteresse et tout ce qu'elle contient, confirma Mara. Parck veut en garder le contrôle, mais il échouera. Quand les Moffs apprendront la vérité, ils se débarrasseront de lui d'une façon ou d'une autre...

R2 bipa et tourna à droite.

— Où allons-nous ? demanda Mara.

— Je ne sais pas...

Vingt mètres plus loin, le couloir se terminait sur un T. Sans raison apparente, Luke se souvint de la base des Pirates Cavrilhu. Là-bas, ses adversaires avaient monté une embuscade dans un endroit similaire.

Devant lui, il sentit une zone de neutralisation créée par un groupe d'ysalamiris...

R2 bipa, incertain.

— R2, recule ! cria Luke, en dégainant son sabre laser. C'est un piège !

Le Jedi se plaça devant Mara une seconde avant que la paroi explose. Une douzaine de Chiss équipés d'ysalamiris se tenaient derrière. Ils ouvrirent le feu.

R2 couina, zigzagua et fonça vers Luke, Enfant des Vents agrippé à son dôme. Luke les ignora, son attention rivée sur les Chiss. Il s'obligea à se détendre et à laisser la Force guider ses mains. Son sabre laser bloquait les tirs. Avec les ysalamiris qui brouillaient ses intuitions, la tâche était difficile.

Derrière le Jedi, Mara détruisait méthodiquement les cadres nutritifs. La sueur coulait le long des tempes de Luke. S'il pouvait tenir suffisamment longtemps pour qu'elle finisse ce travail...

Quelque part dans son esprit, Enfant des Vents cria. Le Jedi était trop concentré pour traduire.

Du mouvement derrière la rangée de Chiss. Les guerriers posèrent un genou à terre...

Révélant une autre ligne de soldats, debout derrière eux.

Deux fois plus de rayons filèrent vers Mara et Luke.

Je ne vais plus pouvoir tenir le rythme très longtemps...

Derrière lui, Mara aboya quelque chose. Un soldat s'écroula.

La jeune femme venait de renoncer à ses méthodes humanitaires.

Luke para et renvoya les tirs. Si Parck chargeait un commando de les prendre à revers, ils étaient fichus. Enfant des Vents cria à nouveau...

Et un groupe de Qom Jha se jeta dans la mêlée.

Les Chiss n'eurent pas le temps de réagir. Volant à toute vitesse, les Qom Jha agrippèrent les cadres, les arrachèrent et jetèrent les soldats à terre.

— Allons-y ! hurla Luke.

Les Qom Jha firent demi-tour avec une grâce impressionnante et chargèrent les Chiss une fois encore.

Après avoir arraché une nouvelle série de cadres, ils précipitèrent les derniers guerriers au sol.

Luke arrêta de brandir son sabre laser. La tension disparue, il s'aperçut que ses muscles tremblaient. Mara passa devant lui. Elle fit signe aux Qom Jha de s'écarter et arrosa les Chiss de rayons étourdisseurs.

Le temps que le Jedi la rejoigne, le dernier soldat était K.O.

— Qu'est-ce qu'on se marre ! grommela Mara en tripotant le sélecteur de son blaster. J'espère qu'ils n'ont pas prévu d'autres surprises de ce type...

— Nous sommes presque arrivés, dit Luke.

R2 roula vers la gauche, en direction d'une porte qui bloquait le passage, à une quinzaine de mètres du groupe. Elle était équipée du même système de verrouillage que celles de l'escalier secret.

Luke accrocha son sabre laser à sa ceinture et rattrapa le droïd au moment où il s'immobilisait.

— Briseur de Pierres, réunis les tiens et suivez-moi, ordonna le Jedi.

Il tourna le volant, saisit les poignées et tira. La porte s'ouvrit.

Par les Cieux, murmura Gardien des Promesses. *Quel est cet endroit ?*

— Notre seule chance, murmura Luke.

Il regarda autour de lui, le souffle coupé. Des vaisseaux...

Des centaines de vaisseaux, identiques à ceux qui l'avaient attaqué, attendaient sur la pierre noire comme des soldats à la parade.

Mara laissa échapper un long sifflement.

— Vu de l'extérieur, le hangar n'avait pas l'air si grand.

Luke hocha la tête. Comment les Chiss pouvaient-ils entretenir un tel équipement ? Un coup d'œil au plafond le renseigna. Des moniteurs, des équipements de ravitaillement et des appareils de toutes sortes reposaient sur des cadres métalliques reliés par un réseau de passerelles.

— Il y en a mille...

— Au moins, dit Mara.

De nouveau, cette ombre sinistre... Luke se tourna vers elle, prêt à l'interroger.

Quelque chose derrière lui...

— Attention ! cria Mara.

Elle tira deux fois à travers la porte ouverte. Luke se retourna.

Une poignée de Chiss investissait l'intersection que Mara venait de quitter.

— Continue de tirer, enjoignit Luke, avant d'étudier la porte.

Il n'y avait pas de volant de verrouillage du côté du hangar, mais un trou, là où les techniciens l'avaient retiré. L'axe central du mécanisme pivotait librement à l'intérieur.

Parfait. D'un coup de sabre laser, Luke trancha le dernier volant. Puis il se baissa pour ne pas gêner les tirs de Mara et referma la porte.

— Elle n'est pas verrouillée, objecta un Qom Jha.

— Attends...

Luke s'accroupit et invoqua la Force. Le mécanisme n'était pas facile à manœuvrer... Mais imaginer les hordes de Chiss qui déferlaient dans le couloir suffisait à motiver le Jedi.

Dix secondes plus tard, la porte était verrouillée.

— Ça ne les retiendra pas longtemps, observa Mara. Ils passeront par le toit et déboucheront de l'autre côté.

Luke acquiesça d'un hochement de tête. Le hangar était ouvert sur l'extérieur. Seul un surplomb le protégeait de la pluie et des attaques aériennes. La forteresse n'était pas prévue pour une armée de cette taille.

— Mais ça nous donnera le temps d'emprunter un vaisseau...

— Et nous n'aurons plus qu'à éviter les tirs des systèmes d'armement que nous avons vus tout à l'heure, grogna Mara. (Elle avança vers un chasseur.) Je vais essayer d'en faire démarrer un. Assure-toi que la porte est fermée et trouve un moyen d'empêcher les Chiss de nous poursuivre.

— D'accord, dit Luke. R2, occupe-toi d'Enfant des Vents et suis Mara. Donne-lui un coup de main pour les commandes. Briseur de Pierres, toi et les tiens devriez fuir... Merci de votre aide.

Notre dette est payée, Maître Marcheur au Ciel, dit le Qom Jha. *A vous maintenant de nous débarrasser des Prédateurs, comme promis.*

— Nous ferons de notre mieux, murmura Luke tandis que les Qom Jha s'envolaient.

Après avoir vérifié la porte, il sonda mentalement le couloir. Vide. La pierre était impénétrable et les Chiss ne perdraient pas de temps à essayer.

Surtout quand la solution du problème était évidente. Pas de temps à gaspiller : Luke courut vers l'entrée du hangar.

R2 et Enfant des Vents étaient là. Le jeune Qom Qae luttait pour rester en équilibre sur le dôme du droïd. Un des vaisseaux manquait dans la rangée...

Et Mara était invisible.

— R2, où est-elle ?

Le droïd émit un bip négatif. Luke regarda à l'extérieur du hangar, puis fit appel à la Force...

— Qu'est-ce que tu attends ? cria Mara derrière lui. (Elle s'approcha, venant du fond du hangar.) Il faut immobiliser ces fichus vaisseaux !

— Nous t'attendions, dit Luke.

Dans l'esprit de Mara, quelque chose avait changé. Les incertitudes et les doutes avaient disparu, remplacés par une profonde tristesse.

Un événement essentiel venait de se produire.

— Mauvaise idée, ronchonna-t-elle avant de déverrouiller le vaisseau le plus proche.

Un sas s'ouvrit et une échelle apparut.

— Un des vaisseaux manque, remarqua Luke.

— Je sais, répondit Mara. Parck arrive... Impossible de l'en empêcher, j'imagine. Allez, dépêche-toi.

Elle entra dans le chasseur.

— Ouais... murmura Luke, inquiet.

Il utilisa la Force pour soulever R2, puis recula et regarda le vaisseau le plus proche. Le chasseur était trois fois plus grand qu'une Aile-X. Quatre panneaux solaires de TIE donnaient à l'appareil un aspect étrange et inquiétant.

Il devait y avoir des répulseurs sous la carlingue.

Luke se baissa. Les répulseurs étaient bien là, selon une configuration en diamant. Quatre coups de sabre laser suffirent à les rendre définitivement inutilisables.

Luke passa au vaisseau suivant. Il en avait mis sept hors service, soit la moitié de la première rangée, quand il sentit l'inquiétude de Mara. Le chasseur s'éleva d'un mètre et avança avec maladresse : Mara n'était pas familiarisée avec les commandes.

Le comlink du Jedi bipa et la voix de la jeune femme s'éleva :

— Nous avons de la compagnie...

Luke se concentra et repéra des Chiss sur le toit, ainsi que des zones de neutralisation créées par les ysalamiris.

— Dépêche-toi, ajouta Mara. Je vais les retenir.

Les derniers répulseurs détruits, Luke se redressa pour découvrir le hangar illuminé par les tirs bleus des charrics, auxquels répondait la puissance brute des lasers du chasseur de Mara.

Saboter tous les vaisseaux de la première rangée empêcherait la sortie des autres...

Prêt, annonça-t-il, avant de courir vers l'entrée du hangar.

La voix de Mara effleura sa conscience.

Attention...

Le chasseur rebondit sur ses répulseurs. Luke en fit le tour en courant. Le sas était ouvert ; le Jedi bondit et s'accrocha de justesse à un barreau avant de s'étaler sur la passerelle.

— Fonce ! cria-t-il en refermant le sas.

Mara n'avait pas attendu son ordre. Le vaisseau bondit vers le ciel, le rugissement des répulseurs couvrant à peine le bruit des tirs qui s'écrasaient sur la coque.

Sommes-nous en sécurité ? demanda Enfant des Vents.

Installé dans un fauteuil, il s'accrochait au harnais de sécurité avec ses serres.

— Je crois, dit Luke.

Contre la coque, les chocs diminuaient d'intensité à mesure que Mara prenait de l'altitude. Les Chiss n'avaient que des armes légères.

A moins qu'ils n'activent leur armement lourd...

— Luke, vite ! cria Mara.

Luke toucha l'esprit de la jeune femme. Le nuage noir était encore présent, mais les pensées de Mara étaient focalisées sur autre chose.

R2 gazouillait dans une des alcôves à droïds. Luke s'assit dans le fauteuil du copilote.

— Qu'y a-t-il ?

— Regarde la forteresse, souffla Mara.

Elle fit effectuer une lente rotation au vaisseau.

— Quoi, l'armement ?

Luke étudia les inquiétantes structures. Aucune alarme ne résonnait dans son inconscient : Parck n'avait sans doute pas donné l'ordre de tirer.

Un coup d'œil sur les senseurs ne lui apprit rien.

— Oublie un instant la logistique et la stratégie, soupira Mara. Regarde la forteresse. *Regarde-la !*

Luke fronça les sourcils. La forteresse. Des murs, un toit, le hangar au milieu, quatre tours au fond, une tour devant...

— Tu vois ? chuchota Mara.

Et Luke vit.

— Par les Etoiles d'Alderaan !

— Rigolo, n'est-ce pas ? Nous avions éliminé l'idée d'une « super-arme ». Thrawn n'en a jamais utilisé... Et pourtant, c'est bien de cela qu'il s'agit. L'atout majeur de Thrawn était...

Luke repensa à l'hologramme de la galaxie, dans le centre de commandement. Toutes ces planètes, toutes ces ressources sous son contrôle. Assez pour faire pencher la balance de n'importe quel côté.

— L'information ! souffla-t-il.

Mara hocha la tête.

— L'information, oui...

Elle se pencha sur les commandes du vaisseau. Les yeux de Luke restèrent rivés sur la forteresse.

Quatre tours au fond, une au premier plan.

Quatre doigts et un pouce, tendus pour arracher les étoiles du ciel.

La Main de Thrawn.

Un kilomètre plus loin, une vaste cavité mordait le flanc de la falaise. Mara s'approcha, puis, avec mille précautions, posa le vaisseau dans la grotte.

— Voilà, dit-elle après avoir coupé les répulseurs.

Luke, épuisé, poussa un profond soupir. Ils étaient en sécurité... Au moins pour le moment.

A l'arrière, Enfant des Vents dit quelque chose. Mara comprit presque, mais elle était trop fatiguée pour faire un véritable effort.

— Quoi ? grommela-t-elle.

— « Et maintenant ? », traduisit Luke. (Il regarda sa compagne.) Bonne question...

Mara secoua la tête.

— On reste là.

Elle examina la combinaison de Luke, brûlée à plusieurs endroits là où les tirs de charrics avaient traversé les défenses du Jedi. Il utilisait la Force pour calmer la douleur, Mara le sentait.

— Tu as besoin de quelques heures de transe thérapeutique.

— Ça peut attendre. (Dehors, le soir tombait.) Les répulseurs sabotés ne les retiendront pas longtemps. Nous devons retourner là-bas avant qu'ils ne lancent une recherche aérienne...

— Ils n'en lanceront pas, dit Mara. (Elle désigna le tableau de bord.) Les senseurs de leurs vaisseaux ne sont pas conçus pour des fouilles au sol. Les Chiss se contenteront d'envoyer des troupes pour inspecter les cachettes les plus évidentes...

— Mais nous devons quand même retourner là-bas...

— Pour quoi faire ? demanda doucement Mara.

Luke fronça les sourcils.

— Que veux-tu dire ?

— Je ne suis pas sûre que nous ayons raison de nous mêler de leurs projets.

Enfant des Vents émit une sorte de gazouillis étouffé.

Après lui avoir adressé un regard, Luke se tourna vers Mara.

— Ce sont des ennemis de la Nouvelle République...

— Vraiment ? Ce n'est pas parce qu'ils portent des uniformes de l'Empire... (La jeune femme soupira.) Le Baron Fel est avec eux. Il a tourné le dos à l'Empire il y a des années, dégoûté par le vice et la corruption du règne d'Isard et des autres successeurs de Palpatine. Et pourtant... Il était là, avec un nouvel uniforme Impérial sur le dos. On ne fait pas un lavage de cerveau à un homme comme lui. Son intelligence, ses talents de pilote, tout serait perdu. Non : il a changé d'avis. Pourquoi ?

— Thrawn ?

Mara acquiesça.

— Oui, d'une certaine manière... Fel a dit que Thrawn lui avait fait visiter les Régions Inconnues... C'est à ce moment-là qu'il a accepté de le rejoindre.

Elle sentit Luke s'assombrir.

— Il y a quelque chose de terrible, là-bas, n'est-ce pas ?

— D'après les Chiss, il y a des *centaines* de choses terribles. Bien sûr, c'est leur avis à eux. Ce qui les menace serait peut-être inoffensif contre la puissance de la Nouvelle République. (Elle haussa les épaules, mal à l'aise.) Mais...

— Mais Fel connaît nos ressources militaires, termina Luke à sa place. Et pourtant, il est avec eux.

— Parck et lui... Ils sont d'accord pour ne pas sacrifier un seul vaisseau lors d'une lutte stérile contre la Nouvelle République. Ça souligne l'ampleur du danger.

— Hélas, nous n'avons pas que l'avenir à craindre, dit Luke. Le présent est déjà assez alarmant. Bastion, l'Empire... Tu disais que Parck allait prendre contact avec les Impériaux ?

— Oui, confirma Mara. Et les Moffs sont loin d'être aussi sages que Fel. Dès qu'ils auront la Main de Thrawn à leur disposition, ils nous attaqueront.

Luke regarda le ciel rougeoyant.

— Nous ne pouvons pas les laisser faire. Pas dans l'état actuel de la Nouvelle République.

— Surtout si un danger plus grave se profile, acquiesça Mara. (Elle détacha son harnais.) Tu as raison, nous devons retourner là-bas pour obtenir une copie des données.

Elle sentit Luke s'immerger dans la Force pour lutter contre la fatigue.

— Allons-y, fit-il en se levant. Si nous réussissons à connecter R2 à un port informatique pour qu'il charge la totalité de...

— Du calme, du calme, fit Mara, une main posée sur son bras. Rien ne presse. Nous n'irons nulle part avant que tes brûlures soient guéries.

Luke jeta un œil à sa combinaison.

— Ce n'est rien. Je m'en occupe.

— Quelle bravoure ! s'exclama Mara, l'ironie de son ton accentuée par la fatigue et la souffrance secrète qui la torturait. Laisse-moi m'exprimer autrement : je n'irai nulle part tant que tu ne seras pas guéri. La dernière attaque a failli t'être fatale. Je ne veux pas que notre expédition échoue à cause de blessures qui n'auraient demandé que quelques heures pour être soignées. Compris ?

Luke la fusilla du regard, mais Mara sentit qu'il cédait à ses arguments.

— D'accord, tu as gagné ! (Il se cala dans son fauteuil.) A la première alerte, réveille-moi. Tu n'auras qu'à dire « bienvenue parmi nous » pour me tirer de ma transe.

— D'accord.

— Réveille-moi dans deux heures de toute façon, ajouta-t-il. Il leur suffira de dégager quelques vaisseaux de la première rangée pour permettre aux autres de décoller. Et nous devons retourner dans la forteresse pour empêcher Parck de livrer son trésor à Bastion...

Luke prit une longue inspiration et se tut.

Quelques instants plus tard, ses pensées et ses émotions s'évanouirent.

— Ne te fais pas de souci pour Bastion, chuchota Mara. Je m'en occupe.

Elle resta un moment assise, silencieuse, à regarder le visage de son compagnon endormi.

Une vague d'émotions contradictoires la submergea.

Ils se connaissaient depuis dix ans, dix ans au cours desquels ils auraient pu être si proches.

Dix ans que Luke avait gaspillés avec ses errances et ses doutes...

Elle promena un index sur le front du Jedi et repoussa une mèche rebelle.

Ils étaient de nouveau réunis. L'homme pour qui elle avait tant de respect était enfin revenu sur le droit chemin.

Ou peut-être étaient-ils *tous deux* sur le droit chemin.

Peut-être.

Un bip interrogatif résonna derrière elle.

— Ne t'inquiète pas, ce n'est qu'une transe thérapeutique, dit Mara. Tout va bien. (Elle se leva et sourit à R2.) Surveille la maison, d'accord ?

Le droïd émit un trille soupçonneux.

— Je sors, le renseigna Mara, après avoir vérifié son sabre laser et son blaster. Je reviens bientôt.

Ignorant la vague de commentaires et de questions, elle ouvrit le sas.

Enfant des Vents s'envola quand la rampe d'accès se déplia. Il gazouilla quelques chose, puis plongea vers les ténèbres.

Des ténèbres aussi profondes que la douleur de Mara.

Elle jeta un dernier coup d'œil à Luke. Avait-il deviné son plan ? Non. La jeune femme l'avait protégé derrière les barrières mentales que Palpatine lui avait appris à lever.

L'ancien Luke, obsédé par son désir de tout régler par lui-même, aurait exigé la vérité.

Mais plus maintenant...

Plus tard, Luke le regretterait peut-être. Tant pis. La situation était claire : Parck et les Chiss ne devaient pas offrir à l'Empire les secrets de la Main de Thrawn.

Mara devait les arrêter. Par n'importe quel moyen. Quel qu'en soit le prix.

R2-D2 l'observait en silence, son attitude semblable à celle d'un enfant effrayé.

— Ne t'inquiète pas, répéta Mara. Tout ira bien. Veille sur lui, d'accord ?

R2 gémit.

Mara se retourna, descendit la rampe et puisa de l'énergie dans la Force.

Par n'importe quel moyen.

Quel qu'en soit le prix.

30

Même à cette heure avancée de la nuit, le spatioport de Drev'starn bouillonnait d'activité. La lumière vive des panneaux lumineux projetait alentour les ombres des piétons et des véhicules. Cette lumière, se dit Navett, ferait du spatioport une cible idéale pour les vaisseaux de guerre qui orbitaient au-dessus d'eux.

Il se demanda si la foule y avait pensé aussi. Peut-être était-ce la raison de sa hâte...

Arrivé au point de rendez-vous, il siffla doucement. Une réponse lui parvint d'une pile de caisses, sur sa droite.

Klif l'attendait, comme convenu.

— Au rapport, ordonna Navett à voix basse.

— Tout est prêt, répondit Klif sur le ton de la confidence. Elle est arrivée il y a une heure environ et elle a coupé tous les systèmes. J'ai court-circuité un des panneaux lumineux pour nous permettre d'approcher.

Navett jeta un coup d'œil prudent au-delà des caisses. Le Sydon Pacifier de la vieille femme se trouvait sur son plot d'atterrissage. Seules les lumières de stationnement étaient allumées. Le chemin qui menait au sas restait dissimulé par l'ombre portée des caisses empilées.

— Parfait, dit Navett. Et les agents de la Nouvelle République ?

— C'est une question intéressante, répondit Klif. Je me suis introduit dans les ordinateurs du spatioport. Selon leurs archives, ils sont partis.

Navett fronça les sourcils. Partis ?

— Où ?

— Aucune idée. Mais j'ai fait un examen complet en recoupant leur numéro d'immatriculation et leur numéro de moteur. Il ne semble pas qu'ils aient atterri de nouveau, ni ici ni nulle part sur Bothawui.

— Intéressant... murmura Navett. Soit nous avons réussi à les tromper, soit ils ont soudain eu quelque chose d'urgent à faire. L'Escadron Rogue dépend de Bel Iblis en ce moment, non ?

— Oui. Tu penses que Bel Iblis mijote un mauvais coup ?

— Cet enquiquineur a *toujours* quelque chose en train... Mais ça ne nous concerne pas. Nous préviendrons Bastion et nous laisserons nos chefs s'occuper de lui. Pour le moment, ajouta-t-il avant de sortir un blaster de l'étui caché dans sa tunique, nous avons notre propre enquiquineuse à affronter. Suis-moi.

Ils se dirigèrent vers le Pacifier, attentifs à tout ce qui aurait pu les retarder. Arrivés devant le vaisseau, ils se placèrent chacun d'un côté du sas, prêts au combat.

— Ouvre, dit Navett, son blaster à la main.

Il n'était pas impossible qu'Antilles ait envoyé d'autres agents le remplacer après avoir quitté la station.

Le passe-partout de Klif émit un petit sifflement ; le sas descendit en douceur. Sa surface intérieure se transforma en rampe d'accès. Après un dernier regard autour de lui, Navett entra dans le vaisseau, Klif sur les talons.

Le navire était éclairé par la chiche lumière des corridors.

Ils se dirigèrent vers la partie habitée. Aucun signe de vie : la vieille femme devait déjà dormir. Navett poussa doucement la première porte...

Autour d'eux, la lumière se fit aveuglante.

Navett s'accroupit en position de combat. Il cligna des yeux, jura à voix basse et sentit Klif faire de même derrière lui.

— Il n'y a personne de mon côté, souffla son équipier.

— Devant moi non plus, confirma Navett.

Ses yeux s'habituaient à l'éclairage ; il comprit que c'était l'intensité normale de luminosité à l'intérieur du vaisseau.

Pas d'hommes armés, pas de défenses automatiques... Que se passait-il ?

— Bonsoir, messieurs, dit une voix.

Celle de la vieille femme.

— Klif ? demanda Navett. (Il regarda de nouveau autour de lui.) Il y a quelqu'un ?

— Je ne suis pas là, répondit la voix. Je suis un enregistrement. Vous ne feriez pas de mal à un enregistrement innocent, n'est-ce pas ? (Elle ricana.) Bien entendu, vous connaissant, je pense que vous en seriez capables !

— Il est là, dit Klif.

Il désigna un datatbloc muni d'une tige d'enregistrement. Le tout était à demi caché par un conduit.

— Vous devez vous prendre pour de sacrés durs, poursuivit la femme. Vous vous baladez à la vue de tous, vous terrorisez les Bothans...

Navett s'approcha du datatbloc. Il était coincé entre le conduit et le mur, comme si on l'y avait fourré à la hâte.

Pourtant, il avait été réglé pour démarrer en même temps que l'éclairage s'allumait...

— Désolée de vous décevoir, reprit la voix, mais vous n'êtes pas aussi malins que vous le pensez. Loin de là !

Navett fit signe à Klif de le suivre vers les dortoirs. Dos au mur, Navett pointa son blaster dans le corridor qui conduisait à la passerelle. Cet enregistrement n'était peut-être qu'un moyen de les distraire.

— Voyez-vous, continua la voix, j'ai parlé à quelques amis cet après-midi. Ils m'ont dit une chose : chaque fois qu'ils essayent de mettre la main sur l'organisation nommée Vengeance, qui fait tant de bruit, elle s'évapore dans le néant. Il semble qu'elle ne soit rien d'autre qu'une façade derrière laquelle se cachent... oserai-je le dire ? ... une poignée d'agents Impériaux.

Du coin de l'œil, Navett vit Klif ressortit du dortoir et secouer la tête. Il indiqua la direction des cales et haussa un sourcil.

— Donc, c'est entre vous et moi, les gars. Mes amis de la Nouvelle République sont partis, comme vous le savez sans doute. Et l'immense organisation dont j'ai parlé n'existe pas. Deux contre une. Ça devrait être amusant !

Klif regarda Navett, sidéré.

— De quoi diantre parle-t-elle ? Elle ose nous *défier* ?

Navett haussa les épaules.

— Je vous en prie, ajouta la voix, n'hésitez pas à vous servir à la cantine, si vous en avez envie. Rester en planque toute une journée est épuisant, et ça donne soif. Remettez tout au frais après vous être désaltérés, d'accord ? Je vous verrai plus tard. Ce qui ne veut pas dire que *vous* me verrez.

L'enregistrement s'arrêta avec un petit « clic ».

— Cette femme est dingue, déclara Klif. A-t-elle une idée de qui nous sommes ?

— Je l'ignore, répondit Navett. (Il regarda le databloc d'un œil mauvais.) Elle a laissé entendre qu'elle sait que nous sommes des Impériaux, mais elle n'a pas parlé de nos identités de couverture.

Klif grogna.

— Elle essayait d'en savoir plus, c'est tout.

— Exact. Et elle est seule. Si elle avait eu des preuves, ou le soutien des autorités, nous aurions été accueillis par autre chose qu'un enregistrement et quelques effets lumineux. Je crois que son plan est de nous forcer à révéler qui nous sommes.

— Qu'allons-nous faire ? demanda Klif. Essayer de la localiser ?

— Non. Nous allons battre en retraite, dit Navett après un moment de réflexion. Si elle s'approche encore de nous, nous étudierons la question. Antilles et son partenaire partis, elle ne risque pas d'être très efficace.

Il regarda en direction de la passerelle.

— Peut-être est-elle cachée quelque part pour essayer de nous espionner. Dans ce cas, fit-il, blaster levé, elle est désintégrée d'avance !

— Voilà de bonnes paroles, grogna Klif.

— Fais attention, le prévint Navett. Elle a peut-être installé des pièges.

Ils restèrent encore une heure dans le vaisseau pour l'inspecter de fond en comble. Puis ils abandonnèrent et partirent.

Ils s'approchèrent du comlink caché dans le databloc encore à trois ou quatre reprises.

Le peu que Moranda entendit lui apprit qu'ils étaient plutôt irrités.

Elle les observait par le trou qu'elle avait ménagé dans la caisse vide installée au sommet d'une pile, à cinquante mètres de son vaisseau.

Elle les vit sortir. Corran, Wedge et elle avaient raison. Les Impériaux étaient là, et ils mijotaient un mauvais coup.

De plus, ils avaient été assez secoués pour envisager un meurtre au beau milieu du spatioport. Voilà qui était intéressant...

A moins que ses oreilles l'aient trahie, leur conversation, près de son databloc truqué, lui avait révélé leurs identités : les propriétaires avides mais bornés du *Paradis des Animaux Exotiques*.

Bien sûr, il y avait une différence entre savoir et prouver. Pour la première fois de sa vie, cette lacune légale allait travailler contre elle.

Les Impériaux s'étaient joints au flot de piétons d'une voie principale. Ils avançaient d'un pas décidé, certes, mais assez décontracté pour que ça ne se remarque pas.

Ils appartenaient sans doute aux Renseignements Impériaux, ou à une des divisions secrètes de l'Ubiqtorate. De toute évidence, c'étaient des experts qui savaient ce qu'ils faisaient.

Sans preuves, les représentants de la Nouvelle République de Drev'starn n'interviendraient pas. Pas plus que les Bothans.

En y réfléchissant bien, il restait quelques mandats d'arrêt à son nom en vigueur sur Bothawui. Pas question de contacter les Bothans.

Les Impériaux étaient partis vers l'entrée ouest, probablement pour quitter le spatioport.

Moranda était suffisamment avisée pour savoir que les probabilités ne nourrissaient pas son homme. Ses petits camarades de jeu avaient peut-être été assez irrités par son attitude pour avoir laissé un traceur derrière eux.

Moranda ouvrit sa flasque, avala une gorgée de liqueur bleue piquante et regarda son chrono. Dans deux ou trois heures, elle pourrait sortir de sa cachette en toute sécurité.

Elle reboucha le flacon après une dernière gorgée. Il y avait longtemps qu'elle n'avait pas eu affaire à un adversaire de ce calibre. Obligée de rester cachée dans sa caisse, elle décida de réfléchir à ce qu'elle ferait ensuite.

— Ça me fait tellement plaisir de t'entendre de nouveau, Yan, dit Leia dans les haut-parleurs du *Dame Chance*. Je me suis fait tant de souci pour toi !

— Ma chérie, ce n'était pas bien grave, dit Yan, qui n'hésitait jamais à arranger la vérité à sa sauce.

Il aurait tout le temps de lui raconter son voyage à Bastion. Plus tard, quand il serait près d'elle et pourrait lui tenir la main.

La dernière chose qu'il aurait voulu annoncer lors d'un appel sur le HoloNet, même encodé, était que le Grand Amiral Thrawn était bien vivant.

— Ce qui compte, c'est que nous soyons entrés et sortis sans dégât. Nous voilà sur le chemin du retour !

— J'en suis heureuse. Cela veut-il dire que... ?

— Nous l'avons. Du moins, je crois.

— Que veux-tu dire ? fit Leia, intriguée.

— Que nous avons ce que nous sommes allés chercher. Enfin, il me semble que c'est ça. Mais il y a eu quelques difficultés... Nous en parlerons plus tard, d'accord ?

— D'accord, acquiesça Leia à contrecœur, mais néanmoins consciente des limites de la sécurité sur le HoloNet. Ne va pas à Coruscant. Je me dirige vers Bothawui.

— Bothawui ?

— Oui. J'allais rentrer à Coruscant quand j'ai découvert que le Président Gavrisom était sur Bothawui. Il essaye de négocier avec les flottes de guerre.

— Ah, fit Yan, perplexe.

Il avait laissé Leia sur Pakrik Mineure dix jours plus tôt. Elle aurait déjà dû se trouver sur Coruscant. Que s'était-il passé lors de la rencontre avec Bel Iblis ?

— Ton visiteur a eu du retard ? demanda-t-il.

— Il est arrivé au moment prévu. Mais ce n'était pas celui que j'attendais. J'ai dû faire un petit voyage imprévu.

Les mains de Yan se crispèrent.

— Quel genre de voyage ? Est-ce que tout va bien ?

Si quelqu'un avait essayé de faire du mal à Leia...

— Ne t'inquiète pas, je suis en pleine forme. Les choses se sont seulement passées un peu différemment de ce que j'attendais, c'est tout. C'est pour ça que je dois parler à Gavrisom sans délai.

— D'accord. Je mets le cap sur Bothawui, dit Yan. Il nous faudra deux jours pour y arriver.

— Parfait. Mon vaisseau y sera demain.

Yan fit la grimace. Il aurait préféré être sur place avant elle. D'après les rumeurs, l'espace de Bothawui était une poudrière qui ne demandait qu'à exploser.

— D'accord, mais sois prudente, Leia.

— Je le serai. Je suis contente que tout aille bien pour toi. Je vais appeler Gavrisom derechef et lui apprendre la bonne nouvelle au sujet de ta mission.

— Et ajoute que je ne lui donnerai rien, sauf s'il te promet de vraies vacances quand tout ça sera terminé !

— Parfaitement d'accord, dit Leia.

— A plus tard. Je t'aime, Leia.

Il put presque l'entendre sourire.

— Je sais, dit-elle. A bientôt.

Yan coupa la communication. Deux jours pour rejoindre Bothawui... Peut-être Lando pourrait-il tirer un peu de jus supplémentaire de cette vieille carcasse... Il fit pivoter son fauteuil.

— Comment va Leia ? demanda Lando, debout à l'entrée du cockpit.

— Bien. Mais on dirait que son voyage depuis Pakrik Mineure n'a pas été des plus simples. Nous devons changer de cap pour la rejoindre sur Bothawui. (Il examina plus attentivement le visage de son ami et remarqua son regard soucieux.) Que se passe-t-il ?

— Des problèmes. Viens avec moi à la poupe.

Lobot et Moegid les attendaient dans la salle de commande auxiliaire, assis de part et d'autre de la console informatique. Lobot était semblable à lui-même, mais les antennes du Verpine se tortillaient d'une façon que Yan n'avait jamais vue.

Devant eux, sur la console, il remarqua la datacarte que Thrawn leur avait remise.

— Ne me dis rien, fit Yan tandis que Lando glissait la carte dans l'unité de lecture. Tu as affirmé qu'elle était saine.

— Nous l'avons cru, dit Lando. (Il fit apparaître le Document de Caamas sur le grand écran.) Moegid a pensé à essayer autre chose. (Il montra l'écran.) En fait, la carte a été modifiée.

Les jurons auxquels Yan pensa n'auraient pas suffi à décrire la situation. Il s'enquit néanmoins :

— De quelle façon ?

— Ai-je besoin de te le dire ? grogna Lando. La liste des Bothans impliqués dans l'attaque a été modifiée. C'est la seule chose dont nous avions absolument besoin.

— Tu es sûr ?

— Moegid l'est, dit Lando. (Il regarda le Verpine.) Le boulot a été fait avec maestria, mais les Verpine ont appris quelques trucs au fil du temps. Souviens-toi de notre surprise quand nous avons regardé la liste et constaté que nombre de familles Bothanes de haut rang étaient impliquées ? Maintenant, nous savons pourquoi leurs noms sont là !

— Un moyen de créer des troubles supplémentaires, grimaça Yan. Et de faire en sorte que la Nouvelle République fasse encore moins confiance aux Bothans que maintenant.

— Exactement, mon ami. Ce qui veut dire que nous sommes revenus à la case départ.

— Même pas, dit Yan. (Il prit un siège et s'assit près de Lando.) J'ai déjà informé Leia que nous avions le Document.

— Tu n'espères pas qu'elle gardera la chose secrète en attendant notre arrivée ?

— Hélas, non. Elle m'a dit qu'elle allait annoncer la bonne nouvelle à Gavrisom sans tarder.

— Et lui, il tiendra sa langue ?

— Non. Il est sur Bothawui pour empêcher une guerre. Ce n'est pas le genre d'homme à ne pas utiliser tous ses atouts.

— En d'autres termes, chacun sur Bothawui va nous attendre comme le Messie... Où sont les Impériaux quand tu aurais besoin d'une bonne petite embuscade ?

— Je ne plaisanterais pas à ce sujet, à ta place. Tu veux parier que Thrawn empêchera les Impériaux de nous attaquer ? Mais il y a un tas de gens de notre bord qui ne voudront pas laisser une chance aux Bothans de s'en tirer à si bon compte...

Lando grimaça.

— Je n'avais pas pensé à ça. Bien qu'à y réfléchir à deux fois... Non.

— Comment ça, non ?

— Je pensais à ce que Thrawn a dit au sujet de Fey'lya, qui aurait volé les Xerrol... Mais s'il mentait au sujet du Document de Caamas...

— ... il ne mentait pas forcément au sujet de Fey'lya, fit remarquer Yan. De plus, nous n'avons pas la preuve que Thrawn a changé la liste de noms.

Lando ricana.

— Tu ne crois pas vraiment ce que tu dis, n'est-ce pas ?

— Quelqu'un finira par soulever la question, je peux te l'assurer !

— Tout ça devient de plus en plus merdique, marmonna Lando. Qu'allons-nous faire ?

Yan haussa les épaules.

— Nous irons sur Bothawui comme prévu et nous ferons comme si tout allait bien. Les Bothans savent peut-être les noms des types réellement impliqués. Si c'est le cas, nous pourrions bluffer pour les obliger à nous dire la vérité.

— Et s'ils l'ignorent, ou si nous ne pouvons pas la leur faire cracher ?

Yan se leva.

— Nous avons deux jours devant nous pour trouver une idée. Viens, allons mettre le cap sur Bothawui.

— Voilà, dit Tierce. (Il désigna l'écran avec une sombre satisfaction.) Ils sont arrivés.

— Je n'en suis pas convaincu, grogna Disra. (Il regarda l'image agrandie par l'ordinateur.) Qui que ce soit, ils semblent utiliser la technologie caractéristique des chasseurs TIE. Ce qui ne prouve rien.

— Ils ont volé au-dessus de Bastion, fit remarquer Tierce. Officiellement, pour effectuer une mission de surveillance. Et nous n'avons jamais rien vu qui ressemble à ça...

— Ça ne prouve pas qu'ils viennent des Régions Inconnues. Ni qu'il s'agissait de Parck, de la Main de Thrawn ou de la galaxie...

— ... et Bastion est l'endroit où Thrawn a été vu pour la dernière fois, termina Tierce. Vous êtes libre de douter, Votre Excellence, mais je peux vous affirmer que notre plan a marché. Les anciens alliés de Thrawn viennent renifler l'appât.

— J'espère que vous avez raison, dit Disra. Avec la conflagration sur Bothawui remise à plus tard, et Pellaeon sans doute en train de libérer Vermel de la station Rimcee...

— Je vous ai dit de ne pas vous en faire à ce sujet, grogna Tierce, exaspéré. Il ne peut en aucun cas nous causer de tort.

— Qui ne peut pas nous causer de tort ? demanda la voix de Flim.

Elle venait de quelque part vers la gauche.

Disra se tourna et vit Flim émerger de la porte secrète. L'imitateur faisait ça de plus en plus souvent, avait-il remarqué. Il se faufilait partout pour espionner ses deux partenaires. Comme s'il n'avait plus confiance en eux.

— L'Amiral Pellaeon, précisa Tierce. Nous étions en train de dire que le Colonel Vermel et lui pourraient à un moment ou un autre venir nous demander des comptes pour les avoir maltraités de la sorte.

— Parliez-vous aussi du vaisseau inconnu qui est passé au-dessus de la station il y a quelques jours ? demanda Flim. Ou allez-vous attendre que la Main de Thrawn frappe à la porte du palais ?

— Je peux vous assurer que la seule chose qu'ils ne feront pas sera de se montrer ici en personne, dit Tierce. Ce sont des gens très peu communicatifs, Amiral. Etant donné les cartes qu'ils détiennent, c'est parfaitement compréhensible. Leur premier contact sera, je crois, une transmission prudente venue de l'espace profond, qui leur permettra de s'enfuir rapidement s'ils décident que c'est nécessaire.

— Je ne vois pas en quoi cela nous sera utile, dit Flim d'une voix glaciale. D'une façon ou d'une autre, ils voudront parler à Thrawn.

— Bien entendu. Mais s'ils appellent de l'espace, cela me permettra de prendre un message pour vous et de leur arracher quelques informations utiles en même temps. Faites-moi confiance, Amiral, j'ai prévu ce moment depuis longtemps.

Flim grimaça.

— Voilà qui sera très réconfortant si Parck devine tout et fait sauter Bastion !

Tierce secoua la tête.

— Ces gens sont loyaux à Thrawn, Amiral. Peu importe qu'ils aient l'air sceptiques et prudents, ils *désirent* que Thrawn ait survécu. Vous êtes un imitateur et un escroc : vous n'ignorez pas l'effet des envies secrètes sur les individus !

— Oui, c'est très utile, grommela Flim. Ça signifie aussi qu'ils sont deux fois plus dangereux quand vous leur coupez l'herbe sous le pied. A propos de danger, saviez-vous que le Général Bel Iblis a disparu ?

Tierce et Disra échangèrent un regard.

— De quoi parlez-vous ? demanda Disra.

— Nous avons reçu un message de l'équipe au sol de Bothawui il y a deux heures, annonça Flim. (Il jeta une data-carte sur le bureau.) Il dit que deux pilotes de l'Escadron Rogue qui fourraient leur nez partout ont décidé de quitter le système. Selon le message, ça implique que Bel Iblis mijote quelque chose.

— C'est possible, admit Tierce. Je vais vérifier les données.

— C'est déjà fait, dit Flim en s'asseyant. Officiellement, Bel Iblis est parti à Kothlis rassembler une Flotte de la Nouvelle République destinée à protéger Bothawui. Mais si vous fouillez un peu dans les données, vous ne trouverez aucune preuve qu'il est réellement dans l'espace Bothan.

— Comment avez-vous appris tout ça ? coupa Disra.

Flim fronça les sourcils.

— Je suis le Grand Amiral Thrawn, Votre Excellence, rappela-t-il. J'ai appelé les Renseignements et j'ai posé la question.

— Avez-vous obtenu un rapport écrit ? demanda Tierce.

Il avait inséré la carte dans son databloc et la lisait.

— Il est à la fin de cet enregistrement, dit Flim. Ils ont été très complaisants, d'ailleurs. Ils m'ont demandé si je voulais qu'ils effectuent un vol de reconnaissance autour de Kothlis pour voir ce qu'ils pourraient trouver.

— Ce serait du temps perdu, remarqua Tierce d'une voix bizarre. Si Kothlis est une couverture, Bel Iblis se sera débrouillé pour la rendre trop impénétrable pour qu'un vol de routine repère quelque chose.

— C'est ce que je leur ai dit, annonça fièrement Flim. J'ai l'impression de commencer à m'y connaître un peu en tactique !

— Ne laissez pas cette idée vous monter à la tête ! rétorqua Tierce, qui contemplait toujours le databloc d'un air absent. A l'avenir, je vous prie de ne pas intervenir sans que le Moff Disra ou moi soyons présents. Maintenant, restez tranquille et laissez-moi réfléchir.

Disra observa le Garde Royal. Une sensation déplaisante naquit en lui. Tierce semblait de plus en plus souvent distrait et comme plongé dans une sorte de transe quand il réfléchissait. La pression et le stress étaient-ils en train de le miner ? Ou en avait-il toujours été ainsi, et Disra ne s'en était-il pas aperçu ?

Tierce releva la tête.

— Amiral, vous avez dit que Karoly D'ulin avait appelé une des chefs des Mistryls pour qu'elle vienne nous parler ?

— Oui, répondit Flim. A ma connaissance, elle est en chemin.

— Que D'ulin se mette en contact avec elle et lui dise de changer de cap. Nous la retrouverons sur Yaga Mineure.

— Yaga Mineure ? répéta Disra.

— Oui, dit Tierce. Je pense que nous serons capables de donner aux Mistryls une démonstration du génie tactique de Thrawn. Cela nous aidera à convaincre le Capitaine Parck que Thrawn est *vraiment* de retour. Sans compter que ça nous permettra de porter un coup des plus humiliants à un homme de Coruscant considéré comme un brillant tacticien.

— Un moment, protesta Disra. Je ne comprends rien !

— Je crois qu'il essaie de nous dire que Bel Iblis est assez dingue pour attaquer Yaga Mineure, répondit Flim.

Le Garde Royal inclina la tête.

— Bien vu, Amiral ! Mais il n'est pas fou. C'est leur dernière chance d'éviter une guerre civile. Qui pourrait s'en charger, sinon Bel Iblis ?

— Pourtant, je pense que Flim a raison, dit Disra. Vous parlez du Document de Caamas. Ils ont déjà la copie que nous avons donnée à Solo et à Calrissian.

— Mais Bel Iblis l'ignore. D'après ce rapport, précisa Tierce, il a disparu de Kothlis huit jours avant que le traître Carib Devist ait transmis ses données falsifiées à la station Parshoone de l'Ubiqtorate. C'est comme ça que Solo a trouvé Bastion. En supposant que Bel Iblis ait été coupé de Coruscant, ce qui paraît vraisemblable, il ne sait rien du voyage de Solo à Bastion.

— Et s'il vérifie avant de partir, et qu'on lui dit d'attendre ? objecta Disra.

— Dans ce cas, nous nous contenterons d'impressionner les Mistryls avec les dimensions et la puissance d'une base de l'Ubiqtorate, dit Tierce. Elles n'ont pas besoin de savoir que nous attendons une attaque. (Il regarda Flim.) C'est une tactique de diversion classique. Si la cible ignore ce qui est censé arriver, elle ne sera pas déçue que rien ne se passe.

— Il a raison, dit Flim.

— D'accord, d'accord ! fit Disra. Et si Coruscant change d'avis et envoie Bel Iblis attaquer Bastion ?

Tierce haussa les épaules.

— Sur quelles bases ? Nous leur avons donné le Document de Caamas...

— ... qui est un faux.

— Ils l'ignorent et n'ont aucun moyen de le prouver, lui rappela Tierce. Une seule chose importe : si Bel Iblis pointe son nez dans ce système, ça nous fournira un argument de propagande qu'ils regretteront pendant des années. Qu'on me fournisse quelques hologrammes d'une attaque de la Nouvelle République sur Bastion, sans provocation, et des milliers de systèmes se sépareront de Coruscant dès le premier mois.

— De plus, Votre Excellence, dit Flim, même si Bel Iblis attaquait Bastion, nous serions toujours en sécurité sur Yaga Mineure. A moins que vous soyez trop attaché à votre confort pour vouloir partir d'ici ?

— Je faisais seulement remarquer, grogna Disra, qu'il semblerait bizarre que Thrawn soit ailleurs quand la capitale Impériale est attaquée.

— Ne vous en faites pas pour ça, dit Tierce. Bel Iblis n'attaquera pas Bastion, mais Yaga Mineure. Quand nous l'aurons vaincu, le prestige de l'Empire augmentera considérablement.

— Nous risquons de pousser Coruscant à lancer contre nous une riposte de grande envergure, avertit Disra.

Tierce secoua la tête.

— Dans cinq jours, Coruscant aura une guerre civile sur les bras. Avant que nos ennemis aient le temps de s'occuper de nous, nous aurons Parck et la Main de Thrawn. Cette fois, rien ne nous arrêtera. Rien !

Le couloir long, gris et sinistre, était longé de portes tout aussi grises, fermées bien entendu : après tout, il s'agissait d'une prison. Les murs et les plafonds étaient en métal. Le sol était couvert d'une grille métallique qui résonnait sourdement à chaque pas.

Ils faisaient un sacré raffut, pensa Pellaeon.

L'écho se répercutait contre les murs tandis qu'il avançait avec son escorte vers le poste de sécurité secondaire, situé à l'extrémité du couloir. On aurait dit une parade, ou une ondée soudaine qui crépitait sur un toit de tôle.

Le bruit n'était pas passé inaperçu. Quatre gardes avaient voulu voir de quoi il s'agissait. Deux d'entre eux étaient encore là. Les deux autres faisaient probablement leur rapport au responsable du poste de sécurité.

Ils réapparurent quand Pellaeon atteignit le poste. Les quatre soldats se tenaient au garde-à-vous, raides comme des piquets. Sans un mot, Pellaeon passa devant eux.

Quatre autres gardes étaient postés derrière le bureau, à trois mètres environ d'une porte de cellule à la sécurité renforcée.

Un jeune Major regarda Pellaeon, l'air incertain. Il ouvrit la bouche, mais...

— Je suis l'Amiral Pellaeon ! Suprême Commandeur de la Flotte Impériale. Déverrouillez la porte.

Un muscle tressauta sur la joue du Major.

— Désolé, Amiral, mais j'ai des ordres stricts. Le prisonnier doit rester au secret le plus complet.

Pellaeon l'observa quelques instants, histoire de le faire profiter du regard glacial et impitoyable qu'il avait mis au point au cours de sa carrière.

— Je suis l'Amiral Pellaeon, répéta-t-il.

Chaque mot résonnait comme une rafale de blaster.

Il voulait bien laisser au garde le bénéfice du doute, mais il n'avait ni le temps ni l'envie de se plier à des âneries.

— Le Suprême Commandeur de la Flotte Impériale, répéta-t-il. Ouvrez la porte.

Le Major déglutit. Ses yeux allèrent de Pellaeon à la douzaine de Soldats de Choc qui l'accompagnaient, et il pensa à l'autre douzaine, dont ses gardes lui avaient parlé.

Puis il regarda de nouveau Pellaeon, mal à l'aise.

— Mes ordres viennent directement du Moff Disra, Amiral, dit-il.

— Le Moff Disra est un civil, lui rappela Pellaeon. J'annule ses ordres.

— Oui, Monsieur, s'inclina le Major.

Il se tourna et fit signe à un garde.

Le garde aussi avait compté les Soldats de Choc. Sans hésitation, il ouvrit la porte et se plaça sur le côté.

— Attendez là, ordonna Pellaeon au chef de ses soldats.

Il fit le tour du bureau et entra dans la cellule. Si Disra était parvenu à faire passer des messages en dépit du blocus des transmissions et avait donné l'ordre d'éliminer tous les témoins...

Assis à une table, des cartes de sabacc étalées devant lui, le Colonel Vermel faisait une réussite. Quand il leva la tête, ses yeux s'écarquillèrent.

— Amiral ! s'écria-t-il.

Puis il se leva et fit le salut militaire.

— Colonel Meizh Vermel, Amiral, dit-il. Je demande la permission de reprendre mon poste, Monsieur.

— Permission accordée, Colonel, répondit Pellaeon, sans prendre la peine de cacher son soulagement. Je suis ravi de vous trouver en si bonne forme !

— Merci, Amiral, dit Vermel avec un soupir d'aise. J'espère que vous n'êtes pas venu seul.

— Ne vous inquiétez pas, fit Pellaeon avec un geste vers la porte de la cellule. Je n'ai pas encore pris la station Rimcee, mais mes hommes sont en position de le faire si les hommes de Disra se montrent mécontents de notre départ.

— Oui, Monsieur, acquiesça Vermel avec un regard étrange. Néanmoins, puis-je suggérer que nous agissions avec la plus grande hâte ?

— Je suis d'accord, dit Pellaeon, les sourcils froncés.

Que signifiait ce regard ?

Ils passèrent devant le Major et le poste de garde sans problème, se dirigeant vers l'endroit où Pellaeon avait ordonné à ses hommes d'attendre. Ils se mirent aussitôt en formation d'escorte, douze ouvrant la marche et douze la fermant.

— Vous avez eu l'air inquiet quand j'ai mentionné les gens de Disra, remarqua Pellaeon tandis qu'ils remontaient le couloir.

— Ce ne sera peut-être pas l'autorité de Disra que vous aurez à combattre, avertit Vermel. (Il s'approcha de l'Amiral comme s'il craignait d'être entendu.) Quand le Capitaine Dorja m'a amené ici après avoir intercepté mon vaisseau à Morishin, il a dit que ses ordres venaient directement du Grand Amiral Thrawn.

Pellaeon sentit sa gorge se nouer.

— Thrawn...

— Oui, Monsieur. J'espérais qu'il s'agissait d'une ruse de Disra. Je me souviens que vous m'avez dit qu'il était fortement opposé à la conférence de paix. Mais Dorja paraissait si sûr de lui !

— Oui, murmura Pellaeon, j'ai entendu certaines rumeurs... Il semble que Thrawn ait aussi été aperçu par certains membres de la Nouvelle République.

Vermel resta silencieux un instant.

— Vous ne l'avez pas vu ?

— Non. Mais je crois qu'il est temps que je le rencontre. S'il est vraiment de retour.

— Vous risquez d'avoir des problèmes avec lui pour m'avoir tiré de prison. Il vaudrait peut-être mieux que je retourne dans ma cellule...

— Non. Thrawn n'a jamais puni ses officiers pour avoir fait ce qu'ils pensaient juste. Particulièrement quand il ne leur avait pas donné d'ordres allant à l'encontre de leurs décisions.

Arrivés au bout du couloir, ils se retrouvèrent dans le poste de garde principal. Les officiers et leurs hommes étaient toujours assis, sous l'œil attentif d'un autre contingent de soldats du *Chimaera*.

— Nous allons retourner à Bastion et voir ce que le Moff Disra aura à nous dire.

Ils gagnèrent la baie d'atterrissage, où leurs navettes étaient posées.

— Si les rumeurs sont fausses, reprit l'Amiral, nous n'aurons aucun problème avec le Moff Disra. Le Commandant Dreyf et moi avons obtenu un jeu de datacartes, codées par Disra en personne, qui détaille ses projets : les noms, les lieux, les accords passés, y compris ses liens avec les Pirates Cavrilhu et différents financiers marrons des deux côtés de la frontière. (Son visage se durcit.) Sans parler de ses efforts pour faire éclater une guerre civile au sein de la Nouvelle République. Cela pourrait avoir beaucoup de valeur lors de nos futures négociations avec Coruscant. Ça nous permettra d'éliminer Disra du jeu pour un bon moment !

— Oui, Monsieur, murmura Vermel. Mais si les rumeurs sont vraies ?

— Si c'est le cas, nous nous en occuperons le moment venu.

Vermel hocha la tête.

— Compris.

— En attendant, continua Pellaeon, votre dernier rapport est sacrément en retard ! J'aimerais savoir ce qui s'est passé à Morishim.

31

Les préparatifs avaient duré six heures. Chaque vaisseau d'Exocron en état de voler avait été équipé en hâte pour la bataille. Il fallut une heure de plus pour les conduire tous dans l'espace, et encore une pour les disposer selon ce qui pouvait passer pour une configuration de combat.

Tout cela fit fondre les huit heures de délai qu'ils estimaient avoir.

Alors que les pirates de Rei'Kas au grand complet étaient en chemin, la flotte la plus pitoyable que Shada ait jamais vue se tenait prête, tremblante mais décidée à défendre sa planète, ou à mourir en essayant.

La seconde solution semblait la plus probable...

— Un rapport du sol, Amiral David, dit Chin depuis la console des communications de la passerelle du *Wild Karrde*. L'Amiral Darr annonce que nous sommes tous en position. Il ajoute que les vaisseaux de la Flotte Combinée sont prêts si les pirates arrivent à passer.

Les mains croisées dans le dos, l'Amiral Trey David hocha la tête.

— Parfait, dit-il d'une voix officielle qui cachait mal l'énergie qui bouillonnait en lui. Signalez au reste de la flotte de se tenir prêt. Ils peuvent arriver d'un moment à l'autre.

— Oh, mon Dieu, gémit C-3PO, assis à côté de Shada à la station de repérage, je déteste les combats spatiaux !

— Je suis d'accord avec toi sur ce point, dit Shada.

Au début, elle s'était demandé pourquoi l'Amiral David avait insisté pour diriger la bataille depuis le *Wild Karrde* plutôt que depuis l'un des vaisseaux de combat d'Exocron. Elle avait eu la réponse après avoir examiné les vaisseaux en question et leurs possibilités.

Huit heures plus tôt, elle avait sournoisement suggéré à N2 Nee que les défenses spatiales d'Exocron seraient insuffisantes contre autre chose que des contrebandiers. Jamais elle n'aurait cru qu'un commentaire lancé sans réfléchir était si près de la réalité.

— A partir de maintenant, dit Karrde, penché sur son épaule, il ne nous reste plus qu'à attendre. Qu'en pensez-vous ?

— Nous n'avons pas la moindre chance, annonça Shada sans détour. Sauf si Rei'Kas n'envoie rien de plus gros que les Corsaires qu'il a utilisés contre nous à Dayark.

Elle avait pensé avoir parlé assez bas pour que Karrde seul l'entende. Apparemment, David avait de bonnes oreilles.

— Non, il viendra avec son armada au complet, assura l'Amiral. Il y a beau temps qu'il essaie de mettre les mains sur les richesses d'Exocron. (Il eut un sourire crispé.) De plus, j'ai cru comprendre, grâce à N2 Nee, que vous lui avez fait une sorte « d'œil au beurre noir » à Dayark. Rien que pour ça, vous pouvez être sûrs qu'il viendra en personne !

Shada sentit le soupir silencieux de Karrde : un souffle d'air tiède contre sa joue.

— Peut-être cela nous offrira-t-il notre seule chance, dit-il. Si nous faisons semblant de nous enfuir, nous attirerons suffisamment de ses vaisseaux pour que votre flotte s'occupe du reste.

— Possible... admit David. Bien que ça me fasse personnellement une belle jambe...

— C'est ma faute si Rei'Kas est là, lui rappela Karrde. Vous avez encore le temps de vous transférer à bord d'un autre vaisseau.

De la station de détection, H'sishi gronda.

— [Ils arrivent], annonça-t-elle. [Trois corvettes Sienar de classe Marauder, quatre croiseurs Duapherm de classe Discril, quatre cargos légers CSA Etti modifiés pour le combat, et dix-huit vaisseaux d'attaque de classe Corsaire.]

— Confirmé, dit Shada après avoir consulté son écran.

Son estomac se noua. Le *Wild Karrde* pouvait vaincre n'importe lequel de ces vaisseaux, voire en affronter deux à la fois, et leur donner du fil à retordre. Mais contre tous...

— Turbolasers en position d'attaque, dit Karrde.

— Turbolasers prêts, confirma Shada.

Elle introduisit les informations de visée dans les trois postes d'artillerie.

Même si c'était sans espoir, ils feraient de leur mieux.

— Il semble que les Corsaires forment un bouclier autour des plus gros vaisseaux.

— Capitaine ? lança Chin. Nous recevons un appel d'un des Maraudeurs. Vous souhaitez répondre ?

Shada sentit Karrde se raidir.

— Oui.

Chin appuya sur un bouton.

— Bien le bonjour, Karrde, dit une voix familière au ton déplaisant. Je vous avais promis que vous me reverriez avant de mourir, n'est-ce pas ?

— Oui, Xern, je m'en souviens, répondit Karrde, sans trahir la tension qui l'hésitait. Je suis étonné que vous soyez encore en vie après le fiasco de Dayark. Rei'Kas doit devenir gâteux sur ses vieux jours.

Une série de jurons en Rodien résonna à l'arrière-plan.

— Rei'Kas dit qu'il vous gardera pour la fin à cause de ça. Ça vous fait plaisir, hein ?

David s'éclaircit la gorge.

— Rei'Kas, ici l'Amiral Trey David de la Flotte Combinée d'Exocron, dit-il.

— Amiral, vraiment ? fit Xern, sarcastique. Voulez-vous dire que cette misérable collection de poubelles volantes mérite un *véritable* Amiral ?

— Vous violez l'espace d'Exocron, remarqua calmement David. C'est votre dernière chance de vous retirer sans combattre.

Xern éclata de rire.

— Voilà qui est trop drôle ! Décidément, nous vous garderons pour la fin. Ensuite, nous vous étriperons et nous vous donnerons à manger aux charognards !

Quelqu'un aboya des ordres en Rodien.

— Nous devons y aller, Karrde ! Il est temps de transformer vos grandes poubelles en petits détritus. A plus tard, Amiral !

Xern coupa la communication.

— Ils ne manquent pas de confiance en eux, n'est-ce pas, murmura Shada.

— C'est vrai, dit Karrde. (Il posa une main hésitante sur l'épaule de la jeune femme.) Je suis désolé, Shada, souffla-t-il. Je n'aurais jamais dû vous entraîner là-dedans.

431

— Pas de problème...

Ainsi, c'était la fin du long voyage. A la Tour Orowood, face aux Noghris et à leurs blasters, elle avait été prête à mourir. Elle avait presque espéré qu'ils réagiraient un peu trop vite et la tueraient. La façon la plus simple d'en finir, s'était-elle dit alors.

Maintenant, confrontée aux pirates, elle réalisait qu'il n'y avait pas de manière aisée de quitter la piste. Aucune façon de mourir qui ne signifie pas l'abandon d'une responsabilité, ou d'un travail inachevé... (elle leva les yeux vers Karrde, qui regardait par la baie d'observation, le visage tendu)... ou qui ne veuille pas dire qu'on laissait des amis derrière soi.

Elle se demanda quand elle avait commencé à penser à Karrde comme à un ami.

Mais peu importait. Ce qui comptait, c'était de faire de leur mieux pour remédier à la pagaille qu'ils avaient semée ici. Son attention reportée sur l'écran, Shada entreprit de désigner les cibles primaires et secondaires. Les vaisseaux de tête étaient presque à portée...

— A tous les bâtiments, dit l'Amiral David. Battez en retraite. Je répète : battez en retraite.

Shada lui jeta un regard stupéfait.

— Quoi ?

— J'ai dit de battre en retraite, répéta David. Vous n'avez pas compris ?

Shada allait répondre fort peu aimablement, mais elle se retint lorsque Karrde lui serra l'épaule pour la prier de n'en rien faire.

— Elle pensait au fait que le *Wild Karrde* n'est pas aussi facile à manœuvrer à proximité d'un champ gravitationnel que dans l'espace libre, dit-il à David. Comme presque tous les autres vaisseaux de votre flotte.

— Bien compris, dit David. Je maintiens mon ordre. Battez en retraite.

— Chef ? demanda Dankin.

Shada leva de nouveau les yeux.

Karrde regardait David, évaluant l'homme caché sous l'uniforme.

— Transmettez l'ordre, Chin, dit-il. Dankin, battons en retraite, mais gardez-nous en formation avec les autres vaisseaux. Shada, que les artilleurs préparent un tir de couverture.

— D'accord.

Elle alluma son intercom sans quitter les écrans des yeux pour tenter de comprendre ce qui se passait. Battre en retraite vers une planète visait d'habitude à attirer l'ennemi à portée d'armes terrestres ou d'une force aérienne qui décollait de la surface. Mais tous les vaisseaux disponibles d'Exocron étaient déjà là et les senseurs de H'sishi auraient repéré toute artillerie assez puissante pour atteindre des cibles si loin dans l'espace.

La flotte commençait à refluer vers Exocron selon les ordres. Certains vaisseaux civils armés tiraient bêtement sur les Corsaires, gaspillant leur énergie sur des cibles encore hors de portée. Shada regarda David, mais soit il ne s'en était pas aperçu soit il s'en fichait.

Les civils n'étaient-ils pour lui que des appâts bons à sacrifier ?

— Continuez à battre en retraite, ordonna-t-il. Tous les vaisseaux.

Les Corsaires étaient presque à portée. Les navires de guerre, plus gros, se tenaient en formation classique derrière eux, prêts à donner l'assaut. Rien d'étonnant à cette attitude : vu la nature de l'opposition, il n'était pas nécessaire de se lancer dans des manœuvres compliquées. Il suffisait de passer à travers les vaisseaux qui barraient la route, puis de mitrailler les principales cités d'Exocron en éliminant au passage la pitoyable flotte du Suprême Amiral Darr...

— Continuez la retraite, dit David. Affichage tactique, je vous prie.

H'sishi siffla. L'affichage tactique apparut sur l'écran.

Les défenseurs étaient tous dans le champ de gravité d'Exocron, trop tard pour que l'un d'eux change d'avis et tente de s'enfuir dans l'hyperespace. Etait-ce cela que voulait David ? se demanda Shada. Les placer dans une position telle qu'ils n'auraient d'autre choix que se battre jusqu'à la mort ?

Tandis que ces pensées déplaisantes lui traversaient l'esprit, les derniers vaisseaux pirates franchirent à leur tour cette frontière invisible. Désormais, ils étaient tous pris au piège de la bataille. Ni les attaquants ni les défenseurs ne quitteraient Exocron avant qu'un des camps n'ait été détruit.

— Les voilà, murmura David.

Shada le regarda, prête à faire un commentaire acide...

H'sishi gronda d'incrédulité.

Shada tourna la tête vers la baie d'observation. Les pirates arrivaient sur eux.

Mais ce n'était pas d'eux que David parlait. Derrière les vaisseaux ennemis, autre chose venait de se matérialiser.

Un vaisseau spatial, bien entendu. Mais un vaisseau comme Shada n'en avait jamais vu. De forme vaguement ovoïde, grand comme une fois et demi les Maraudeurs, il était couvert de plaques de blindage qui le faisaient ressembler à une créature marine dotée d'une armure. Des saillies coniques, sans doute des sorties d'échappement ou des tuyères, dépassaient de la coque à divers endroits, sans que Shada distinguât une quelconque symétrie. Une image agrandie s'afficha sur un des écrans, montrant l'ensemble complexe de symboles et de glyphes étranges qui constellaient la coque.

De près, celle-ci ressemblait étonnamment à quelque chose de vivant...

Shada regarda de nouveau par la baie d'observation et vit trois autres vaisseaux identiques apparaître. Ce n'était pas à l'issue d'un saut hyperspatial, qui était toujours précédé d'un bref éclair. Non, les vaisseaux avaient simplement surgi du néant.

D'un mouvement presque languide, le premier bâtiment inconnu se positionna derrière un des Maraudeurs de Rei'Kas. D'un éclair d'énergie bleu-vert scintillant, il le coupa en deux. H'sishi gronda.

— [Que sont ces vaisseaux ?] demanda-t-elle.

— On les appelle les Moines Aing-Tii, dit David. Ce sont des non-humains qui passent le plus clair de leur temps près de la Faille de Kathol. Nous ne savons pas grand-chose sur eux.

— Pourtant, ils sont venus à notre aide, fit remarquer Karrde. De plus, vous *saviez* qu'ils arriveraient.

— Ils détestent les esclavagistes. Rei'Kas est un trafiquant d'esclaves. C'est tout simple.

Un second Maraudeur s'enflamma quand un vaisseau Aing-Tii tira une autre décharge d'énergie. Devant les vaisseaux détruits, la ligne de bataille des attaquants se désorganisa quand ils se retournèrent pour affronter une menace si inattendue.

Les vaisseaux Aing-Tii, qui se souciaient comme d'une guigne des tirs ennemis, avancèrent dans les rangs averses. Ils coupèrent en deux les plus gros vaisseaux et écrasèrent les autres contre leur coque.

— Je crois que ce n'est pas si simple que ça, Amiral, dit Karrde à David. Selon Bombaasa, Rei'Kas a mis la main sur ce secteur depuis plus d'un an. Comment se fait-il que vos Aing-Tii aient attendu si longtemps pour intervenir ?

— Comme je vous l'ai dit, ils préfèrent rester près de la Faille. Il faut quelque chose de spécial pour les obliger à se déplacer, même jusqu'à un endroit aussi proche qu'Exocron.

— En d'autres termes, conclut Karrde, vous aviez besoin de quelqu'un pour attirer Rei'Kas le plus près possible de leur territoire. Et vous nous avez « choisis » pour ça !

David ne cilla pas. Shada remarqua tout de même une certaine tension sur son visage. Peut-être se demandait-il ce qu'il risquait de lui arriver sur une passerelle pleine de contrebandiers offensés d'avoir été utilisés comme appâts.

— Ce sont vos actes que nous avons utilisés, Capitaine Karrde, dit David. Votre décision de venir à Exocron, et votre incapacité à empêcher les agents de Rei'Kas de vous suivre. Nous ne vous avons pas utilisés *personnellement*. Aucun de vous, ajouta-t-il avec un coup d'œil circulaire.

Personne ne dit rien pendant un long moment. Shada regarda par la baie d'observation et constata que les pirates étaient quasiment tous détruits. Il ne restait en vue que les trois vaisseaux Aing-Tii. Puis l'un d'eux disparut aussi mystérieusement qu'il était arrivé. Les deux autres restèrent le temps de finir le travail et disparurent dans les ténèbres.

— Vous avez dit « nous » ? demanda Karrde. Ce « nous » ne concerne-t-il que vous-même et les autres militaires d'Exocron ?

— Voilà une question bizarre. Qui d'autre pourrait être impliqué ?

— Je me le demande... murmura Karrde. Chin, ouvre une fréquence de communication vers la surface. C-3PO, je voudrais que tu traduises un message en Tarmidien ancien.

Shada le dévisagea.

L'expression de Karrde était impénétrable.

— Le Tarmidien ancien ? Le langage de Car'das ?

Il fit signe que oui.

— Voilà le message à traduire, C-3PO. « Ici Karrde. J'aimerais vous rencontrer de nouveau. »

— Tout de suite, Capitaine Karrde, dit le droïd.

D'un pas saccadé, il approcha de la console des communications.

Chin lui fit un signe de tête. Le droïd se pencha par-dessus son épaule.

— *Merirao Karrde tuliak. Mu parril'an se'tuffriad moa sug po'porai ?*

C-3PO se tourna vers Karrde.

— Bien entendu, vous savez qu'il risque de s'écouler un certain temps avant que nous recevions une réponse...

— *Se'po brus tai*, beugla une voix dans les haut-parleurs de la passerelle.

Le droïd sursauta.

La voix était puissante, sans trace de faiblesse ou de maladie. Shada regarda de nouveau Karrde, dont l'expression s'était encore durcie.

— Traduction ? fit-il.

C-3PO rassembla son courage.

— Il a dit que vous pouvez venir.

N2 Nee les attendait quand le *Wild Karrde* se posa de nouveau sur le cercle 15 du terrain d'atterrissage de la ville de Rintatta. Les manières amicales et le bavardage joyeux de N2 Nee, ainsi que le trajet en landspeeder en compagnie de Shada et de C-3PO vers la maison bleu pâle nichée au flanc de la montagne, ne se différenciaient guère du premier séjour de Karrde dans ce secteur, quelques heures auparavant.

Mais il y avait néanmoins une énorme différence. A la première visite, Karrde avait éprouvé de la peur et la sensation morbide de sa fin probable.

Maintenant...

Il ne savait pas très bien de quelle humeur il était, sinon qu'il éprouvait un peu de ressentiment d'avoir été manipulé comme une marionnette.

Sans compter une appréhension renouvelée. Car'das, comme il ne pouvait s'empêcher de se le rappeler, avait toujours parlé avec tendresse des prédateurs qui jouent avec leur proie avant de leur porter le coup final.

La maison bleue n'avait pas changé. Elle était aussi décrépite et poussiéreuse qu'auparavant. Mais quand N2 Nee les conduisit vers la porte de la chambre, Karrde remarqua que l'odeur de vieillesse et de maladie avait disparu.

Cette fois, la porte s'ouvrit toute seule quand ils approchèrent. Karrde s'aperçut à peine que Shada avait collé son épaule contre la sienne afin qu'ils entrent ensemble.

Plus d'étagères chargées de bibelots inutiles et de médicaments exotiques. Le lit de malade et son monceau de couvertures n'étaient nulle part en vue.

Debout à la place qu'avait occupée le lit, toujours aussi vieux mais apparemment vaillant, Jorj Car'das les attendait.

— Bonjour, Karrde, dit-il, ses rides ondulant tandis qu'il souriait. Quel plaisir de vous revoir !

— Ça ne fait pourtant pas bien longtemps. Toutes mes félicitations pour votre extraordinaire guérison.

Le sourire de Car'das ne disparut pas.

— Vous êtes en colère contre moi, bien entendu. Je le comprends. Mais tout va devenir clair dans un moment. En attendant...

Il se retourna et fit un geste vers le mur du fond, qui disparut. Derrière, un long tunnel muni de rails s'enfonçait dans le lointain. Un wagon fermé attendait derrière l'endroit où le mur s'était volatilisé.

— Venez avec moi dans ma *véritable* maison. Elle est bien plus confortable que celle-ci.

D'un geste, il commanda l'ouverture de la porte du véhicule.

— Je vous en prie. Après vous...

Karrde regarda la porte, la poitrine serrée. Il repensa aux prédateurs qui jouent avec leurs proies...

— Pourquoi ne pas y aller tous les deux ? Shada et C-3PO peuvent retourner au *Wild Karrde*...

— Non, coupa Shada. Si vous voulez montrer votre maison à quelqu'un, Car'das, emmenez-moi. Ensuite, si je décide qu'il n'y a pas de danger, je laisserai Karrde se joindre à nous.

— Allons, dit Car'das.

Il la regarda avec une expression si goguenarde que Karrde en grinça des dents.

Etre amusé par quelqu'un comme Shada pouvait se révéler dangereux...

— Vous inspirez une telle loyauté à vos gens, Karrde !

— Elle ne fait pas partie de mon équipage. La Haute Conseillère Leia Organa Solo, de la Nouvelle République, lui a demandé de venir. Elle n'a rien à voir avec moi, ni avec ce que j'ai pu faire par le passé...

— Je vous en prie, dit Car'das. Tout ça est très distrayant, je l'avoue, mais soyons sérieux. Vous vous inquiétez tous les deux pour rien.

Il regarda Karrde dans les yeux.

— Je ne suis plus l'homme que vous avez connu, Talon. Je vous en prie, laissez-moi une chance de vous le prouver.

Karrde détourna le regard. Les prédateurs qui jouent avec leurs proies...

Mais si Car'das voulait leur mort, il arriverait à ses fins de toute façon...

— D'accord, dit-il. Allons-y, Shada.

— Pardonnez-moi, Monsieur, intervint C-3PO d'une voix hésitante. Je suppose que vous n'aurez plus besoin de moi à partir de maintenant ?

— Non, non, je vous en prie, dit Car'das. (Il fit signe au droïd d'avancer.) J'adorerais avoir une petite conversation avec vous. Il y a si longtemps que je n'ai plus rencontré quelqu'un avec qui parler le Tarmidien ancien. (Il sourit à N2 Nee.) Il essaie, mais ce n'est pas la même chose.

— Pas vraiment, non, concéda N2 Nee.

— Donc, joignez-vous à nous, insista Car'das. Au fait, parleriez-vous aussi le dialecte Cincher ?

C-3PO devint soudain enthousiaste.

— Oui, bien sûr, Monsieur, dit-il. (La fierté l'emportait temporairement sur la nervosité.) Je parle couramment plus de six millions...

— Parfait, coupa Car'das. Allons-y !

Un instant plus tard, ils avançaient à bonne vitesse dans le tunnel.

— Je reste seul la plupart du temps, dit Car'das, mais j'ai parfois besoin de traiter avec les officiels d'Exocron. Pour ces rencontres, j'utilise la maison que vous avez vue. C'est pratique, et ça leur évite d'être abasourdis par ma véritable maison.

— Ils savent qui vous êtes ? demanda Shada. Je veux dire, qui vous êtes *réellement*.

Car'das haussa les épaules.

— Ils connaissent des bribes de mon passé. Mais comme vous le verrez bientôt, la plupart de ces histoires n'ont désormais plus aucun lien avec moi.

— Ma foi, avant de parler d'histoire, essayons de développer quelques événements actuels, dit Shada. En commençant par vos Moines Aing-Tii. David peut raconter ce qu'il veut sur leur haine des esclavagistes, mais nous savons tous qu'il y a autre chose. Vous les avez appelés, n'est-ce pas ?

— Les Aing-Tii et moi avons été en relations, dit Car'das, pensif. (Puis il sourit de nouveau.) Mais tout ça, c'est du passé ! Nous y viendrons au moment voulu.

— D'accord, acquiesça Shada. David a prétendu que vous ne vous étiez pas servi de nous pour attirer Rei'Kas. Moi, j'affirme que oui.

Car'das regarda Karrde.

— Je l'aime bien, Talon. Elle a l'esprit vif. (Il se tourna de nouveau vers Shada.) Je suppose que vous ne seriez pas intéressée par un nouvel emploi ?

— J'ai gaspillé douze ans de ma vie avec une bande de contrebandiers, grogna Shada. Je n'ai nulle envie de m'affilier à une autre !

— Pardonnez-moi... s'excusa Car'das. Nous sommes arrivés.

Le tunnel débouchait dans une petite pièce bien éclairée. Car'das ouvrit la porte et sortit tandis que le véhicule s'arrêtait en douceur.

— Venez, venez, fit-il à ses passagers. Vous allez adorer cet endroit, Talon, je vous le jure ! Vous êtes prêts ? Allons-y.

Quasi gambadant, il les conduisit vers une porte surmontée d'une arche.

Il agita la main ; comme le mur de la maison bleue, la porte disparut.

Derrière attendait un monde de rêve.

Karrde passa le seuil. Sa première impression fut qu'il venait de sortir à l'air libre, dans un jardin soigneusement entretenu. En face de lui s'étendait un immense parterre de fleurs. Les plantes et les buissons, disposés avec goût, couvraient environ une centaine de mètres. Un chemin serpentait à travers le jardin, où des bancs de pierre étaient installés à intervalles irréguliers. Sur les flancs, le jardin laissait place à une forêt d'arbres de différentes essences. Leurs feuilles allaient du bleu foncé au rouge vif. De la forêt montait le bruit d'une cascade. De là où il se tenait, Karrde ne la voyait pas.

Quand il regarda le sommet de l'arbre le plus haut, il remarqua au-dessus de leurs têtes un dôme bleu ciel qui prenait « racines » derrière les bosquets d'arbres.

— Oui, tout ça est à l'intérieur, confirma Car'das. On ne peut plus à l'intérieur, en fait. Nous sommes au-dessous d'une des montagnes, à l'est de la ville de Rintatta. Magnifique, n'est-ce pas ?

— Vous vous en occupez personnellement ? demanda Karrde.

— Je fais le plus gros du travail, répondit Car'das. Mais il y a aussi quelques autres personnes... Par là.

Il les conduisit jusqu'à une porte cachée entre deux arbres au tronc rouge.

— Ça a dû être un sacré boulot d'installer tout ça, commenta Shada quand la porte disparut sur un simple geste de la main de Car'das. Vos amis Aing-Tii vous ont aidé ?

— Indirectement, oui. Ceci est mon parloir. Aussi beau que le jardin, n'est-ce pas ?

— En effet, dit Karrde.

Le parloir était conçu dans le style Haut Alderaanien classique, à peu de choses près. Décoré de bois sombre et de plantes grimpantes, il éveillait le même sentiment de majesté que le jardin.

— Que voulez-vous dire par « indirectement » ? demanda Karrde.

— C'est assez ironique, en fait, dit Car'das. (Il se dirigea vers une porte située sur leur droite.) Quand je suis arrivé sur Exocron, j'ai commencé à construire ma maison sous ces montagnes pour des raisons purement défensives. Maintenant que la défense n'est plus un problème, je me suis aperçu que j'aimais cet endroit à cause de son isolement.

Karrde regarda Shada.

La défense n'était plus un problème ?

— Rei'Kas était-il une telle menace ?

Car'das fronça les sourcils.

— Rei'Kas ? Oh, non, Talon, vous ne m'avez pas bien compris. Rei'Kas était une menace, certes, mais seulement pour Exocron. J'ai aidé à son élimination afin de protéger mes voisins, mais je ne risquais rien. Venez, j'ai là quelque chose que vous allez apprécier.

Il fit de nouveau disparaître la porte. Karrde entra et, sidéré, s'immobilisa. Il se tenait sur le seuil d'une pièce circulaire qui semblait plus grande que le jardin qu'ils avaient traversé. Le sol descendait vers le centre, comme dans un amphithéâtre. Au milieu, il apercevait une station de travail munie d'ordinateurs. Autour du bureau, disposées en cercles concentriques séparés seulement par d'étroits passages, des rangées d'étagères de deux mètres de haut contenaient des datacartes.

Il y en avait plusieurs milliers...

— La connaissance, Talon, dit Car'das d'une voix tranquille. L'information. Ma passion, autrefois. Désormais mon armement, ma défense et mon confort. Extraordinaire, n'est-ce pas, ce que nous parvenons à prendre pour les choses les plus importantes de la vie...

— Oui, murmura Karrde. La bibliothèque de Car'das... et le Document de Caamas.

— Ainsi, N2 Nee nous a menti, dit Shada d'une voix coupante. Il prétend ignorer ce qui était arrivé à votre bibliothèque.

— N2 Nee ? appela Car'das. Leur as-tu menti ?

— Pas du tout, Jorj, lança une voix derrière eux.

Karrde se retourna et vit le petit homme, toujours du côté du parloir, occupé à préparer des boissons.

— Je leur ai simplement dit que vous aviez transféré votre bibliothèque avant que j'entre à votre service.

— C'est la pure vérité, admit Car'das. Venez vous asseoir, mes amis. Je pense que vous avez beaucoup de questions à me poser.

— Commençons par la plus importante, dit Karrde, sans bouger. Nous sommes ici pour trouver un document d'une importance historique vitale. Il concerne...

— Je sais. Le Document de Caamas.

— Vous êtes au courant de ça ? demanda Shada.

— Je ne suis pas le vieil homme malade que vous avez rencontré il y a quelques heures, lui rappela Car'das. J'ai encore des sources d'informations, et j'essaie de me tenir informé de ce qui se passe. Malheureusement, je ne peux pas vous aider. Dès que le sujet de Caamas est devenu d'actualité, j'ai cherché une copie du Document dans mes dossiers. Mais je n'en ai pas.

Karrde sentit ses espoirs s'envoler.

— Vous êtes bien sûr ?

— Oui. Désolé.

Karrde hocha la tête. Tout ce travail, tous ces risques courus pour en arriver là. C'était le bout du chemin, et ils se retrouvaient les mains vides.

Shada n'était pas prête à laisser tomber si aisément.

— Et si vous aviez quand même trouvé une copie ? Vous pouvez vous vanter d'être au courant, mais un fait demeure : depuis vingt ans, vous êtes planqué ici en laissant les autres faire tout le boulot !

Car'das leva les sourcils.

— Soupçonneuse et sans merci, commenta-t-il. C'est plutôt triste. N'y a-t-il rien ni personne en qui vous ayez confiance ?

— Je suis un garde du corps professionnel ! cracha Shada. La confiance ne fait pas partie de mon job. Et n'essayez pas de changer de sujet ! Vous êtes resté planqué pendant la Rébellion, sans parler de la première contre-attaque de Thrawn. Pourquoi ?

Une expression étrange passa sur le visage de Car'das.

— Thrawn, murmura-t-il. Un personnage des plus intéressants. J'ai consulté son dossier récemment. Je suis convaincu qu'il y a plus de choses à apprendre à son sujet qu'on ne le croit. Bien plus !

— Vous n'avez toujours pas répondu à ma question, insista Shada.

Car'das haussa de nouveau les sourcils.

— Je n'avais pas l'impression que vous m'en aviez posé une. Tout ce que j'ai entendu, ce sont des accusations. Mais s'il s'agit d'une question... (Il sourit.) Je suppose que c'est vrai, d'une certaine façon... J'ai laissé les autres faire leur travail, tandis que je faisais le mien. Mais suivez-moi, je vous prie. Le *rusc'te* de N2 Nee est en train de refroidir.

Au centre de la bibliothèque N2 Nee attendait, un plateau chargé de boissons posé sur une table.

— Qu'avez-vous dit à mon sujet à cette jeune dame, Talon ? demanda Car'das, en les invitant à s'asseoir. Ainsi, nous éviterons de répéter sans arrêt les mêmes choses.

— Je lui ai communiqué les faits essentiels, dit Karrde en prenant place sur un siège avec précaution.

Malgré la cordialité de Car'das, il ne pouvait s'empêcher de penser qu'il mijotait quelque chose.

— Je lui ai dit de quelle façon vous aviez créé l'organisation, continua Karrde, puis comment vous l'avez quittée, il y a vingt ans.

— Lui avez-vous parlé de mon enlèvement par le Jedi Sombre Bpfasshi ? demanda Car'das d'une voix étrange. C'est à ce moment que tout a vraiment commencé.

Karrde jeta un coup d'œil à Shada.

— Oui, je l'ai mentionné.

Car'das soupira et ne regarda pas N2 Nee quand il posa une coupe de liquide fumant entre ses mains.

— Ça a été une expérience terrible, dit-il. Probablement la première fois de ma vie où j'ai été terrifié. Le Jedi était fou de rage. Il disposait d'autant de pouvoir que Dark Vador, mais sans une once du contrôle de soi du Seigneur Noir. Il a mis en pièces un de mes hommes d'équipage. Les trois autres, il les a pris sous son contrôle mental pour les transformer en extensions vivantes de sa volonté. Quant à moi...

Il avala une petite gorgée.

— Moi, il m'a surtout laissé tranquille, continua-t-il. Je ne sais toujours pas pourquoi, à moins qu'il ait pensé avoir besoin de mes talents de navigateur pour s'échapper. Ou peut-être voulait-il qu'un esprit reste intact à bord du vaisseau afin de reconnaître son pouvoir et sa grandeur et d'être terrorisé.

Il but une autre gorgée.

— Nous avons avancé dans l'espace et évité les forces qui se rassemblaient contre lui. J'ai imaginé des centaines de plans pour le vaincre. Aucun d'eux n'est allé au-delà de l'esquisse, parce qu'il était au courant de chaque tentative avant que je le sache moi-même. Je pense que mes pitoyables efforts l'amusaient beaucoup.

« Finalement, pour des raisons que je ne comprends toujours pas, nous sommes arrivés dans un système si minable qu'il n'était pas mentionné sur la plupart des cartes stellaires. Nous avons atteint une planète où il n'y avait que des marais, des forêts humides et de la boue glacée. Une planète appelée Dagobah.

Une odeur d'épices exotiques chatouilla les narines de Karrde. Il leva les yeux et vit N2 Nee lui tendre une coupe. L'expression habituellement joyeuse du petit homme avait disparu, remplacée par un sérieux que Karrde ne lui avait jamais vu.

— J'ignore si le Jedi Sombre espérait se retrouver seul sur la planète, poursuivit Car'das. Mais si c'était le cas, il fut déçu. A peine étions-nous sortis du vaisseau que nous avons repéré une petite créature d'aspect bizarre, avec de grandes oreilles pointues, qui nous observait à la lisière de la clairière où nous avions atterri.

« Il s'agissait d'un Maître Jedi nommé Yoda. Je ne sais s'il habitait là, où s'il y était venu pour cette occasion. Mais je suis sûr qu'ils nous attendait.

« Je n'essaierai pas de décrire leur bataille, dit-il à voix basse. Après y avoir pensé pendant quarante-cinq ans, je ne suis pas sûr d'en être capable. Durant près d'un jour et demi, le marais fut balayé par du feu, des éclairs et des choses sur lesquelles je suis toujours incapable de mettre un nom. A la fin, le Jedi Sombre mourut. Il se désintégra !

« Aucun membre de mon équipage n'a survécu à cette bataille. De toute façon, il ne restait presque plus rien de ce qu'ils étaient jadis. Je ne m'attendais pas à survivre non plus. Mais Yoda s'est occupé de me ramener à la vie.

Karrde hocha la tête.

— J'ai vu ce que Luke Skywalker peut faire avec ses transes de guérison, dit-il. Dans certains cas, c'est plus efficace que le bacta.

Car'das ricana.

— Dans mon cas, le bacta n'aurait servi à rien. Dans l'état où j'étais, il fallut un certain temps à Yoda pour me rendre la santé. Ensuite, j'ai pu bricoler mon vaisseau pour qu'il reprenne l'air. Puis je suis rentré chez moi tant bien que mal.

« Après être revenu dans l'organisation, j'ai compris que quelque chose en moi avait changé. (Il regarda Karrde.) Je suis sûr que vous vous en souvenez, Talon. Il semblait que j'avais le pouvoir de deviner ce qu'allaient faire mes adversaires, de deviner leurs stratégies et leurs plans et de savoir à quel moment l'un d'eux avait décidé de frapper. Je suppose que j'ai *absorbé* les pouvoirs de Yoda pendant le processus de guérison.

Il regarda le plafond. Un feu nouveau brillait dans ses yeux.

— Tout à coup, il n'y avait plus de limites à ce que je pouvais faire. Aucune ! J'ai commencé à agrandir l'organisation, à intégrer tous les groupes qui semblaient utiles et à éliminer ceux qui ne l'étaient pas. J'ai connu victoire après victoire. Où que j'aille, je l'emportais. J'ai eu maille à partir avec le cartel criminel des Hutts et j'ai échafaudé des plans pour l'éliminer. Puis j'ai prédit l'accession au pouvoir du Sénateur Palpatine, et j'ai étudié quand et comment me mêler à la lutte à mon avantage. Rien ne m'arrêtait. L'univers et moi en avions conscience.

Soudain, toute passion déserta sa voix.

— Puis, sans prévenir, tout s'est écroulé.

Il prit une longue gorgée de sa boisson.

— Que s'est-il passé ? demanda Shada.

Karrde la regarda, surpris par son air d'intense concentration. Malgré son manque de confiance en Car'das, elle trouvait son récit fascinant.

— Ma santé s'est détériorée, dit Car'das. En quelques semaines, la jeunesse et la vigueur que la guérison de Yoda avait données à mon corps semblèrent s'évaporer. Tout simplement, j'étais en train de mourir.

Karrde hocha la tête. Le mystère à propos de la balise de rappel abandonnée dans les marais de Dagobah s'éclaircissait.

— Vous êtes retourné voir Yoda et vous lui avez demandé son aide.

— Demandé ? fit Car'das avec un rien d'autodérision. Non, pas demandé. Exigé. (Il secoua la tête.) Je devais avoir l'air plutôt idiot... Quatre fois plus grand que lui, un blaster dans une main et ma balise de rappel dans l'autre, je menaçais d'utiliser l'armement impressionnant de mon vaisseau contre un être minuscule appuyé sur un bâton. Bon sang, j'étais le fondateur de la plus grande organisation de contrebande de tous les temps ! Lui n'était qu'un petit Maître Jedi.

— Je suis surprise qu'il ne vous ait pas tué immédiatement, remarqua Shada.

— A l'époque, ç'aurait été un soulagement, admit tristement Car'das, car ç'aurait été bien moins humiliant. Au lieu de ça, il m'a arraché des mains mon blaster et la balise de rappel et il les a jetés dans le marais. Puis il m'a maintenu en suspension quelques centimètres au-dessus du sol et il m'a laissé me débattre tout mon soûl.

« Quand je me suis calmé, il m'a annoncé que j'allais mourir.

N2 Nee s'approcha de lui et versa un peu de boisson épicée dans sa coupe.

— J'ai trouvé la première partie humiliante. La suite fut encore pire. Alors que j'étais assis, haletant, sur un rocher, de l'eau plein mes bottes, il m'expliqua comment j'avais gaspillé le don de vie qu'il m'avait accordé un quart de siècle plus tôt. Il me démontra que la poursuite égoïste du pouvoir avait fait de moi une coquille vide.

Il regarda Karrde.

— Quand il eut terminé, j'ai compris que je ne pouvais pas revenir. Et que je n'aurais jamais le courage d'affronter de nouveau l'un de vous.

Karrde contempla sa coupe, soudain conscient qu'il la serrait avec une force excessive.

— Alors, vous n'étiez pas... Je veux dire, vous...

— Etais-je en colère contre vous ? (Car'das sourit.) Bien au contraire, mon vieil ami. Vous étiez le seul point positif de cette débâcle. Pour la première fois depuis que j'avais quitté Dagobah, je réfléchis à tous les membres de mon organisation. Des gens que j'avais condamnés à une guerre interne vicieuse, car mes lieutenants, aussi égoïstes que moi, se battaient pour obtenir leur part du monstre que j'avais créé.

Il secoua la tête, les yeux voilés de larmes.

— Je ne vous en ai pas voulu d'avoir pris ma place, Talon, loin de là. Vous avez permis la survie de l'organisation, et vous avez traité mes gens avec une dignité et un respect dont je ne m'étais jamais soucié. Vous avez transformé mes ambitions égoïstes en quelque chose dont vous pouvez être fier. Cela fait vingt ans que je voulais vous en remercier.

Il se leva et s'approcha de Talon.

— Merci, dit-il en lui tendant la main.

Karrde se leva. Un poids immense sembla quitter ses épaules.

— Je suis content, murmura-t-il en serrant la main du vieil homme. J'aurais seulement aimé être au courant plus tôt.

— Je sais, dit Car'das. (Il lâcha la main de Karrde et retourna s'asseoir.) Mais j'avais tellement honte de moi que je ne pouvais supporter l'idée de vous rencontrer. Plus tard, quand Mara Jade et Lando Calrissian sont entrés en scène, je me suis dit que vous ne tarderiez pas à vous montrer...

— J'aurais pu, concéda Karrde. Mais je n'en avais pas une folle envie...

— Je comprends. C'est autant ma faute que la vôtre. Néanmoins, votre arrivée était ce qu'il nous fallait pour éliminer Rei'Kas et ses pirates. C'est une des nombreuses choses que j'ai apprises grâce aux Aing-Tii. Bien que rien ne soit prédéterminé, tout est en quelque sorte *guidé*. Je ne comprends pas encore très bien, mais j'y travaille...

— Voilà deux phrases qu'un Jedi aurait pu dire, souffla Karrde.

— Les Aing-Tii comprennent la Force, mais différemment des Jedi. Ou peut-être est-ce simplement un autre aspect de la Force qui les inspire. Je ne suis pas vraiment sûr...

« Yoda ne pouvait pas me guérir. Ou plutôt, il ne bénéficiait pas du temps que cela demandait. Il m'a dit qu'il devait se préparer à recevoir l'élève le plus important de ces cent dernières années.

Karrde hocha la tête. Une autre pièce du puzzle se mettait en place.

— Luke Skywalker.

— Vraiment ? J'ai toujours pensé que c'était lui, mais je n'ai jamais pu m'assurer qu'il avait suivi une formation sur Dagobah. Quoi qu'il en soit, Yoda me dit que la seule manière de reculer ma fin était de contacter les Moines Aing-Tii de la Faille de Kathol, qui seraient *peut-être* prêts à m'aider.

— Ce qu'ils ont fait, de toute évidence !

— Oui. Mais à quel prix ! s'exclama Car'das.

Karrde fronça les sourcils. Un frisson lui parcourut l'échine.

— Quel genre de prix ?

Car'das sourit.

— Ma vie, tout simplement, Talon. Je dois la passer à apprendre à apprivoiser leur version de la Force.

Il leva une main.

— Ne me comprenez pas de travers. Ils ne l'ont pas exigé de moi. Cela fut mon choix. Toute ma vie, j'ai apprécié les défis. Une fois que j'ai eu une petite idée de ce qu'ils avaient découvert... Ils me proposaient le challenge le plus important de ma vie. Comment aurais-je pu refuser ?

— Je pensais qu'il fallait des aptitudes innées pour devenir un Jedi, fit remarquer Shada.

— Un Jedi, sans doute, approuva Car'das. Mais les Aing-Tii ont une approche différente de la Force. Pas en terme de Jedi Sombre ou Lumineux, mais ça s'assimile à un arc-en-ciel. Laissez-moi vous faire une démonstration. Pouvez-vous déplacer votre plateau, N2 Nee ?

Le petit homme prit le plateau. Car'das posa sa coupe par terre à côté de lui.

— Maintenant, regardez. Voyons si je suis capable de faire ça.

Il regarda intensément la table.

Une petite carafe de cristal apparut.

Karrde sursauta et renversa une partie de sa boisson sur ses doigts. Jamais il n'avait été témoin de quelque chose de ce genre dans ses rapports avec Jade ou Skywalker.

— Ne vous affolez pas, dit Car'das. Je n'avais pas l'intention de vous surprendre.

— Vous avez créé cette carafe ? demanda Shada, stupéfaite.

— Non, bien entendu. Je l'ai simplement *transférée* de la cuisine. Un des petits tours que m'ont appris les Aing-Tii : il suffit de visualiser la pièce, puis d'imaginer l'objet...

Il s'interrompit, récupéra sa coupe et se leva.

447

— Je suis désolé. Je pourrais passer des jours à parler des Aing-Tii et de la Force. Mais vous êtes fatigués tous les deux, et je néglige mes devoirs d'hôte. Laissez-moi vous conduire à vos appartements et reposez-vous un peu tandis que je m'occuperai du repas.

— C'est très gentil à vous, fit Karrde. (Il se leva et secoua sa main mouillée.) J'ai bien peur que nous ne puissions rester. Si vous ne pouvez pas nous procurer le Document de Caamas, il nous faut repartir immédiatement pour la Nouvelle République.

— Je comprends vos obligations et vos engagements, Talon, mais vous pouvez sûrement vous permettre une nuit de détente !

— Ça m'aurait fait plaisir, assura Karrde, en essayant de cacher son impatience, mais...

— De plus, si vous partez maintenant, vous mettrez plus longtemps à rentrer chez vous, ajouta Car'das. J'ai parlé aux Aing-Tii. Ils sont d'accord pour envoyer demain un vaisseau qui transportera le *Wild Karrde* à l'endroit de votre choix.

— Pourquoi cela nous fera-t-il gagner du temps ? demanda Shada.

— Parce que leur propulsion stellaire est extrêmement différente de la nôtre, répondit Car'das. Comme vous l'avez peut-être remarqué, leurs vaisseaux sont capables de faire un saut hyperspatial *instantané* vers n'importe quelle destination.

Karrde regarda Shada.

— Vous étiez à la console de détection. Est-ce vraiment ce qu'ils ont fait ?

Elle haussa les épaules.

— C'est une explication qui en vaut une autre. H'sishi a passé les données au peigne fin, et elle a été incapable de comprendre ce qui est arrivé. (Elle jeta un regard soupçonneux à Car'das.) Pourquoi ne peuvent-ils pas envoyer leur vaisseau maintenant ?

— Parce que je leur ai dit que vous en auriez besoin demain matin, répondit Car'das avec un sourire. Allons, faites plaisir à un vieil homme avide de compagnie ! Je suis sûr que votre équipage appréciera une bonne nuit de repos après tout ce qui est arrivé pendant ce voyage !

Karrde abandonna la partie.

— Vous êtes toujours aussi doué pour manipuler les gens, n'est-ce pas, Jorj ?

Le sourire de Car'das s'élargit.

— Un homme ne peut changer que jusqu'à un certain point, dit-il, jovial. (Il se tourna vers C-3PO.) Pendant qu'ils vont se rafraîchir, vous pourriez m'aider à préparer le repas. Nous en profiterons pour discuter...

— Certainement, Monsieur ! lança C-3PO, enthousiaste. Savez-vous que je suis devenu un assez bon cuisinier auprès de la Princesse Leia et de sa famille ?

— Merveilleux, dit Car'das. Vous pourrez peut-être m'apprendre quelques recettes. Vous devriez appeler votre vaisseau, Talon, et dire à vos hommes de se préparer pour demain matin. Puis je vous conduirai à vos chambres.

32

Les lignes blanches se transformèrent de nouveau en étoiles. Leia soupira.

— Conseillère ? demanda Elegos, les sourcils froncés.

Leia montra au copilote la planète Bothawui et l'armada de vaisseaux de guerre en orbite.

— C'est pire que je ne le pensais, dit-elle à voix basse. Regardez ça !

— Oui, fit doucement Elegos. Ironique, non ? Tous ces vaisseaux de guerre qui se préparent à se battre, à tuer et à se faire tuer. Un carnage dû à leur respect pour les Survivants de Caamas.

Leia regarda le Porte-parole. Une profonde tristesse se lisait sur son visage tandis qu'il observait les vaisseaux. Mais elle y voyait aussi une acceptation amère de l'inévitable.

— Vous avez essayé de leur parler, lui rappela-t-elle, vous et les autres Membres du Conseil d'Administration des Survivants de Caamas. Je crains qu'ils ne soient plus accessibles à la raison.

— La raison et le calme sont toujours les premières victimes de ce type d'affrontement, fit Elegos. Tout ce qui reste est la soif de vengeance et le désir de redresser les torts — que ceux-ci soient réels ou pas, ou que la cible désignée de la vengeance soit responsable ou pas. (Il tendit le cou.) Est-il possible de voir la comète d'ici ?

— La comète ? demanda Leia avec un coup d'œil sur l'écran principal.

Il y avait une comète, effectivement. Sous eux, côté bâbord, mais la coque du *Faucon* bloquait la vue. Elle fit pivoter le vaisseau de quelques degrés.

— La voici, dit Elegos. Splendide, n'est-ce pas ?

— Oui.

Elle n'était pas aussi grande que certaines comètes qu'elle avait vues, et elle avait une queue de taille moyenne. Mais sa position, à proximité de la planète, compensait largement la modestie de ses dimensions. Au fil de la boucle qu'elle effectuait autour du soleil, elle venait de traverser l'orbite de Bothawui.

— Nous n'avions que rarement l'occasion de voir des comètes sur Caamas, dit Elegos d'une voix lointaine. Il y en avait peu dans notre système, et aucune ne s'approchait autant de notre monde que celles qui jouent à saute-mouton avec les planètes. Combien y en a-t-il dans ce groupe ? Une vingtaine ?

— Quelque chose comme ça, dit Leia. J'ai entendu dire que toute une branche du folklore Bothan tournait autour de leur existence.

— La plupart des gens les considérant comme de mauvais augures, voilà qui ne m'étonne pas, répondit Elegos.

— Quand un truc pareil leur passe au-dessus de la tête à moins d'un demi-million de kilomètres, les êtres pensants ont tendance à se sentir nerveux, remarqua Leia. Surtout si ça arrive régulièrement une ou deux fois par an. Mais avec la politique pratiquée par les Bothans, les catastrophes ont probablement du mal à attendre l'arrivée des comètes !

— J'imagine, dit Elegos. J'ai pitié d'eux, Conseillère. Vraiment. En dépit de la force et de l'agilité mentale qu'ils prétendent conférer à leur espèce grâce à leurs techniques politiques, je les perçois comme un peuple essentiellement malheureux. Leur conception de la vie implique de ne faire confiance à personne. Et, sans confiance, il ne peut y avoir de paix véritable. Ni en politique, ni dans le cœur et l'esprit d'un individu.

— Je n'y avais jamais pensé de cette façon, avoua Leia. (Elle replaça le *Faucon* sur son trajet initial.) Votre peuple a-t-il essayé de leur faire comprendre tout ça ?

— Je suis sûr que certains d'entre nous l'ont fait, répondit Elegos. Mais je ne crois pas que le ressentiment des Bothans à notre encontre les ait poussés à saboter nos boucliers, si c'est la question que vous vous posiez.

Leia s'empourpra.

— Etes-vous sûr de n'avoir aucune sensibilité à la Force ?

Il sourit.

— Certain, lui assura-t-il. Mais les Survivants de Caamas ont longuement réfléchi à ce mystère depuis la destruction de leur monde.

451

Avec un haussement d'épaules, il ajouta :

— Pour ma part, voilà ce que je pense : même si les saboteurs ont probablement été manipulés par Palpatine ou ses agents, il y avait quelque chose de plus personnel en cause. Quelque sombre secret détenu par ces Bothans. Ils craignaient que les Caamasi ne le découvrent et ne le révèlent un jour.

— Mais vous ignorez quel est ce secret ?

Elegos hocha la tête.

— Je l'ignore. D'autres membres des Survivants ont peut-être appris ce souvenir. Si c'est le cas, ils ne sont pas conscients de sa signification.

Leia fronça les sourcils.

— « Appris » le souvenir ?

— Les souvenirs des Caamasi ont des caractéristiques particulières, dit-il. Un jour, je vous en parlerai.

— Conseillère ? appela la voix de Sakhisakh dans l'intercom. Des problèmes devant nous : à douze degrés par quatre.

Leia regarda dans la direction indiquée. Un Croiseur de guerre Ishori, situé au bord de l'essaim de vaisseaux, semblait dériver vers deux skiffs Sif'kries de taille beaucoup plus modeste.

— On dirait qu'il veut se placer sur une orbite plus basse, dit Leia.

— Malheureusement, l'espace qu'il vise est déjà occupé, fit remarquer Elegos.

— Oui, répondit Leia.

Bizarre. En dépit de leur différence de taille et de pouvoir de feu, les skiffs maintenaient leur position.

Soudain, elle comprit pourquoi : deux forceurs de blocus Diamalas arrivaient à vive allure derrière eux.

Elegos les vit aussi.

— Je crois que quelqu'un a décidé d'ouvrir les hostilités, dit-il.

Leia regarda les autres vaisseaux. Certains se préparaient à la confrontation imminente. Ils dérivaient hors de leur ligne orbitale ou ouvraient les ports d'armement. D'autres se positionnaient pour avoir un meilleur angle de tir.

Les skiffs Sif'kries commençaient à bouger. Visiblement, ils n'avaient aucune envie de se trouver au centre d'un combat aérien. L'Ishori, voyant leur hésitation, augmenta sa vitesse d'approche. En réponse, les deux Diamalas accélérèrent. Ils se placèrent en formation d'attaque. L'un s'était porté en avant et l'autre assurait sa couverture.

— Ils vont bousiller ces Sif'kries, murmura Elegos. Ou les Diamalas ouvriront le feu pour les en empêcher. D'une manière ou d'une autre, chaque camp prétendra que l'autre a tiré le premier.

— Et le massacre commencera, dit Leia, concentrée sur son écran.

Il devait bien y avoir quelques vaisseaux de la Nouvelle République dans le coin. Si l'un d'eux était assez près pour intervenir, ou se placer entre l'Ishori et les Diamalas...

Elle ne trouva que trois corvettes Corelliennes de la Nouvelle République, toutes du côté le plus éloigné. Aucune chance qu'elles arrivent à temps.

La tâche incombait à Leia.

— Attention tout le monde ! dit-elle dans l'intercom.

Sans attendre la réponse des deux Noghris, elle fit pivoter le *Faucon* vers le croiseur Ishori et donna toute la puissance aux moteurs subluminiques.

Les moteurs grondèrent. L'accélération plaqua Leia dans son siège avant que les compensateurs de gravité s'enclenchent.

— J'espère que vous avez un plan, remarqua Elegos, d'un ton égal en dépit du bruit. Veuillez vous souvenir que votre autorité de Haute Conseillère ne sera sans doute pas suffisante pour les arrêter.

— Je n'ai pas l'intention d'y avoir recours, répondit Leia.

Elle regarda l'écran de navigation et ralentit.

Le *Faucon* était désormais sur une trajectoire de collision avec le croiseur Ishori.

— Prenez les commandes et gardez ce cap, dit-elle.

Elle défit son harnais et sortit son sabre laser.

— Compris, répondit Elegos.

Déjà Leia courait le long du tunnel, dépassait le sas et se dirigeait vers la porte de la cloison de la baie de chargement arrière. Avec la Force, elle poussa à distance le bouton de commande. La porte s'ouvrit à son arrivée.

— Conseillère ? demanda Barkhimkh, assis à la console des quadlasers supérieurs.

— Restez où vous êtes, ordonna Leia.

Elle entra dans la baie de chargement et la traversa jusqu'au côté tribord du vaisseau. Elle franchit une nouvelle porte, puis passa devant la grille d'accès des convertisseurs de puissance et du stabilisateur de flux ionique.

Yan la tuerait, mais c'était leur seule chance. Sabre laser activé, les dents serrées, elle enfonça la lame scintillante dans un convertisseur de puissance, puis à travers le stabilisateur.

Le *Faucon* sursauta comme un Tauntaun atteint par une flèche. Il frémit de nouveau ; le bruit des moteurs se transforma en un gémissement sinistre.

Vingt secondes plus tard, Leia était de retour dans le cockpit.

— Rapport ? demanda-t-elle en se glissant dans son siège.

— Nous avons perdu notre maniabilité tribord, dit Elegos. Les moteurs semblent vouloir passer en boucle d'instabilité. (Il la regarda.) J'espère que ça fait partie de votre plan.

— Faites-moi confiance...

Leia essaya de se sentir à la hauteur de son assurance.

Elle ouvrit une fréquence de communication.

— Croiseur Ishori, ici le cargo *Faucon Millenium*. Nous avons des problèmes et nous vous demandons votre aide.

Il n'y eut pas de réponse.

— Croiseur Ishori...

— Ici le croiseur de guerre Ishori *Prédominance*, cracha une voix furieuse dans le haut-parleur. Identifiez-vous.

— Je suis la Haute Conseillère Leia Organa Solo de la Nouvelle République, à bord du cargo *Faucon Millenium*. Nous avons perdu la puissance de nos moteurs tribord. Notre cap passe trop près de votre coque. Il faut que vous vous déplaciez immédiatement pendant que nous essayons de reprendre le contrôle de notre vaisseau.

Il y eut une autre longue pause. Leia regarda le navire de guerre approcher, consciente que le Commandant Ishori, s'il le souhaitait, pouvait profiter de la situation. Il lui suffisait d'utiliser son appel comme une excuse pour se rapprocher des skiffs Sif'kries...

— Je vous en prie, dépêchez-vous, improvisa Leia.

Une idée lui traversa l'esprit. Elle modifia le réglage de ses communications afin que certains autres vaisseaux entendent la transmission.

— Mon passager, Elegos A'kla, est un membre du Conseil d'Administration des Survivants de Caamas. Il essaie d'effectuer les réparations. Mais je crains que l'équipement disponible à bord ne soit pas à la hauteur des capacités techniques des Caamasi.

Sans un mot, Elegos se leva et passa la porte du cockpit.

— Croiseur Ishori *Prédominance*, me recevez-vous toujours ? Je répète...

— Inutile de répéter, grogna la même voix.

Leia comprit : la colère de l'Ishori signifiait qu'il était en train de cogiter sérieusement.

Le vaisseau Ishori ralentit. Sa poupe s'écarta du trajet du *Faucon*.

— Nous sommes prêts à vous porter assistance, à vous et au Caamasi A'kla, dit l'Ishori d'un ton plus calme. Baissez vos boucliers et préparez-vous à un effet de décélération. Nous allons verrouiller un rayon tracteur sur vous pour ralentir votre course.

— Merci, dit Leia.

Elle coupa les boucliers.

Elle savait qu'ils n'affectaient pas notoirement les rayons tracteurs, mais il était inutile de rendre une manœuvre à haute vitesse plus dangereuse que nécessaire.

— Quand nous serons pris dans votre rayon, continua-t-elle, nous essaierons de couper les moteurs et de voir si nous pouvons reprendre le contrôle.

— Nous sommes prêts à vous aider, répéta l'Ishori. Attention...

Le *Faucon* vibra quand le rayon tracteur l'enveloppa. Puis ses frémissements cessèrent quand il se verrouilla.

Leia bascula les commutateurs de coupure.

Le gémissement du moteur diminua et mourut. Sur le panneau de commande, les voyants passèrent au rouge ; les lumières vacillèrent un instant quand la batterie de secours prit le relais.

— Nos relevés montrent que la procédure de coupure a fonctionné, dit l'Ishori. Si vous le souhaitez, nous pouvons vous amener à bord de notre vaisseau pour les réparations.

Leia fut tentée d'accepter. Un Caamasi à bord du vaisseau d'une des espèces les plus agressives pourrait aider à maintenir la paix un peu plus longtemps. Mais cela pouvait aussi être interprété comme une approbation tacite de la position anti-Bothane des Ishoris.

— Je vous remercie, dit-elle au Capitaine, mais nous avons un rendez-vous urgent avec le Président Gavrisom. Si vous pouviez nous escorter jusqu'aux vaisseaux de la Nouvelle République, nous vous en serions très reconnaissants.

— Bien entendu, répondit l'Ishori, après une brève hésitation.

Les Diamalas avaient désormais rejoint les skiffs Sif'kries. Les quatre vaisseaux s'étaient regroupés pour attendre. L'Ishori avait raté sa chance, et il le savait.

Ainsi que le reste de l'armada. Autour d'eux, Leia vit les autres vaisseaux se replacer dans leurs lignes orbitales d'attente.

Le danger était écarté.

Du moins, ce danger-là !

Leia coupa les communications.

— Je t'en ai fait voir au cours de ce voyage, n'est-ce pas ? dit-elle en tapotant la console de commande du *Faucon*. Je suis désolée.

La porte du cockpit s'ouvrit.

— Ça a marché, à ce que je vois, dit Elegos, en s'asseyant à la place du copilote. Vous êtes très douée pour la diplomatie, Conseillère.

— Ou simplement chanceuse, dit Leia.

Elegos fronça les sourcils.

— Je pensais que les Jedi ne croyaient pas à la chance.

— J'ai attrapé cette maladie au contact de Yan et de ce vaisseau, avoua Leia, pince-sans-rire. Où étiez-vous allé ? Jeter un coup d'œil au stabilisateur ?

Le Caamasi hocha la tête.

— Je ne m'attendais pas à être capable de le réparer. Mais vous prétendiez que j'essayais, et je voulais qu'il y ait une part de vérité dans votre affirmation.

— La vérité, soupira Leia. Voilà ce qu'il nous faut, Elegos. De toute urgence !

— Le Capitaine Solo arrive demain avec cette vérité, lui rappela Elegos. Le Président Gavrisom et vous devez maintenir le status quo jusque-là.

Leia invoqua la Force pour avoir une idée de ce que l'avenir leur réservait.

— Non, souffla-t-elle enfin, je ne pense pas. Quelque chose me dit que les choses ne seront pas aussi faciles que nous l'espérons. Loin de là.

Navett et Klif avaient creusé un trou dans le sous-sol du bar Ho'Din dès leur première nuit de travail. Cela avait été l'affaire de dix minutes avec le cutter à fusion que Pensin leur avait dégoté. Ensuite, la tâche était devenue plus longue, plus difficile et considérablement plus ennuyeuse.

— Encore quatre jours à faire ça, grogna Klif en pelletant de la terre Bothane puante qui atterrit sur la bâche qu'ils avaient déroulée.

— Ma foi, si nous nous y mettons vraiment, peut-être aurons-nous fini dans trois jours, dit Navett.

Il transféra la terre dans leur désintégrateur à fusion Valkrex.

Il comprenait la frustration de Klif, mais aucun d'eux ne pouvait faire grand-chose à ce sujet. Les vibrations provoquées par l'excavation étaient déjà assez dangereuses. S'ils avaient utilisé un équipement plus lourd aussi près des détecteurs du conduit d'alimentation, ils auraient eu la sécurité Bothane sur le dos en un clin d'œil.

— Merci beaucoup, dit Klif sèchement. Tu sais, je suis d'accord pour mourir pour l'Empire, mais au diable tous ces préliminaires !

— Fais attention à ce que tu dis, avertit Navett.

Il leva la tête vers l'escalier.

Pensin était censé surveiller la porte, mais il restait là-haut une poignée de membres de l'équipe du bar et de gardes de nuit. Un mot de travers pouvait tout faire rater.

Il ramassa une nouvelle pelletée...

Puis il entendit gratter à la porte. Navett laissa retomber la pelle sur la bâche, s'agenouilla et dégaina son blaster. Il visa la porte mais baissa son arme quand il entendit le code convenu : deux coups, un coup, deux coups.

La porte s'ouvrit et laissa apparaître la tête d'Horvic.

— Remballez tout, siffla-t-il. Les gardes de nuit pensent avoir repéré un intrus, et ils risquent de descendre ici pour vérifier.

Klif s'était déjà hissé hors du trou. Il remit en place la plaque en durabéton qu'ils avaient découpée le premier jour.

— Crois-tu qu'ils regarderont partout ? demanda Navett.

— Je l'ignore, dit Horvic. Moi, je parierais qu'il s'agit de la vieille femme dont tu m'as parlé. J'en ai repéré une qui correspondait à ta description. Elle était assise dans un box du bar quand Pensin et moi sommes arrivés.

— Formidable, ronchonna Navett.

Il laissa Klif dissimuler leur trappe pendant qu'il désactivait le désintégrateur et le plaçait dans sa cachette, derrière une pile de caisses en vodkrene.

— Eh bien, ne reste pas là ! Va les aider à trouver leur intruse.

— D'accord, fit Horvic. Et vous ?

— Nous sortons. Peut-être la repérerons-nous si elle part.

— Bonne chasse ! lança Horvic.

Il leur fallut trente secondes pour plier la bâche et la cacher, puis une minute pour se frayer un chemin à travers le sous-sol principal jusqu'à la porte arrière trafiquée. A cette heure de la nuit, les rues de ce secteur de Drev'starn étaient pratiquement désertes. Les panneaux lumineux ne diffusaient plus qu'une faible lueur.

— Je passe par-derrière, dit Navett. Fais le tour par-devant, et sois discret.

— Ne t'inquiète pas.

Klif prit la direction de l'allée latérale et tourna au coin du bâtiment. Navett marcha jusqu'à un conteneur d'ordures. Caché dans son ombre, il appuya son blaster sur son genou droit et attendit.

L'attente fut longue ! De temps en temps, des silhouettes passaient devant les fenêtres éclairées du bar. A plusieurs reprises, le patron ou l'un des gardes passa la tête par la porte, scruta la rue et rentra. Mais nul ne sortit.

Ni la femme ni personne.

Au bout d'une heure, l'agitation sembla cesser. Navett attendit encore trente minutes de plus, énervé par les pelletées de terre en souffrance que leur valait ce tintouin.

Enfin, il activa son comlink.

— Klif ?

— Rien de mon côté, fit Klif, tout aussi irrité. On dirait qu'ils ont laissé tomber.

— Ça devait être une fausse alerte. Reviens. Nous allons nous remettre au travail.

Quelques instants plus tard, ils étaient à nouveau de retour dans le second sous-sol. Klif récupéra la bâche ; Navett fit le tour des caisses pour prendre le désintégrateur.

Il s'arrêta net. Sur le sommet de l'appareil reposait un comlink.

— Klif ? Viens voir ça.

Son collègue accourut.

— Je n'arrive pas à y croire, dit-il, sidéré. Comment diantre a-t-elle réussi ce coup-là ?

— Pourquoi ne pas le lui demander ? proposa Navett.

Il ramassa le comlink.

L'appareil à liaison binaire était de ceux qu'utilisaient les petits vaisseaux. Il ne pouvait entrer en liaison qu'avec un appareil identique.

Navett l'examina attentivement pour s'assurer qu'il n'était pas piégé, puis il l'alluma.

— Vous êtes particulièrement inventive, dit-il. Force m'est de le reconnaître.

— Vous m'en voyez flattée, répondit aussitôt la voix de la vieille femme. D'autant plus que le compliment vient d'une équipe d'Impériaux spécialisée dans les coups tordus.

Navett regarda Klif.

— C'est la seconde fois que vous nous accusez d'être des Impériaux, lui rappela-t-il. Vous ne faites que le *supposer*, n'est-ce pas ?

— Pas vraiment ! Qui d'autre essaierait de détruire les boucliers planétaires des Bothans ?

— Vous continuez à extrapoler, dit Navett.

Il tendit l'oreille pour capter un bruit révélateur à l'arrière-plan. Il aurait donné cher pour avoir un équipement qui permette de trouver l'origine de la transmission.

— Si vous étiez sûre de vous, reprit-il, vous auriez appelé la sécurité Bothane au lieu de continuer à vous cacher comme ça !

— Qui vous dit que je ne l'ai pas prévenue ? Peut-être que j'aime me cacher. J'en ai pris l'habitude en « fréquentant » d'un peu trop près les Hutts et autres racailles. Peut-être suis-je simplement à la recherche d'un nouveau défi.

— Ou d'une mort violente et prématurée, fit Navett. Comment nous avez-vous trouvés ?

— Vous ne pensiez tout de même pas que votre couverture était si efficace, si ? Mes copains de la Nouvelle République et moi, nous vous avons repérés dès le début. Quel était le but de ces pulvérisations sur les métalmites du générateur de bouclier, hein ?

Navett eut un sourire crispé.

— Vous jouez aux devinettes ? Je vous en prie !

— On ne sait jamais, ça peut marcher... Au fait, celui de vous deux qui a trafiqué cette porte ferait bien de soigner son travail la prochaine fois. C'était si évident que vous auriez pu y coller une pancarte. Ça m'a été bien utile, toutefois.

— C'est ce qu'on dirait, remarqua Navett. Vous êtes toujours dans le bâtiment, hein ?

— Qui joue aux devinettes maintenant ? En fait, non, j'en suis sortie depuis un moment. Il y a un espace de maintenance sous le plafond. Il mène à une fenêtre qui ouvre sur le toit. Je vous fais cadeau de cette information.

— Merci, dit Navett, les dents serrées.

A qui cette vieille sorcière croyait-elle donc parler ?

— Voilà un conseil gratuit en échange, reprit-il. Retournez dans votre vaisseau et fichez le camp de Bothawui. Si vous ne le faites pas, je ferai en sorte que vous mouriez sur cette planète !

— Avec tout le respect que je vous dois, Lieutenant... Ou est-ce Major, ou Colonel ? Enfin, peu importe. Etant donné l'état de l'Empire, je suppose que le grade n'a pas vraiment d'importance. J'ai déjà été menacée par des gens bien plus impressionnants que vous. Dès que vous montrerez votre nez pour m'affronter, je serai prête.

— Nous nous rencontrerons, promit Navett, sans laisser éclater sa colère.

La colère et le raisonnement confus qui l'accompagnait étaient exactement ce que souhaitait la vieille femme.

— Mais, reprit-il, ce sera au moment et à l'endroit de mon choix, pas du vôtre.

— Comme vous voulez. La nuit, ce serait mieux. Ainsi, vous pourriez utiliser le Xerrol Nightstinger à votre avantage. Vous ne l'avez pas jeté, après l'émeute, il y a quelques semaines, pas vrai ? Quant vous avez fait croire que Solo avait tiré dans la foule ?

Navett jeta un œil mauvais au comlink. Cette femme était une enquiquineuse beaucoup trop bien informée. Pour qui diantre travaillait-elle ?

— Encore des devinettes ? fit-il.

— Pas vraiment. Je me suis contentée d'additionner deux et deux.

— Parfois, ce genre de mathématiques ne marche pas comme on l'aurait cru. Et si la mathématicienne n'est pas la bienvenue, elle risque de ne pas vivre jusqu'au résultat !

— Vous vous répétez, Impérial. Si j'étais vous, j'essaierais de trouver des menaces plus originales. Mais il est temps que j'aille dormir, et vous avez du travail à faire. Je vais donc vous souhaiter une bonne nuit. A moins que vous vouliez aller chercher votre Xerrol et faire joujou avec moi ?

— Merci, non, déclina Navett. Je laisse tomber pour le moment.

— Comme vous voulez. Gardez le comlink, j'en ai d'autres. Bonne nuit, et creusez bien !

La transmission cessa.

— Et moi, je vous souhaite une nuit de cauchemars aussi désagréables que possible, grommela Navett.

Il jeta le comlink dans le désintégrateur.

Puis il se tourna vers Klif.

— Nous avions bien besoin de ça... dit-il d'une voix amère.

— Exactement, répondit Klif. Et maintenant, qu'allons-nous faire à son sujet ?

— Pour le moment, rien. (Navett ramena le désintégrateur à côté de la bâche.) En dépit de ses accusations et de ses insinuations, elle ne sait rien.

— Tu crois ça ? rétorqua Klif. Elle sait au moins que nous sommes en train de creuser un passage au-dessus des conduits d'alimentation des boucliers de l'immeuble. Qu'a-t-elle besoin de connaître de plus ?

— C'est ce que je voulais dire. Elle nous a repérés en train de creuser, mais elle n'a pas ameuté la sécurité. (Il s'accroupit et passa la lame de sa pelle sous le bord de la trappe.) Pourquoi ?

— Comment le saurais-je ? grommela Klif en imitant le geste de son compagnon de l'autre côté. Peut-être espère-t-elle obtenir une récompense si elle livre le tout en une seule opération.

— Peut-être, dit Navett. (Ils exercèrent une pression sur le manche de leurs pelles, soulevèrent le bloc.) Il est plus probable qu'elle est en bisbille avec les Bothans pour une raison ou une autre. Ça implique qu'elle ne peut pas aller les voir pour leur faire part de ses accusations.

— Rien ne l'empêcherait de passer un coup de fil anonyme, remarqua Klif, tandis qu'ils retiraient le bloc. En ce moment, sans doute, les Bothans sursautent à la moindre brindille cassée.

— Non, dit Navett, elle n'est pas du genre à donner des informations anonymes. Pour une raison ou une autre, elle a décidé de s'occuper de tout ça personnellement. Fierté professionnelle, peut-être. Je ne sais pas. Mais elle en fait un combat entre elle et nous.

Klif grogna.

— C'est plutôt stupide.

— Pour elle, dit Navett. Pour nous, c'est très utile !

— Peut-être, concéda Klif. Et maintenant, que faisons-nous ?

— Nous nous remettons au travail. Et quand nous aurons terminé, j'irai récupérer le Xerrol. Demain soir, nous accepterons peut-être son invitation.

Gavrisom leva les yeux du databloc de Leia. Le bout préhensible de ses ailes s'agitait frénétiquement.

— Vous pensez qu'il est sincère ? demanda-t-il.

— Tout à fait sincère, répondit Leia.

Elle avait espéré une réaction plus positive à la proposition de paix de Pellaeon.

— De plus, j'ai examiné les lettres de crédit des Moffs Impériaux. Tout était en ordre.

— Ou semblait l'être, dit Gavrisom.

Il baissa de nouveau les yeux sur le databloc et effleura la commande « page précédente ». Leia tenta d'analyser l'étrange conflit émotionnel qu'elle percevait en lui. La fin d'une longue guerre était peut-être à leur portée. Cela aurait dû être source d'enthousiasme, même s'il restait prudent.

Donc, pourquoi n'était-il pas *prudemment enthousiasmé* ?

Gavrisom leva les yeux vers elle.

— Thrawn n'est mentionné nulle part, fit-il remarquer. En avez-vous demandé la raison à Pellaeon ?

— Nous en avons parlé brièvement. Il n'avait alors reçu aucune communication de Bastion annonçant que Thrawn avait pris le commandement. Et rien n'indiquait que les Moffs étaient revenus sur leur décision d'autoriser les négociations de paix.

— Ce qui ne veut rien dire, fit Gavrisom. Avec Thrawn dans le jeu, officiellement ou non, cela n'a plus la moindre utilité !

Il fit claquer le bout d'une aile sur le databloc.

— Je comprends vos inquiétudes, dit Leia, choisissant ses mots avec soin. Mais s'il ne s'agit pas d'un piège, c'est peut-être l'occasion de terminer cette guerre...

— Il s'agit *certainement* d'un piège, Conseillère ! cracha Gavrisom. Nous pouvons en être sûrs. La seule question est de savoir ce que Thrawn entend en retirer !

Leia se renfonça dans son siège. Elle avait perçu un éclair d'émotion...

— Vous n'avez pas envie que l'offre de Pellaeon soit sincère, n'est-ce pas ?

Gavrisom détourna le regard et soupira.

— Regardez autour de nous, Leia. Deux cents vaisseaux de guerre prêts à déclencher une guerre civile. La Nouvelle République est sur le point de s'autodétruire... et rien de ce que je ferai ne l'en empêchera.

— Yan possède une copie du Document de Caamas, lui rappela Leia. Il sera là demain. Cela devrait faire baisser la tension.

— C'est aussi ce que je pense, dit Gavrisom. Mais à ce stade, je ne suis pas prêt à m'y fier. Pour bien des peuples, Caamas est un prétexte pour reprendre la lutte contre d'anciens ennemis.

— J'en suis consciente, dit Leia. Mais quand ce prétexte leur sera retiré, ils seront forcés de reculer.

— Ou ils trouveront une autre raison, fit Gavrisom. La Nouvelle République est en danger de fragmentation. Nous risquons d'être séparés par notre propre diversité. Pour maîtriser ces forces négatives nous avons besoin de temps. Du temps pour discuter, pour tirer des plans, pour essayer d'unir tous ces peuples... (Il agita une aile vers le baie d'observation.) Ce temps, nous ne l'avons plus. La crise actuelle nous en a privés. Nous devons essayer de nous ménager un répit.

— Le Document de Caamas nous y aidera, insista Leia. J'en suis sûre.

— Peut-être, convint Gavrisom. Mais en tant que Président, je ne peux pas me permettre de tout miser là-dessus. Je dois me préparer à utiliser chaque but commun à l'ensemble de la Nouvelle République. Toute éthique commune... (Il tapota sur le databloc.) Et, si nécessaire, tout ennemi commun.

— Les Impériaux ne sont plus un véritable ennemi, dit Leia. Ils sont trop peu nombreux et trop faibles pour être une menace.

— C'est possible. Mais tant qu'ils sont là, nous aurons quelqu'un contre qui nous unir. (Après une brève hésitation, il ajouta :) Ou contre qui nous battre, s'il le faut.

— Vous ne parlez pas sérieusement. A ce stade, toute action contre l'Empire serait un massacre.

— Je le sais. Leia, je n'aime pas ça plus que vous. Je reconnais avoir honte d'utiliser les Impériaux de cette façon. Mais que mon nom et ma mémoire soient maudits à tout jamais m'importe peu. Mon travail est de préserver l'unité de la Nouvelle République, et je ferai tout ce qui sera nécessaire pour y parvenir.

— J'ai peut-être plus confiance en les nôtres que vous, dit Leia.

— Peut-être, fit Gavrisom. J'espère que vous avez raison.

Ils restèrent silencieux un long moment.

— Je suppose que vous ne diffuserez pas la nouvelle de l'offre de Pellaeon. Avec votre permission, j'aimerais préparer une liste de délégués pour la conférence de paix. Si vous décidez d'accepter...

Gavrisom hésita, puis acquiesça.

— J'admire votre confiance, Conseillère, dit-il. J'aimerais pouvoir la partager. Je vous en prie, dressez votre liste.

— Merci.

Elle se leva et récupéra son databloc.

— Elle sera prête demain.

Elle gagna la porte.

— Il vous reste une autre option ! lança Gavrisom derrière elle. Vous êtes en congé sabbatique... Pour peu que le Sénat entérine la décision, vous pouvez reprendre vos fonctions.

— Je sais, dit Leia. Mais ce n'est pas le bon moment. Votre voix est celle de Coruscant depuis que l'existence du Document de Caamas a été révélée. Il ne serait pas bon d'en changer maintenant.

— Peut-être, dit Gavrisom. Mais beaucoup de gens, dans la Nouvelle République, pensent que les Calibops ne sont doués que pour les mots et rien d'autre. Peut-être le temps des paroles est-il terminé...

— Il est peut-être temps de passer à l'action, mais ça ne signifie pas que le rôle des orateurs est terminé. Les *deux* seront toujours nécessaires.

— Dans ce cas, je continuerai à m'occuper des mots, et je vous fais confiance pour les actions. Que la Force soit avec vous... et moi...

— Qu'elle soit avec nous tous. Bonne nuit, Président.

33

Shada attendit une heure après que tout bruit eut cessé dans la maison. Puis elle sortit de la chambre située dans le vaste complexe souterrain de Jorj Car'das et se glissa silencieusement le long du couloir obscur.

La porte de la bibliothèque était fermée. Le petit tour Aing-Tii consistant à agiter la main devant ne marcherait pas pour elle. Mais avant de leur souhaiter une bonne nuit, Car'das leur avait montré une méthode plus traditionnelle pour ouvrir leurs chambres. Elle espérait que la porte de la bibliothèque fonctionnait sur le même principe.

Elle passa une main sur les pierres du linteau, en trouva une un peu plus fraîche et appuya dessus.

Rien ne se passa. Shada maintint la pression.

Elle s'étonna de nouveau de cette procédure ridicule. D'après ce qu'il avait raconté, Jorj Car'das ne devait pas être un homme très patient lors de son arrivée sur Exocron. Pas le genre à installer dans sa maison des portes qui avaient besoin d'une demi-minute pour s'ouvrir. Peut-être l'avait-il fait afin de décourager les intrus et les voleurs...

Maintenant, avec les trucs qu'il avait appris des Aing-Tii, cela n'avait plus d'importance.

Shada sentit la pierre vibrer légèrement sous sa paume. Quelques secondes plus tard, la porte glissa sur le côté.

Shada s'était attendue à trouver la bibliothèque aussi obscure que le reste de la demeure. Mais elle était éclairée. Pas tout à fait autant que lorsque Car'das la leur avait fait visiter, mais beaucoup plus qu'une pièce vide aurait dû l'être à cette heure. Elle se glissa à l'intérieur et plongea sur la gauche. Puis elle aperçut une ombre dans le cercle central, près de la console d'ordinateur.

Car'das ? Elle étouffa un juron. Talon avait prévu un départ matinal pour le rendez-vous du *Wild Karrde* avec le vaisseau Aing-Tii. Elle n'aurait pas d'autre occasion d'obtenir la datacarte dont elle avait besoin.

Puis elle entendit une voix étouffée mais familière près de la console : le timbre mécanique de C-3PO. Elle descendit les allées étroites.

— Salutations, Maîtresse Shada, dit C-3PO d'une voix allègre. Je pensais que tout le monde s'était retiré pour la nuit.

— C'est ce que je croyais aussi, dit-elle en regardant l'étagère la plus proche.

Chacune regorgeait de datacartes. Une somme incroyable de savoir.

— Généralement, j'éteins mes circuits la nuit, dit C-3PO. Mais lors de mon entretien avec Maître Car'das, il m'a suggéré de venir converser avec son ordinateur. Non que celui du *Wild Karrde* ne soit pas un compagnon agréable. Mais je dois avouer que R2 et les autres êtres de ma race me manquent.

— Je comprends, assura Shada, une boule dans la gorge. On peut se sentir très seul quand on est hors de son élément.

— Vraiment, fit C-3PO, intéressé. J'ai toujours cru que les humains s'adaptaient très bien aux lieux et aux circonstances.

— S'adapter ne veut pas dire qu'on apprécie. Je suis pratiquement aussi isolée que toi à bord du *Wild Karrde*.

Le droïd inclina la tête.

— Désolé, Maîtresse Shada, dit-il d'une voix altérée. Je ne savais pas que vous perceviez les choses ainsi. Puis-je faire quelque chose ?

— Peut-être pourrais-tu m'aider à retourner chez moi, dit Shada. Es-tu suffisamment familiarisé avec l'ordinateur pour lancer une recherche dans la bibliothèque de Car'das ?

— Certainement, dit C-3PO, soudain inquiet. Mais cet équipement appartient à Maître Car'das. Je ne suis pas sûr d'avoir le droit de...

— Pas de problème, le rassura Shada. Je ne veux rien voler. J'ai seulement besoin d'une information.

— Dans ce cas, je suppose que c'est possible, dit C-3PO, à demi convaincu. Nous sommes ses invités, après tout, et ceux-ci ont souvent la permission tacite d'utiliser les équipements de la maison...

— Peux-tu faire cette recherche ? coupa Shada.

— Oui, Maîtresse Shada. Que souhaitez-vous trouver ?

— Des informations sur la planète Emberlene, dit une voix derrière elle.

— Oh, mon Dieu ! haleta C-3PO.

Shada pivota, tout en plongeant la main sous sa tunique pour saisir la crosse de son blaster.

— Pardonnez-moi, dit Car'das. Je n'avais pas l'intention de vous effrayer.

— J'espère bien que non ! rugit Shada, toujours prête au combat, au cas où Car'das se serait fâché. Je ne vous ai pas entendu entrer.

— Je ne voulais pas que vous m'entendiez. Vous n'allez pas utiliser ce blaster, n'est-ce pas ?

Un point de moins pour la subtilité Mistryl...

— Non, bien entendu. J'avais seulement... (Elle s'interrompit.) Qu'avez-vous dit en arrivant ?

— J'ai informé C-3PO que vous souhaitiez faire une recherche sur la planète Emberlene. C'est bien ce que vous alliez lui demander, n'est-ce pas, jeune Gardienne de l'Ombre ?

La première impulsion de Shada fut de nier. Mais elle comprit que ce serait inutile.

— Depuis combien de temps êtes-vous au courant ? demanda-t-elle.

— Pas très longtemps. Je m'en doutais, mais c'est la volée que vous avez administrée à ces quatre voyous, devant le casino de Bombaasa, qui m'en a convaincu.

Shada grimaça.

— Ainsi, Karrde avait raison. Il pensait que donner son nom à Bombaasa le ferait parvenir à vos oreilles.

Car'das secoua la tête.

— Vous m'avez mal compris. Bombaasa ne travaille pas pour moi, ni moi pour lui. A part N2 Nee et les quelques personnes de ma maisonnée, *personne* ne travaille pour moi.

— C'est vrai. Vous avez pris votre retraite, gronda Shada. J'avais oublié.

— Ou vous ne le croyez pas vraiment. Dites-moi, que voulez-vous savoir au sujet d'Emberlene ?

— Ce que tout le monde veut pour des mondes de l'importance de Caamas. La justice pour mon peuple.

Car'das secoua la tête.

— Votre peuple ne cherche pas la justice, Shada. Cela n'a jamais été le cas.

— De quoi parlez-vous ? Comment osez-vous nous juger ? Ou juger qui que ce soit ? Vous restez là, puissant et sûr de vous, sans jamais vous salir les mains, tandis que les autres se battent et meurent... (Elle s'interrompit, sa fureur entrant en conflit avec la peur panique de perdre le contrôle de ses émotions.) Vous ne savez pas comment sont les choses sur Emberlene. Vous n'avez pas vu les souffrances et la misère ! Vous n'avez pas le droit de dire que nous avons baissé les bras...

— Je n'ai pas dit ça, corrigea Car'das. J'ai affirmé que vous ne cherchiez pas la justice.

— Quoi, alors ? cracha Shada. La charité ? La pitié ?

— Non. La vengeance.

— Que voulez-vous dire ?

— Savez-vous pourquoi Emberlene a été détruite, Shada ? Pas *comment*, tout le monde est au courant : suite à une attaque aérienne massive. Mais la *raison* ?

Elle le regarda, un poids au creux de l'estomac. Elle n'aimait pas ce qu'elle lisait dans le regard de Car'das.

— Quelqu'un a eu peur de notre pouvoir et de notre prestige et a décidé de faire un exemple avec notre planète. Certains pensent qu'il s'agissait de Palpatine. Voilà pourquoi nous n'avons jamais travaillé pour son Empire.

Car'das leva un sourcil.

— Jamais ?

Shada fut contrainte de détourner le regard.

— Nous avions des milliers de réfugiés à nourrir et à vêtir. Oui, il nous est arrivé de travailler pour l'Empire, quand nous ne pouvions pas faire autrement.

Un moment, un lourd silence pesa sur la salle.

— Les principes sont souvent comme ça, dit enfin Car'das. Tellement glissants. Si difficiles à respecter...

Shada essaya de trouver une repartie mordante. Mais rien ne lui vint à l'esprit. Dans le cas d'Emberlene et des Mistryls, ce cynisme tranquille était justifié.

— De toute façon, ce principe-là ne valait pas tripette, continua Car'das. Car Palpatine n'avait rien à voir avec la destruction d'Emberlene.

Il approcha d'une étagère, derrière C-3PO.

— J'ai ici l'histoire véritable de votre monde. J'ai réuni ces informations quand j'ai su que vous étiez avec Karrde. Aimeriez-vous lire cette datacarte ?

Shada fit un pas vers lui, puis s'arrêta.

— Que voulez-vous dire par *véritable* ? Qu'est-ce que ça signifie ? Chacun sait que l'histoire est écrite par les vainqueurs.

— Ou par des témoins neutres, dit Car'das. Les Caamasi, les Alderaaniens et les Jedi. Des gens qui n'ont pris aucune part aux événements. Les accuseriez-vous tous de mensonge ?

Shada sentit sa gorge se nouer.

— Et qu'en disent tous ces témoins impartiaux ?

— Ils rapportent cela : trois ans avant la destruction, le gouvernement d'Emberlene s'est lancé dans une guerre de conquête. Pendant deux ans et demi, vos chefs ont annexé, détruit ou pillé une douzaine de mondes.

— Non, murmura Shada. Non, c'est impossible. Nous n'aurions jamais fait une telle chose...

— Le gouvernement cacha la vérité aux citoyens. Certains auraient pu lire entre les lignes et deviner ce qu'il en était réellement. Mais ils avaient la gloire, le triomphe, le butin... Pourquoi s'embarrasser de la vérité ?

Une fois encore, Shada détourna les yeux.

Ce n'était pas ma faute, eut-elle envie de dire. *Je n'y étais pas. Je n'ai rien fait.*

Mais les mots sonnaient creux. Certes, elle ne faisait pas partie de ceux qui s'étaient réjouis des conquêtes d'Emberlene et qui piaffaient en attendant la suite. Mais en consacrant sa vie aux Mistryls, elle avait contribué à perpétuer le mensonge.

Tout ça parce qu'elle avait souhaité agir pour changer les choses.

— Vous ne devriez pas vous mettre martel en tête, Shada, dit Car'das. Vous ne saviez pas. Le désir de changer les choses est ancré en chacun de nous.

Shada leva les yeux.

— Restez hors de mon esprit ! cracha-t-elle. Mes pensées ne vous concernent pas.

Il inclina la tête.

— Je suis désolé. Je n'avais pas l'intention de faire intrusion dans vos réflexions. Mais il est difficile de ne pas entendre quand quelqu'un « crie » de la sorte.

— Faites un effort ! grinça Shada. Alors, que s'est-il passé ? Comment avons-nous été arrêtés ?

— Vos victimes potentielles étaient trop faibles pour se défendre. Elles ont mis leurs ressources en commun et loué les services d'une armée de mercenaires. Les derniers ont peut-être été un peu trop... enthousiastes.

— Et tout le secteur s'est réjoui.

— Oui, dit doucement Car'das. Parce qu'une dangereuse machine de guerre avait été enrayée. Pas à cause de la souffrance des innocents !

— Les innocents ne sont jamais une priorité dans ce genre de cas. Votre datacarte donne-t-elle l'identité de l'armée qui nous a détruits, et le nom de ses employeurs ?

Une expression étrange passa sur le visage de Car'das.

— Pourquoi voulez-vous le savoir ?

Shada haussa les épaules.

— Mon peuple n'a jamais su qui était intervenu.

— Si je vous donne cette information, qu'en ferez-vous ? demanda Car'das. Déchaînerez-vous la vengeance des Mistryls, après toutes ces années ? Provoquerez-vous davantage de souffrance encore ?

Les paroles de Car'das firent à Shada l'effet d'un coup de poignard.

— J'ignore ce que mes chefs en feront, dit Shada, sa vision brouillée par les larmes. Mais c'est la seule chose que je peux ramener et qui me permettrait de...

Elle s'interrompit et se frotta les yeux.

— Vous n'avez pas envie de retourner auprès des vôtres, Shada. Ils vivent dans le mensonge, qu'ils en soient conscients ou pas. Cela n'est pas pour vous.

— Je dois y retourner, insista Shada d'une petite voix misérable. Vous ne comprenez pas ? Travailler pour quelque chose de plus important que moi-même m'est indispensable. C'est un besoin vital. Il me faut quelque chose à quoi me raccrocher. Quelque chose que je puisse servir.

— Pourquoi pas la Nouvelle République ? demanda Car'das. Ou Karrde ?

— La Nouvelle République ne veut pas de moi. Quant à Karrde... C'est un contrebandier, tout comme vous par le passé. Quel but cela donnerait-il à ma vie ?

— Eh bien, Karrde a changé pas mal de chose dans l'organisation depuis que je l'ai quittée, remarque Car'das, pensif.

— Elle est toujours illégale. Je veux quelque chose d'honorable, une cause noble. Est-ce trop demander ?

— Non, bien entendu. Actuellement, Karrde est plus un pourvoyeur d'informations qu'un contrebandier. N'est-ce pas un peu mieux ?

— Non. En fait, c'est pire. Vendre des informations revient à céder la propriété de quelqu'un à des gens qui ne méritent pas de l'avoir.

— C'est un point de vue intéressant, murmura Car'das.

Son regard se déplaça vers la droite de Shada.

— Avez-vous considéré les choses sous cet angle ? demanda-t-il.

— Pas jusqu'à maintenant, répondit Karrde.

Shada secoua la tête pour chasser ses larmes. A sa droite se tenait Karrde, vêtu d'un peignoir et chaussé de pantoufles. Il la regardait, une étrange expression sur le visage.

— Peut-être devrais-je changer ma façon de voir, remarqua-t-il.

— Que faites-vous ici ? demanda Shada.

— Car'das m'a appelé. Enfin, j'ai l'*impression* qu'il m'a appelé.

— Absolument, assura Car'das. Je voulais que vous assistiez à cette partie de la conversation. (Il inclina la tête vers Shada.) Pardonnez-moi si je vous ai surprise une fois de plus.

La jeune femme se retint de grimacer.

— C'est un homme plein de surprises, non ?

— Il a toujours été comme ça, acquiesça Karrde. (Il vint se placer à côté d'elle.) Très bien, Car'das, vos deux marion-nettes sont prêtes et attendent vos ordres. Que voulez-vous ?

Les yeux de Car'das s'écarquillèrent.

— Moi ? protesta-t-il. Mais rien, mes amis. Au contraire, je souhaite vous faire un cadeau.

Shada constata que Karrde avait l'air aussi soupçonneux qu'elle.

— Vraiment ? fit-il sèchement. Quel genre de cadeau ?

Car'das sourit.

— Vous n'avez jamais apprécié les surprises, n'est-ce pas ? Vous êtes pourtant plutôt doué pour en faire... Mais je crois que vous aimerez celle-là !

Il se tourna vers l'étagère et prit deux datacartes sur la ran-gée supérieure.

— Voilà le cadeau que je vous offre. Ceci, dit-il, levant la carte qu'il tenait dans la main droite, c'est l'histoire d'Ember-lene dont j'étais en train de parler à Shada. Quelque chose qu'elle veut à tout prix, ou du moins qu'elle *pensait* vouloir à tout prix... Ça, ajouta-t-il en levant la main gauche, c'est une datacarte compilée spécialement pour vous. Et qui sera, je crois, bien plus bénéfique pour tout le monde.

— Qu'est-ce qu'elle contient ? demanda Karrde.

— Des informations utiles. (Car'das posa les deux datacartes côte à côte sur le bureau.) Vous pouvez en prendre une. Choisissez.

Shada entendit Karrde inspirer à fond.

— A vous de choisir, Shada. Prenez celle que vous voulez.

Shada regarda les cartes. Son seul espoir de rejoindre les Mistryls et de rester en vie était à sa gauche. A sa droite, il y avait des informations compilées par un vieil homme qui était peut-être à demi fou au bénéfice d'un contrebandier dont les buts étaient l'antithèse des siens.

A sa grande surprise, Shada resta d'un calme absolu. Les révélations de Car'das avaient-elles éteint en elle toute capacité de réaction à la colère ou à l'incertitude ?

Non. Elle ne ressentait aucune émotion car la décision n'en était pas vraiment une. Car'das avait raison : elle ne pouvait plus travailler pour les Mistryls, qui tuaient et mouraient pour qu'Emberlene renaisse de ses cendres. Car elle savait désormais ce que signifierait la renaissance de la planète. Quant à la façon dont les Onze utiliseraient les informations contenues sur la datacarte...

La justice qu'elle cherchait avait déjà frappé.

Cette datacarte conduirait à la vengeance.

Consciente qu'elle coupait le dernier pont avec son passé, la jeune femme ramassa la carte de droite.

— Je suis content de vous, Shada D'ukal, enfant des Mistryls, dit Car'das avec une chaleur qu'elle ne lui avait jamais entendue. Je vous assure que vous ne serez pas déçue.

Shada regarda Karrde. Comment réagirait-il à la révélation de son identité ?

Il se contenta de sourire.

— Pas d'inquiétude, dit-il. Je sais qui vous êtes depuis longtemps.

— Qui *j'étais*. Quant à ce que je suis désormais... je n'en sais trop rien.

— Vous trouverez votre voie, assura Car'das.

Il se redressa et se frotta les mains.

— Pour le moment, il est temps de partir.

— Déjà ? s'étonna Shada. Je pensais que nous avions jusqu'à demain matin.

— Ma foi, dehors c'est le matin. Ou presque. Venez, venez. Vous avez encore un tas de choses à faire. Vous aussi, C-3PO, venez avec nous.

— Et ça ? demanda Shada, en brandissant la datacarte sous le nez de Car'das tandis qu'il les conduisait hors de la bibliothèque.

— Vous pourrez la lire sur le chemin du point de rendez-vous, dit Car'das. Vous deux seulement. Personne d'autre. Ensuite, je pense que vous saurez quoi faire.

— Et vous ? demanda Karrde.

— Ma porte vous sera toujours ouverte, dit Car'das. Je parle pour vous deux, bien entendu. Revenez me voir quand vous en aurez envie. Pour le moment, il faut vous hâter.

Une heure plus tard, le *Wild Karrde* décolla d'Exocron. Quand il se fut dûment assuré qu'ils tenaient le bon cap pour leur rendez-vous avec le vaisseau Aing-Tii, Karrde appela Shada dans son bureau.

Assis côte à côte devant le moniteur, ils lurent la datacarte.

Shada fut la première à rompre le silence.

— Il avait raison, n'est-ce pas ? murmura-t-elle. C'est incroyable ! Si tout ça est vrai, bien entendu.

— Tout est vrai, dit Karrde.

Shada avait été plutôt timide : *incroyable* n'était pas un mot assez fort pour décrire le contenu de la datacarte.

— Malgré ses défauts, Car'das a toujours été fiable, ajouta Karrde.

— Je veux bien le croire, souffla Shada. Je suppose que nous allons demander aux Aing-Tii de nous amener directement sur Coruscant ?

Karrde hésita. Coruscant semblait le choix qui s'imposait... Mais il avait toute une autre gamme de possibilités. Certaines très intéressantes.

— Karrde ? demanda Shada d'une voix soupçonneuse. Nous allons livrer ces informations à Coruscant, n'est-ce pas ?

Il lui sourit.

— En fait, non. Je crois qu'il y a mieux à faire avec. (Il regarda l'écran et sentit son sourire disparaître.) *Beaucoup* mieux.

Debout sur la passerelle de commandement du Destroyer Stellaire Impérial *Tyrannic*, le Capitaine Nagol regardait l'obscurité qui enveloppait le vaisseau.

Il n'y avait rien à voir dehors, bien entendu, sauf quand un de leurs propres vaisseaux-sondes longeait l'écran de camouflage ou la comète qui se trouvait à côté d'eux. Mais pour un Capitaine de vaisseau spatial, observer l'univers de sa passerelle était une tradition.

Nagol se sentait très traditionaliste ces derniers temps.

Quatre jours. Dans quatre jours, cette longue oisiveté prendrait fin. En supposant que l'équipe au sol suive le planning.

Quatre jours.

Il entendit le bruit sourd des pas du Chef des Renseignements, Oissan. Nagol jeta un coup d'œil à son chrono, et constata avec irritation que son subordonné avait presque dix minutes de retard.

— Capitaine, dit Oissan légèrement haletant, je vous apporte le dernier rapport des vaisseaux-sondes.

Nagol se retourna et remarqua le visage empourpré de l'homme.

— Vous êtes en retard.

— Il y avait plus d'analyses à faire que d'habitude, s'excusa Oissan. (Il tendit un databloc à son chef.) Il semble que des vaisseaux aient manqué déclencher la guerre il y a quelques jours.

Les yeux de Nagol s'étrécirent quand il accepta le databloc.

— Que voulez-vous dire ? fit-il.

Il chercha le fichier correspondant sur le databloc.

— Un des vaisseaux de guerre Ishoris a décidé de menacer un Diamala, répondit Oissan. Il est passé à un cheveu de le forcer à combattre.

Nagol jura à voix basse. Si ces imbéciles déclenchaient les hostilités avant que l'équipe au sol soit prête...

— Qu'est-ce qui les a arrêtés ? demanda-t-il. (Il consulta le rapport :) Ça y est, j'ai trouvé ! Intéressant. Quelqu'un a-t-il identifié le cargo ?

— Aucun vaisseau-sonde n'était assez proche pour ça. Mais les échanges de communications prouvent qu'il s'agissait de la Haute Conseillère Leia Organa Solo. Cela n'a pas été confirmé.

— Mais c'est probablement vrai, grogna Nagol. Elle est venue aider Gavrisom, je n'en doute pas.

— Oui, dit Oissan. Selon les rumeurs, elle a amené avec elle un membre du Conseil d'Administration des Caamasi.

— Vraiment ? fit Nagol avec un sourire.

— Nous en aurons confirmation dans un jour ou deux, précisa Oissan. Si Gavrisom a un Caamasi sous la main, il va sûrement l'exhiber aussitôt que possible.

— Oui, murmura Nagol. Et s'il parvient à le persuader de parler de paix pendant quatre jours, nous pourrons dire qu'un Caamasi était présent lors de la destruction de Bothawui. Ce qui impliquera qu'il l'approuvait. Etonnant ! Je me demande comment Thrawn a réussi ce coup-là !

— C'est étonnant, oui, dit Oissan, moins enthousiaste que son supérieur. J'espère seulement que le Grand Amiral ne s'est pas trompé quelque part. Cent quatre-vingt-onze vaisseaux de guerre font un peu beaucoup pour trois Destroyers Stellaires. Si nous devons les affronter seuls...

— Vous vous faites trop de souci. J'ai vu Thrawn à l'œuvre : il ne se trompe jamais. L'équipe au sol fera son boulot, puis les vaisseaux de guerre commenceront à se détruire mutuellement. Il ne nous restera qu'à éliminer les survivants et à démolir ce qu'il restera de la planète.

— En théorie, oui... Puis-je tout de même vous conseiller, Capitaine, de garder le *Tyrannic* et les autres vaisseaux en état d'alerte ? De cette manière, nous pourrons agir rapidement si les choses commencent plus tôt que prévu.

— Quatre jours sur les nerfs pour l'équipage, sans doute pour rien ! Je ne crois pas que ce sera nécessaire.

— Mais si les choses vont plus vite...

— Impossible ! coupa Nagol. Si Thrawn dit quatre jours, ce sera quatre jours. Il n'y a pas à revenir là-dessus.

Oissan inspira à fond.

— Bien, Monsieur, marmonna-t-il.

Nagol regarda son subordonné d'un œil à la fois méprisant et apitoyé. Oissan n'avait pas eu l'occasion de rencontrer Thrawn. Il n'avait jamais entendu la voix du Grand Amiral. Comment pourrait-il comprendre ?

— Je vous propose un compromis. J'ordonnerai le début des préparatifs de combat dès cet après-midi. Puis, un jour avant le déclenchement prévu des opérations, nous nous mettrons en état d'alerte. Cela vous convient-il ?

— Oui, Monsieur. Merci, Monsieur.

— Quant à vous, commencez tout de suite vos préparatifs, ajouta Nagol. (Il rendit le databloc à son subordonné.) Je veux que vous dressiez une liste des menaces prioritaires pour chacun de ces vaisseaux. Mettez-y tout ce que vous savez sur leurs capacités, leurs défenses, leurs faiblesses, ainsi que les détails concernant leur Capitaine et les espèces qui composent l'équipage. Quand nous sortirons enfin de ce maudit écran de camouflage, je veux pouvoir finir le boulot sans perdre un turbolaser ou un Oiseau de Proie. Compris ?

— Compris, Capitaine. La liste sera prête demain.

— Très bien. Rompez.

Oissan se détourna et s'en fut d'un bon pas. Nagol le suivit des yeux un instant, puis revint à son observation du vide...

Dans quatre jours, ils auraient une chance de massacrer les Rebelles.

Nagol sourit. C'était *vraiment* un jour à se sentir très traditionaliste.

34

Luke se réveilla en sursaut.

Un moment, il resta immobile et lutta contre la désorientation produite par la transe thérapeutique. Il était assis sur un siège relativement inconfortable. Devant lui, il vit un tableau de bord qu'il ne connaissait pas, et au-delà un dôme courbe derrière lequel brillait un faible éclairage nocturne. De l'autre côté du dôme, il faisait nuit...

Il cligna des yeux. *Complètement nuit ?* Il défit ses sangles puis regarda son chrono.

Il se figea, incrédule : il avait passé cinq heures en transe !

— Mara, je t'avais dit de me réveiller au bout de deux heures !

Il se leva et gagna l'arrière du vaisseau.

— Que s'est-il passé ? Tu t'es endormie, ou quoi ?

Il n'y eut pas de réponse, seulement le pépiement frénétique de R2.

Et pas trace de Mara.

— Oh, non, fit Luke.

Il se servit de la Force pour explorer tous les recoins du navire.

Mara ne s'y trouvait pas.

— R2, où est-elle ? demanda Luke.

Il s'agenouilla pour consulter le databloc traducteur toujours fixé au droïd.

Les mots défilèrent sur l'écran.

— Comment ça, elle est partie ? Quand ? Et pourquoi ?

R2 gémit lamentablement. Luke regarda les phrases s'aligner, le cœur serré. Mara était partie cinq heures plus tôt, après qu'elle l'eut aidé à se mettre en transe. R2 ignorait où elle était allée.

Luke n'avait aucun mal à le deviner.

— Pas de problème, dit-il avec une tape amicale sur le dôme du droïd. Je sais que tu n'avais aucun moyen de l'en empêcher.

Il approcha du sas, une peur panique mêlée à la certitude qu'il était trop tard pour l'arrêter, quoi qu'elle ait décidé de faire.

— Garde l'œil sur le vaisseau, dit-il au petit droïd. Je reviendrai aussitôt que possible.

Il sauta au sol sans se servir de l'échelle. Au-dessus de sa tête, entre les pics rocheux, des étoiles brillaient au milieu des nuages. Partout ailleurs, tout n'était que ténèbres. Il appela Mara, cria mentalement son nom dans le silence oppressant de la nuit.

Il eut l'impression qu'une silhouette dissimulée sous un manteau à capuche avait bougé. Quelque part, pas très loin, une présence se révéla...

Je suis là-haut, répondit Mara.

Luke regarda la falaise abrupte, en face de lui, soulagé de la savoir vivante et malgré tout convaincu que quelque chose de terrible allait arriver. L'éclair de prémonition se dissipa quand Mara s'enroula plus étroitement dans son « manteau » psychique.

Où es-tu ? demanda Luke.

Il lutta contre la tentation de traverser de force le cocon dans lequel elle semblait avoir trouvé refuge.

Il sentit son hésitation, puis capta un soupir de résignation.

Ensuite, comme une série d'images aperçues sous une lumière clignotante, il aperçut la voie qu'elle avait prise pour grimper. Il envoya une pensée d'encouragement à Mara et entreprit de gravir la falaise.

L'escalade n'était pas aussi dangereuse qu'il l'avait cru. Avec ses muscles de Jedi, il lui fallut exactement dix minutes pour arriver en haut. Mara était assise sur une corniche rocheuse, abritée sur un flanc par le rocher déchiqueté qui lui servait de soutien.

— Hello, dit-elle tandis qu'il approchait. Comment te sens-tu ?

— Complètement guéri, répondit-il en venant s'asseoir à côté d'elle.

Sa voix était calme, mais Luke sentit une terrible tristesse sous sa barrière mentale.

— Que se passe-t-il ?

A la faible lueur des étoiles, il vit la main droite de Mara montrer quelque chose devant eux.

— La Main de Thrawn est là, dit-elle. Les quatre tours arrière se découpent contre les nuages quand l'éclairage est adéquat.

Luke regarda dans la direction indiquée et recourut à ses techniques Jedi d'améliorations sensorielles. Les tours et le mur arrière de la forteresse étaient visibles, ainsi que quelque chose de plat, entre les deux tours d'abord. Il s'agissait sans doute du toit du hangar d'où ils s'étaient échappés quelques heures plus tôt.

— Que s'est-il passé là-bas ? demanda Luke.

— Pas grand-chose. Le vaisseau qui était sorti... Tu te souviens du trou que nous avons remarqué dans les rangées de navires ? Il est revenu il y a environ trois heures.

Luke fit la grimace. Il restait un vaisseau en état de voler dans tous ceux qu'ils avaient sabotés. Prêt à filer vers Bastion à tout moment.

— Il n'est pas reparti ?

Elle secoua la tête.

— Pas que je sache. De toute façon, Parck a dit qu'ils attendraient d'avoir le rapport du pilote avant de prendre une décision.

— Je vois, souffla Luke.

Il ne doutait pas que Parck et Fel agiraient aussi vite que possible. Une décision rapide, un prompt envol, et l'Empire serait en possession de la Main de Thrawn et de ses secrets.

Et Mara et lui étaient assis là. Attendant.

Mais attendant quoi ?

— C'est amusant, tu sais, murmura Mara. Ironique, en fait. Nous voilà tous les deux : la femme qui a passé les dix dernières années à essayer de se construire une nouvelle vie, et l'homme qui a employé ces mêmes années à sillonner la galaxie pour la sauver de chaque menace qui montrait son vilain museau.

— C'est une assez bonne description, dit Luke, mal à l'aise, car l'obscurité qu'il percevait en elle se faisait de plus en plus profonde... Mais je ne vois pas où est l'ironie.

— Alors que la Nouvelle République est sur le point de s'autodétruire, tu l'as quittée pour venir *me* sauver, dit Mara.

Tu as ignoré tes responsabilités pour secourir une seule femme. Une unique vie.

Il l'entendit prendre une profonde inspiration.

— Et cette femme, dit-elle d'une voix si basse qu'elle était presque inaudible, doit sacrifier la nouvelle vie à laquelle elle aspirait. Pour sauver la Nouvelle République.

Soudain, un éclair vert pâle illumina son visage. Comme sculpté dans le marbre, celui-ci exprimait une terrible douleur et une immense solitude.

— On dirait que tu es arrivé juste à temps, souffla Mara, tandis que roulait l'écho distant d'un coup de tonnerre.

Il y eut un second éclair vert. Luke détourna les yeux du visage torturé.

Les tours faisaient feu. Une nouvelle salve d'éclairs verts de turbolaser jaillit d'un doigt de la Main.

Ils tiraient dans la direction opposée à celle où Mara et lui se trouvaient.

— Ils font des essais, dit Mara d'une voix au calme trompeur. Ils tentent d'évaluer la distance. Ce ne sera plus très long maintenant.

Luke la regarda de nouveau. La douleur qu'il sentait en elle menaçait d'abattre ses barrières mentales comme une crue subite détruit un barrage.

— Mara, que se passe-t-il ?

— C'est ton idée, tu sais ? continua-t-elle comme si de rien n'était. Tu voulais à tout prix que je devienne une Jedi. (Elle refoula des larmes.) Tu t'en souviens ?

De la forteresse jaillit une salve de turbolaser, accompagnée d'un rayon bleu Chiss. Les quatre tours tiraient dans la même direction. Luke tendit le cou et se demanda qui était leur cible. Karrde avait-il envoyé du renfort ? La Nouvelle République les avait-elle trouvés ? Ou l'Empire ? Ou une parmi les centaines de menaces dont Parck avait parlé ?

Il regarda Mara...

Et il *sut*.

— Mara, souffla-t-il. Non. Oh, non !

— Il le fallait, dit-elle d'une voix tremblante, sans plus chercher à retenir ses larmes. C'était la seule façon de les empêcher de s'emparer de tout ça et de le donner à Bastion. L'unique moyen.

Luke regarda la forteresse. Le chagrin de Mara s'enfonça comme un couteau dans son propre cœur. Des pensées tourbillonnèrent dans sa tête. S'il s'était éveillé plus tôt... S'il avait forcé les barrières mentales de Mara tandis qu'ils étaient encore à la forteresse et appris son plan secret... Et maintenant encore, s'il faisait appel à la Force...

— Non, murmura Mara d'une voix épuisée. Je t'en prie, n'essaie pas d'intervenir. C'est à moi de faire ce sacrifice, ne comprends-tu pas ? Le sacrifice final qu'un Jedi doit consentir un jour ou l'autre. (Elle tendit une main pour toucher celle de Luke. La jeune femme était glacée.) Tu ne peux rien faire. Rien.

Luke inspira à fond. L'air frais de la nuit transperça ses poumons comme la glace de Hoth. Il bouillait du désir d'agir. De faire *quelque chose*.

Pourtant, elle avait raison. Même s'il haïssait sa décision, il savait qu'elle avait raison. L'univers n'était pas sous sa responsabilité. Les décisions des autres, leurs actions, leurs conséquences et leurs sacrifices ne l'étaient pas plus.

Mara avait fait son choix et elle en acceptait les conséquences. Et il n'avait ni le droit ni le devoir de lui dénier cette liberté.

Il ne restait qu'une chose à faire. Il s'approcha de Mara et lui passa un bras autour des épaules.

Elle résista un instant, les vieilles craintes et les anciennes habitudes de solitude s'ajoutant à son chagrin. Puis ses muscles se détendirent et elle se laissa aller contre lui, comme si cette partie d'elle-même disparaissait aussi. Les barrières soigneusement érigées volèrent en éclats tandis qu'elle laissait enfin libre cours à son chagrin et au sentiment de deuil qu'elle avait gardés si longtemps cachés.

Luke l'enveloppa plus étroitement tout en se battant en même temps qu'elle contre le tourbillon de douleur et de tristesse, en absorbant ce qu'il pouvait et lui offrant sa chaleur et son réconfort en échange.

Au loin, le rythme de tir des tours augmenta...

C'est alors qu'il *le* vit par-dessus le bord de la falaise. Comme il volait bas, sa coque scintillait sous l'effet surréaliste des boucliers activés dans l'atmosphère. Il tournait et zigzaguait comme une chose vivante, pour éviter le feu adverse ou l'absorber dans son champ protecteur. Attiré par la balise de rappel que Mara avait branchée sur le système de communications d'un des vaisseaux adverses, il se frayait son chemin vers l'entrée du hangar, unique point faible de la forteresse.

C'était le navire personnel de Mara, la seule chose au monde qui lui appartînt réellement.

Le *Feu de Jade*.

Mara ne pleurait plus. Ses épaules se crispèrent tandis qu'elle se penchait en avant pour y voir mieux. Le *Feu* avait presque atteint la Main de Thrawn. En dépit de l'effet de distorsion, Luke remarqua que la coque avait été touchée en plusieurs endroits. Des flammes s'échappaient des nombreuses déchirures.

Les tours intensifièrent leur tir, mais c'était trop tard. Le *Feu* plongea une dernière fois...

Boule de feu d'un jaune orangé qui illumina les montagnes les plus lointaines d'une clarté aussi vive que celle de Coruscant, il atteignit son but.

Le bruit de l'explosion, une seconde plus tard, leur sembla étrangement assourdi, comme si les murs protecteurs en pierre d'Hijarna étaient aussi peu affectés par le son que par l'explosion elle-même. Quelques secondes plus tard, l'écho d'une seconde explosion leur parvint, plus faible que la première.

Puis les tours cessèrent de tirer, comme à regret.

Le silence de la nuit retomba autour d'eux.

Ils restèrent assis, silencieux, blottis l'un contre l'autre devant la lueur jaune qui était le bûcher funéraire du *Feu*. Lentement, tandis que l'incendie crépitait, Luke sentit le chagrin de Mara disparaître.

Il ne fut remplacé ni par de l'amertume ni même par une simple fatigue émotionnelle. Elle avait fait son deuil et laissé son chagrin s'exprimer. Maintenant, comme c'était et ce serait toujours le cas pour elle, il était temps de mettre de côté les émotions et les sentiments et de se concentrer sur la tâche qui restait à accomplir.

Une minute plus tard, elle se dégagea doucement.

— Nous devons y aller, dit-elle, la voix rauque d'avoir pleuré, mais pourtant calme et contrôlée. Ils devront combattre cet incendie pendant un bon moment. C'est l'occasion rêvée de nous faufiler de nouveau à l'intérieur.

Ils se levèrent.

— Au bruit de l'explosion, je crois que nous avons éliminé tous les vaisseaux du hangar, fit Mara tandis qu'ils redescendaient la falaise en direction de leur navire. En tout cas, en ce qui concerne les capacités de vol. Ils pourront peut-être récupérer un peu de matériel, mais ils auront fort à faire pour le sortir de là.

Elle parlait pour ne rien dire, et elle le savait. Les mots sortaient malgré elle, expulsés par la tornade émotionnelle qu'elle venait de vivre. Elle n'avait jamais apprécié les gens qui caquetaient à tort et à travers, et l'idée d'agir ainsi, même temporairement, l'agaçait.

Mais elle ne se sentait pas embarrassée par rapport à Luke. Ce n'était pas étonnant. Si tout ce qu'elle avait dit jusque-là n'avait en rien altéré l'opinion qu'il avait d'elle, un peu de bavardage ne le gênerait pas non plus.

Elle sentait toujours la chaleur dont il l'avait entourée couler de lui à elle comme un flot tranquille.

Certes, il y avait un peu trop d'inquiétude et d'instinct de protection dans les sentiments qu'elle percevait. Mais il s'agissait de Luke. Elle se sentait capable de faire face le moment venu.

— Je ne sais toujours pas comment nous allons procéder, dit Luke. Y retourner en passant de nouveau par la caverne nous prendrait beaucoup trop de temps.

— Je sais, acquiesça Mara. Parck a dit qu'il y avait des ouvertures dans les murs. Je suppose que nous devrons passer par l'extérieur et en trouver une.

— Ce sera risqué. Ils ne seront pas aussi bien disposés envers nous que la première fois !

Mara ricana.

— Peu importe ! Je ne me sens pas particulièrement amicale envers eux...

Au-dessous d'eux, à peine visible sous la faible lumière des étoiles, elle aperçut le vaisseau qu'ils avaient emprunté, posé au-delà d'une étroite fissure. Elle sauta par-dessus la crevasse pour atterrir sur un rocher plat, de l'autre côté...

Et s'arrêta abruptement, agitant les bras pour tenter de garder l'équilibre, perturbée par l'irruption d'une pensée étrangère dans son esprit.

Jedi Sky Walker ? Etes-vous là ?

Mara ne parvint pas à retrouver son équilibre et tomba du rocher, heureusement pas de très haut. Elle parvint à atterrir sur ses pieds.

Perchées sur les panneaux de chasseur TIE du vaisseau, une douzaine d'ombres s'agitaient nerveusement. Au moment où Luke se réceptionnait à côté d'elle, une des ombres se détacha du vaisseau et s'envola pour se poser sur le rocher qu'ils venaient de quitter.

C'est vraiment vous, dit la voix étrangère dans l'esprit de Mara. *J'ai vu le grand feu, et j'ai eu peur que vous n'ayez péri.*

C'était Enfant des Vents.

Et elle l'entendait !

Elle regarda Luke et vit sa stupéfaction.

— Tu aimes bien les surprises, n'est-ce pas ? dit-elle tout en désignant le jeune Qom Qae. C'est réussi !

Luke leva les mains, les paumes en avant.

— Ne me regarde pas comme ça ! protesta-t-il. Je n'y suis pour rien !

Ecoutez-moi, je vous prie, coupa Enfant des Vents. *Vous devez venir à l'aide des Qom Jha. Les Prédateurs ont envahi leur demeure.*

— Tu veux dire la caverne ? demanda Luke.

— Sont-ils allés jusqu'au fond ? ajouta Mara. Ou seulement à l'entrée ?

Le jeune Qom Qae se tourna vers ses compagnons, toujours perchés sur le vaisseau, et ils échangèrent des paroles affolées.

Nous l'ignorons, dit Enfant des Vents. *Des amis de ma nichée les ont vus entrer dans la caverne avec de grandes branches et des machines.*

Mara jeta un coup d'œil intrigué à Luke.

— De grandes branches ?

— De l'artillerie lourde, j'imagine. De quelle taille étaient ces branches ?

Certaines faisaient deux fois la longueur d'un Qom Qae, dit Enfant des Vents.

Il déploya ses ailes pour leur donner une idée de l'échelle.

— Un peu beaucoup pour nettoyer une caverne, fit Mara. On dirait qu'ils ont compris que c'est ainsi que nous sommes entrés.

— Et ils se préparent à notre retour, dit Luke. De toute façon, nous savions qu'il n'était pas question de reprendre le même chemin. J'espère que les Qom Jha ont réussi à s'enfuir avant leur arrivée.

— Nous ne pouvons rien faire pour le moment, conclut Mara. Et si nous continuons à perdre du temps ici, cela en donnera plus à nos ennemis, pour se préparer à nous accueillir !

— Tu as raison, dit Luke. Je vais chercher R2, puis nous nous mettrons en chemin.

Vous n'allez pas aider les Qom Jha ? demanda Enfant des Vents quand Luke passa à côté de lui.

— Cela nous est impossible, répondit Mara. Nous devons retourner au plus vite dans la Haute Tour.

Le Qom Qae la regarda.

Mais vous avez promis...

— Nous avons promis de faire ce que nous pourrions, rappela Mara. Dans ce cas, il semble que nous ne puissions pas grand-chose. (Elle soupira.) Ecoutez, si cela peut vous consoler, les Prédateurs vous considèrent comme des animaux ennuyeux mais sans danger. Si vous restez loin de leurs vaisseaux et de la Haute Tour, ils ne vous persécuteront pas.

Je comprends, s'inclina Enfant des Vents, déçu. *Je vais faire passer le message.*

— Désolée de ne pouvoir en faire plus pour vous, dit Mara. Mais nous vivons dans un univers imparfait ; personne n'obtient jamais tout ce qu'il désire. Devenir adulte consiste à affronter cette réalité, à l'accepter, et à aller de l'avant.

Le Qom Qae se redressa.

Quelle est la chose que vous désirez, Mara Jade ? demanda le Qom Qae.

Mara regarda le vaisseau où Luke était entré. A dire vrai, elle retournait cette question dans son esprit depuis un certain temps. C'était un sujet affectivement chargé qui éveillait en elle de vagues espoirs et des incertitudes encore floues.

Mais elle n'avait pas la moindre envie d'en parler avec une créature adolescente.

— Tout ce que je désire pour le moment, c'est retourner dans la Haute Tour. Etudions d'abord ce problème, d'accord ?

Enfant des Vents frissonna.

Retourner dans la Haute Tour ? Pourquoi ?

Luke venait de sortir du vaisseau et, secondé par la Force, faisait descendre le droïd au sol.

— Ce serait trop long à expliquer. Mais c'est d'une importance vitale. Fais-moi confiance.

J'ai confiance en vous, dit Enfant des Vents avec une ferveur inattendue. *Vous et le Jedi Sky Walker. Et je peux vous montrer un chemin*, ajouta-t-il après une brève hésitation.

Mara fronça les sourcils.

— Vraiment ? Lequel ?

Dans cette direction, fit-il, d'un geste de son aile vers la droite de la Main de Thrawn. *Mes amis disent qu'il y a un trou dans le rocher au-dessous du Lac des Petits Poissons. Il mène directement à une caverne, non loin de l'endroit par où nous sommes entrés dans la forteresse.*

Mara jeta un coup d'œil à Luke. Une idée germa dans son esprit. Peut-être ne serait-il pas nécessaire de s'attaquer à la Tour elle-même.

— Ce trou est-il assez grand pour que nous y passions ? demanda-t-elle.

Je l'ignore. Mes amis disent que c'est le passage que les flammes vives utilisent quand elles se déplacent sous le sol.

Mara frémit à ce souvenir. L'idée de se glisser dans un trou à la suite d'une horde de flammes vives lui donnait des frissons. Mais si c'était le seul chemin possible, il faudrait bien l'emprunter.

— Je vais en parler avec Luke.

Elle le rejoignit et lui fit un résumé de son entretien avec la créature.

— Ça semble valoir la peine de vérifier, dit-il. A quelle distance est ce lac ?

Ce ne sera pas long, dit Enfant des Vents. *En volant, c'est tout près.*

— Nous ne pouvons pas utiliser le vaisseau, constata Luke. Les Prédateurs nous repéreraient trop facilement.

Je ne parlais pas de la machine, dit le Qom Qae. *Mes amis et moi allons vous transporter là-bas. Nos ennemis ne nous verront pas.*

Mara et Luke échangèrent un regard incertain.

— Vous en êtes sûrs ? demanda Luke aux créatures. Vous n'êtes pas très nombreux, et nous ne sommes pas si légers que ça. Sans compter qu'il faut aussi emmener R2.

Mes amis et moi, nous vous transporterons, répéta Enfant des Vents. *Pas dans l'espoir de gagner quelque chose, mais parce que vous avez déjà pris beaucoup de risques pour les Qom Qae, et que nous ne vous avons rien offert en retour. Il est juste que nous fassions cela pour vous.*

Luke regarda Mara.

— Passer à nouveau par les souterrains signifie une nouvelle escalade de l'escalier secret, l'avertit-il. T'en sens-tu capable ?

Mara esquissa un sourire.

— Je crois qu'il ne nous sera pas nécessaire de retourner dans la Tour.

Luke fronça les sourcils.

— Comment ça ?

— Je viens de penser à l'énorme source de puissance que R2 a repérée quand nous sommes entrés dans la pièce souterraine, dit-elle. Celle qui se trouvait dans la direction fatale aux Qom Jha qui s'égarent par là, selon Gardien des Promesses. (Elle regarda la Tour.) J'ai aussi commencé à m'interroger sur certaines paroles de Thrawn... D'après Parck, s'ils apprenaient sa mort, ils pouvaient compter sur son retour dix ans plus tard.

Elle sentit l'étonnement de Luke, puis son sursaut intérieur quand il comprit ce qu'elle voulait dire.

— Tu as raison, fit-il d'une voix sombre. Ça lui ressemblerait bien...

— Je pense que ça vaut la peine de vérifier.

— Absolument, acquiesça Luke, soudain saisi d'un sentiment d'urgence. Très bien, Enfant des Vents, tes amis et toi êtes avec nous sur ce coup. Ne tardons plus !

Le Major dont l'image s'affichait sur l'écran de la passerelle de poupe du *Chimaera* était un gros homme d'âge moyen et dépourvu de tout raffinement.

D'après ses réponses, il manquait également d'imagination et d'intelligence.

Mais il était aussi totalement dévoué à son supérieur. Le type même de l'officier que le Moff Disra choisirait pour bloquer toute tentative de communication, se dit amèrement Pellaeon.

— Je suis désolé, Amiral Pellaeon, répéta le Major, mais Son Excellence n'a laissé aucune indication quant au moyen de le joindre. Si vous voulez parler à son secrétaire général, je peux vérifier s'il est disponible...

— Je dois parler au Moff Disra en personne, coupa Pellaeon. Et je vous suggère de vous rappeler à qui vous vous adressez : le Suprême Commandeur des Forces Impériales doit pouvoir contacter *tous* les chefs civils de haut rang.

Le Major sembla devenir un peu plus vif.

— Oui, Monsieur, je sais tout ça, dit-il d'un ton frôlant l'insubordination. Toutefois, j'ai cru comprendre que Son Excellence était aux côtés... du Suprême Commandeur !

Pellaeon s'empourpra.

— Qu'est-ce que vous me chantez là ? Je *suis* le Suprême Commandeur !

— Peut-être devriez-vous en demander confirmation au Moff Disra, dit le Major, sans se laisser démonter par le ton menaçant de Pellaeon. Ou au Grand...

Il s'interrompit, comme s'il réalisait qu'il avait commencé à dire quelque chose dont il n'aurait pas dû parler.

— Mais je ne suis au courant de rien, termina-t-il gauchement. Son Excellence devrait être de retour dans quelques jours. Vous pourrez le rappeler à ce moment.

— Bien sûr, dit Pellaeon. Je vous remercie de votre amabilité, Major.

Il coupa la communication et laissa la fatigue se refléter sur son visage.

A sa gauche, debout dans le couloir qui menait à la passerelle principale du vaisseau, le Colonel Vermel demanda :

— C'est mauvais signe, n'est-ce pas, Monsieur ?

— Plutôt, oui, admit Pellaeon. Je m'attendais à de l'insubordination ouverte chez Disra. Mais être traité ainsi par un de ses subordonnés implique que les choses sont déjà allées très loin...

Il rejoignit Vermel.

— Et je n'y vois qu'une explication possible...

— Le Grand Amiral Thrawn, fit Vermel.

Pellaeon hocha la tête.

— Le Major a failli lâcher le morceau. Je suis sûr que vous l'avez remarqué. Si Thrawn est de retour, et qu'il a pris le parti de Disra...

Il s'interrompit. Les années semblaient peser encore plus lourdement sur ses épaules. Après tout ce temps, tout ce travail et tous ces sacrifices pour l'Empire, être mis ainsi à l'écart...

Et se voir préférer quelqu'un comme Disra...

— S'il a pris le parti de Disra, continua-t-il, c'est qu'il estime agir pour le bien de l'Empire. Il ne nous restera qu'à nous incliner.

Un instant, ils restèrent silencieux. Pellaeon promena son regard sur la passerelle du vaisseau et se demanda ce qu'il allait faire. Bien entendu, si Thrawn était de retour, il n'aurait *rien* à faire. Le Grand Amiral ferait connaître ses désirs et ses ordres quand il le jugerait bon.

Mais si Thrawn *n'était pas* de retour...

Il s'avança et fit signe à l'officier des Renseignements de service dans la fosse d'équipage bâbord.

— Nous avons intercepté plusieurs rumeurs sur le retour du Grand Amiral Thrawn au cours des deux dernières semaines, dit-il. Un des rapports l'associe-t-il à un autre destroyer stellaire que l'*Implacable* ?

— Je vais vérifier, Amiral, dit l'officier. (Il consulta sa console.) Non, Monsieur. Toutes les rumeurs mentionnent l'*Implacable*, et le Capitaine Dorja.

— Parfait, dit Pellaeon. Lancez immédiatement une recherche prioritaire par l'intermédiaire du Commandement Militaire de Bastion. Trouvez l'endroit où l'*Implacable* est allé.

— Oui, Monsieur.

L'officier saisit des données sur sa console.

— Vous ne pensez pas que Dorja aurait enregistré sa destination contre les ordres de Thrawn, n'est-ce pas ? demanda Vermel.

— Non, dit Pellaeon. Mais je ne suis pas convaincu que cette dissimulation vienne de Thrawn. Si c'était l'idée de Disra, il n'a peut-être pas pensé à mentionner à Dorja qu'il se cachait de moi.

— Oui, mais...

— Voilà, Monsieur, dit l'officier des Renseignements. L'*Implacable*, sous les ordres du Capitaine Dorja, a quitté Bastion il y a vingt heures, en direction de Yaga Mineure. La durée du voyage est estimée à douze heures. Les passagers sont le Moff Disra... (Il leva les yeux. Pellaeon le vit déglutir péniblement.) Et le Grand Amiral Thrawn...

— Merci, dit Pellaeon. Capitaine Ardiff !

— Monsieur ? répondit Ardiff, interrompant sa conversation avec l'officier de surveillance du système.

— Mettez le cap sur Yaga Mineure, ordonna Pellaeon. Nous partirons aussitôt que le vaisseau sera prêt.

— Oui, Monsieur.

Il gagna la station de navigation et s'attela aux préparatifs.

— J'espère que vous savez ce que vous faites, Monsieur, dit Vermel, mal à l'aise. Si Thrawn et Disra travaillent main dans la main, obliger Disra à vous affronter devant le Grand Amiral n'est peut-être pas la meilleure façon de faire progresser votre carrière.

Pellaeon eut un sourire sans joie.

— Il y a longtemps que j'ai abandonné tout plan de carrière. Mais il y a une possibilité, si mince soit-elle, que Thrawn ne soit pas informé des crimes contre l'Empire dont Disra s'est rendu coupable. Si c'est le cas, il est de mon devoir d'officier Impérial de les porter à son attention...

— Amiral ! coupa une voix. Un vaisseau approche à cinquante-cinq degrés par quarante. Configuration inconnue !

— Mesures de défense standard, ordonna Pellaeon.

Il consulta le vecteur indiqué sur l'écran. Pour ce qu'il en savait, les vaisseaux inconnus étaient presque toujours de fausses alertes. Il suffisait d'un angle différent, d'une modification mineure, ou encore d'un modèle peu courant que l'officier de quart n'avait jamais vu.

Il jeta un coup d'œil au vaisseau...

Au nom de l'Empire, qu'était donc cette chose ?

— Amiral ? appela l'officier des communications d'une voix hésitante. Ils nous envoient leurs salutations. Ou plutôt, ils vous les envoient, à *vous*.

Pellaeon fronça les sourcils.

— A moi ?

— Oui, Monsieur. Le Capitaine demande à parler à l'Amiral Pellaeon...

— Eh bien, passez la communication sur les haut-parleurs ! cria Ardiff.

— Oui, Monsieur. Communication en cours.

— Bonjour, Amiral Pellaeon, dit une voix tonitruante qui maîtrisait le basic sans les inflexions couramment associées aux équipements vocaux non humains.

La voix lui était étrangement familière, réalisa Pellaeon. On eût dit un écho du passé, qui le perturbait sans qu'il sache pourquoi.

— Vous ne vous souvenez pas de moi, je suppose. Mais je pense que nous nous sommes rencontrés une fois ou deux.

— Je vous crois sur parole, dit Pellaeon. Que me vaut l'honneur de votre visite ?

— Je suis venu vous faire une proposition. Et vous donner quelque chose que vous désirez.

— Vraiment ? répondit Pellaeon d'un ton railleur. (Il regarda Ardiff qui s'était posté près de la station des turbolasers, prêt à l'action.) Je n'avais pas conscience d'être la proie de désirs inassouvis.

— Vous ignorez encore que vous voulez ce que j'ai à vous donner. Mais vous verrez. Faites-moi confiance.

— J'avoue être intrigué. Comment suggérez-vous que nous procédions ?

— Je souhaite venir à votre bord. Quand vous saurez ce que j'ai à vous offrir, vous comprendrez qu'un certain niveau de confidentialité est nécessaire.

— Je n'aime pas ça, murmura Vermel derrière Pellaeon. Il pourrait s'agir d'un piège.

Pellaeon secoua la tête.

— Avec un vaisseau inconnu comme appât ? (Il désigna l'engin, immobile contre le ciel étoilé, près de leur proue.) Si c'est un piège, Colonel, il a été élaboré avec le plus grand soin !

Il se racla la gorge.

— Capitaine Ardiff ! Préparez-vous à amener notre invité à bord.

35

Il n'y eut pas d'attaque contre le *Dame Chance* au cours de la dernière partie de leur voyage. Aucun des deux cents vaisseaux de guerre qui s'observaient en chiens de faïence autour de Bothawui ne sembla s'intéresser au yacht tandis qu'il se frayait un chemin vers les trois Corvettes de la Nouvelle République, blotties dans leur coin comme si elles étaient terrifiées par l'extraordinaire puissance de feu qui emplissait le ciel.

C'était probablement le cas, pensa Yan. Gavrisom et les Calibops en général étaient plus doués pour les mots que pour l'action.

L'officier de quart du vaisseau de Gavrisom avait d'abord refusé leur demande de mettre à quai dans son hangar. Mais après quelques minutes de palabres, et sans doute une ou deux interventions à l'arrière-plan, il changea d'attitude.

Lorsque Yan et Lando sortirent du *Dame Chance*, Leia se jeta dans les bras de son époux. Tous les obstacles que Yan avait surmontés lui semblèrent soudain en valoir la peine.

— Je suis si heureuse que tu sois revenu, murmura Leia contre la poitrine de Yan. J'étais tellement inquiète pour toi.

— Chérie, tu me connais ! dit Yan avec une nonchalance qui ne l'empêcha pas de serrer Leia dans ses bras avec force.

Maintenant que c'était terminé, il parvenait à voir ce que ce voyage vers Bastion aurait pu lui coûter. Ce qu'il aurait pu perdre...

— Oui, justement, je te connais, dit Leia.

Elle leva les yeux sur lui et tenta de sourire, mais Yan ne fut pas dupe. Peut-être mesurait-elle aussi ce qu'ils avaient failli perdre.

— Tu n'as jamais été capable de rester loin des ennuis, poursuivit Leia. Je suis contente que tu te sois sorti de ceux-là !

— Et moi donc, dit Yan du fond du cœur, avant de la regarder avec attention. Tu as l'air fatiguée.

— Parce que c'est une heure encore bien matinale pour moi, dit-elle. Gavrisom nous a alignés sur l'heure de Drev' starn. L'aube vient juste de se lever sur la planète.

— Oh, fit Yan, je suis désolé.

Il n'avait pas pensé à demander à l'officier de quart quelle heure il était sur le vaisseau.

— Ne t'inquiète pas. Ça valait le coup de perdre un peu de sommeil. (Elle eut une brève hésitation.) Tu l'as avec toi ?

Yan regarda Lando par-dessus la tête de Leia.

— En quelque sorte, répondit-il. Y a-t-il un endroit tranquille où nous pouvons en discuter ?

Il la sentit se raidir entre ses bras.

— Oui. Une salle de réunion, au bout du couloir...

Quelques instants plus tard, ils étaient installés dans des fauteuils confortables, derrière une porte fermée.

— La salle n'est pas sous surveillance, dit Leia. J'ai vérifié. Quel est le problème ?

Yan prit son courage à deux mains.

— Nous avons le Document de Caamas, comme je te l'ai dit. Mais ce que j'ignorais au moment où je t'ai annoncé ça... Attends, il vaut mieux que je commence par le commencement.

Avec un commentaire de Lando de-ci de-là, Yan raconta à Leia l'histoire de leur voyage à Bastion, et finit par la découverte, faite par Moegid, que le document avait été falsifié.

— J'aurais dû me douter qu'il y avait un piège quelque part, grogna-t-il avec un coup d'œil mauvais à la datacarte posée sur la table. Il aurait mieux valu attendre que Lando et Moegid aient vérifié ce fichu truc avant de t'en parler.

Raconter toute l'histoire avait ravivé sa colère et son embarras d'avoir gobé tout ce qu'on lui disait.

Leia lui serra la main pour le rassurer.

— Ce n'est pas grave, dit-elle. (Sa moue montrait qu'elle n'en pensait pas un mot.) C'est autant ma faute que la tienne. Je savais que Thrawn avait reparu, j'aurais dû réaliser que tout ça avait été trop facile.

— Oui, mais tu ignorais que c'est lui qui nous a donné la carte, objecta Yan, déterminé à ne pas la laisser culpabiliser.

De l'autre côté de la table, Lando se racla la gorge.

— Quand vous aurez décidé lequel de vous deux a tort, dit-il un peu sèchement, nous pourrons peut-être parler de ce que nous allons faire.

Yan regarda Leia et la vit esquisser un sourire.

— Touché ! dit-elle. De plus, les choses ne sont peut-être pas aussi graves qu'elles le semblent. Il reste une possibilité d'obtenir le Document par une autre source.

— Karrde ? demanda Yan.

— Non, une autre possibilité... (Leia hésita.) Je ferais mieux de ne pas en dire plus pour le moment. Mais si ça marche, cela demandera sans doute quelques jours de plus.

— Il n'en reste pas moins que nous devons tenter de bloquer nos deux cents petits camarades, remarque Lando. Yan et moi, nous avons eu deux jours pour y réfléchir, et nous pensons tenir le moyen de gagner un peu de temps.

— Oui, dit Yan, content de changer de sujet. Pour commencer, je vais dire à Gavrisom que je ne peux pas lui donner tout de suite le Document de Caamas.

Les yeux de Leia s'écarquillèrent.

— Comment diable comptes-tu justifier ça ?

— Par le fait que la situation, autour de Bothawui, est trop tendue à mon goût. J'exigerai que tout le monde rentre à la maison avant de donner le Document à quelqu'un.

— Yan, tu ne peux pas réussir un tel coup de bluff !

— Pourquoi pas ? C'est de moi qu'il s'agit, ne l'oublie pas. Tout le monde s'attend à ce que je fasse des trucs dingues.

— Certes, mais... (Leia s'efforça d'oublier son incrédulité.) Supposons que Gavrisom accepte. Et après ?

Yan jeta un coup d'œil à Lando.

— En fait, notre plan n'allait pas plus loin, à Lando et à moi. Selon Moegid, il y a une petite chance qu'il parvienne à reconstituer les données. Tout dépend de l'habileté de celui qui les a modifiées. De plus, maintenant que nous avons le Document, peut-être pouvons-nous amener par la ruse les Bothans à nous dire ce qu'ils savent.

— En supposant qu'ils sachent quelque chose, fit remarquer Leia. S'ils ignorent la vérité, nous nous retrouverons au même point. Pire, même, car il est probable que quelqu'un accusera la Nouvelle République de ne pas divulguer les noms des coupables.

— Je sais, dit Yan. Mais si nous avouons que nous n'avons rien du tout, les mauvais esprits réagiront de la même façon, tu ne crois pas ?

Leia pressa de nouveau sa main dans la sienne.

— Probablement, dit-elle, avec l'expression lointaine qui était la sienne lorsqu'elle réfléchissait intensément. Bon, poursuivit-elle au bout d'un instant, les deux principaux instigateurs sont les Diamalas et les Ishoris. Si nous pouvons obtenir qu'ils battent en retraite, même temporairement, la plupart des autres les suivront. C'est pour ça que Gavrisom est venu : pour essayer de leur parler.

Yan ne se souvenait que trop de sa tentative ratée de réconcilier les deux espèces. Et le sujet de la dispute n'était alors qu'une affaire d'expédition de marchandises.

— Il vaut mieux les mettre dans des pièces séparées, avertit Yan.

— Très juste, approuva Leia. Lando, êtes-vous toujours en bons termes avec le Sénateur Miatamia ?

Lando lui jeta un regard soupçonneux.

— Je ne suis pas sûr que nous ayons jamais été en bons termes, dit-il. Surtout après que le petit voyage que je lui ai fait faire s'est terminé par une invitation à trinquer avec Thrawn sur son Destroyer privé. Qu'aviez-vous en tête ?

— Miatamia est arrivé hier soir pour observer la situation, expliqua Leia. Il s'est installé à bord d'un des vaisseaux de guerre Diamalas, le *Penseur Affairé*. J'aimerais que vous alliez lui parler.

Lando en resta bouche bée.

— Moi ? Leia...

— Vous devez le faire. Les Diamalas ont un sens de l'honneur très développé, et Miatamia vous doit toujours quelque chose pour ce voyage. Vous pouvez utiliser ça.

— J'ignore quel prix vous accordez à mon hospitalité, protesta Lando, mais... (Il soupira.) D'accord, je vais essayer.

— Merci, dit Leia. Gavrisom et moi avons prévu de rencontrer les chefs des Ishoris à bord du *Prédominance*, plus tard dans la matinée. Peut-être arriverons-nous à quelque chose.

L'unité de communication de la table bipa.

— Conseillère Organa Solo ? dit l'officier de quart.

Leia effleura le commutateur.

— Oui ?

— Un émissaire diplomatique souhaite vous voir, Conseillère. Etes-vous disponible ?

Yan sentit de l'irritation monter en lui. Ne pouvaient-ils jamais la laisser un moment tranquille ?

495

— Ici Solo, grogna-t-il. La Conseillère est occupée...

Il s'interrompit quand Leia lui serra le bras, une expression étrange sur le visage.

— Oui, dit-elle, je vais le recevoir. Envoyez-le ici.

Elle coupa la communication.

— Leia... commença Yan.

— Ne t'inquiète pas, tout va bien. J'ai un sentiment bizarre...

Elle se tut quand la porte s'ouvrit. Yan se leva et porta automatiquement la main à son blaster.

— Bonjour, Conseillère Organa Solo, dit Carib Devist en entrant. Salut, Solo ! Je suis heureux de voir que vous êtes revenus de Bastion sans encombres.

— Ça n'a pas été si simple, rétorqua Yan sèchement. Nous avons été piégés.

Carib se figea. Ses yeux se posèrent sur Lando, toujours assis, comme s'il le remarquait pour la première fois.

— Que s'est-il passé ? demanda-t-il d'une voix tendue.

— Comme je vous l'ai dit, nous nous sommes fait prendre. Ils nous ont poursuivis dans la ville. Pour finir, ils nous attendaient quand nous sommes revenus au vaisseau. Apparemment, à leurs yeux nous sommes des personnages importants. Thrawn lui-même est venu nous accueillir.

Le visage de Carib se décomposa.

— Thrawn était là ? murmura-t-il. C'était vraiment lui ?

— Ça n'était pas un hologramme en tout cas ! cracha Solo. Bien sûr que c'était lui. Nous avons eu une petite conversation amicale, puis il nous a donné le Document de Caamas. (Il désigna la carte sur la table.) Le voici.

Carib regarda la datacarte.

— Et... ? demanda-t-il, soupçonneux.

— Il a été falsifié, dit Leia d'une voix presque douce.

Yan lui jeta un regard irrité. Pourquoi était-elle si gentille avec ce type ?

— Vous ne seriez pas au courant de la façon dont ils nous ont repérés, par hasard ? lança-t-il à Carib.

L'homme ne broncha pas.

— Non, affirma-t-il. Mais comme vous n'avez pas été arrêtés à l'instant où vous êtes sortis du vaisseau, je suppose que vous vous êtes fait repérer à un moment ou un autre par la suite. Puis-je vous faire remarquer, ajouta-t-il d'une voix coupante, que je suis désormais brûlé ? Nos familles, sur

Pakrik Mineure, sont en danger... Si cela compte un tant soit peu pour vous...

Yan grimaça.

— Oui, marmonna-t-il. Je... je suis désolé.

— Oublions tout ça, dit Carib malgré sa colère. Nous savions tous à quoi nous nous exposions. (Il se tourna vers Leia.) C'est d'ailleurs la raison de notre présence ici. Nous avons décidé...

— Un moment, intervint Lando. L'officier de quart a dit que vous étiez un émissaire diplomatique. Comment avez-vous magouillé ce coup-là ?

— Il n'y a eu aucune magouille, répondit Carib. Le Directoire de ma planète voulait que quelqu'un vienne proposer notre aide au Président Gavrisom et à la Nouvelle République au sujet du problème de Caamas. Nous nous sommes portés volontaires, tout simplement.

— Et vous êtes arrivés à voir Gavrisom du premier coup ?

Carib haussa les épaules.

— Nous avons fait jouer quelques relations, mais assez peu. (Il eut un sourire triste.) J'ai l'impression que les gens ne se pressent pas pour offrir leur soutien inconditionnel à Gavrisom. Il a sans doute été content du changement ! (Il regarda de nouveau Leia.) Nous en avons parlé entre nous, et nous avons décidé que nous ne pouvions pas rester neutres. (Il adopta une posture militaire, probablement sans s'en rendre compte.) Donc, nous sommes venus vous proposer notre aide.

Yan regarda Lando, interloqué. Des clones Impériaux volontaires pour être impliqués dans les problèmes de Caamas ! Tout juste ce dont ils avaient besoin...

— Et comment avez-vous l'intention de nous aider ? demanda Yan.

— Par tous les moyens possibles, dit Carib. Au risque de vous surprendre ! Par exemple, êtes-vous avertis qu'il y a au moins trois Impériaux en orbite de Bothawui ?

Les yeux de Yan s'étrécirent.

— De quoi parlez-vous ?

— De trois vaisseaux Impériaux, répéta Carib. Petits, avec trois ou quatre hommes à bord. Mais ce sont bien des Impériaux.

— Vous en êtes sûr ? demanda Leia.

Yan fronça les sourcils. Le regard de sa femme était étrange, et il sentait en elle une tension inattendue.

— Absolument, dit Carib. Nous avons intercepté une communication, et elle utilisait le code le plus récent de Bastion.

— Je vois, dit Leia.

— Je suppose que vous les avez identifiés ! lança Lando.

— Ceux que nous avons repérés, oui, répondit Carib. (Il sortit une datacarte et la tendit à Yan.) Bien sûr, il n'est pas exclu qu'il y en ait d'autres, bien cachés.

— Bien sûr, dit Lando.

Carib le regarda, se tourna de nouveau vers Yan et soutint son regard.

— Solo, je sais que vous n'avez pas confiance en moi. A votre place, et dans les circonstances actuelles, je suppose que je ne nous ferais pas confiance non plus. Mais, que vous le croyiez ou pas, nous sommes de votre côté.

— Ce n'est pas une question de confiance, Carib, intervint Leia, mais plutôt de savoir ce qui est vrai ou pas dans tout ça. Avec Thrawn qui tire les ficelles, nous ne sommes pas sûrs de pouvoir faire confiance à ce que nous voyons, pas plus qu'à notre propre jugement d'ailleurs !

— C'est probablement son arme la plus puissante, remarqua Carib. Personne n'est prêt à faire confiance à ses alliés, aux circonstances... ou à soi-même ! Vous ne pouvez pas vivre ainsi, Conseillère. Ni vous battre !

Leia secoua la tête.

— Vous m'avez mal comprise. Je ne suggère pas que nous capitulions devant l'incertitude. Je voulais seulement expliquer notre hésitation. Nous avons un plan, et nous allons tenter de le mettre en œuvre.

— Parfait, dit Carib, soulagé. Que voulez-vous que nous fassions ?

— J'aimerais que vous retourniez à votre vaisseau et que vous vous promeniez dans la zone, le plus discrètement possible. (Leia glissa une carte dans son databloc et saisit quelque chose.) Essayez de repérer et d'identifier les vaisseaux Impériaux.

— Et s'ils n'envoient plus de transmission ? demanda Lando.

— Peu importe, lui assura Carib. Les pilotes Impériaux font les choses d'une manière très particulière qui les rend faciles à repérer. S'il y en a d'autres, nous les trouverons.

— Bien, dit Leia. (Elle sortit la carte de son bloc et la donna à Carib.) Restez en contact avec Yan, Lando ou moi. Vous avez ici nos fréquences de communication personnelles et celle du vaisseau. A part ça, soyez simplement sur le qui-vive.

— C'est promis, dit Carib. Merci, Conseillère. Nous ne vous laisserons pas tomber.

— Je sais. A plus tard.

Après un bref salut de la tête, Carib sortit de la salle.

— J'espère que tu sais ce que tu fais, Leia, marmonna Yan, un œil mauvais rivé sur la porte fermée. Je ne suis pas sûr qu'on puisse se fier à lui.

— Seule l'histoire permettra de juger ses actions de ce jour, dit Leia d'une voix lasse. Ou les nôtres. (Elle inspira à fond, et sembla chasser sa fatigue par un effort de volonté.) Mais nous nous contentons de faire ce que nous pouvons. Je dois aller parler à Gavrisom de notre rencontre avec les Ishoris ; vous, Lando, vous devez joindre le Sénateur Miatamia et essayer de prendre rendez-vous avec lui.

— C'est vrai. A plus tard.

— Et moi ? demanda Yan quand il fut sorti. Que dois-je faire ?

— Commence par me serrer encore une fois dans tes bras. (Puis, redevenue sérieuse, elle ajouta :) Il vaut mieux que tu ne fasses rien. Tu détiens le Document de Caamas, donc tu dois rester au-dessus de la mêlée. Il ne faut pas qu'on te voie traiter directement avec un camp ou l'autre.

— D'accord, s'exclama Yan, j'adore ça, être au-dessus de tout le monde ! Ça fait une si belle cible ! Leia, je ne peux pas rester dans mon coin à ne rien faire !

Il la sentit se raidir contre lui.

— Eh bien... Le *Faucon* a besoin de quelques réparations... En arrivant dans le système, nous avons perdu les convertisseurs de puissance et le stabilisateur de flux ionique tribord.

— Pas de problème, j'ai des pièces de rechange pour tout ça. Tu as une idée de ce qui s'est passé ?

Il la sentit frissonner.

— Euh... Ils ont vu un sabre laser d'un peu trop près.

— Oh ! Vraiment ?

— C'était pour une bonne cause. Une très bonne cause.

Yan sourit et lui caressa les cheveux.

— Je te crois, ma chérie, assura-t-il. D'accord, je vais aller m'en occuper. Le vaisseau est dans le hangar, n'est-ce pas ?

— Oui. (Leia recula d'un pas.) Au fait, nous avons un passager, que nous tenons pour le moment à l'écart de la politique. Il s'agit d'Elegos A'kla, un membre du Conseil d'Administration des Survivants de Caamas.

Yan haussa les sourcils.

— Je ne peux pas te laisser seule deux minutes, on dirait ! Je m'envole de Pakrik Mineure pour un voyage de routine, et quand je reviens, je te retrouve en compagnie d'un Caamasi de haut rang !

Leia lui sourit.

— Et encore, tu ne sais pas tout...

— Explique-moi, alors.

A regret, Leia secoua la tête.

— Nous n'avons pas le temps. Peut-être quand Gavrisom et moi serons de retour du *Prédominance*...

— Bien. Comme tu veux. Je vais aller travailler aux réparations du *Faucon*.

— Bien, dit Leia. (Elle le serra encore une fois dans ses bras et lui donna un rapide baiser.) Je te verrai plus tard.

— Oui, acquiesça Yan, les sourcils froncés.

Il venait de se souvenir de quelque chose.

— Tu as dit il y a un moment que l'histoire jugerait les actions de Carib de *ce jour*. Pourquoi ce jour ?

— J'ai dit ça ? demanda Leia, les yeux dans le vague. Je ne sais pas pourquoi.

Yan sentit un frisson lui parcourir l'échine.

— Un de ces trucs de Jedi ?

— C'est possible. Oui, c'est fort possible.

Ils se regardèrent en silence.

— Bon, dit Yan, faussement nonchalant. On se retrouve plus tard, d'accord ?

— Oui, murmura Leia, l'air toujours troublée. Plus tard...

Elle quitta la pièce. Un moment, Yan resta immobile, réfléchissant aux implications de ce qui venait de lui traverser l'esprit. Il y en avait plusieurs, aussi troubles que les eaux stagnantes d'un marais. Aucune ne lui disait rien qui vaille...

Mais hormis le fait que son épouse était une Jedi, une chose était claire : la journée promettait d'être fertile en événements.

Il rempocha le Document de Caamas. Si la journée devait être agitée, il ne resterait pas en dehors du coup, se jura-t-il. A aucun prix.

Une fois dans le couloir, il prit la direction du hangar où se trouvait le *Faucon*. Quel que soit le record de vitesse de remplacement d'un stabilisateur de flux ionique, il le battrait !

La salle de réunion de l'*Aventurier Errant* était déjà comble au moment où Wedge et Corran firent leur entrée. Bel Iblis se tenait derrière la table holographique. Son regard se posait sur chaque Capitaine de vaisseau ou Commandant d'escadron qui arrivait.

Aux yeux des autres, se dit Wedge, il avait sans doute l'air parfaitement calme. Le connaissant depuis plus longtemps, lui voyait au-delà de la façade.

Comme on aurait pu s'en douter, Booster Terrik arriva bon dernier. Ignorant les quelques sièges encore disponibles, il resta debout à côté de la première rangée, devant Bel Iblis, puis il croisa les bras.

— Ce briefing est le dernier avant le grand jeu, annonça Bel Iblis. Notre cible, pour ceux d'entre vous qui ne l'auraient pas deviné, est la base Impériale de l'Ubiqtorate à Yaga Mineure.

D'après les murmures qui coururent dans la salle, Wedge conclut que peu d'hommes avaient compris.

— Avant que vous commenciez à comparer nos forces aux défenses de Yaga, continua Bel Iblis, laissez-moi vous rassurer. Notre but n'est pas de détruire la base, ni même de l'affaiblir. En fait, à part l'*Aventurier Errant*, les autres vaisseaux se tiendront à l'écart, pour faire diversion. (Il appuya sur une touche et fit apparaître un hologramme de la base de l'Ubiqtorate.) L'*Aventurier Errant* sortira de l'hyperespace ici, seul. (Une lumière clignotante bleue apparut à la lisière des défenses extérieures.) Nous émettrons un signal de détresse affirmant que nous fuyons devant une flotte de la Nouvelle République — vous — et que nous avons besoin d'un refuge. Avec un peu de chance, si notre fausse identité tient, ils nous laisseront traverser le cercle de défense extérieur.

Booster ricana si fort que toute la salle l'entendit.

— Vous plaisantez ! fit-il. Un Destroyer Stellaire Impérial, fuir devant quelques vaisseaux dépareillés ? Ils ne le croiront jamais.

— Et pourquoi pas ? demanda Bel Iblis.

— Pourquoi pas ? s'étrangla Booster. Regardez-nous ! Toutes les défenses et les armes sont fonctionnelles, l'équipage est quasiment au complet, et le vaisseau brille de tous ses feux ! Qui croira que nous sommes réellement en danger ?

Bel Iblis se racla la gorge.

— J'en déduis que vous n'avez pas regardé la coque récemment.

Booster se figea.

— Quoi ?

— Vous avez raison, nous devons avoir l'air d'un vaisseau en détresse, dit Bel Iblis. Je pense que vous vous apercevrez que c'est le cas.

Les deux hommes se dévisagèrent un long moment en silence. L'expression de Booster rappela à Wedge un orage naissant.

— Vous me paierez ce coup-là, Bel Iblis, grogna enfin Booster. Vous, en personne !

— Nous ajouterons ça aux comptes en cours, promit Bel Iblis. Ne vous inquiétez pas, nous remettrons tout en place après coup.

— Vous avez intérêt à tenir parole, menaça Booster. Vous arrangerez tout, et je veux une nouvelle couche de peinture ! Et pas le blanc classique des Destroyers Impériaux !

Bel Iblis eut un léger sourire.

— Je verrai ce que je peux faire.

Il jeta de nouveau un coup d'œil circulaire dans la salle, puis il appuya sur une autre touche.

Sur l'hologramme, la lumière bleue traversa les défenses extérieures, tandis qu'un groupe de lumières jaunes apparaissait au loin.

— Au même moment, vous sortirez de l'hyperespace et vous vous mettrez en formation. Il ne sera pas nécessaire d'attaquer réellement le périmètre de défense ; vous vous contenterez de donner l'impression d'essayer, pour détourner l'attention de nous. Vous tirerez des torpilles à protons de façon à en faire passer quelques-unes à travers le périmètre, vers la base.

La lumière bleue se stabilisa à côté d'un mince espar qui dépassait de la base.

— L'*Aventurier Errant* s'arrêtera là. Nous lancerons une barge d'assaut sur les installations informatiques, pour y infiltrer une équipe d'experts. Si la Force est avec nous, nous arriverons peut-être à localiser et à télécharger une copie du Document de Caamas.

— Comment comptez-vous repartir ? demanda un Capitaine. Vous savez qu'ils vous repéreront à un moment ou un autre, n'est-ce pas ?

Bel Iblis haussa les épaules.

— Nous sommes à bord d'un Destroyer Impérial, rappelat-il. Je crois que nous parviendrons à nous frayer un chemin sans trop de problème.

Wedge jeta un coup d'œil à Corran et vit à son expression qu'il pensait comme lui. Bel Iblis se trompait sur ce point ! Confiance en soi ou pas, Destroyer Stellaire ou pas, dès que les Impériaux auraient saisi ce qui se passait, le vieux Général devrait livrer la bataille de sa vie.

A moins que...

Wedge regarda de nouveau Bel Iblis et eut une étrange sensation au creux de l'estomac.

A moins d'être parfaitement conscient qu'il ne s'en sortirait pas ! Tout ce qu'il pouvait espérer, c'était trouver à temps une copie du Document de Caamas et la transmettre au reste de la flotte.

S'il savait que Yaga Mineure était son point de rendez-vous avec la mort, quelqu'un d'autre le savait aussi...

Wedge regarda Booster, toujours debout, les bras de nouveau croisés.

Le vaisseau de Booster allant à sa perte ?

Avec Booster à bord ? C'était plus que probable.

Wedge entendit Corran soupirer.

— Il n'est pas devenu noble au point de se sacrifier pour la cause, murmura Corran. Il pense à Mirax et à Valin.

— Sûrement, souffla Wedge.

Mirax, la fille de Booster et l'épouse de Corran, et leur fils de six ans. Le petit-fils de Booster ! Le vieux pirate égoïste avait énormément d'affection pour sa famille, qu'il soit prêt à l'admettre ou pas.

Et s'il fallait qu'il donne sa vie pour que son petit-fils ne grandisse pas dans une galaxie en guerre...

— Je suppose que l'Escadron Rogue saura faire en sorte qu'ils en reviennent, dit Corran.

Wedge hocha la tête.

— Et les chasseurs ? demanda le Commandant de l'Escadron d'Ailes-A C'taunmar. Vous aurez besoin de nous pour faire écran, je suppose ?

503

— Non, dit Bel Iblis. Si nous avions des chasseurs Impériaux, je les emmènerais. Mais toute l'opération repose sur notre capacité à bluffer aussi longtemps que possible. Un écran d'Ailes-A ou d'Ailes-X leur ferait comprendre très vite de quoi il retourne. Tous les chasseurs resteront avec le groupe d'attaque extérieur.

Ses yeux se rivèrent sur Antilles.

— Y compris l'Escadron Rogue.

Bel Iblis soutint le regard de Wedge assez longtemps pour lui faire comprendre qu'il n'accepterait aucune objection.

Puis il balaya de nouveau la salle du regard.

— Votre mission et votre position dans la ligne d'attaque vous seront communiquées à la fin de la réunion. Y a-t-il d'autres questions ?

— Oui, Monsieur ! lança quelqu'un. Vous avez dit que vous auriez une fausse identité pour l'*Aventurier Errant*. S'agit-il d'un nom réel, ou fictif ?

— Un nom réel, obligatoirement, répondit Bel Iblis. Il y a vingt ans, il y avait tant de Destroyers Impériaux qu'il était difficile pour une base de garder une trace de chacun. En ce temps-là, nos ennemis auraient pensé que leurs données étaient fausses. Mais ce n'est plus le cas.

« Heureusement, les Renseignements on repéré trois vaisseaux dont on n'a pas entendu parler depuis des semaines. Ils sont sans doute partis pour une mission spéciale. Il y a peu de risques que l'un d'eux se trouve à Yaga Mineure en même temps que nous. Nous utiliserons donc le nom et le code d'identification du *Tyrannic*, sous les ordres du Capitaine Nagol.

Cinq minutes plus tard, Wedge et Corran retournèrent vers le hangar où les attendaient les pilotes de l'Escadron Rogue.

— Ça va être coton de les protéger en restant hors du périmètre, dit Wedge.

— Je sais, fit Corran d'une voix étrangement lointaine. Il nous faudra être inventifs.

Wedge fronça les sourcils.

— Un problème ?

Corran inclina la tête.

— Le *Tyrannic*, dit-il. Que Bel Iblis veuille utiliser ce nom me dérange. Mais je ne sais pas pourquoi.

Une prémonition de Jedi ?

— Il vaudrait mieux que tu trouves rapidement la réponse, dit Wedge. L'opération commence dans une heure.

— Je sais, répondit Corran. Je vais essayer.

36

— Navett !

Navett s'éveilla en sursaut. Sa main vola instinctivement vers l'arme cachée sous son oreiller. Il ouvrit les yeux et vit Klif debout à l'entrée de sa chambre.

Un blaster à la main, il arborait une expression furieuse que Navett vit parfaitement, même sous la chiche lumière de l'aube de Drev'starn.

— Que se passe-t-il ?

— Quelqu'un est entré dans le magasin ! Habille-toi et suis-moi.

Effectivement, quelqu'un était entré... Navett avança, écrasant au passage des datacartes et différentes pièces d'équipement, incrédule devant le chantier qu'était devenue leur petite boutique d'animaux exotiques.

— Je n'arrive pas à y croire, marmonna Klif pour la cinquième ou sixième fois. Comment a-t-elle pu pénétrer dans le magasin sans déclencher les alarmes ?

— Je l'ignore. En tout cas, elle n'a pas pris les mawkrens.

— Pour autant que je puisse en juger, elle n'a rien pris du tout, grogna Klif. Elle s'est contentée de tout mettre à sac !

Navett hocha la tête. En dépit de son énergie et de son enthousiasme, il semblait que leur Némésis avait raté le gros lot. La partie du mur arrière, à côté de la boîte de couplage de puissance, où Klif et lui avaient installé un compartiment secret, semblait intacte.

— Elle a fait un carnage, mais c'est tout, constata-t-il.

L'ordinateur était allumé. Elle avait dû jeter un coup d'œil à leurs dossiers. Pour ce qu'elle en avait retiré...

— Navett.

Il leva les yeux. Debout devant la cage des prompous, Klif fixait l'étagère à côté.

— Qu'y a-t-il ? demanda Navett.

Sur l'étagère, soigneusement posés l'un à côté de l'autre, se trouvaient les minuscules cylindres auparavant cachés dans le double fond de la cage des mawkrens.

A côté, il y avait un autre comlink binaire.

— Tu vas lui parler ? demanda Klif.

— Pour quoi faire ? L'entendre se foutre de nous encore une fois ?

— Peut-être peux-tu lui faire dire ce qu'elle a l'intention de faire. (Klif désigna les cylindres.) Il en manque un.

Navett ravala un juron.

Il prit le comlink et l'activa.

— Vous avez été très occupée, chère amie ! cracha-t-il.

— Bonjour, bonjour ! lança la vieille femme. Vous êtes debout de bonne heure !

Elle ne dort donc jamais ? se demanda Navett.

— Et vous, vous êtes debout bien tard. Vous devriez faire attention, à votre âge !

— Fadaises ! Un peu d'exercice est bon pour mon vieux cœur.

— Jusqu'à ce qu'il rencontre un objet pointu, menaça Navett. Sur Bothawui, il existe des lois contre le vandalisme...

— En supposant que vous sachiez qui dénoncer. Et vous l'ignorez, n'est-ce pas ?

Navett grinça des dents. Elle avait raison : tous leurs efforts pour l'identifier s'étaient révélés vains.

— Dans ce cas, nous nous occuperons de vous personnellement, dit-il.

Elle eut un petit rire.

— Je vous l'ai suggéré la nuit dernière, et j'attends avec impatience que vous vous décidiez ! Au fait, avez-vous récupéré votre Xerrol Nightstinger ?

Navett l'avait récupéré. Il était dans le compartiment secret de stockage, prêt à fonctionner.

— Que pensiez-vous trouver dans le magasin ? demanda-t-il.

— On ne sait jamais. J'ai toujours aimé les animaux. A quoi servent ces petits cylindres ?

— Vous qui savez toujours tout, vous n'avez qu'à deviner !

— Vous êtes bien grincheux le matin. Vous ne voulez même pas me mettre sur la piste ?

— Donnant donnant, proposa Navett. Pourquoi ne me dites-vous pas ce que vous avez l'intention de faire la prochaine fois ?

— Moi ? Rien. A partir de maintenant, c'est l'affaire des Bothans.

Navett regarda Klif.

— Comme si j'allais vous croire ! Vous ne pouvez pas appeler la Sécurité pour un truc comme ça, et vous le savez. Ça reste entre vous et nous.

— Libre à vous de le croire. Ma foi, je suis un peu fatiguée, et vous allez avoir de la compagnie. Je vous laisse pour le moment.

La transmission cessa sur un « clic ».

— Bonne journée à vous aussi, marmonna Navett.

Il ferma le comlink et le reposa sur l'étagère.

Puis il sortit son couteau et l'abattit sur l'appareil.

— Qu'a-t-elle voulu dire en parlant de « compagnie » ? demanda Klif, soupçonneux. Tu ne penses pas qu'elle a vraiment appelé la Sécurité ?

— Aucun risque. Au travail ! Il faut tout remettre en ordre avant l'ouverture...

Il sursauta quand quelqu'un frappa à la porte.

Il remit promptement son couteau et son blaster dans sa tunique, puis ouvrit la porte...

Et se trouva face à quatre Bothans qui portaient l'écharpe vert et jaune de la police locale.

— Monsieur Navett, propriétaire du *Paradis des Animaux Exotiques* ? demanda le premier.

— Oui, confirma Navett. Les heures d'ouverture sont...

— Je suis l'Enquêteur Proy'skyn du Département de Prévention de la Criminalité de Drev'starn, coupa le Bothan en fourrant sa carte sous le nez de Navett. Nous avons été prévenus que votre magasin avait subi une effraction. (Il jeta un coup d'œil par-dessus l'épaule de Navett.) Apparemment, c'est exact. Pouvons-nous entrer ?

— Bien entendu, fit Navett, en s'écartant pour leur laisser le passage, essayant de ne pas montrer sa colère.

Certes, la vieille femme n'avait pas appelé la Sécurité : elle n'aurait jamais fait quelque chose d'aussi rustre...

— J'étais sur le point de vous contacter, dit-il tandis que les Bothans entraient. Nous venons de nous en apercevoir à l'instant.

— Vous avez une liste des stocks ? demanda Proy'skyn.

— Je vais vous la donner, dit Klif.

Il se dirigea vers l'ordinateur.

Un des Bothans s'arrêta devant la cage des prompous.

— Propriétaire ? demanda-t-il en tendant la main. Que sont ces cylindres ?

— Je vous en prie, faites attention, le prévint Navett.

Il rejoignit le Bothan et improvisa une explication plausible.

— Ce sont des capsules osmotiques d'hormones pour nos bébés mawkrens, dit-il.

— De quelles hormones ont-ils besoin ? demanda le Bothan.

— Les mawkrens nouveau-nés ont besoin d'une combinaison spécifique de spectre solaire, de conditions atmosphériques et de nutriments, inventa Klif. Il est pratiquement impossible de l'obtenir hors de leur monde natal. En compensation, nous utilisons des hormones.

— Voilà les mawkrens, ajouta Navett, montrant la cage pleine de minuscules lézards. Nous fixons les cylindres sur leur dos avec des harnais que nous fabriquons nous-mêmes.

— Je vois, dit le Bothan. Et quand devez-vous le faire ?

— C'était prévu pour ce matin, dit Klif. Désolé, mais nous allons vous laisser jeter un coup d'œil tout seuls, si vous n'y voyez pas d'inconvénient, Enquêteur Proy'skyn.

— Pas de problème. Allez-y.

Navett releva une table renversée. Autant pour les subtilités de la vieille femme ! Klif et lui avaient prouvé qu'ils pouvaient jouer au plus fin avec elle. Ils avaient maintenant une excellente raison de remettre à plus tard les questions des flics et ils mettraient au point la phase finale de leur plan sous leur nez !

Cette phase était normalement prévue pour dans deux jours. Mais on ne peut pas tout avoir...

Ils installèrent la grille de maintien, puis, sans se soucier des Bothans qui exploraient le magasin à la recherche d'indices, ils se mirent au travail.

Ils avaient équipé quatre-vingt-dix-sept mawkrens de harnais et de cylindres. Il leur en restait une vingtaine quand Navett sentit l'odeur inhabituelle qui flottait dans le magasin.

Il regarda d'abord Klif, occupé à attacher un cylindre sur le dos du minuscule lézard placé sur la grille de maintien. Puis il examina le magasin. Les quatre Enquêteurs Bothans étaient partis, mais un groupe de trois techniciens les avait remplacés. Ils relevaient les empreintes digitales et prélevaient des échantillons chimiques un peu partout. Aucun ne semblait avoir remarqué l'odeur.

Klif leva les yeux et croisa le regard de son complice.

— Des problèmes ? murmura-t-il.

Navett fit mine de renifler. Klif l'imita.

Soudain ses yeux s'agrandirent.

— De la fumée !

Navett fit un signe de tête affirmatif. On ne voyait pas de flammes, mais l'odeur était de plus en plus forte.

— Elle n'aurait pas osé faire ça ! dit Klif.

— Il vaudrait mieux supposer que si, répondit Navett. Apporte au bar les mawkrens équipés.

— Maintenant ? demanda Klif. Navett, il y a une équipe entière au travail dans ce bar !

— A toi de trouver une diversion pour que ces enquiquineurs dégagent ! s'énerva Navett. Si nous perdons les mawkrens, nous aurons fait tout ça pour rien. Réveille Pensin et Horvic. Nous passons en mode « extrême urgence ».

Klif hocha la tête.

— Compris, dit-il.

Il entreprit de remettre les derniers mawkrens dans leur cage...

Soudain un des Bothans cria :

— Le bâtiment est en feu ! Morv'vyal, appelle les Extincteurs, vite !

— En feu ? dit Navett, l'air faussement étonné. Où ? Je ne vois pas de flammes.

— Imbécile d'humain ! cracha le Bothan. Ne sentez-vous pas la fumée ? Dépêchez-vous. Laissez tout tomber et filez !

Navett regarda Klif. C'était donc le plan de la vieille femme : n'ayant pas réussi à trouver ce qui leur tenait tellement à cœur dans le magasin, elle les forçait à partir sans rien emporter.

— Mon stock a une grande valeur ! protesta Navett.

— Autant que votre vie ?

Le Bothan, sans suivre son propre conseil, fit rapidement le tour du magasin, ses mains effleurant les murs.

— Que faites-vous ? demanda Klif.

— Vous avez raison, il n'y a pas de flammes. Le feu doit donc être derrière un mur.

— Les Extincteurs arrivent, dit un autre Bothan, mais il leur faudra encore quelques minutes.

— Compris, lâcha le premier.

Il s'arrêta devant la boîte de couplage.

Sa fourrure s'aplatit et il tira un couteau de sa ceinture.

— Peut-être pouvons-nous leur préparer le terrain...

— Ne faites pas ça ! cria Navett quand il vit que le Bothan avait planté son couteau à l'endroit où se trouvait leur compartiment secret.

— La fumée sent le plastique — des câbles, expliqua le Bothan. La boîte de couplage est l'endroit le plus vraisemblable. Si nous parvenons à trouver l'origine de l'incendie et à prendre quelques mesures préventives...

Il s'interrompit et chancela quand la fausse façade du compartiment céda sous son couteau. Il se rattrapa et regarda d'un air ahuri le blaster Nightstinger désormais exposé à la vue de tous.

— Propriétaire Navett ! s'exclama-t-il, que fait cette arme...

Il n'eut pas le temps de finir sa phrase et s'écroula.

Navett lui avait tiré dans le dos.

C'est à peine si le deuxième Bothan put crier avant que l'arme de Navett fasse feu une seconde fois.

Le troisième essayait frénétiquement de sortir son blaster et son comlink au moment où Klif le descendit.

— Ça, c'est le comble ! s'écria-t-il en foudroyant Navett du regard. Au nom de l'Empire, que t'est-il passé par la tête ?

— Elle attend de nous un comportement de professionnels, répondit Navett. Ceux-ci ne tirent jamais, à moins d'y être forcés. Donc, nous ne nous sommes pas comportés en professionnels. Parfait ! Ça, ça devrait la surprendre !

— Fantastique ! railla Klif. Une stratégie brillamment non orthodoxe. Et maintenant, que faisons-nous ?

— Nous emportons ce dont nous avons besoin ! cracha Navett. (Il sortit le Nightstinger de sa cachette.) Réveille Pensin et Horvic, allez au vaisseau et décollez. Vous avez deux heures, maximum, pour monter à bord du *Prédominance* et vous mettre en position.

Le Nightstinger à la main, il se tourna vers Klif, qui ne cachait pas sa stupéfaction.

— Navett, nous ne pouvons pas faire ça maintenant ! protesta-t-il. La force d'attaque ne sera pas prête avant trois jours !

— Tu veux essayer d'éviter notre petite copine pendant si longtemps ?

Navett laissa tomber le Nightstinger sur la table et remit les derniers mawkrens dans leur cage.

— J'ai compris le plan de la vieille, continua-t-il. Elle essaye de forcer la police ou les Extincteurs ou Dark Vador sait qui à nous neutraliser à sa place. Nous devons agir maintenant, alors qu'elle ne s'y attend pas.

— Mais la force d'attaque...

— Cesse de te préoccuper de la force d'attaque ! Elle sera prête, sinon elle aura intérêt à se préparer vite fait ! Tu as tes ordres !

— Très bien, dit Klif. Je te laisse le landspeeder. Je peux en piquer un autre pour nous trois. Tu as besoin d'autre chose ?

— Rien que je ne puisse me procurer. Vas-y, le compte à rebours a commencé !

— C'est vrai. Bonne chance !

Il partit.

Navett finit de mettre les mawkrens dans leur cage, puis il ramassa les derniers cylindres et les glissa dans le double fond.

Oui, la vieille femme lui avait forcé la main, et ce brusque changement de plan allait leur coûter cher.

Mais si elle croyait avoir gagné, elle se trompait. Il aurait aimé être là pour voir sa tête quand elle s'en apercevrait.

— Je suis sûre que vous comprenez, Amiral, dit Paloma D'asima, à quel point cette étape est nouvelle pour notre peuple. Nous n'avons jamais eu ce qu'on pourrait qualifier de « relations proches » avec l'Empire.

Assis à quelques sièges d'elle, Disra réprima un sourire cynique. Paloma D'asima, une des Onze Anciennes des Mistryls, se croyait aguerrie en matière de politique et de joutes verbales. Pour lui, elle était aussi transparente qu'un débutant. Si c'était le mieux que les Mistryls pouvaient faire, elles lui mangeraient dans la main avant la fin de la journée.

Ou plutôt, dans la main du Grand Amiral Thrawn.

— Je sais quels conflits nous avons eus par le passé, dit Thrawn. Toutefois, comme je vous l'ai fait remarquer, ainsi qu'à Karoly D'ulin, ici présente, sous ma direction l'Empire n'aura que peu de points communs avec celui du défunt Empereur Palpatine.

— Je comprends, dit son interlocutrice.

Son visage ne révélait rien, mais les mouvements de ses mains en disaient long.

— Je voulais seulement vous rappeler que nous aurons besoin d'autre chose que votre parole comme garantie, continua la femme.

— Mettez-vous en doute la parole du Grand Amiral Thrawn ? demanda Disra d'une voix irritée.

Son petit jeu marcha. D'asima fut aussitôt sur la défensive.

— Pas du tout, assura-t-elle trop vite. C'est simplement que...

Elle fut sauvée par le bip de l'intercom de la salle de conférence.

— Amiral Thrawn, ici le Capitaine Dorja, dit une voix familière.

Assis à côté de Thrawn, Tierce effleura le commutateur.

— Ici le Major Tierce, Capitaine. L'Amiral vous écoute.

— Pardonnez-moi cette interruption, Monsieur. Vous avez demandé à être informé si un vaisseau approchait de la base. Nous venons de recevoir une transmission du Destroyer Stellaire Impérial *Tyrannic*. Il demande de l'aide.

Disra jeta un coup d'œil étonné à Tierce. Le *Tyrannic* était un des trois vaisseaux qui attendaient derrière un écran de camouflage au-dessus de Bothawui.

Du moins, c'était là qu'il était censé être.

— Connaissez-vous la nature de l'urgence ? demanda Thrawn.

— Les informations arrivent à l'instant... Ils disent qu'ils ont été attaqués par une flotte de la Nouvelle République et qu'ils ont pas mal de dégâts. Les vaisseaux les talonnent, et ils ont besoin d'un abri. Le Général Hestiv demande des instructions.

Un sourire sans joie naquit sur les lèvres de Disra. Bien entendu, ce n'était pas le véritable *Tyrannic* ! L'intuition de Tierce était juste : Coruscant lançait une attaque désespérée pour dérober une copie du Document de Caamas.

Le piège était prêt et une des Onze Mistryls était là pour voir la pitoyable tentative se transformer en une défaite humiliante. Le vrai Thrawn n'aurait pas fait mieux !

— Dites au Général Hestiv de laisser le Destroyer traverser le périmètre extérieur, ordonna Thrawn à Dorja. Puis qu'il sonne le branle-bas de combat et se prépare à une attaque.

— Oui, Monsieur.

— Ensuite, Capitaine, ajouta Thrawn, vous préparerez l'*Implacable* au combat. Repérez le Destroyer Stellaire et calculez sa trajectoire, puis faites en sorte que nous nous placions entre lui et la base. A ce moment, vous ordonnerez au Général Hestiv de mobiliser toutes les défenses intérieures contre l'intrus.

— Oui, Monsieur, dit Dorja, légèrement étonné mais sans discuter les ordres. Serez-vous sur la passerelle ?

— Bien entendu, Capitaine.

Thrawn se leva et fit un petit sourire à D'asima en lui montrant la porte de la salle de conférence.

— Je crois que nous serons *tous* là.

Un bruit tira Ghent de sa somnolence. Il se redressa sur sa chaise et s'aperçut qu'il était toujours seul.

Il fallut encore un instant à son esprit embrumé de sommeil pour comprendre que le son était une alarme.

Il regarda autour de lui et se demanda quelle était l'origine du problème. Il n'y avait rien de visible.

Cela devait concerner une autre partie de la station. Il chercha un commutateur sur le panneau de commande.

Le son devint un bourdonnement déplaisant. Ghent regarda le panneau. Valait-il la peine de se connecter au système de communications central pour savoir de quoi il s'agissait ? Sans doute pas. Quelle que soit l'origine de l'alarme, il n'était probablement pas concerné.

Il fronça les sourcils.

Le panneau de commande semblait clignoter...

Clignoter ?

Il comprit ce qui se passait. C'était un reflet venu d'un hublot situé derrière lui, dans la salle commune. Il se leva et grimaça quand ses genoux l'informèrent qu'il était resté immobile trop longtemps.

Puis il se rendit dans l'autre pièce et regarda par le hublot.

La source de la lumière clignotante lui apparut aussitôt : une impressionnante quantité de rayons de turbolaser et de torpilles à protons en provenance du périmètre extérieur de défense.

Au beau milieu de cette puissance de feu, il reconnut la coque majestueuse d'un Destroyer Stellaire Impérial.

Ghent retint son souffle. Soudain, les avertissements de Pellaeon et d'Hestiv, relégués au fin fond de son esprit ces derniers jours, lui revinrent en mémoire. Le Destroyer venait pour lui. Il en était sûr.

Je dois filer d'ici !

Sortir de là, emprunter le long tunnel menant à la base principale. Chercher le Général Hestiv ou le pilote de TIE qui l'avait amené du *Chimaera* à cet endroit.

Bref, trouver un endroit où se cacher.

Mais c'était impossible ! Hestiv l'avait prévenu qu'il y avait des espions dans la base. S'il se montrait, ils le coinceraient !

De plus, se souvint-il, il ne pouvait aller nulle part. Il avait scellé l'unique porte avec des mots de passe qui demanderaient des heures de décodage à un ennemi. Quant à lui, il lui faudrait environ une demi-heure pour ouvrir la porte.

Et ce serait trop tard. Beaucoup trop tard.

Il regarda le vaisseau approcher puis se demanda vaguement ce que les Impériaux feraient de lui.

Avec un soupir, il se détourna du hublot. Il était pris au piège. Le vaisseau venait pour lui et il ne pouvait rien faire.

Il retourna dans l'aire de travail et ferma la porte derrière lui. Le Wickstrom K220 avait enfin terminé une analyse complexe.

Il transféra les résultats sur le Masterline-70 et se remit à l'ouvrage.

Il fallut une demi-heure à Navett pour trouver et acheter le réservoir inflammable pressurisé dont il avait besoin, puis quinze minutes pour y adapter un tuyau à embout pulvérisateur. Quarante-cinq minutes ! Pendant ce temps, la nouvelle que des Bothans avaient été tués dans le magasin avait dû se répandre aux quatre coins de la ville.

Mais peu importait. Les minables créatures à fourrure ne pouvaient plus l'arrêter. Plus il mettait de temps à se préparer, et plus Klif, Horvic et Pensin en auraient pour se faufiler à bord du vaisseau Ishori.

Sinon, ils mourraient. Ils le savaient. Mais lui aussi allait mourir bientôt. Ce qui comptait, c'était de terminer leur tâche avant de disparaître.

Si tranquilles et désertes la nuit, les rues bourdonnaient d'activité à cette heure matinale. Le réservoir de fluide installé tant bien que mal à côté de lui, Navett longea les flancs, puis l'arrière du bar. Il pulvérisa une épaisse couche de liquide le long des murs et sur le sol.

La façade donnant sur une rue passante, il ne pouvait pas procéder de la même manière avec elle sans faire naître des soupçons. Mais il avait d'autres plans pour cette zone.

Il retourna sur la route, s'assura une fois de plus que personne ne l'observait et tira un coup de blaster dans le fluide.

Il prit son temps pour refaire le tour du bâtiment. Quand il arriva de nouveau dans la rue principale et qu'il arrêta le landspeeder en face du bar, le feu crépitait le long des murs extérieurs.

Des piétons couraient en tout sens, ou se regroupaient à bonne distance pour regarder.

Au moment où Navett récupéra le Nightstinger sur la banquette arrière, les portes du bar s'ouvrirent et une foule hystérique de clients et d'employés se déversa dans la rue envahie de fumée. Navett vérifia l'indicateur du Nightstinger. Il lui restait trois coups.

Il cala l'arme contre le siège arrière pour la stabiliser et attendit.

Son attente ne fut pas longue. Le flot de fuyards avait à peine commencé à se tarir quand un camion blanc d'Extincteurs arriva, sirène hurlante, et s'arrêta à un coin du bâtiment. A travers la vitre de son speeder, Navett vit le chauffeur faire des signes à son partenaire, tandis que celui-ci grimpait à l'échelle extérieure du camion pour rejoindre la tourelle sous pression située au sommet.

Il n'y arriva jamais. Navett le descendit. Le deuxième coup de feu invisible élimina le chauffeur ; le troisième et dernier fit exploser le tube de remplissage du camion. Le liquide anti-feu coula sur le sol dans la direction opposée aux flammes.

Navett posa l'arme vide sur le sol et jeta un coup d'œil sur la foule. Personne ne prêtait attention à l'humain assis dans son landspeeder. Tous les yeux étaient rivés sur le bâtiment en feu. Une ou deux personnes peut-être se demandaient pourquoi les deux Extincteurs s'étaient soudain effondrés...

Le flot de clients que déversait le bar s'était tari. Navett attendit trente secondes pour être sûr qu'il ne restait plus personne. Puis, après avoir dégainé son blaster pour le poser sur le siège du passager, il démarra et avança vers les portes du bar.

Il avait presque atteint son but quand quelqu'un remarqua son manège et poussa un cri. Un Bothan qui portait l'écharpe vert et jaune de la police se dressa sur le chemin du speeder et agita frénétiquement les bras.

Navett le descendit, contourna le cadavre et appuya à fond sur l'accélérateur. Quelqu'un cria derrière lui.

Navett augmenta encore la vitesse...

Il heurta les portes du bar avec une force incroyable. Les battants volèrent en éclats ; le landspeeder s'arrêta au milieu du chaos. Navett sortit du véhicule avant que les débris aient touché le sol. Il prit la cage des mawkrens, sur le siège arrière, s'élança à travers la fumée vers la porte qui donnait sur le deuxième sous-sol.

Il était à mi-chemin de la première volée de marches quand il entendit, derrière lui, le bruit de l'explosion du fluide qui restait dans le réservoir sous pression, toujours dans le landspeeder.

La façade du bar engloutie par les flammes, il était désormais coupé du monde extérieur.

Personne dans l'univers ne pouvait plus l'arrêter.

Il y avait un peu de fumée dans le deuxième sous-sol. Rien de grave pour le moment. Leur équipement était là où ils l'avaient laissé. Navett prit le temps de vérifier le désintégrateur à fusion.

Bien lui en prit car la vieille femme avait sévi une fois de plus. Elle avait bricolé le dispositif pour qu'il surchauffe et brûle la bobine principale de commande à l'instant du démarrage. Avec un sourire sauvage, Navett « débricola » l'appareil avant de perdre quelques précieuses minutes à reconfigurer la visée.

Enfin prêt, il fixa la cage des mawkrens sur son dos. Puis il se laissa tomber dans le trou que Klif et lui avaient creusé et activa le désintégrateur.

Le rayon détruisit le sol comme un coup de blaster aurait fait fondre de la neige. Une tornade de poussière microscopique frappa Navett au visage. L'idée qu'il aurait dû prendre un masque filtrant l'effleura, mais c'était trop tard. Les yeux plissés, il se demanda ce que faisaient les Bothans au sujet des myriades d'alarmes qu'il était en train de déclencher. Pas grand-chose, se dit-il, surtout s'ils s'étaient déjà aperçus que la zone d'intrusion leur était totalement inaccessible.

Un certain nombre de ces crétins se contenteraient sans doute de s'asseoir et de se détendre, persuadés que la perte du conduit d'alimentation n'affecterait en rien leur précieux bouclier.

Peut-être étaient-ils en train de se gausser de l'imbécile d'Impérial qui pensait les avoir eus si facilement, ou qui croyait pouvoir ramper dans un conduit de dix centimètres de diamètre.

Eh bien, ils ne riraient pas longtemps !

Navett mit quelques minutes à se frayer un chemin jusqu'au conduit d'alimentation. La gaine étant blindée, dix minutes furent nécessaires pour que le désintégrateur la fasse céder. Les câbles brûlèrent en un éclair dès que le rayon traversa le blindage. C'étaient des câbles classiques, prévus pour résister à un courant électrique à haute tension et rien de plus.

Il maintint le désintégrateur activé jusqu'à ce qu'il ait pratiqué un trou suffisant dans la gaine, puis il arrêta sa machine et mit en marche le pulvérisateur de réfrigérant intégré. Après quelques minutes, la gaine était assez froide pour qu'il puisse la toucher.

Il ferma le vaporisateur de réfrigérant et s'assit près de l'ouverture. Dans le silence revenu, il entendit un son nouveau.

Le bip d'un comlink.

En provenance du désintégrateur.

Navett vérifia l'appareil. Le comlink était caché dans le réservoir de secours du liquide réfrigérant.

Avec un sourire crispé, il le sortit et l'activa.

— Bonjour, fit-il. Tout marche suivant vos plans ?

— Au nom de la poussière d'Alderaan, dit la vieille femme, qu'est-ce que vous fabriquez ?

Navett coinça le comlink dans son col et ouvrit le double fond de la cage des mawkrens.

— Que se passe-t-il ? demanda-t-il en sortant un petit tube de nourriture. Ne me dites pas que je vous ai prise par surprise ! Au fait, c'était astucieux, au magasin, l'histoire de la fumée. Je suppose que vous avez tout préparé ce matin avant de partir ?

— Oui. J'ai deviné que vous gardiez ce dont vous aviez besoin dans le magasin, caché derrière les murs ou le plafond.

— Vous avez donc installé une bombe fumigène à retardement, afin que les Extincteurs cassent les murs à votre place.

517

(Navett ouvrit la cage et en sortit un des minuscules lézards.) C'était très bien pensé !

— Nous n'avons pas le temps de bavarder. Au cas où vous ne l'auriez pas remarqué, tout le bâtiment est en feu.

— Je le sais, dit Navett.

Le lézard dans une main, il plaça un peu de nourriture sur le bout de son nez et installa l'animal dans la gaine, la tête dirigée vers le bâtiment du générateur. Puis il effleura une des extrémités de la bombe cylindrique afin de l'activer. Elle était réglée pour exploser quand le lézard atteindrait l'endroit où le conduit passait à travers le mur renforcé. De l'autre côté, les câbles d'alimentation partaient dans des douzaines de directions différentes.

Il lâcha le mawkren. Le lézard courut le long de la gaine. Il suivait l'odeur de nourriture qu'il reniflait, incapable de comprendre qu'elle venait de son propre nez.

— Comment ça, vous le savez ? demanda la femme. A moins de faire très vite quelque chose de vraiment intelligent, vous allez mourir là-dessous. Vous savez ça aussi ?

— Il faut bien mourir un jour ou l'autre, lui rappela Navett.

Il traita le nez d'un autre mawkren et l'envoya à la suite du premier. Il avait à peine disparu dans le conduit qu'une petite explosion retentit.

La vieille femme avait de bonnes oreilles.

— Qu'est-ce que c'était ?

— La mort de Bothawui.

Il répéta l'opération avec le mawkren suivant tandis que résonnait l'écho d'une deuxième explosion.

Maintenant que la poussière soulevée par le désintégrateur était retombée, l'odeur de fumée se faisait plus forte.

— Nous n'avons jamais pu deviner votre nom, ajouta-t-il en sortant de la cage un autre mawkren.

Mal à l'aise, il se demanda à quelle vitesse le feu s'étendait au-dessus de lui. Si les flammes ou la fumée le tuaient avant que les mawkrens et leurs bombes miniatures aient percé un trou dans les câbles d'alimentation dénués de gaine qui couraient à l'intérieur du bâtiment du générateur, il risquait de perdre la partie.

— Alors, c'est quoi ?

— Quoi ? Mon nom ? Dites-moi le vôtre et je vous dirai le mien.

— Désolé, dit-il. Mon nom peut encore être utile à quelqu'un, même quand j'aurai cessé de vivre.

Il y eut une autre explosion...

A son grand soulagement, Navett sentit une bouffée d'air frais sur son visage. Les câbles d'alimentation avaient été arrachés du mur, et le bâtiment du générateur lui était désormais ouvert.

— Ecoutez, Impérial...

— La conversation est terminée, coupa Navett. Bon spectacle !

Il ferma le comlink et le jeta. Puis il renversa la cage pour laisser sortir le reste des mawkrens. Un moment, ils tournèrent autour de lui. Puis tous prirent la direction du conduit.

Ce n'était plus la nourriture placée sur leur nez qui les attirait, mais les gouttelettes de liquide que Klif et lui avaient soigneusement répandues trois jours plus tôt, quand ils étaient venus éliminer les métalmites.

Il ne lui restait plus qu'une tâche à accomplir.

Il plongea la main dans le double fond de la cage et en sortit un dernier article : la commande à distance qui activait les cylindres en route vers leur rendez-vous avec le destin. Dans quelques secondes, ses bombes téléguidées se répandraient dans le générateur parmi les Bothans ahuris et fileraient vers les points clés de l'installation.

Navett entendit les échos des explosions tandis que les mawkrens atteignaient leurs cibles et que les fusibles de proximité des cylindres s'activaient.

Dans quelques secondes, une minute au plus, la partie du bouclier planétaire qui protégeait Drev'starn s'effondrerait.

La mort de Bothawui suivrait. Et, avec elle, celle de la Nouvelle République.

Le seul regret de Navett était de ne pas pouvoir y assister.

Au-dessus de lui, il entendait le grondement des flammes mêlé au lointain staccato des bombes qui explosaient dans le bâtiment.

Souriant, Navett leva la tête vers le plafond, s'adossa au mur et attendit la fin.

La conversation, à bord du *Prédominance*, entrait dans son quatrième round quand le pont vibra et émit comme un grondement. Leia savait trop bien ce que signifiait ce phénomène.

Quelque part dans les profondeurs du vaisseau Ishori, une batterie de turbolaser venait de faire feu.

Le Capitaine activa l'intercom avant que le grondement ait cessé.

— Qui a tiré ? cracha-t-il.

La réponse en Ishori fut trop rapide et trop peu audible pour que Leia la comprenne.

— Que se passe-t-il ? demanda Gavrisom. Vous étiez d'accord pour qu'il n'y ait aucune hostilité pendant que...

— Ce n'est pas nous, dit le Capitaine. (Il courut vers la porte.) Des inconnus ont investi une de nos fosses d'armement et tirent en direction de la surface.

— Quoi ? dit Gavrisom. Comment ont-ils... ?

Le Capitaine était déjà sorti, et les gardes en faction l'avaient suivi.

— Conseillère Organa Solo, que se passe-t-il ? demanda Gavrisom, tandis que le vaisseau vibrait à nouveau.

Leia secoua la tête.

— Je n'en...

Leia sursauta. Une vague de peur, de douleur et de mort déferlait sur elle.

Sur la planète, des gens hurlaient de terreur...

Horrifiée, Leia comprit ce qui était arrivé.

— Le bouclier planétaire s'est effondré ! cria-t-elle.

Elle se leva et courut jusqu'au hublot.

Elle arriva à temps pour voir une troisième salve jaillir du ventre du vaisseau. Il y eut un éclair blanc quand les rayons traversèrent l'atmosphère. Puis la distorsion céda la place à une lueur rougeâtre à la circonférence teintée de noir.

Drev'starn, la capitale Bothane, était en flammes.

Leia se tourna et se dirigea vers la porte.

— C'est bien ça, le bouclier a disparu, dit-elle à Gavrisom en passant à côté de lui. En tout cas, au-dessus de Drev'starn.

— Où allez-vous ? cria Gavrisom.

— Essayer d'arrêter les tirs !

Dehors, une douzaine d'Ishoris en armure couraient dans le couloir, carabine-blaster à la main. Plaqués contre les cloisons pour rester hors de leur chemin, les deux gardes Noghris levèrent les yeux vers Leia.

— Suivez-moi !

Elle décrocha son sabre laser de sa ceinture et demanda à la Force de lui donner le courage et la sagesse nécessaires. Puis elle se joignit aux gardes qui s'élançaient dans le couloir.

Yan déboula dans le cockpit du *Faucon* et s'arrêta de justesse avant d'entrer en collision avec le panneau de commande.

— Où ? aboya-t-il, avant de se laisser tomber dans le siège du pilote.

— Ici, fit Elegos. (Il désigna un vaisseau de couleur sombre, à environ deux kilomètres.) J'ignore de quel navire il s'agit, mais...

Il s'interrompit quand un autre rayon rouge traversa l'espace, se dirigeant vers la surface de la planète.

— Là ! Vous avez vu ?

— Oh oui, je l'ai vu ! cria Yan, la peur au ventre.

Il appuya sur les commutateurs de démarrage d'urgence. Elegos avait peut-être oublié quels vaisseaux orbitaient avec eux, mais pas lui. La salve venait du navire amiral de la flotte Ishorie, le Croiseur *Prédominance*.

Où se trouvait actuellement Leia.

Il y eut un autre éclair, lui aussi dirigé vers Bothawui.

— Savez-vous comment relâcher le collier d'amarrage ? cria Yan à Elegos.

— Oui, je crois...

— Faites-le ! Immédiatement !

— Oui, Monsieur.

Le Caamasi se leva d'un bond et courut vers la poupe.

Les moteurs commençaient à monter en puissance. Yan ouvrit les communications et les régla sur un balayage toutes fréquences. Les Ishoris paieraient, quoi qu'ils pensent être en train de faire.

Les codes de synchronisation du stabilisateur qu'il venait d'installer défilaient sur l'écran. Tout semblait en ordre...

— A tous les vaisseaux, ici le Président Gavrisom de la Nouvelle République, dit la voix du Calibop dans les haut-parleurs. Restez en position, ne tirez pas. Je répète, restez en attente et ne tirez pas. Ce qui se passe n'est pas...

Il ne termina pas sa phrase.

Un crépitement annonça que la fréquence avait été brouillée.

— Attaquez ! cria une nouvelle voix. Toutes les forces Corelliennes, à l'attaque !

Yan regarda le haut-parleur, bouche bée.

Que fabriquaient les Corelliens ?

Puis le système se verrouilla sur une autre fréquence.

— Attaquez ! beugla une voix gutturale de Mon Calamari. Tous les vaisseaux Mon Cal !

— Attaquez ! dit une voix Diamala sur une autre fréquence.

— Attaquez ! répondit un grognement d'Ishori sur une autre.

Yan regarda les vaisseaux, le cœur battant à tout rompre.

Non ! Ce n'était pas possible. De la folie ! Ils n'allaient pas le faire...

Et pourtant...

Les différents vaisseaux de guerre tournaient leurs armes vers l'adversaire le plus proche.

Les premiers rayons de turbolaser jaillirent.

Elegos fit son entrée dans le cockpit, le souffle court.

— Le collier est détaché, annonça-t-il, haletant. Nous pouvons partir quand...

Il s'interrompit et regarda la scène, incrédule.

— Qu'est-il arrivé ? Yan, que se passe-t-il ?

— Exactement ce que vous voyez.

— La Nouvelle République est en guerre. Une guerre civile !

37

A vol de Qom Qae, il y avait environ un quart d'heure jusqu'au flanc le plus éloigné de la Main de Thrawn et au lac qu'Enfant des Vents avait mentionné. D'abord, Luke s'était plié à cette suggestion avec réticence, inquiet à l'idée que les jeunes créatures soient incapables de soulever leurs passagers et de rester hors de portée de tir de ce qui était désormais, sans l'ombre d'un doute, une bande d'ennemis extrêmement hostiles tapis dans la forteresse.

Les Qom Qae le surprirent agréablement. Tandis qu'ils se glissaient avec habileté entre les arbres et les rochers pour rester à couvert, Luke commença à se détendre au sujet de cette phase de l'opération. Il sentit qu'il en allait de même pour Mara, dont les pensées étaient tournées vers ce qu'ils trouveraient à la fin de leur vol.

Il en allait bien différemment pour R2. Suspendu dans le filet que les Qom Qae avaient bricolé avec leurs dernières longueurs de synthécorde, il gémit et grogna pendant tout le trajet.

La fente, dans le rocher, était à peine à dix mètres du bord du lac. Elle descendait en pente raide à partir d'un surplomb.

— Au moins, le roc n'est pas trop râpeux, dit Mara. Il a probablement été poli au cours des ans par des centaines de pattes de flammes vives...

R2 trilla sur un ton qui exprimait son inconfort.

— Je doute que nous en rencontrions encore, le rassura Luke tandis qu'il le sortait du filet de synthécorde, qu'il rangea dans le compartiment de stockage du droïd. Les essaims de cette taille ne voyagent pas les uns derrière les autres. Il n'y aurait pas assez de nourriture pour tous.

— Espérons seulement qu'ils sont assez futés pour le savoir, dit Mara.

Vous avez de la chance d'être venus en ce moment, dit Enfant des Vents. *Il a beaucoup plu ces dernières saisons, et le Lac des Petits Poissons est devenu encore plus grand.*

— Les petits poissons ont-ils grandi aussi ? demanda Mara.

Enfant des Vents agita les ailes.

Je l'ignore. Est-ce important ?

Mara secoua la tête.

— C'était une blague. Oublie ça !

Oh ! fit Enfant des Vents. *Je voulais seulement mentionner que cette entrée pourrait être recouverte par les eaux du lac dans quelque temps.*

— Je comprends, dit Luke, mais pour l'instant ce n'est pas le cas, et vous nous avez conduits ici sans danger.

C'était un grand honneur pour nous. Que voulez-vous que nous fassions ?

— Vous en avez assez fait. Merci. Merci à vous tous.

Devons-nous vous attendre ? insista le Qom Qae. *Nous serons honorés de vous ramener à votre machine volante.*

Luke hésita. Un vol de retour jusqu'à leur vaisseau pouvait se révéler très utile. Malheureusement...

— Je n'ai pas la moindre idée du moment où nous ressortirons, dit-il.

Nous monterons la garde, décida Enfant des Vents. *Et d'autres aussi.*

— D'accord, et merci, dit Luke, pressé de passer à l'action.

— Dans quel ordre y allons-nous ? demanda Mara.

— Je passe devant, répondit Luke. (Il s'assit au bord de la pente, les jambes dans l'ouverture.) R2 en deuxième. Tu fermeras la marche. J'essaierai de m'occuper des goulots et de les agrandir, mais si j'en rate un, il te faudra te débrouiller avec.

— D'accord, dit Mara. (Elle tira son sabre laser de sa ceinture.) Bon atterrissage, et tâche de ne pas te trancher les pieds en chemin !

— Merci.

Sabre laser activé, Luke tint la lame au-dessus de ses jambes. Puis il se laissa glisser sur la pente et commença la descente.

Ce n'était pas aussi grave qu'il l'avait craint. Les pattes des flammes vives avaient rendu le rocher plus lisse, mais elles avaient surtout usé la plupart des obstacles. Luke n'eut qu'à tailler le roc à deux reprises lors de sa descente, et encore fit-il du zèle. Derrière lui, il entendait le bruit métallique que produisait R2, qui glissait le long de la pente, couvrant le pépiement angoissé qu'il émettait en continu.

La pente déboucha dans un tunnel semblable à ceux où ils avaient passé trop de temps à son goût au cours des deux dernières semaines. Luke rattrapa R2 quand il tomba et l'écarta à temps pour que Mara atterrisse sans encombre.

— Nous y revoilà, fit-elle avant de promener autour d'elle le faisceau de sa lampe-torche. Ce tunnel ne me semble pas familier. As-tu une idée de la direction à prendre ?

— D'après la position de la forteresse, je dirais à gauche.

— D'accord. Allons-y.

Les Qom Qae, par chance ou à dessein, avaient bien choisi l'entrée. Ils n'avaient pas parcouru plus d'une centaine de mètres quand Luke vit devant eux une arche naturelle qu'il ne connaissait que trop bien.

— Nous y sommes, murmura-t-il à Mara. Tiens-toi prête. S'ils savent pour l'escalier, ils ont sans doute posté des gardes à l'intérieur.

Il n'y avait pas de gardes. Quinze minutes plus tard, après être passés tant bien que mal par les étroites ouvertures creusées dans les rochers chargés de cortosis, ils se retrouvèrent dans la salle souterraine.

— Je suppose qu'ils n'ont pas découvert l'escalier, après tout, commenta Mara.

Elle promena le faisceau de sa lampe-torche sur l'ouverture qu'ils avaient ménagée dans le mur intérieur.

— Ou qu'ils n'ont aucun moyen d'y accéder, lui rappela Luke. Même les systèmes de fermeture de ces portes semblaient être en pierre d'Hijarna.

— Ne t'en fais pas, je suis bien contente de ne pas avoir à m'occuper d'eux cette fois. Je me demande combien de conduits d'alimentation fonctionnent en ce moment ?

— Sans doute plus que la dernière fois, dit Luke.

Il montra l'autre chemin du bout de sa lampe-torche.

L'extrémité de la salle était perdue dans les ombres.

— A ton avis, quelle profondeur fait cette grotte ?

— Elle ne peut pas être si longue que ça, dit Mara. Il y a un lac quelque part dans cette direction, tu t'en souviens ?

— C'est vrai. As-tu un conseil plein de sagesse à nous donner avant le départ ?

— Simplement d'être prudents, dit Mara. Nous marcherons côte à côte, autant que possible, le droïd derrière nous, et les sabres laser prêts.

— C'est succinct, mais ça me paraît correct, approuva Luke.

Il sonda le terrain avec la Force. Pour le moment, il ne percevait aucun danger.

— Viens, R2, dit-il.

La remarque de Mara sur la taille de la salle se révéla exacte. Ils n'avaient fait que quelques pas quand le mur le plus éloigné renvoya leurs rayons lumineux.

Au centre se dressait une arche.

Mais ce n'était plus la pierre naturelle des cavernes. Les murs et le sol de ce passage avaient été polis, sans doute par une machine.

— Intéressant, dit Mara. Tu ne remarques rien d'étrange au sujet du plafond ?

— Il n'a pas été poli comme le reste, répondit Luke.

— Je me demande ce que ça signifie, murmura Mara. R2, tes senseurs captent quelque chose ?

R2 trilla une réponse négative. Luke se pencha pour vérifier la traduction sur le databloc.

— Il dit que les émissions du générateur de puissance masquent tout le reste. C'est de là que provient le bourdonnement. Tu crois qu'il y a autre chose là-haut ?

— Gardien des Promesses a affirmé que cette zone était mortelle pour les Qom Jha, lui rappela Mara. Et nous savons combien ils aiment se suspendre aux plafonds.

— Il y avait aussi la caverne pleine de prédateurs amateurs de Qom Jha, fit Luke. Plus quelques Chiss, dans la forteresse, qui voient en eux des animaux nuisibles.

— Sans parler de la couche de cortosis derrière nous, ajouta Mara. Je suis persuadée qu'elle n'est pas naturelle. Ils ont installé des systèmes de défense multiples.

— Comme on pouvait s'y attendre avec Thrawn aux commandes, dit Luke. Il n'empêche : faisons-nous quelque chose au sujet de ce plafond, ou supposons-nous qu'il ne peut pas nous nuire ?

— Ignorer la possibilité d'un danger n'est jamais une bonne idée, décréta Mara.

Elle avança d'un pas, activa son sabre laser et le lança d'un geste habile au plafond pour que la lame entame le rocher.

526

Il y eut un éclair, suivi par le crépitement et l'odeur caractéristiques d'une décharge de courant à haute tension...

Le plafond entier s'effondra.

Mara recula tandis que Luke activait son arme et la plaçait là où la tête de la jeune femme se trouvait quelques instants plus tôt. La plaque de roc tomba et enveloppa la lame pendant une seconde avant que celle-ci tranche la pierre.

Le reste du plafond s'écroula.

— C'est futé ! remarqua Mara en lançant un coup d'œil par-dessus l'épaule de Luke. On dirait un réseau de Conner sculpté. Un Qom Jha s'installe au plafond, il est grillé par une décharge d'énergie à haute tension ; le reste s'écroule et tue tous les copains entrés avec lui.

— C'est futé, en effet, marmonna Luke. (Il effleura le réseau du bout de son sabre laser.) Mais est-il prudent de passer par-dessus ?

— Probablement, dit Mara. Les réseaux Conner sont généralement des armes à charge unique. De plus, il ne sert à rien de les garder sous tension une fois qu'ils sont au sol.

— Ce n'est pas idiot, dit Luke.

Il posa un pied sur le réseau.

Aucune prémonition... Quand son pied toucha le cadre, il n'y eut pas la moindre étincelle.

— Nous pouvons y aller, dit-il.

— Attends ! siffla Mara.

Elle avait sorti le blaster caché dans sa manche.

— Quelque chose arrive !

Luke s'arrêta et entendit un cliquetis sur les rochers. *Plusieurs* choses arrivaient, d'après la nature du son. Il balaya le tunnel avec sa lampe-torche pour voir de qui il s'agissait...

Soudain, sortant d'étroites ouvertures latérales qu'il n'avait pas remarquées auparavant, surgit un essaim de créatures insectoïdes de la taille d'un poing.

— Attention ! s'exclama Mara, en brandissant son blaster.

— Non, attends, dit Luke, qui avait aperçu un scintillement métallique. Continue à avancer. R2, dépêche-toi !

Il perçut la désapprobation de Mara, mais elle n'en obéit pas moins. Les créatures les dépassèrent sans ralentir ni les regarder. Luke arriva au bout du réseau Conner écroulé et déboucha sur le sol de pierre.

Mara et R2, l'ayant imité, se retournèrent pour regarder.

Les créatures s'étaient regroupées à la lisière du Conner.

Elles grimpèrent le long du mur, emportant avec elles le cadre du réseau.

Mara ricana.

— Bien sûr, dit-elle d'une voix où perçait un certain mépris d'elle-même. Des droïd de maintenance, venus remettre le piège en place. Désolée. Je crois que je me suis affolée pour rien.

— Etant donné que notre adversaire se nomme Thrawn, s'affoler pour rien ne risque pas de nous arriver souvent !

— C'est gentil, mais inutile d'essayer de me rendre la pilule moins amère, dit Mara. (Elle rengaina son blaster et reprit son sabre laser dans la main droite.) J'ai appris ma leçon. On continue ?

— Au nom de l'Empire, de quoi parlez-vous ? demanda le Capitaine Nagol, réveillé en sursaut. (Il saisit son uniforme et entreprit de l'enfiler.) Comment pourraient-ils se tirer dessus ? Le feu d'artifice est pour dans trois jours.

— Je ne sais pas, Monsieur, dit l'officier de quart du *Tyrannic* sur l'intercom. Mais les vaisseaux-sondes rapportent que la bataille a commencé. La partie du bouclier planétaire qui protège la capitale Bothane s'est effondrée. Il est difficile d'être précis à cette distance, mais il semble que la ville soit en feu à plusieurs endroits.

Nagol jura à voix basse. Quelqu'un avait commis un impair, et de taille ! Et ce quelqu'un faisait partie de l'équipe au sol...

A moins qu'il ne s'agisse carrément de Thrawn lui-même.

Cette idée le choqua. Le terrorisa, même ! Si le minutage de Thrawn était erroné à ce point...

Il chassa ses appréhensions. Ce qui était fait était fait. Quels que soient les erreurs ou les mauvais calculs, il fallait que le *Tyrannic* n'aggrave pas la situation.

— L'*Obliterator* et le *Main de Fer* ont-ils été prévenus ? grogna Nagol.

— Oui, Monsieur. Selon les vaisseaux-sondes, ils se préparent au combat.

— Faites en sorte que nous soyons prêts avant eux, ordonna sèchement Nagol.

— Oui, Monsieur. J'estime que nous serons parés au combat d'ici cinq minutes. Les vaisseaux-sondes continuent de nous envoyer les rapports.

— Bien, marmonna Nagol.

Le premier choc passé, il réalisa que les choses n'étaient pas si graves qu'il l'avait cru. Certes, la bataille avait commencé trop tôt. Mais les trois Destroyers Stellaires étaient prêts avant que leur présence soit nécessaire pour éliminer les survivants de la bataille qui faisait rage.

Aveuglés comme ils l'étaient par l'écran de camouflage, ils avaient besoin des rapports des vaisseaux-sondes. Le seul danger était que quelqu'un s'aperçoive que des sondes entraient et sortaient régulièrement d'un endroit censément vide. Si ce quelqu'un s'étonnait de cette bizarrerie et se mêlait de venir voir de quoi il retournait...

Il existait un moyen de limiter ce risque.

— Que tous les opérateurs des rayons tracteurs se tiennent sur le qui-vive, ordonna-t-il. Si un vaisseau quel qu'il soit autre que nos sondes — je dis bien : quel qu'il soit — vient fourrer son nez dans l'écran, je veux qu'il soit aussitôt capturé et gardé dans les limites du camouflage afin qu'il ne puisse pas communiquer avec l'extérieur. Prévenez aussi les autres vaisseaux. Il ne doit y avoir aucun témoin pour le raconter. Compris ?

— Compris, Monsieur.

— Je serai sur la passerelle dans deux minutes. Je veux que tout soit prêt à mon arrivée.

— Nous serons parés, Monsieur.

Nagol coupa l'intercom et quitta ses quartiers. Parfait ! Ainsi, ces maudits Républicains n'avaient pas pu contenir leur haine autodestructrice aussi longtemps que Thrawn l'avait prévu. Peu importait. Cela signifiait que l'ennui et la frustration qui accablaient ses troupes trouveraient un exutoire un peu plus tôt.

Nagol gagna le turbolift d'un pas mesuré.

Ç'allait être une partie de plaisir !

Un éclair jaillit. Le rayon rouge mortel frôla dangereusement le *Faucon* et poursuivit sa route vers sa cible, une frégate de classe Escorte portant des inscriptions en Prosslee. Yan détourna son vaisseau de la trajectoire d'un second rayon et plongea dans la direction opposée juste à temps pour éviter deux vaisseaux modifiés Bagmins qui fondaient sur le Prosslee, leurs canons laser tirant sans discontinuer.

L'univers était devenu fou. Et Yan se retrouvait au milieu de la mêlée.

— Qu'est-il arrivé là-bas ? demanda-t-il dans le système com.

Il évita en même temps une paire de vaisseaux armés Opquis.

— Selon les Ishoris, trois humains ont fait intrusion à bord il y a environ une demi-heure, répondit la voix de Leia, légèrement brouillée par une alarme. Ils étaient porteurs de cartes d'identification de techniciens de la Nouvelle République et d'une lettre du Haut Conseil Ishori les autorisant à examiner les couplages d'alimentation du *Prédominance*, censés avoir souffert d'oxydation.

— Des faux, grogna Yan.

Il conduisit le *Faucon* dans un endroit relativement calme de l'espace.

Autour de lui, on se serait cru à Endor...

Sauf qu'il n'y avait aucune trace de l'Empire. Les Rebelles luttaient contre d'autres Rebelles...

— En effet. Nous le savons maintenant, dit Leia. Une fois dans le vaisseau, ils ont tué les gardes puis ils se sont emparés d'une batterie de turbolaser. Quand le bouclier de Drev'starn s'est effondré, ils ont réussi à tirer huit salves avant que nous coupions l'alimentation de leur batterie. Les Ishoris n'ont toujours pas pu entrer dans la salle pour les arrêter, même avec l'aide de Barkhimkh et de Sakhisakh.

Elegos murmura quelque chose en Caamasi.

— Quels sont les dégâts à Drev'starn ? demanda Yan. Non, peu importe pour le moment... Que se passe-t-il à bord du vaisseau où tu es ?

— Nous sommes attaqués. Trois navires Diamalas... Le plus gros s'est placé entre nous et la planète au cas où nous essaierions de tirer de nouveau sur Drev'starn. Pour le moment, il n'y a pas de dégâts importants d'un côté ou de l'autre, mais ça ne saurait durer.

— Vous leur avez expliqué ce qui s'est passé ? demanda Yan.

— Je leur ai dit, le Capitaine du *Prédominance* leur a dit, Gavrisom leur a dit. Ils n'écoutent pas.

— Ou alors ils s'en fichent ! lança Yan, les dents serrées au point d'en avoir mal à la mâchoire.

Leia, prise au piège à bord d'un vaisseau soumis à une attaque massive...

— Je vais voir ce que je peux faire pour vous rejoindre, dit-il. Je peux peut-être vous sortir de là, Gavrisom et toi...

— Non ! Ne t'approche pas ! Je t'en prie. Tu n'y arriveras pas.

Yan contempla la bataille qui se déroulait sous ses yeux. Elle avait raison, bien entendu. De sa position, il voyait le *Prédominance* encaisser tir sur tir. Il savait que les boucliers du *Faucon* n'avaient pas une chance de résister. Mais il lui était impossible de rester inactif.

— Il m'est déjà arrivé de vaincre des Destroyers Stellaires, lui rappela-t-il.

— De les avoir par la ruse, et ce n'est pas la même chose, corrigea Leia. Je t'en prie, Yan, n'essaie pas de...

La voix de Leia fut interrompue par un crépitement.

— Leia ! cria Yan.

Il regarda le vaisseau Ishori. Il semblait intact, mais il suffisait qu'un tir de turbolaser atteigne la passerelle...

— Tout va bien, dit Elegos. Leurs communications ont seulement été brouillées.

Yan se détendit.

— Nous devons faire quelque chose, dit-il. (Il sonda l'espace pour trouver une inspiration.) Il faut la sortir de là à tout prix...

La console de communication se réactiva.

— Leia ? lança Yan, plein d'espoir.

— Solo ? dit une voix d'homme. Ici Carib Devist.

— Que voulez-vous ? On est plutôt occupés en ce moment !

— Sans blague ! Et la faute à qui, à votre avis ?

— Nous sommes au courant, grogna Yan. Des fauteurs de troubles se sont introduits sur le *Prédominance* et ont commencé à tirer. Probablement des Impériaux.

— A coup sûr des Impériaux, rectifia Carib. Et ce sont aussi des Impériaux qui ont incité les autres à tirer. Vous ne les avez pas entendus diffuser en une demi-douzaine de langues des ordres d'attaque pré-enregistrés ?

Yan regarda Elegos, vexé de n'avoir pas compris. C'était donc la raison de la présence des petits vaisseaux Impériaux que Carib avait repérés autour de Bothawui.

Ça sautait aux yeux si on prenait le temps d'y réfléchir. Mais personne ne l'avait fait.

— Ce n'est pas le plus urgent, continua Carib. Je vous ai appelé pour vous prévenir qu'il se passe quelque chose de bizarre à côté de la tête de la comète.

— Oui ? De quel ordre ? demanda Yan, son attention reportée sur le *Prédominance* et sur la façon dont il allait pouvoir en tirer Leia.

— Je l'ignore, répondit Carib. Mais une douzaine de vaisseaux miniers s'agitent autour de cette zone. Tous pilotés par des Impériaux.

Yan fronça les sourcils.

— Que voulez-vous dire ? Que feraient des Impériaux à bord de ces casseroles ?

— Ce sont des Impériaux, insista Carib. Leur style de pilotage le proclame haut et fort.

— D'accord, fit Yan, que la question n'intéressait pas vraiment. Que voulez-vous que j'y fasse ?

— Nous allons vérifier sur place. Et j'ai supposé que vous pourriez être intéressé. Désolé de vous avoir dérangé pour rien !

La communication cessa abruptement.

— Je suis navré aussi, marmonna Yan.

Il regarda Elegos...

— Qu'y a-t-il ? demanda-t-il à son passager d'un ton peu amène.

Le Caamasi leva les mains, paumes en l'est.

— Je n'ai rien dit.

— Vous pensez que je devrais partir à la poursuite de cette chimère ? Laisser tomber Leia et suivre Devist ?

— Pouvez-vous l'aider en ce moment ? dit Elegos. Pouvez-vous la libérer, vaincre les vaisseaux ou arrêter la bataille ?

— Ça n'a rien à voir ! cracha Yan. Je vous parie à dix contre un que ces mineurs ont jadis travaillé pour l'Empire. Il y en a des milliers dans la Nouvelle République. Ça ne veut rien dire.

— Peut-être, dit Elegos. Vous devriez soupeser ça par rapport au reste.

— Quel reste ?

— Les autres éléments, répondit Elegos. Ce que vous savez de Carib Devist et de ses dons d'observation. Le fait que vous soyez sûr — ou non — qu'il ne vous a pas trahi auprès de l'Empire sur Bastion. Votre propre expérience du style des Impériaux... Croyez-vous possible que quelqu'un comme Carib puisse les reconnaître ? N'oubliez pas votre confiance en Leia et l'opinion qu'elle a de cet homme. Et, par-dessus tout, votre sens inné de ce qui est bien ou mal. S'il y a un danger là-bas, devez-vous le laisser l'affronter seul ?

— Il n'est pas exactement seul, grommela Yan. Il a tout un paquet de foutus clones avec lui.

Elegos ne répondit pas. Yan soupira et examina le ciel. Il repéra le vieux cargo Action II de Carib, qui abandonnait la zone de combat pour se diriger vers la comète.

Tout seul.

— Vous savez, les Caamasi pourraient être de sacrés enquiquineurs avec un peu d'entraînement, dit Yan.

Il fit pivoter le *Faucon* pour prendre la même direction que Carib et appela Calrissian sur sa fréquence comlink personnelle.

— Lando ? Lando, tu es vivant ?

— Oui, Yan. Qu'y a-t-il ?

— Tu es revenu sur le *Dame Chance* ?

— J'aimerais bien... Mais non, je suis coincé sur le *Penseur Affairé* avec le Sénateur Miatamia.

Yan fit la grimace.

— Un des vaisseaux qui attaquent Leia ?

— Si elle se trouve à bord du *Prédominance*, la réponse est oui. Yan, nous devons mettre un terme à cette folie, et rapidement !

— Ce n'est pas moi qui te contredirai, assura Yan. (Il évita deux patrouilleurs Frofflis.) Gavrisom est avec Leia. Si tu obliges Miatamia à annuler le brouillage de fréquence, il pourra parlementer pour faire cesser tout ça.

— J'ai déjà essayé, dit Lando. Je suis la dernière personne à bord qu'on ait envie d'écouter.

— Je vois ce que tu veux dire. Peux-tu me faire une faveur ? Je me dirige vers la comète avec Carib Devist. Regarde-moi avec une paire d'électrobinoculaires, tu veux ? Au cas où nous aurions des problèmes...

Il y eut un bref silence.

— Oui, bien sûr. Quel genre d'ennui ?

— Aucun, probablement, dit Yan. Carib semble penser qu'il y a des Impériaux là-bas, aux commandes de vaisseaux miniers. Garde juste un œil sur nous, d'accord ?

— Je n'y manquerai pas. Bonne chance.

Yan coupa la communication et se fraya un chemin parmi les derniers vaisseaux qui le séparaient de la comète.

— Attention ! cria-t-il à Elegos. On y va !

— Du calme, rappela Bel Iblis à Booster. Allez-y en douceur. Nous sommes des amis, protégés des méchants Rebelles par le périmètre de défense extérieur. Il ne faut pas donner l'impression d'être pressés.

— Non, nous n'aimerions pas ça, grogna Booster.

Mal à l'aise, il regarda la base de l'Ubiqtorate grossir devant eux.

Son bien-aimé *Aventurier Errant* ne lui paraissait plus aussi grand, aussi puissant et aussi sûr que d'habitude...

— En douceur, Terrik, répéta Bel Iblis, d'une voix que Booster trouva glaciale. Le spectacle est derrière nous désormais. La dernière chose que nous souhaitons est d'attirer leur attention.

Booster hocha la tête et regarda brièvement l'écran de poupe. Effectivement, ça chauffait : les vaisseaux de la Nouvelle République se faisaient tabasser par le périmètre de défense de Yaga Mineure.

Du moins, ils en avaient l'air.

S'ils avaient suivi les ordres, ils se trouvaient suffisamment éloignés pour éviter d'en prendre plein la figure. Avec un peu de chance, dans la confusion générale, les Impériaux ne s'en apercevraient pas.

— Tout de même, dit Booster, je n'aime pas ça, Bel Iblis. Nous sommes entrés bien trop facilement...

— Général, du mouvement dehors, dit l'officier de la station de détection. Un Destroyer Impérial s'approche à tribord.

Booster recula de quelques pas pour aller regarder par un hublot. Un mauvais pressentiment lui taraudait les entrailles. Le Destroyer Stellaire était apparu du côté tribord de la base et il s'était placé sur le vecteur de l'*Aventurier Errant*.

Tandis que Booster l'observait, le vaisseau s'immobilisa entre eux et la base, comme s'il les défiait d'essayer de passer...

— Le vaisseau est l'*Implacable*, dit quelqu'un d'autre. Capitaine Dorja aux commandes.

L'inquiétude de Booster quintupla. L'*Implacable*... N'était-ce pas le vaisseau dont le nom était lié au Grand Amiral Thrawn ?

Bel Iblis avait rejoint Booster devant le hublot.

— Général... ? murmura Booster.

— Je sais, dit Bel Iblis, sa façade de calme un rien craquelée. Mais fuir maintenant leur prouverait notre culpabilité. La seule chose à faire, c'est de continuer à jouer le jeu.

— Une émission en provenance de l'*Implacable*, Général. Ils demandent à parler au Capitaine Nagol.

Booster regarda Bel Iblis.

— Jouons le jeu, décida celui-ci. Allez-y, essayez !

— D'accord, soupira Booster.

Il fit un signe à l'officier des communications, qui bascula un commutateur.

— Ici le Commandant Raymeuz, temporairement aux commandes du Destroyer Impérial *Tyrannic*, dit-il sur le ton guindé caractéristique des Impériaux. Le Capitaine Nagol a été sérieusement blessé. Il est actuellement en traitement.

Un rire s'éleva des haut-parleurs de la passerelle.

— Vraiment ? demanda une voix.

Une voix ferme et cultivée qui fit courir un frisson de terreur le long de l'échine de Booster.

— Ici le Grand Amiral Thrawn. Je suis déçu, Général Bel Iblis.

Booster regarda Bel Iblis. Son visage ne trahissait pas la moindre émotion.

— Il est inutile de poursuivre votre bluff, dit Thrawn. Mais peut-être avez-vous besoin d'une démonstration plus convaincante.

Booster eut l'impression que le sol se dérobait sous ses pieds. Il tomba vers l'avant et agita les bras pour essayer de garder son équilibre. Autour de lui, il entendit les murmures de consternation des autres membres d'équipage. Quelque part, un bruit impressionnant résonna.

— Une petite démonstration, sans plus, poursuivit Thrawn d'une voix presque amicale. Votre Destroyer Stellaire est désormais impuissant. Il est maintenu en place par une cinquantaine de rayons tracteurs.

Booster ravala un juron. Pourquoi son vaisseau était-il perpétuellement la cible des rayons tracteurs ?

Il sursauta quand Bel Iblis lui tapota le bras. Le Général lui fit signe de se rendre à la console des communications.

Booster inspira à fond.

— Amiral Thrawn, que faites-vous ? dit-il. (Il essaya de prendre un ton respectueux mêlé d'étonnement et de peur ; ces deux derniers sentiments ne lui demandaient aucun talent d'acteur.) Monsieur, nous avons des blessés à bord, des officiers et des membres de l'équipage...

— Ça suffit, coupa Thrawn.

Sa « civilité » lui ayant sans doute coûté trop cher, il laissa sa nature reprendre le dessus.

— Je respecte votre courage, mais la partie est finie. Dois-je ordonner aux batteries de turbolaser de mettre votre vaisseau en pièces ?

Bel Iblis poussa un petit soupir.

— Inutile, Amiral, dit-il. Ici le Général Bel Iblis.

— Ah ! Général, dit Thrawn, changeant de ton une nouvelle fois.

Booster remarqua qu'il était passé du ton de la menace glaciale à celui de la camaraderie entre coreligionnaires. Ce type était éminemment adaptable.

— Je vous félicite de votre tentative, aussi futile qu'elle soit, continua Thrawn.

— Merci, Amiral, répondit Bel Iblis. Toutefois, puis-je vous rappeler que le succès ou l'échec de l'opération reste encore à déterminer ?

— Vraiment... Bien. Faisons les choses officiellement. Je vous demande de vous rendre !

Bel Iblis regarda Booster.

— Et si je refuse ?

— Comme je vous l'ai déjà laissé entendre, Général, votre vaisseau est sans défense. Sur mon ordre, il sera détruit.

Un long moment, le silence régna sur la passerelle. Booster regardait Bel Iblis ; Bel Iblis observait le Destroyer qui leur barrait le chemin.

— Je dois en parler avec mes officiers, dit-il enfin.

— Bien entendu, admit Thrawn. Prenez votre temps. Toutefois, je vous suggère de ne pas exagérer. Votre flotte se bat vaillamment, mais avec peu de succès. Ma patience ne durera pas éternellement. Des Interdicteurs sont déjà en train de se mettre en position pour immobiliser vos vaisseaux, et mes commandants sont prêts à lancer à l'assaut leurs TIE et leurs Oiseaux de Proie.

— Compris, dit Bel Iblis. Je vous donnerai ma réponse aussi vite que possible.

Il fit signe à un officier de couper la communication.

— Qu'allez-vous faire maintenant ? demanda Booster, hanté par l'idée que l'*Aventurier Errant* soit de nouveau entre les mains des Impériaux.

— Comme je l'ai promis, je vais leur donner ma réponse, dit Bel Iblis d'une voix tranquille. Tanneris, Bodwae, d'où viennent ces rayons tracteurs ? De la base ou du périmètre de défense ?

— J'en ai trente-huit venant de différents endroits du péri-mètre, répondit l'officier chargé de la console de détection.

— Quinze autres de la base proprement dite, compléta Bodwae. J'ai marqué leur emplacement.

— Merci, dit Bel Iblis. Simons, avons-nous un peu de liberté de mouvement ?

— Pas vraiment, Monsieur. Nous sommes cloués sur place.

— Et la rotation ? Pouvons-nous tourner autour d'un axe vertical ?

— Un instant... répondit l'officier. Oui, Monsieur, je crois que c'est possible, mais d'un quart de tour au maximum.

— Pas suffisant pour nous permettre de nous retourner entièrement et de filer d'ici, marmonna Booster.

— Filer d'ici n'est pas le but recherché, lui rappela Bel Iblis. Simons, amenez-nous à quatre-vingt-dix degrés à bâbord ; en tout cas le plus près possible de cette position. Turbolasers et torpilles à protons bâbord, préparez-vous à tirer sur les généra-teurs de rayons tracteurs. Même chose pour les armes tribord, mais avec pour cible les générateurs situés sur la base.

Il y eut un chœur de réponses sur l'intercom. Booster regarda la base puis le Destroyer ennemi. Leur vaisseau commença à se déplacer vers la droite.

Lentement et lourdement, mais il tournait.

Booster se rapprocha de Bel Iblis.

— Vous réalisez, bien entendu, que vous n'arriverez pas à les bluffer. Surtout pas quelqu'un comme Thrawn. Il s'aperce-vra que nous visons les rayons tracteurs et désintégrera le vaisseau.

Bel Iblis secoua la tête.

— Je ne crois pas. Pas tout de suite, en tout cas. Tout indique qu'il essaie de rebâtir l'Empire, et une épave ne l'y aidera pas. Ce qu'il veut de nous, c'est quelques prisonniers de haut rang pour les exhiber à ses alliés, présents et futurs.

— Sans compter qu'il récupérera un Destroyer Impérial supplémentaire pour l'aider à « convertir » ceux qui ne se lais-seraient pas faire...

— Exactement, concéda Bel Iblis. Conclusion : il ne nous tirera pas dessus jusqu'à ce que nous soyons presque libérés des rayons. Et peut-être même pas à ce moment.

Booster grimaça. Non, Thrawn ne serait pas pressé. Pas tant que l'*Aventurier Errant* serait du mauvais côté de la puissance de feu.

— Mais comment prévoyez-vous de nous sortir de là ?
Bel Iblis secoua la tête.
— Je n'essaierai pas. Je vous l'ai déjà dit. Nous avons un boulot, qui consiste à attendre les experts ici.
Il désigna la base de l'Ubiqtorate.
— Avec Thrawn et un Destroyer entre eux et nous ? ricana Booster. Ne prenez pas ça pour vous, Général, je suis sûr que vous êtes un fin militaire et tout et tout, mais si vous essayez de jouer à la guéguerre avec Thrawn, nous serons transformés en Dewbacks rôtis en moins de deux.
— Je sais. C'est pourquoi nous n'allons pas engager la bataille contre lui. Du moins, pas comme il l'attend.
Booster lui jeta un regard soupçonneux. Quelque chose dans la voix et le visage du Général faisait courir des frissons glacés le long de son échine.
— Que voulez-vous dire ?
— Nous devons dépasser l'*Implacable*, Terrik, expliqua Bel Iblis. Ce faisant, il faut lui infliger suffisamment de dommages pour qu'il n'ait pas la possibilité de faire sauter les navettes de nos experts informaticiens avant qu'ils soient arrivés devant l'extension et se frayent un chemin à l'intérieur.
— Et les armes de la base ?
— Nous devons être assez rapides pour que l'artillerie n'ait pas le temps de se retourner contre nous, reconnut Bel Iblis. En tenant compte de tous ces éléments, il n'y a qu'une seule et unique façon d'y parvenir. (Il bomba le torse.) Dès que nous nous serons dégagés des rayons tracteurs, nous ferons demi-tour et nous foncerons aussi vite que possible vers l'*Implacable*. Et nous l'éperonnerons.
Booster s'étrangla à demi.
— Vous n'êtes pas sérieux !
Bel Iblis se tourna vers lui et le regarda dans les yeux.
— Je suis désolé, Booster. Pour votre vaisseau, et pour n'avoir pas fait quitter le bord à votre équipage.
— Général ? dit le navigateur. Nous avons tourné de soixante-neuf degrés. C'est ce que nous pouvons faire de mieux.
Bel Iblis soutint le regard de Booster encore un instant. Puis il se détourna et gagna la console de navigation.
— Ça fera l'affaire, dit-il. A tous les postes d'artillerie : commencez à tirer sur les générateurs des rayons tracteurs.
Un feu nourri de rayons jaillit de la coque.

— Navigation et moteurs subluminiques, attention, ajouta calmement le Général. Tenez-vous prêts à donner toute la puissance !

— Le voilà, dit Elegos. Là, à tribord.
— Je le vois aussi, fit Yan.
Un instant, il avait perdu de vue le cargo de Carib, aveuglé par l'éblouissante lueur de la queue de la comète.
— Voyez-vous les vaisseaux miniers dont il a parlé ?
— Pas encore, répondit Elegos. Peut-être s'est-il trompé.
— Ça m'étonnerait, grogna Yan.
Il sentit les poils de sa nuque se hérisser.
Il n'était pas convaincu que Carib soit capable de repérer les Impériaux uniquement à leur style de pilotage. Mais il ne doutait pas qu'il sache faire la différence entre des vaisseaux miniers et un espace vide.
— Je me demande où ils sont passés...
— Dissimulés par la queue de la comète ? suggéra Elegos. Ils travaillent peut-être sur le quart arrière de sa surface.
— Les mineurs ne bossent jamais sur cette partie-là. La poussière et la glace bousillent les amortisseurs.
— Alors, où sont-ils ?
— Je l'ignore, avoua Yan. Mais j'ai un sale pressentiment à ce sujet. Ouvrez-moi une fréquence avec le vaisseau de Carib, s'il vous plaît.
Elegos obéit.
— Prêt.
— Carib ? appela Yan. Vous voyez quelque chose ?
— Rien, répondit l'homme. Mais ils étaient là, Solo.
— Je vous crois, dit Yan avec un rapide coup d'œil à la console d'artillerie du *Faucon*.
Les quadlasers étaient prêts, commandés à distance depuis son poste.
— Je pense qu'il est temps d'examiner la surface. Pour tenter de trouver ce qui s'y cache peut-être.
— D'accord, dit Carib. Vous voulez que nous ouvrions le chemin ?
— Votre cargo est-il armé ?
Il y eut une brève hésitation.
— Non, pas vraiment.

— Dans ce cas, je prends la tête, trancha Yan. (Il donna davantage de puissance aux moteurs subluminiques.) Laissez-moi vous dépasser et suivez-moi.

— Comme vous voulez.

— Souhaitez-vous que je me charge d'une console d'artillerie ? demanda Elegos.

Yan lui jeta un coup d'œil.

— Je pensais que les Caamasi détestaient tuer.

— C'est exact. Mais il existe des cas où tuer quelques personnes est nécessaire pour le bien du plus grand nombre. Celui-ci en fait peut-être partie.

— Ouais, répondit Yan avec un grognement.

Il ralentit après avoir dépassé l'*Action II* de Carib. Ils se rapprochaient de la comète, et il n'avait aucune envie de rencontrer un rocher errant qui déciderait soudain de se matérialiser sur leur chemin.

— Ne vous en faites pas. Quoi qu'ils cachent là-dedans, je devrais pouvoir m'en occuper seul. Ces petits vaisseaux miniers ne peuvent pas transporter un armement très important, et...

Avant qu'il ait fini de parler, la comète et les étoiles disparurent à sa vue.

A leur place, ses lumières déchirant les ténèbres qui l'entouraient, se découpait la forme sombre d'un Destroyer Stellaire Impérial.

— Yan ! haleta Elegos. Qu'est-ce... ?

— Un Destroyer Impérial sous un écran de camouflage ! cria Yan.

Il comprit le plan des Impériaux. Tous les vaisseaux en train de se battre au-dessus de Bothawui... Quand ils se seraient mutuellement détruits, le Destroyer éliminerait les quelques rescapés et détruirait Bothawui pour faire bonne mesure. Aucun survivant, pas un témoin, seulement une bataille que chacun, dans la Nouvelle République, reprocherait aux autres membres.

La guerre civile qui s'ensuivrait immanquablement risquait de durer une éternité.

— Tenez-vous à la console des communications, dit Yan à Elegos tandis que le *Faucon* faisait demi-tour en catastrophe pour revenir à la limite invisible du dispositif de camouflage. Dès que nous serons sortis de là...

Il ne finit pas sa phrase car un choc violent le projeta en avant et lui coupa le souffle. Il sentit le *Faucon* se déporter sur le côté comme un animal blessé. Le rugissement des moteurs subluminiques se mêlait aux craquements des poutrelles et des supports.

— Que se passe-t-il ? demanda Elegos.

Yan déglutit. Ses mains se refermèrent sur le manche à balai. En vain.

— Nous sommes pris dans un rayon tracteur, dit-il au Caamasi.

Avec un peu de chance, s'il l'avait attrapé sur le flanc, il pourrait peut-être se dégager...

Mais non. Il était pris et bien pris.

Un mouvement, sur l'écran, attira son attention. Le cargo de Carib avait franchi la frontière de l'écran de camouflage et se débattait dans la même toile d'araignée invisible.

— Ils ont eu Carib aussi, soupira Yan, le goût amer de la défaite dans la bouche. Nous sommes coincés tous les deux.

38

Ils rencontrèrent deux autres réseaux de Conner sur leur chemin. A chaque fois, Mara insista pour les désactiver. Luke n'était pas convaincu que c'était nécessaire, mais ça ne pouvait pas faire de mal. Si le premier réseau n'avait pas déclenché d'alarme, comme ça semblait être le cas, les autres ne le feraient pas non plus. Et ça donnait aux droïds insectoïdes de service quelque chose à faire loin derrière eux, ce qui n'était pas un mal.

Le bourdonnement augmenta tandis qu'ils s'enfonçaient dans le tunnel. Il atteignit bientôt un volume tel que Luke fut capable de déterminer qu'il provenait d'au-dessus d'eux. Il s'agissait du générateur de la forteresse, caché et hors d'atteinte.

Au bout d'une centaine de mètres, le tunnel débouchait dans une grande salle bien éclairée.

— J'avais raison, murmura Mara. Je savais que Thrawn disposait d'un endroit de ce genre, isolé de tout, dans sa propre forteresse. J'en étais sûre !

Luke hocha la tête puis examina la salle. A peu près circulaire, avec un toit en forme de dôme, elle avait un diamètre de soixante mètres pour une hauteur de dix mètres au centre. Le tout était creusé dans le roc. Un passage carrelé faisait le tour de la salle à la hauteur du sol du tunnel, puis il descendait d'un bon mètre vers celui de la pièce, carrelé lui aussi. A cinq mètres de hauteur, un déambulatoire creusé dans le roc et protégé par une rambarde courait tout autour de la pièce. Aux murs, des étagères étaient remplies d'équipements électroniques.

A droite se dressait une version plus modeste du centre de commandement qu'ils avaient découvert à l'étage supérieur de la Main de Thrawn.

Celui-là comptait seulement une rangée de consoles, disposées autour d'un épais cylindre : un mélange de base de données informatiques et de bibliothèque. Comme dans la partie supérieure de la forteresse, quelques voyants indiquaient que l'équipement était en mode veille.

Le reste de la salle était vide, à part quelques meubles sans taches.

Tout cela n'était qu'un décor, des détails à enregistrer pour un examen ultérieur. Depuis qu'ils étaient entrés, l'attention de Luke était restée focalisée sur l'alcôve qui s'ouvrait à gauche. Abrité derrière un mur de transparacier, il avait repéré un dispositif complet de clonage : un cylindre Spaarti entouré de tubes nutritionnels, de câbles d'apprentissage accéléré et de tout l'équipement annexe. L'ensemble était relié à un générateur à fusion.

Au milieu du cylindre, endormi ou peut-être pas encore en vie, flottait un non-humain adulte à la peau bleue.

Quelqu'un dont le visage leur était extrêmement familier.

Le Grand Amiral Thrawn !

— Dix ans, fit Luke. Comme tu l'avais dit, ou plutôt deviné. Il leur avait promis qu'il reviendrait dans dix ans.

— Le vieux gredin, marmonna Mara.

Ses paroles contrastaient étrangement avec le respect que Luke sentait en elle.

Il comprenait ce qu'elle éprouvait. L'alcôve et son occupant étaient impressionnants du fait de leur subtile grandeur et de la menace tranquille qu'ils représentaient.

— Il avait sans doute réglé la minuterie sur un cycle de dix ans, et il la remettait à zéro à chaque visite.

— Probablement, acquiesça Luke.

Il détourna le regard de l'image hypnotique du clone immergé dans son cylindre et examina la rangée de consoles, de l'autre côté de la pièce.

— R2, trouve un jack où te connecter. Puis télécharge tout ce que tu trouveras sur les Régions Inconnues explorées par Thrawn.

Le petit droïd roula jusqu'à l'une des rampes qui menaient du passage extérieur au sol, en contrebas. Il y parvint sans se renverser et se dirigea vers la rangée de consoles en cliquetant de toutes ses roues.

Il s'arrêta près d'une console et bipa pour signaler qu'il avait trouvé ce qu'il cherchait.

Puis il déploya son jack informatique et se connecta.

— C'est fait, dit Luke. (Il se tourna de nouveau vers le cylindre de clonage.) Viens, je voudrais regarder ça de plus près.

Mara et lui firent le tour de la pièce pour arriver devant le mur de transparacier.

— N'y touche pas, avertit Mara quand le Jedi se pencha. C'est probablement bourré d'alarmes.

— Je n'en avais pas l'intention, assura Luke.

Il se pencha un peu plus.

Ce nouvel angle de vision lui permit d'apercevoir quelque chose qui n'était pas visible depuis l'entrée.

— Tu vois ce qu'il y a dedans avec lui ?

Mara hocha la tête.

— Deux ysalamiris. Au cas où un Chevalier Jedi arriverait...

— Thrawn était le type d'homme à penser à tout.

— Pour sûr ! fit Mara. A part peut-être au lac...

Luke fronça les sourcils.

— Que veux-tu dire ?

— Regarde par là...

Luke obéit. Il vit le mur, les meubles à l'abri sous leur bâche, le balcon supérieur...

— Que suis-je censé remarquer ? demanda-t-il.

— Les dégâts provoqués par l'eau. Sur le mur en face de l'entrée du tunnel. Tu les vois ?

— Maintenant, oui.

Le mur était décoloré et moisi. Maintenant qu'il regardait avec plus d'attention, Luke s'aperçut que de l'eau gouttait à travers le roc en une douzaine d'endroits.

— Enfant des Vents a dit que le lac était en train de grossir. Il semble qu'il ait trouvé le moyen de s'infiltrer dans les cavernes. (Il se tourna vers l'unité de clonage.) Notre clone a atteint la limite des dix ans juste à temps.

— Comment sera-t-il ? demanda Mara d'une voix étrange. A quel point ressemblera-t-il à l'original ?

Luke secoua la tête.

— C'est une question dont on débat depuis des dizaines d'années. Théoriquement, un clone qui a la même structure génétique que l'original, et « apprend » grâce au système d'apprentissage-éclair le schéma mental du modèle, devrait être identique à celui-ci. Pourtant, ils ne sont jamais exactement pareils. Certaines subtilités de la personnalité sont peut-être perdues ou brouillées lors de la transition. A moins qu'il y ait en nous des choses que le système d'apprentissage-éclair est incapable de déceler. (Il fit un geste vers le clone.) Il aura tous les souvenirs de Thrawn. Mais son génie, son charisme et sa détermination implacable ? Je l'ignore. (Il regarda Mara.) Ce qui nous conduit à la question clé : qu'allons-nous faire de lui ?

— Etrange que tu me demandes ça... dit Mara, pensive. Il y a dix ans, voire même cinq, j'aurais conseillé que nous fassions sauter le mur et que nous nous débarrassions de lui. Aujourd'hui... les choses ne sont plus aussi simples.

Luke essaya de lire les émotions qui tourbillonnaient en elle.

— Tu as vraiment été terrifiée par le discours sur les menaces lointaines, n'est-ce pas ?

A la surprise de Luke, elle ne se vexa pas.

— Fel et Parck s'en inquiètent tous deux, lui rappela-t-elle. Tu serais prêt à parier qu'ils ont tort ?

— Pas vraiment, concéda Luke. J'essaie d'imaginer ce que signifierait pour la Nouvelle République la réapparition de Thrawn. Je suppose que ce serait la panique générale, et que Coruscant trouverait assez de vaisseaux pour aller écraser ce qu'il reste de l'Empire.

— Nos chefs n'écouteraient pas ce qu'il a à dire ?

— Avec la façon dont Thrawn a traité la Nouvelle République ? Ils ne lui feraient pas confiance une minute !

— Tu as sans doute raison. Parck a mentionné des rumeurs selon lesquelles Thrawn était revenu... Mais il n'a pas dit quelles étaient les réactions.

— Et il ne faut pas confondre rumeur et réalité, fit remarquer Luke.

Un moment, ils restèrent silencieux.

Puis Luke inspira à fond.

— Je suppose que la discussion est rhétorique. Quoi qu'ait fait le Thrawn d'origine, cet être-là n'a jamais rien commis de mal. Il ne mérite pas une exécution sommaire.

— C'est vrai, dit Mara. Mais je doute que tout le monde soit convaincu par ce raisonnement. Question suivante : le laissons-nous ici pour qu'il s'éveille normalement et rejoigne nos copains, là-haut ? En gardant à l'esprit qu'ils ne sont pas contents de nous et de la Nouvelle République en ce moment. Ou essayons-nous d'accélérer le processus de croissance pour le ramener avec nous à Coruscant ?

Luke siffla doucement.

— Tu sais trouver les questions délicates !

— Je n'ai jamais eu besoin de les chercher, ce sont elles qui me trouvent.

Luke sourit.

— Je vois ce que tu veux dire...

— Je préférerais que tu aies la réponse. Mais pourrait-on s'occuper de lui à Coruscant ?

De l'autre côté de la pièce monta une série de bips. Luke se retourna et vit R2 sautiller impatiemment.

— Qu'y a-t-il ? demanda Luke. As-tu trouvé des données sur les Régions Inconnues ?

Le droïd pépia de plus belle.

— D'accord, d'accord, j'arrive !

Luke se dirigea vers la rampe la plus proche. Il passa devant les meubles couverts de la bâche transparente.

Il s'arrêta et regarda plus attentivement. Il y avait une demi-douzaine de chaises et fauteuils, plus un lit, une table et quelques coffres.

— A quoi crois-tu que tout ça est destiné ? demanda Luke à Mara.

— On dirait qu'il a mis de côté tout le nécessaire pour un intérieur douillet, suggéra Mara. Il aura besoin d'un certain temps pour récupérer, s'adapter, peut-être s'informer de ce qui s'est passé au cours des dix dernières années. Je te parie ce que tu veux que cette série de consoles est reliée au réseau de données et d'informations de l'étage supérieur.

— Oui, mais pourquoi tout cela est-il empilé n'importe comment, au lieu d'être prêt pour l'accueillir ? demanda Luke. Thrawn connaît ses propres goûts !

— Intéressant, dit Mara d'une voix soudain inquiète.

Luke la regarda.

— Qu'y a-t-il ?

— Je ne sais pas. Quelque chose m'a tout d'un coup paru anormal.

Luke sonda les alentours. Rien ne semblait menaçant... Pourtant, il eut la même impression que sa compagne.

— Nous ferions peut-être mieux d'aller chercher R2 et de filer d'ici. Emportons ce qu'il a trouvé, mais n'attendons pas plus longtemps.

— Voyons d'abord ce qu'il a récupéré, dit Mara.

Elle se tourna vers le droïd et fit un pas vers lui...

— Qui ose troubler le sommeil du Syndic Mitth'raw'nuruodo ? lança une voix tonitruante.

Luke s'accroupit, sabre laser levé.

Il regarda vers le haut...

Où il vit quelque chose d'étonnant. Au-dessus du déambulatoire, une grande partie du plafond ovale ondulait comme une sorte de fluide rocheux. La pierre se remodela et prit l'aspect d'un visage géant qui les observait d'un œil mauvais.

— Qui ose troubler le sommeil du Syndic Mitth'raw'nuruodo ? répéta la voix.

— Encore une astuce, murmura Mara. Vas-y, réponds-lui.

— Nous sommes des amis. Nous ne voulons aucun mal au Syndic Mitth'raw'nuruodo.

Les yeux semblèrent se fixer sur lui.

— Qui ose troubler le sommeil du Syndic Mitth'raw'nuruodo ?

Luke regarda Mara.

— Un enregistrement ?

— Ça en a tout l'air. Mais à quoi cela peut-il bien... attention !

Les sens de Luke l'avaient prévenu aussi. Il avait déjà fait demi-tour, sabre laser brandi.

Ils étaient deux.

Deux droïds sentinelles montés sur chenilles et armés de blasters.

— Reste derrière moi ! cria Luke.

Les deux sentinelles ouvrirent le feu au moment où Luke fendait l'air avec son sabre laser pour dévier les coups.

— Je suis une idiote ! grogna Mara derrière lui. Une simple diversion, le plus vieux truc jamais utilisé, et je suis tombée dans le panneau comme une petite fermière abrutie !

— Attention à ce que tu dis sur les fermiers, fit Luke.

Les sentinelles tiraient selon un schéma de balayage systématique qui aurait rapidement eu raison de la plupart des adversaires.

Pour le moment, Luke n'avait aucun mal à contenir leur tir.

— Peux-tu faire quelque chose ? demanda-t-il à Mara.

Elle répondit par un tir de blaster, qui visait les articulations et les yeux brillants des sentinelles.

Il ne se passa rien.

— Inutile, dit Mara, leur blindage est trop épais pour mon blaster. Laisse-moi essayer de...

547

— Attention, il se déplace ! coupa Luke.

Sans cesser de tirer, la sentinelle de gauche roula le long du passage surélevé, vers l'extrémité opposée de la salle. Luke serra les dents et fit appel à la Force avec une énergie renouvelée. De la sueur perla à son front. Il lui était de plus en plus difficile de déplacer la lame du sabre laser assez vite pour parer les coups, qui venaient désormais de deux directions. Derrière lui, il entendit le sifflement caractéristique d'une lame de sabre laser...

Suivi par un cri et un son étouffé.

— Mara, que se passe-t-il ? demanda Luke.

— N'essaie surtout pas de marcher, le prévint Mara. Thrawn a prévu une autre petite surprise pour les indésirables...

Luke fronça les sourcils.

— Que veux-tu dire ?

Du coin de l'œil, il vit la vibro-lame de Mara dévier un rayon tiré par la sentinelle la plus éloignée.

— C'est bon, j'ai détourné celui-là. Si tu as une seconde, jette un coup d'œil au sol.

Luke laissa la Force guider le mouvement incessant de sa lame et baissa rapidement les yeux.

Le sol était couvert de boucles de corde qui s'étaient entortillées étroitement autour de leurs pieds.

— Ces trucs sont sortis des espaces entre les carreaux, continua Mara. Dès que j'ai essayé de faire un pas, mon pied s'est pris dans une boucle.

— Futé, dit Luke. Ça exclut toute possibilité de fuite...

— Au moins, nous savons pourquoi les meubles sont empilés dans un coin. Il ne voulait pas semer son arène d'objets que les victimes auraient pu utiliser contre lui, ou pour se cacher... Luke, l'autre sentinelle se dirige vers nous.

Luke tourna la tête. La seconde sentinelle s'apprêtait à les prendre à revers.

Dans dix secondes, elle atteindrait un point d'où elle pourrait tirer sur Mara comme à l'exercice.

— Vite ! Avant que le droïd s'approche davantage, dit-il. (Il se déporta légèrement vers la gauche sans bouger les pieds, afin de pouvoir se défendre contre les deux droïds.) Sers-toi de ton sabre laser pour le descendre !

— D'accord, fit Mara.

A travers sa concentration, il perçut le doute de Mara qui se rappelait son manque d'habileté dans la caverne aux stalactites.

Elle se reprit. Tandis qu'il les protégeait des rayons mortels, il vit l'éclair bleuté de la lame de Mara tourner dans la pièce en direction de la sentinelle. Elle pénétra aisément dans la jointure entre la tête et le corps...

Puis la lame bleutée disparut abruptement.

— Qu'est-il arrivé ? demanda Luke.

— Damnation ! gronda Mara. (Luke vit la lame reparaître, frapper la sentinelle et se désactiver de nouveau.) Il y a une couche de cortosis sous son blindage !

— Alors, vise le blaster, dit Luke.

— D'accord.

La lame crépita de nouveau. Il y eut un craquement de plastique et de métal brisé ; toute la notion de danger venant de ce point se dissipa dans l'esprit de Luke.

— Bon boulot, dit-il à Mara. (Il se concentra sur l'autre sentinelle.) Maintenant, tourne-toi vers moi et fais pareil avec celui-là...

Il eut juste le temps de pivoter de nouveau. La lame de son sabre laser bloqua le coup au dernier moment. La sentinelle située du côté de Mara s'était remise à tirer...

— Fais attention, le mit en garde la jeune femme. Il avait un second blaster pour la main gauche. Malédiction !

— Quoi ? grogna Luke. Non, rien, j'ai compris.

En réponse à l'attaque de Mara, la sentinelle venait de sortir un second blaster.

— Il en a aussi un de rechange pour la droite...

— Pigé, fit Luke.

Ils étaient en plus mauvaise posture que jamais, avec deux fois plus de tirs de blaster à parer dans chaque direction.

Un rayon laser qu'il ne put bloquer effleura son épaule gauche.

— Désolée, fit Mara.

Elle était désormais dos à dos avec lui. Il entendait le bourdonnement de sa lame semblable à un insecte en colère.

— Que faisons-nous ? demanda Mara.

Luke frissonna. La rangée de Chiss équipée d'ysalamiris qu'il avait affrontée dans la forteresse l'avait pas mal éprouvé. Mais ils avaient eu la possibilité de tirer sur leurs adversaires quand la défense était devenue trop difficile. Là, pris au piège dans une salle vide, sous le feu croisé de deux droïds infatigables et impossibles à détruire, des cordes entortillées autour des pieds pour leur interdire toute tentative de fuite...

— Luke ? appela de nouveau Mara. Tu m'as entendue ?

— Oui, oui, je t'ai entendue, dit-il sèchement.

— Alors, que faisons-nous ?

— Je n'en ai pas la moindre idée.

Leia sentit le *Prédominance* frémir quand une autre torpille à protons traversa les défenses Ishories. L'explosion arracha un morceau de plus à la coque. Dehors, le ciel s'était transformé en un orage de rayons de turbolaser qui s'écrasaient contre leurs boucliers, ou passaient à travers pour pulvériser des couches de transparacier.

Un instant, plus rien n'importa aux yeux de Leia ; ni la bataille, ni sa propre vie, ni la terrible menace de la guerre civile. Une émotion s'était imposée à son esprit, véhiculée par un frémissement de la Force.

Quelque part, Yan était en danger de mort.

— Capitaine Av'muru ! cria-t-elle.

Elle se dirigea vers la console de commandement. Deux gardes levèrent leurs blasters. Sans réfléchir, Leia les écarta avec la Force et s'approcha du Capitaine.

— Capitaine, je dois vous parler.

— Je suis occupé, Conseillère, grogna l'Ishori, sans daigner se tourner vers elle.

— Vous serez plus occupé que vous ne le souhaitez si vous ne m'écoutez pas !

Elle puisa dans la Force pour conserver la sensation ténue qu'elle avait de Yan, dont les émotions étaient toujours un tourbillon de fureur impuissante.

Mais Leia ne put vaincre la distance pour lire ses pensées sous-jacentes.

Pourtant une chose était très claire.

— Il y a une nouvelle menace quelque part dans l'espace, dit-elle à Av'muru. Quelque chose dont vous n'êtes pas averti.

— Les autres menaces importent peu ! s'emporta Av'muru. Je ne peux m'occuper que des Diamalas qui nous encerclent !

— Capitaine...

Elle s'interrompit quand une main emplumée lui effleura le bras.

— C'est inutile, Conseillère, dit Gavrisom. Il ne peut ni ne veut penser à autre chose. Pas quand son vaisseau est sous le feu de l'ennemi. Voulez-vous me dire en quoi consiste cette menace ?

Leia laissa son regard errer dans l'espace et essaya de voir par-delà les rayons aveuglants.

— Yan est en danger.

— Où ? Quel danger ?

— Je l'ignore, avoua-t-elle, l'estomac noué par un sentiment d'impuissance. Je ne parviens pas à percevoir clairement ses pensées.

— Qui d'autre pourrait être au courant ? demanda Gavrisom, très calme.

Leia respira profondément et s'inspira de la sérénité du Président. Il avait raison : Yan avait besoin qu'elle contrôle ses émotions pour réfléchir.

— Elegos était avec lui sur le *Faucon*, dit-elle. (Elle sonda de nouveau l'espace avec la Force. En vain.) Je n'arrive plus à percevoir sa présence.

— Qui d'autre ? Plus près de nous ? insista Gavrisom.

Leia regarda le champ de bataille. Une bouffée d'espoir monta en elle.

— Lando. Yan lui a peut-être dit quelque chose.

— Alors, nous devons lui parler. Je vais demander au Capitaine de forcer le brouillage des Diamalas. En attendant, y a-t-il quelque chose à faire avec vos dons de Jedi ?

Leia soupira.

— Je l'ignore. Mais je vais essayer.

— Je vous le répète, ça ne peut pas attendre ! insista Lando avec toute la persuasion dont il était capable. Je dois parler à la Haute Conseillère Organa Solo. Le sort de la Nouvelle République dépend de ce que j'ai à lui dire. Sans parler de nos propres vies.

— Vraiment ? répliqua le Sénateur Miatamia d'une voix glaciale.

Les Diamalas, Lando le savait, étaient impénétrables.

Dans ce cas, il semblait clair que le Sénateur n'était pas impressionné.

— Quelle est cette menace ? reprit Miatamia.

— Mon ami Yan est parti jeter un coup d'œil à la comète, dit Lando. Je le suivais avec des électrobinoculaires... Tout d'un coup, il a disparu.

— Vous voulez dire qu'il s'est écrasé ?

— Non. Il a disparu. Dans l'espace vide !

— La zone qui entoure une comète n'est pas réellement de l'espace vide, fit remarquer le Diamala. Il a pu disparaître dans les gaz de la queue, ou vous l'avez perdu de vue à cause de la lumière reflétée...

Lando serra les poings. Miatamia n'était pas convaincu, et il ne lui laisserait pas l'occasion de s'expliquer correctement.

Mais Lando savait ce qu'il avait vu.

— D'accord, fit-il. Dans ce cas, je vous demande de me rendre la faveur que vous me devez.

Les deux oreilles du Diamala se tortillèrent.

— De quelle faveur parlez-vous ?

— Je vous ai conduit de Coruscant à Cilpar, si vous vous en souvenez ? Vous ne m'avez jamais payé ce voyage.

— A l'époque, vous prétendiez que vous ne demanderiez pas d'autre paiement qu'une conversation.

— J'ai menti. Et je veux mon dû, maintenant.

Miatamia le regarda d'un air sombre.

— Nous sommes en situation de combat.

— Ce que je demande ne vous mettra pas en danger. (Lando désigna la passerelle, derrière la baie de transparacier de la tourelle d'observation où Miatamia et lui se tenaient.) Je veux que vous leviez le brouillage des communications uniquement pour la fréquence personnelle du comlink de la Conseillère Organa Solo. Une seule petite fréquence. C'est tout.

Le Diamala secoua la tête.

— Je ne peux pas risquer de mettre en danger les vies et les vaisseaux Diamalas. Ce serait un pari stupide !

Il se détourna et contempla de nouveau la bataille. Lando ravala un juron et regarda la comète qui scintillait avec une sérénité trompeuse, loin de la zone des combats.

Yan avait demandé son aide à Lando. Il lui avait fait confiance.

Et Calrissian était sûr de ce qu'il avait vu.

— D'accord, dit-il. (Il se planta en face de Miatamia.) Vous avez parlé de pari ? Parfait. Parions.

Il pointa un index vers le vaisseau Ishori.

— Voilà ce que je vous propose. Vous me laissez parler à Leia tout de suite ; si la menace n'est pas aussi sérieuse que je le dis, les Diamalas et vous gagnerez mon installation minière et mon casino, sur Varn.

Les oreilles du sénateur frémirent.

— Etes-vous sérieux ?

— Mortellement sérieux. Mon ami est en danger, et je suis le seul à pouvoir l'aider.

Le Diamala le regarda un long moment.

— Très bien, dit-il enfin. Uniquement la fréquence du comlink privé de la Conseillère Organa Solo. Et pas plus de deux minutes.

— Topez-là ! dit Lando. Combien de temps cela va-t-il prendre ?

Miatamia se tourna vers la console des communications et dit quelque chose en Diamala. Une voix lui répondit. Il y eut un autre échange bref...

— C'est fait. Vos deux minutes ont commencé à courir.

Lando avait déjà sorti son comlink.

— Leia ?

— Lando ! fit une voix soulagée. J'espérais vous parler. Yan est en danger.

— Je sais. Il est parti avec Carib vérifier quelque chose et il m'a demandé de le suivre avec des électrobinoculaires. Ils se sont approchés de la comète puis ils ont disparu.

— Que voulez-vous dire ? Ils se sont écrasés ?

— Non. On aurait plutôt dit qu'ils avaient traversé un écran de camouflage.

— Lando, nous devons y aller de toute urgence. S'il y a un vaisseau Impérial caché là...

— Je suis d'accord, mais j'ai malheureusement utilisé la faveur que me devait Miatamia pour vous appeler.

— Compris, dit Leia. A moi de m'en occuper.

— Qu'allez-vous faire ?

— Je vais aider Yan. Restez tranquille. Vous n'avez pas besoin de vous mêler de ça.

La transmission cessa.

— C'est trop tard pour que je reste en dehors du coup, Leia, dit Lando au comlink muet. Des années trop tard !

Un nouveau barrage de rayons de turbolaser jaillit de la plate-forme Golan la plus proche, visant le groupe de chasseurs stellaires qui l'attaquait sur les flancs.

Wedge fit pivoter son Aile-X pour passer entre les tirs, puis il vérifia l'état de son escadron. En dépit de la salve, et des quatre ou cinq précédentes, aucun pilote n'avait subi de dégâts.

Autant qu'il pouvait en juger, aucun autre vaisseau de la flotte d'attaque n'était touché. La stratégie de Bel Iblis, rester à la limite de la zone mortelle des Golans, avait porté ses fruits.

Mais cette stratégie était sur le point de changer.

— A tous les chasseurs, ici Perris, dit la voix du Commandant du *Pèlerin* dans le casque de Wedge. Le Capitaine Trena a confirmé que le Général Bel Iblis est en danger.

Wedge se demanda quel crétin avait eu besoin d'une confirmation, étant donné que le vaisseau d'Iblis était nez à nez avec un Destroyer Stellaire Impérial et cloué sur place par les rayons tracteurs de la base de l'Ubiqtorate.

— Regardez, ils tirent, fit Rogue Cinq. On dirait qu'ils jouent leur va-tout.

— Je vois, dit Wedge.

Il sentit s'évanouir son dernier espoir que Bel Iblis se tire de cette situation en parlementant. S'il avait ouvert le feu sur la base, cela signifiait que son bluff avait été découvert.

Et qu'il ne lui restait plus beaucoup de temps. Le Destroyer ennemi, sans parler du Commandant de la base de l'Ubiqtorate, n'attendrait pas tranquillement que Bel Iblis fasse sauter tous les rayons tracteurs et s'enfuie...

Tre-na et les autres officiers supérieurs du *Pèlerin* étaient arrivés à la même conclusion.

— A tous les chasseurs, dit Perris, la flotte attaque, et c'est du sérieux ! Votre boulot consiste à détourner le feu ennemi des vaisseaux principaux, faire un trou dans le périmètre de défense à chaque fois que ce sera possible, et vous préparer à servir d'écran quand les Impériaux lanceront leurs chasseurs. Toutes les Ailes, accusez réception et préparez-vous.

— Rogue Leader, bien reçu, dit Wedge.

Puis il passa sur la fréquence de l'escadron.

— Rogues, vous avez examiné le périmètre. Une idée sur ses points faibles ?

— Peut-être, dit Rogue Douze. Il me semble que les turbolasers de tribord de la seconde plate-forme Golan ont un léger décalage.

— Vous êtes sûr ? demanda Rogue Trois. Je n'ai rien remarqué.

— C'est léger, mais je l'ai vu, répondit Rogue Douze. Cela suffirait peut-être à laisser un petit intervalle entre...

— Général Antilles ? coupa quelqu'un.

Wedge fronça les sourcils. Il connaissait cette voix, mais elle n'appartenait pas à un membre de son escadron.

— Oui, confirma-t-il.

— Ici Talon Karrde. Comment ça va ?

Il fallut une seconde à Wedge pour répondre.

— Karrde ! Par les feux de l'enfer, que faites-vous ici ?

— Pour être franc, j'essaie de passer de l'autre côté de la ligne de vos chasseurs, dit Karrde. Le Commandant Horn est-il là ?

— Oui, dit Rogue Neuf. Que voulez-vous ?

— Que vous me rendiez la faveur que vous me devez, dit Karrde. Celle dont nous avons parlé sur l'*Aventurier Errant*, vous vous souvenez ?

Wedge entendit résonner un grognement d'exaspération dans son casque.

— Karrde, êtes-vous cinglé ? Nous sommes en pleine bataille !

— C'est pour ça que j'ai besoin de cette faveur maintenant. Je veux que vous m'escortiez à travers la ligne de défense de la Nouvelle République.

— Pour aller où ? demanda Rogue Neuf. Au cas où vous ne l'auriez pas remarqué, de l'autre côté de nos lignes se trouve une base Impériale de l'Ubiqtorate.

— Ça tombe bien, car telle est ma destination, répondit Karrde.

Wedge ricana.

— Le *Wild Karrde* doit avoir un blindage supérieur à ce que j'imaginais.

— Les Impériaux ne me poseront pas de problème. J'ai un code « priorité absolue » pour traverser leurs lignes. La question gênante, ce sont les vôtres.

— Karrde, je ne sais pas ce que vous manigancez, dit Rogue Neuf. Et franchement, je m'en fiche. Nous avons du boulot à faire ici !

— Peut-être puis-je faire en sorte que ce boulot ne soit pas nécessaire, insista Karrde. Faites-moi traverser, et cette bataille cessera.

— Ah oui ? dit Rogue Deux d'une voix soupçonneuse. Puis-je vous demander comment vous comptez vous y prendre ?

Il y eut une pause. Wedge eut presque l'impression de voir Karrde se fendre du sourire mystérieux qu'il arborait volontiers.

— Disons que je détiens l'atout le plus important qui soit.

— Et ce serait... ?

— A toutes les Ailes, ici Perris. Mettez-vous en formation. Nous y allons.

Wedge inspira à fond. Ils avaient désormais des ordres officiels qui ne laissaient aucune place aux tergiversations ou aux manœuvres...

Mais la vie du Général Bel Iblis était en danger...

— Karrde, ici Antilles. Où êtes-vous ?

— J'arrive au niveau de la poupe du *Pèlerin*, répondit Karrde. Vous passez à l'attaque ?

— Quelque chose comme ça, dit Wedge.

Il consulta son écran arrière.

Le *Wild Karrde* était bien là, à une distance respectueuse des lignes de la Nouvelle République.

— Restez là. Nous arrivons. Rogues, suivez-moi.

Il fit faire demi-tour à son Aile-X et se dirigea vers l'arrière.

Il y eut un « clic » dans son casque quand quelqu'un se brancha sur sa fréquence personnelle.

— Wedge, que faisons-nous ? demanda Rogue Neuf. Nous avons reçu des ordres. Si c'est à propos de la prétendue faveur que je lui dois...

— Peu m'importe les faveurs en ce moment, Corran, lui assura Wedge. Mais tu as entendu ce qu'il a dit : il détient un code Impérial qui permet de traverser le périmètre.

— Oui, je l'ai entendu. Mais qu'il ait un code ne nous servira à rien.

— Normalement, tu aurais raison, concéda Wedge avec un sourire crispé. Mais souviens-toi de ce qu'a dit Rogue Douze sur le décalage du turbolaser. Si nous conduisons Karrde juste au-dessous de cette batterie d'artillerie, et si nous restons le plus près possible derrière lui...

Rogue Neuf émit un sifflement pensif.

— Ça pourrait marcher.

— En tout cas, ça vaut la peine d'essayer.

S'ils pouvaient s'infiltrer dans le périmètre de défense, ils seraient beaucoup mieux placés pour démolir les générateurs des rayons tracteurs qui immobilisaient l'*Aventurier Errant*.

Plus vite ils les élimineraient et plus vite Bel Iblis pourrait faire demi-tour et conduire son vaisseau en sécurité.

— Wedge ? demanda Rogue Neuf d'une voix bizarre. Tu ne crois pas que Karrde a réellement les moyens de faire cesser la bataille ?

Wedge secoua négativement la tête, puis il s'arrêta.

C'était Corran Horn, un type doté de pouvoirs de Jedi, qui posait cette question...

— Pas vraiment, non. Les Impériaux veulent Bel Iblis. Ça, nous en sommes certains. Ils le laisseraient partir pour une seule raison ! Si on leur proposait quelque chose qu'ils désirent encore plus...

— C'est ce que je pense aussi. Alors, pourquoi ai-je le sentiment que Karrde a bel et bien un atout dans sa manche ?

Un frisson parcourut l'échine de Wedge.

— Je l'ignore. Tout ce que je sais, c'est qu'il est notre meilleure chance de sortir Bel Iblis et Booster vivants de ce piège. Pour le moment, c'est tout ce qui m'importe.

Ils étaient arrivés à côté du *Wild Karrde*.

Wedge fit faire un demi-tour abrupt à son Aile-X pour la placer en position d'escorte.

— Très bien, Karrde, nous y allons, dit-il, après avoir vérifié que le reste de l'escadron était en formation. Restez près de moi et suivez-moi !

39

Le droïd sentinelle concentrait ses attaques sur Mara, dont le sabre laser exécutait une danse frénétique pour parer les coups.

La jeune femme savait que ses mains bougeaient, qu'elle avait les mâchoires contractées et que des gouttes de sueur coulaient sur son visage.

Pourtant, elle ne sentait rien, car son esprit était concentré sur une terrible lutte pour la survie. Il semblait que rien d'autre dans l'univers n'avait le pouvoir d'atteindre sa conscience. Elle ne voyait plus la salle, la silhouette de l'autre sentinelle, derrière elle, l'éclair des tirs de blaster, ni même son propre corps.

Il n'y avait place que pour les rayons mortels et son sabre laser...

... et Luke.

C'était une étrange sensation. Debout dos à dos, alors qu'ils puisaient leur énergie dans la Force, il semblait que leurs esprits s'étaient fondus l'un dans l'autre pour devenir une seule entité. Elle sentait le stress mental et physique qu'il subissait. Elle percevait de quelle façon il se reposait sur la Force.

Elle avait conscience qu'il cherchait un plan pour les tirer de ce mauvais pas.

Ainsi que de sa profonde inquiétude pour elle !

D'une certaine manière, c'était une extension logique de leurs récents contacts émotionnels. Mais c'était aussi quelque chose de totalement nouveau qu'elle n'avait encore jamais ressenti.

Soudain, elle comprit Luke Skywalker. Elle sut tout de lui : ses espoirs et ses craintes ; ses succès et ses échecs ; ses forces et ses faiblesses ; ses plus grandes joies et ses chagrins secrets.

Elle plongea au plus profond de son esprit, dans le tréfonds de son âme, jusqu'aux racines même de son être.

Et pendant qu'elle lisait en lui comme dans un livre ouvert, Luke apprenait les mêmes choses sur elle.

Ce n'était ni effrayant ni humiliant, comme elle aurait pu s'y attendre. Au contraire, c'était source d'une grande joie. Jamais elle n'avait vécu pareille communion avec une autre personne. Un homme la connaissait aussi intimement qu'elle le connaissait ! Elle n'aurait pas pensé qu'une telle relation fût possible entre deux êtres...

Et elle n'avait jamais réalisé à quel point elle en avait envie.

C'était sans doute l'aspect le plus étrange de sa brutale prise de conscience : s'apercevoir, après des années, que sa détermination à se couper des autres avait fini par la blesser. Cela avait empêché sa croissance émotionnelle, tout comme son refus d'accepter les responsabilités liées à ses pouvoirs de Jedi avait limité la croissance de ses capacités.

Comme c'était étonnant de réaliser ça au milieu d'une bataille, sous le feu des blasters ! Mara ne regretta qu'une chose : ne pas avoir compris plus tôt, au lieu d'attendre le moment de sa mort...

Car elle savait que la fin était proche. Elle sentait ses muscles s'épuiser. Elle pourrait se défendre quelques minutes encore, pas plus !

Elle devait agir, tant qu'elle en avait encore la force, sinon Luke mourrait aussi.

Si le plan qu'elle avait élaboré pouvait éliminer la sentinelle qui se tenait en face d'elle, il lui serait impossible d'être assez rapide pour empêcher un coup mortel de l'atteindre.

Elle pensa à Corran Horn et à sa capacité d'absorber et de dissiper l'énergie. Mais cela n'avait jamais fait partie de ses talents, et il était bien trop tard pour apprendre.

Elle allait lancer son sabre laser sur sa cible. La sentinelle lui tirerait dessus et elle mourrait. Tout ce qu'elle pouvait espérer, c'était vivre assez longtemps pour finir le travail.

Non, Mara, non !

Etait-ce elle qui avait pensé cela, ou Luke ?

Je dois le faire.

Cette pensée-là venait bien d'elle. A travers ses propres peurs et ses regrets, elle sentit tourbillonner des émotions désespérées tandis que Luke cherchait un moyen de l'empêcher de mourir.

Mais il n'en existait pas. Mara avait examiné toutes les possibilités, et il était impossible que Luke tienne tête à quatre blasters, dont deux dans son dos.

Mais si elle parvenait à vivre assez longtemps pour faire à Luke un bouclier de son corps jusqu'à ce que la sentinelle en face d'elle ait été éliminée...

Pendant que j'en ai encore la force, s'enjoignit-elle.

C'était maintenant ou jamais. Elle inspira à fond...

Non !

Ce cri mental brisa sa détermination.

Attends. Regarde !

Elle n'avait pas le temps de regarder autre chose que la sentinelle et ses blasters. Mais elle n'en avait pas besoin. Luke avait déjà vu le facteur nouveau qui pouvait tout changer, et l'image explosa dans l'esprit de Mara par l'intermédiaire de la Force.

Sur sa droite, son petit arc électrique étendu comme une arme, R2 roulait le long du passage supérieur, en direction de l'adversaire de Mara.

La jeune femme se demanda pourquoi le petit droïd avait mis si longtemps à bouger son arrière-train métallique. Puis elle réalisa qu'il s'était écoulé très peu de temps depuis le début de la bataille. Elle remarqua que R2 avait choisi d'attaquer sa sentinelle, pas celle de Luke, et se demanda si l'instinct protecteur du maître avait déteint sur le droïd.

La troisième chose qui lui vint à l'esprit fut que Luke avait raison. C'était peut-être l'ouverture dont elle avait besoin pour que son plan réussisse sans qu'elle se sacrifie.

Peut-être...

R2 avait presque atteint la sentinelle. Une étincelle bleuâtre crépitait entre les électrodes de soudure.

La sentinelle avait vu le droïd venir droit sur elle. Mais qu'allait-elle faire à son sujet...

Puis une image traversa l'esprit de Mara. Elle se vit avec Luke étendue sur le sol au milieu de l'enchevêtrement de cordes.

Etait-ce une vision de l'avenir ? Elle et lui, morts dans la salle ? Son plan était-il condamné à l'échec ?

Tu as vu ? demanda la voix mentale de Luke. *Tu as saisi ?*

L'image devint plus nette et elle comprit ce qu'il voulait dire. Ce n'était pas une vision de mort, mais un espoir de vie :

560

l'amélioration de dernière seconde que Luke avait ajoutée à son plan.

Pigé ! lança-t-elle mentalement.

Tiens-toi prête...

Elle sentit ses mâchoires se serrer. Alors que son sabre laser parait toujours les tirs, elle se prépara.

R2 avait presque atteint la sentinelle...

D'un geste méprisant, le droïd lança le bras gauche en arrière, posa le canon de son arme sur le dôme de R2 et le renversa.

Durant cette fraction de seconde, il ne tira qu'avec un seul de ses blasters.

Maintenant !

Mara réagit instantanément. Elle laissa ses genoux se dérober sous elle. Luke tomba en même temps, le dos toujours contre celui de la jeune femme.

Ils touchèrent le sol. Mara crut éprouver une brève douleur à l'épaule au moment de l'impact, mais elle n'y prêta pas attention. Luke se retourna sur le dos pour faire face au plafond.

Cette manœuvre lui permit d'affronter des adversaires dont les tirs ne provenaient pas de deux directions diamétralement opposées, mais qui étaient en face de lui, même si une distance assez importante les séparait.

Ça, c'était dans ses cordes !

Vas-y ! dit-il à Mara.

En même temps, la lame de son sabre laser dévia un coup qui aurait atteint la jeune femme à la tête.

Mara avait déjà lancé son sabre laser vers la sentinelle. Un coup rapide, et le blaster que le droïd tenait de la main gauche éclata. Un autre mouvement du sabre laser eut raison du second blaster.

Le droïd poussa un rugissement. Il possédait suffisamment de conscience pour être furieux de s'être laissé désarmer de la sorte. Mais il était aussi assez intelligent pour savoir que son handicap ne serait que temporaire, car le sabre laser ne pouvait pas lui causer de dégâts assez importants pour l'arrêter.

Ses concepteurs avaient pensé à tout. Deux autres compartiments s'ouvrirent sur les flancs du droïd, dont les mains plongeaient déjà à la recherche des armes qu'ils contenaient.

Avec un peu de chance, il n'aurait pas le temps de les utiliser. Mara leva son sabre laser, l'orienta afin que la lame soit face à l'ennemi. Puis elle lança l'arme.

Elle ne visait pas le droïd, protégé par la couche de cortosis de son blindage, mais le mur attaqué par l'eau auquel il tournait le dos.

Le geyser qui jaillit de la cloison fut instantané et incroyablement puissant. Des gouttes tombèrent à l'endroit ou Luke et Mara étaient étendus, à plus de trente mètres de distance.

Mara éprouva un certain malaise face à la force du courant. Mais il était trop tard pour l'arrêter. Elle empêcha le sabre laser de céder sous la pression, et lui fit découper un cercle de dix centimètres de diamètre. L'eau jaillit avec plus de force.

La sentinelle tourna la tête pour voir ce qui se passait ; elle leva ses blasters vers le sabre laser...

Mara avait achevé le cercle. Le « bouchon » de pierre jaillit du mur à la vitesse d'une torpille à protons et s'écrasa sur le torse du droïd avec une force suffisante pour traverser son blindage et le renverser. Le droïd tomba du passage surélevé. Mara aperçut une masse de métal écrasée. Puis elle vit que l'eau qui avait fait sauter le bouchon jaillissait dans la salle, juste au-dessus de sa tête...

Soudain, une vague écrêtée d'écume venue de la direction opposée la percuta de plein fouet.

Toujours en mode de défense Jedi, Mara était si concentrée que la vague la prit par surprise. Elle sentit le courant la soulever. Ses pieds se libérèrent des nœuds.

La jeune femme chercha désespérément quelque chose à quoi s'accrocher. De la main gauche, elle saisit un bouquet de nœuds et s'y agrippa de toutes ses forces.

Une autre vague s'écrasa sur elle et la força à lâcher prise.

Ballottée par le flot, elle parvint à remonter à la surface, inspira un air qui lui sembla fait pour moitié de vapeur et secoua la tête pour chasser les gouttes qui lui brouillaient la vue.

Juste à temps pour voir une nouvelle vague surgir...

Deux mains la saisirent sous les aisselles. Elle se sentit soulevée dans les airs, avec l'impression que des forces opposées allaient la couper en deux.

Son dos heurta quelque chose de dur ; une des mains lâcha prise tandis que l'autre la serrait plus fort.

— Tiens bon ! cria Luke dans son oreille.

Elle pivota et vit la rambarde du déambulatoire, à côté d'elle.

Elle s'y accrocha.

— J'y suis...

— Reste là, je retourne chercher R2.

Luke plongea dans le courant.

Mara se hissa par-dessus la rambarde et se laissa tomber de l'autre côté. Sous elle, la pièce était devenue une masse d'eau bouillonnante.

La salle se remplissait très vite.

Bien plus vite qu'elle n'aurait dû, comprit Mara.

Elle vit soudain pourquoi : le trou qu'elle avait percé dans la paroi s'était agrandi. Trois ou quatre mètres carrés de mur avaient cédé sous la pression. Le Lac des Petits Poissons se déversait par l'ouverture.

L'eau arrivait déjà à mi-hauteur du balcon où elle se tenait.

Un mouvement attira son attention.

C'était Luke, accroché à une saillie du mur, qui lui faisait des signes.

— Je suis là ! cria-t-elle pour couvrir le rugissement du courant. De quoi as-tu besoin ?

En réponse, le sommet du dôme de R2 émergea des vagues. Mara fit appel à la Force et entreprit de soulever le droïd pour l'amener à elle.

Ce fut plus difficile que prévu.

Le droïd sortit de l'eau avec une lenteur épuisante. A deux reprises, Mara faillit lâcher prise et le laisser tomber. La bataille contre la sentinelle lui avait coûté plus d'énergie qu'elle ne l'aurait cru.

Mais elle parvint à soulever R2 au-dessus de la rambarde.

Le droïd se posa à côté d'elle avec un bip pensif. Un peu bousculé par le courant, il avait perdu son databloc-traducteur. A part ça, il semblait intact.

Mara se pencha et chercha Luke du regard...

Une main s'agrippa à la rambarde.

— Tu as monté R2 ? fit Luke d'une voix rauque.

Il se hissa laborieusement par-dessus la rambarde.

— Il est là, confirma Mara. (Elle lui tendit la main pour l'aider à grimper.) Tu vas bien ?

— On ne peut mieux, dit-il avant de s'écrouler à côté d'elle, haletant. Leçon numéro un : un Jedi a besoin d'air pour fonctionner correctement.

— C'est bien vu, dit Mara. Qu'est-il advenu de la seconde sentinelle ?

— Je lui ai réglé son compte. Tiens, ton sabre laser, ajouta-t-il. (Il sortit les deux armes de sa tunique et tendit la sienne à Mara). Tu as fait du bon boulot avec le mur !

— Pour ça, oui ! Il n'existait pas de plan plus brillant que celui qui consistait à nous noyer ! En parlant de ça, ne devrions-nous pas filer d'ici avant qu'il y ait encore plus d'eau ?

— Eh bien... En fait...

— Qu'y a-t-il ?

Luke prit la main de Mara.

— Je suis désolé, dit-il. L'eau est déjà au-dessus du niveau du tunnel. Elle est en train de remplir la salle à l'autre bout.

Mara le regarda, sidérée. Elle n'aurait pas cru que le flot se déversait à une telle vitesse.

— Bon. La pièce est en train de se remplir. Si nous pouvons la traverser et atteindre l'escalier, il nous sera possible de rejoindre la forteresse, non ?

Un muscle tressauta sur la joue de Luke.

— Tu ne comprends pas. L'eau a déjà dépassé le niveau du tunnel. Ça veut dire qu'il nous faudrait parcourir une centaine de mètres sans air.

— Et si nous entrions en transe d'hibernation ? Comme celle que tu as utilisée pour voyager dans le *Glacier Etoilé* jusqu'à la base des pirates ?

Luke secoua la tête.

— La salle souterraine étant en train de se remplir, le courant ne sera pas assez fort pour nous propulser dans le tunnel.

Et ils ne pourraient pas nager s'ils étaient en transe.

Mara repoussa une mèche de cheveux mouillée de son front, et tenta de réfléchir.

A côté de Luke, R2 émit soudain un bip inquiet.

— J'ai vu, dit Luke.

— Vu quoi ? demanda Mara.

— Le niveau de l'eau s'élève encore. Cela signifie que la salle souterraine est probablement déjà transformée en aquarium. Les seules voies de drainage sont les deux trous que nous avons creusés. Un près de l'escalier et l'autre dans la caverne.

Mara déglutit péniblement.

— Deux petits trous...

— Bien trop petits pour la quantité d'eau qui se déverse, dit Luke. J'ai peur que...

Il ne finit pas sa phrase. Mara regarda l'eau, désormais assez haute pour cacher le trou qu'elle avait contribué à percer dans le mur.

Mais la surface, toujours mouvante, indiquait que le flot ne s'était pas tari.

— Quand tu es arrivé, rappela Mara, je t'ai dit que tu pouvais rentrer à Coruscant, et me laisser m'occuper de la forteresse avec les Qom Jha. Tu as refusé, mais tu m'as ordonné de ne pas te demander pourquoi.

Il inspira à fond.

— J'ai eu une vision de toi sur Tierfon. Avant de savoir que tu avais disparu. Je t'ai vue dans une mare d'eau, entourée de rochers déchiquetés... (Il hésita un instant.) Et tu semblais...

— Morte ?

Il soupira.

— Oui.

Un long moment ils restèrent silencieux.

— Alors, je suppose que c'est fichu, remarqua Mara. J'aurai au moins la satisfaction mineure de savoir que je suis la seule responsable.

— N'abandonne pas encore, dit Luke, sans grande conviction. Il doit y avoir un moyen de sortir d'ici.

— C'est dommage de mourir maintenant, soupira Mara. Tu ne le savais pas, mais après cette affaire, sur la base des pirates, Faughn m'a dit que nous faisions une sacrée bonne équipe, toi et moi. C'était bien vu ! Nous étions plutôt bons !

— Mais nous le sommes toujours, corrigea Luke. Tu sais, quand nous combattions les sentinelles, il m'est arrivé quelque chose. Enfin, pas seulement à moi : à nous. Nous étions tellement unis dans la Force qu'il m'a semblé que nous formions une seule personne. C'était un sentiment très spécial...

Elle haussa un sourcil, un rien d'amusement dans le regard malgré la gravité du moment. L'expression de Luke était à la fois anxieuse et étrangement maladroite...

— Vraiment ? Spécial comment ?

— Tu ne me faciliteras pas la tâche, hein ?

— Voyons ! Quand t'ai-je facilité quoi que ce soit ?

— Pas très souvent. (Il prit Mara par la main.) Veux-tu m'épouser ?

— Si nous sortons vivants de ce piège à rats ?

Luke secoua la tête.

— Que nous en sortions ou pas.

Dans d'autres circonstances, la jeune femme se serait probablement sentie obligée de le faire mariner un peu. Mais avec
l'eau qui continuait à monter, ces petits jeux semblaient
dépassés.

De plus, elle n'avait aucune raison de faire appel à ses
anciens mécanismes de défense. Pas avec lui.

— Oui, dit-elle. J'accepte.

40

Une salve de turbolaser frôla le vaisseau et laissa une marque noire sur le dôme transparent de la passerelle. C'était un présage, pensa Leia tandis qu'elle dépassait l'anneau extérieur de surveillance et avançait dans le noyau central de commande. Un présage de sa chute prochaine. Ce qu'elle était sur le point de faire marquerait la fin de sa carrière politique. Cela pouvait l'expédier dans une colonie pénitentiaire. Voire lui coûter la vie.

Mais celle de Yan était dans la balance. A côté de ça, rien n'avait d'importance.

Elle s'arrêta derrière le navigateur Ishori et regarda la console de commande par-dessus son épaule. Les inscriptions étaient en Ishori, bien entendu, mais la console, un modèle standard Kuat Drive Yards, n'avait guère de secrets pour elle.

Elle fit appel à la Force et tira le levier des moteurs subluminiques.

Le navigateur fut le premier à s'apercevoir que quelque chose clochait. Il marmonna dans sa barbe et replaça le levier dans sa position d'origine. Leia le ramena de nouveau vers l'avant et ajouta un vecteur qui dirigerait le vaisseau vers la comète.

Le navigateur grogna de nouveau, irrité, et saisit le levier.

Celui-ci ne bougea pas d'un pouce, car Leia le maintenait fermement en place en dépit des efforts de l'Ishori. Quand il cessa de forcer sur le levier, désorienté, elle le tira un peu plus loin. Le navigateur pivota sur son siège pour regarder le Capitaine Av'muru...

Il aperçut du coin de l'œil Leia, debout derrière lui.

— Que faites-vous là ? cria-t-il. Gardes !

Leia se retourna. Deux soldats marchaient vers elle à grands pas, blasters en main. Avec le soutien de la Force, elle leur arracha leurs armes et les fit tomber sur le pont, assez violemment pour les briser.

— Conseillère ! s'écria Av'muru. (Il bondit de son siège.) Que faites-vous ?

Leia ne répondit pas, mais tira de nouveau le levier de commande d'accélération.

— Non ! s'exclama le navigateur.

Il se leva avec l'intention d'attraper Leia par le cou.

Ses mains ne l'atteignirent jamais. Leia le bloqua avec la Force, puis l'envoya plonger de l'autre côté du cercle de commande, vers l'arrière de la passerelle.

— Gardes ! cria Av'muru. Tous les gardes, à moi !

Leia augmenta encore la vitesse du vaisseau. Ses sens de Jedi l'avertirent d'un danger. Elle sortit son sabre laser au moment où deux autres gardes la visaient avec leurs blasters. Ils tirèrent, mais leurs rayons paralysants ricochèrent contre sa lame scintillante.

Elle arracha leurs armes aux deux hommes et les fit voler vers elle à travers la passerelle.

Puis elle les coupa proprement en deux avec son sabre laser.

— Arrêtez immédiatement ! gronda Av'muru. Sinon, je déclarerai que la Confédération Ishorie et la Nouvelle République sont en guerre !

— Le système tout entier est en danger de mort ! rétorqua Leia d'une voix puissante. Vous avez refusé de prendre les mesures nécessaires. Je l'ai donc fait à votre place.

— Vous prenez le risque d'une guerre entre Isht et Coruscant ! s'énerva Av'muru. Je vous donne jusqu'au moment où j'arriverai près de vous pour me rendre les commandes de mon vaisseau.

Du coin de l'œil, elle vit Gavrisom près d'Av'muru. Il lui restait une seule carte à jouer.

— Il n'y a aucune raison d'impliquer la Nouvelle République, dit-elle à l'Ishori. Je démissionne du Haut Conseil, du Sénat et de la Présidence. Je ne suis plus qu'une citoyenne ordinaire.

— Dans ce cas, vous renoncez également aux privilèges diplomatiques ! cracha Av'muru.

Gavrisom était à côté de lui et tous deux avançaient vers Leia. A la démarche de Gavrisom, Leia comprit qu'il tentait d'arriver le premier. Peut-être espérait-il l'arrêter lui-même, afin de limiter les dégâts politiques qu'elle venait de faire.

Mais il était trop tard pour ça, et Gavrisom le savait certainement.

— Vous êtes à bord d'un vaisseau de guerre Ishori, continua Av'muru. La punition pour mutinerie est la peine de mort.

Leia sentit sa gorge se nouer. Le sort en était jeté ! Le Capitaine avait prononcé le mot « mutinerie » en référence aux lois martiales Ishories. Si elle ne cédait pas avant qu'il soit près d'elle, il n'aurait d'autre choix que d'utiliser la puissance de son vaisseau de guerre.

L'arrêterait-il ?

Probablement pas. Et certainement pas avant qu'ils aient atteint la comète.

Mais à quel prix ? Leia pouvait les empêcher d'approcher, mais il lui serait impossible d'éviter de verser le sang. Si ses actions entraînaient la mort de quelqu'un, même indirectement, son destin était scellé. Le code martial des Ishoris exigerait sa vie en paiement.

Pour le bien de la Nouvelle République, elle allait être obligée de céder. Av'muru et Gavrisom la touchaient presque...

Alors, à la surprise de Leia, Gavrisom fit volte-face et bloqua le passage à Av'muru.

— Non, Capitaine, dit-il. Je déclare que ce vaisseau de guerre est désormais sous le commandement direct de la Nouvelle République.

— Ainsi, la présidence de la Nouvelle République nous trahit également ? cria Av'muru, en essayant d'écarter Gavrisom de son chemin. Laissez-moi passer ou mourez avec elle !

— Il n'y a pas de trahison, dit Gavrisom. (Toujours serein, il n'avait pas bougé d'un millimètre.) Sauf si vous portez cette accusation contre vous-même pour avoir refusé un vaisseau à la Nouvelle République lors d'une urgence. Section 45-2 des Traités d'Allégeance.

Av'muru baissa les bras.

— Vous dites n'importe quoi ! hurla-t-il. Il n'y a pas eu de réquisition officielle !

— Les Traités sont délibérément vagues sur la forme que doit prendre une réquisition, dit Gavrisom. Par sa nature même, une situation d'urgence demande de la souplesse.

Il agita une aile en direction de Leia.

— Dans le cas qui nous occupe, la réquisition a eu lieu quand la Haute Conseillère Leia Organa Solo...

— Elle n'est plus Conseillère, de son propre chef !

— Quand la Haute Conseillère Organa Solo, répéta Gavrisom, a dirigé ce vaisseau vers la comète.

Av'muru foudroya Gavrisom du regard, puis Leia, et de nouveau Gavrisom.

— Vous ne pensez pas sérieusement que la Confédération acceptera une demande aussi ridicule !

— Ce que vos dirigeants accepteront ou pas fera l'objet de négociations futures, dit Gavrisom. Hélas, le brouillage de fréquences nous interdit de communiquer avec votre gouvernement. (Le Président secoua sa crinière emplumée.) La décision vous revient, Capitaine. Vous devez la fonder sur les exigences de la loi. Le Président de la Nouvelle République et un Chevalier Jedi affirment que votre vaisseau est en danger !

Av'muru tremblait d'émotion. Ses yeux volèrent de Gavrisom à Leia, puis se rivèrent sur l'espace, de l'autre côté du dôme.

Leia jeta aussi un coup d'œil pour s'assurer que le *Prédominance* se dirigeait bien vers la comète.

— Navigateur ? lança Av'muru.

— Oui, Capitaine.

— Retournez à votre poste. Continuez sur le cap que le Chevalier Jedi Organa Solo a pris.

— Oui, Capitaine, dit le navigateur.

Gavrisom s'écarta du chemin pour que l'Ishori puisse passer.

Leia se poussa également. Le navigateur se réinstalla à son poste, l'air méfiant.

— Trajet et vitesse selon vos ordres, Capitaine.

— Venez, Conseillère, dit Gavrisom. (Il fit signe à Leia de le suivre.) Laissons-leur le champ libre.

Ils se retirèrent derrière le cercle de surveillance.

— Merci, dit Leia.

— Je faisais seulement mon travail. J'ai souvent entendu dire que les Calibops étaient plus doués pour les paroles que pour les actes.

Il ébouriffa sa crinière.

— Pourtant, ajouta-t-il, les mots priment parfois sur les actes.

— Oui, murmura Leia.

Elle espérait seulement que les actions qui suivraient ne seraient pas trop tardives...

— Nous les tenons tous les deux, Capitaine, dit le responsable du rayon tracteur tribord, appelé d'urgence sur la passerelle. Deux cargos : un YT-1300 et un Action II Corellien.

— Parfait, grogna Nagol, qu'exaspérait toujours le changement brutal de plans minutés avec soin.

L'équipe au sol, se promit-il, aurait des comptes à rendre quand tout cela serait terminé.

Le *Tyrannic* était prêt à faire le nécessaire. D'abord, il fallait s'occuper des deux vaisseaux capturés.

— Amenez-les plus près, Lieutenant, dit-il. Assurez-vous qu'ils ne puissent pas se dégager.

— Ils n'y arriveront pas, Capitaine, assura l'officier.

Nagol sentit du mouvement derrière lui.

— Vous m'avez demandé, Capitaine ? s'enquit Oissan.

— La liste des priorité et des dangers ! fit sèchement Nagol, où est-elle ?

— La liste préliminaire est enregistrée, répondit Oissan. Nous pensions avoir plus de temps pour la compléter.

— Eh bien, vous vous trompiez ! cracha Nagol, écœuré par l'incurie de ses subordonnés. Retournez au travail. Il reste une heure ou deux avant que la bataille en arrive au point où nous interviendrons.

— Oui, Monsieur, dit Oissan. Voulez-vous que mon équipe interroge les prisonniers ?

— Quels prisonniers ?

— Mais... mais... balbutia Oissan. L'équipage des deux cargos que nous avons capturés.

Nagol secoua la tête.

— Il n'y aura pas de prisonniers.

— Vous avez dit...

— De les amener plus près, c'est tout ! coupa Nagol. Je ne veux pas que des débris flottent hors de l'écran de camouflage. Quelqu'un risquerait de les repérer.

Il regarda par le hublot. Le YT-1300 se tortillait comme un ver sous l'emprise du rayon tracteur. L'Action II, lui, se tenait étrangement tranquille.

— Dans une minute, ajouta Nagol, nous disposerons d'eux. De manière définitive.

— Regardez ! fit Lando, le doigt pointé vers la baie d'observation du *Penseur Affairé*. Ne vous l'avais-je pas dit ? Les Ishoris ont reconnu le danger et sont allés y jeter un coup d'œil.

— Ils fuient pour sauver leurs peaux, c'est tout, dit le Sénateur Miatamia. Ou ils estiment que la maniabilité supérieure dont ils bénéficieront dans l'espace libre leur permettra de mieux se défendre.

— Parfait, dit Lando. Que ce soit l'un ou l'autre, vous ne pouvez pas les laisser partir.

— Les Diamalas ne cherchent pas à se venger. Nous avons fait échouer une attaque sur Bothawui. Cela suffit pour l'instant.

— Et la menace dont je vous ai parlé ? demanda Lando. Nous avons parié, vous vous en souvenez ?

— Si cette menace existe, et que les Ishoris sont partis à sa recherche, je ne doute pas qu'ils la découvriront sans nous. Il n'y a aucune raison d'exposer un vaisseau Diamala.

Lando regarda par la baie d'observation. Il ignorait comment elle s'y était prise, mais Leia avait obtenu que le *Prédominance* aille explorer la comète pour mettre au jour la surprise que les Impériaux n'avaient pas manqué d'y cacher.

Avec Thrawn qui tirait les ficelles, la surprise serait sans doute mémorable ! Et trop grande pour qu'un seul vaisseau Ishori s'en occupe...

— Je comprends, dit Calrissian, qui opta pour une autre tactique. Je suis sûr que les Ishoris sont bien contents d'avoir l'occasion de vous échapper !

— Quelle importance a leur façon de voir ? demanda Miatamia.

— Aucune. Mais je pensais une chose : s'ils veulent vraiment vous attaquer, ils appelleront des renforts... Dès qu'ils seront hors de portée de votre brouillage.

— Ils ne feraient pas une chose pareille !

— Pourquoi pas ? Souvenez-vous : ils estiment que l'espèce Bothane devrait payer pour la part que certains misérables ont prise dans la destruction de Caamas. A leur place, je me dirais que l'espace de Bothawui est l'endroit idéal pour régler mes comptes avec les Diamalas. Particulièrement maintenant qu'une partie du bouclier planétaire s'est effondrée, poursuivit-il en désignant la planète. Toute retombée de la bataille sur la planète leur semblerait un bonus...

Miatamia se plaça devant l'intercom avant que Lando ait terminé sa phrase. Il souffla quelques mots en Diamala. Lando regarda par la baie d'observation et retint son souffle.

Puis il vit les deux autres vaisseaux Diamalas pivoter en direction du croiseur de guerre Ishori. Un instant plus tard, il sentit une légère poussée quand le *Penseur Affairé* partit à leur suite.

— Nous les empêcherons de communiquer jusqu'à ce que le bouclier de Drev'starn soit réparé, dit Miatamia. Quand ce sera fait, ils seront libres de partir s'ils le désirent.

— C'est bien, dit Lando. Vous emmenez seulement ces trois vaisseaux-là ?

— J'ai suggéré au Capitaine que tous les vaisseaux Diamalas reçoivent l'ordre de nous rejoindre.

— Au cas où j'aurais raison ?

Les oreilles du Sénateur frémirent.

— Comme je vous l'ai déjà dit, ce qu'on n'attend pas risque parfois de se produire. Les Diamalas préfèrent parer à toute éventualité.

— Tiens bon, grogna Yan.

Il faisait osciller le *Faucon* de tribord à bâbord en donnant toute la puissance.

En vain. Le rayon tracteur les tenait. Yan tendit la main vers la console d'artillerie et modifia légèrement l'angle de tir du quadlaser supérieur pour arroser d'un feu nourri le Destroyer Stellaire.

Sans résultat, une fois de plus.

— Le stabilisateur bâbord donne de nouveau des signes de faiblesse, dit Elegos. Vous risquez de sérieuses avaries en continuant de la sorte.

Yan ravala un juron. Oui, il risquait de bousiller les stabilisateurs, de griller une partie des moteurs subluminiques, de faire fondre les quadlasers, voire de fendre la coque.

Mais il n'avait pas le choix. Il était obligé de se dégager, car un Destroyer Impérial caché par un écran de camouflage signifiait qu'une embuscade se préparait... Et les Impériaux qui avaient conçu le piège ne laisseraient pas de témoins derrière eux.

Elegos ne l'avait pas encore compris.

— Peut-être devrions-nous nous rendre, suggéra-t-il.

— Ouais, grogna Yan. Pour quoi faire ?

— Pour éviter d'être tués. Carib et les siens l'ont déjà fait.

— Fait quoi ? demanda Yan.

Occupé à lutter contre les rayons tracteurs, il avait perdu de vue l'Action II.

— Ils ne se débattent pas contre les rayons tracteurs, dit Elegos.

Il avait raison. Le cargo de Carib était légèrement à tribord et beaucoup plus près de la coque du Destroyer que le *Faucon*. Il n'essayait pas de se dégager.

Cela n'avait aucun sens, pensa Yan. Carib devait savoir mieux que lui qu'il n'était pas question de se rendre. Ses compagnons et lui avaient-ils déjà été tués ?

Ou leur récent ralliement à Leia et à la Nouvelle République avait-il été une ruse ?

— Solo ? dit une voix dans le haut-parleur. Ici Carib. Tenez-vous prêt.

— Prêt à quoi ?

— A votre avis ? Si nous ne nous en sortons pas, je veux que nos familles ne manquent de rien. Marché conclu ?

Yan regarda Elegos.

— De quoi parlez-vous ?

— Marché conclu, dit Elegos, l'air aussi étonné que Yan mais apparemment décidé à jouer le jeu. Ne vous inquiétez pas.

— D'accord. J'ai été content de vous connaître.

La communication cessa.

Yan regarda le cargo, une prémonition fit courir un frisson glacé le long de son échine.

L'Action II explosa.

Yan entendit Elegos haleter.

— Que se... ?

— Regardez, dit Yan. Comme l'a dit Carib, tenez-vous prêt !

L'éclair et la colonne de poussière consécutifs à l'explosion se dissipèrent, soufflés par l'air expulsé du vaisseau, ou absorbés par les rayons tracteurs...

Une douzaine d'Intercepteurs TIE jaillirent du nuage de débris.

Il ne fallut pas plus de cinq secondes aux Impériaux pour réagir face à cette menace totalement imprévue. Dans ce cas précis, ce furent cinq secondes de trop.

Les TIE s'approchèrent de la coque du Destroyer. Ils évitaient les tirs de turbolaser avec une aisance déconcertante. Puis ils firent sauter les générateurs de rayons tracteurs.

Yan regardait, fasciné. Il se souvint de l'habileté légendaire du Baron Fel aux commandes d'un vaisseau. Mais cette fois, les TIE étaient douze, et ils combattaient de son côté.

Avec un sursaut qui fit tituber son propriétaire, le *Faucon* retrouva sa liberté.

— Tenez bon ! cria Yan.

Il concentra toute la puissance dans les moteurs subluminiques.

Quand ils virent leur proie s'échapper, les serveurs des turbolasers du Destroyer ouvrirent le feu. Yan lança le Faucon dans une manœuvre en vrille afin de gagner le plus vite possible la limite de l'écran de camouflage.

— Vous êtes prêt à émettre en direction des imbéciles qui s'entre-tuent au-dessus de Bothawui ? demanda Yan.

D'un œil critique, il consulta la jauge du déflecteur arrière. Si leurs boucliers cédaient avant qu'ils soient sortis du champ de camouflage, les Impériaux pouvaient encore l'emporter.

— Je suis prêt, répondit Elegos. Dès que...

Il poussa un petit cri. Yan tourna la tête et vit apparaître la forme familière d'un Intercepteur TIE.

Sans réfléchir, il tendit la main vers la console d'artillerie... et s'arrêta juste à temps : sur les panneaux solaires du TIE s'affichait l'emblème de la Nouvelle République.

Derrière le vaisseau de tête, le reste de l'unité de Carib apparut.

Puis les ténèbres s'évanouirent et le ciel fut de nouveau semé d'étoiles.

— Nous y sommes, fit Yan. Occupez-vous des communications.

Elegos s'éclaircit la gorge.

— Je ne crois pas que ce sera nécessaire, dit-il.

Etonné, Yan se tourna vers la baie d'observation.

Il retint son souffle. Une dizaine de vaisseaux de guerre se dirigeaient vers eux. Ils venaient de Bothawui.

La console de communication crépita.

— Yan ? fit la voix de Lando.

— C'est moi, Lando. Dis-leur de faire attention ! Il y a un Destroyer Stellaire Impérial sous cet écran de camouflage.

— Compris, répondit Lando. Et les Intercepteurs TIE, ils sont avec toi ?

Yan sourit.

— Un peu, mon neveu ! Peux-tu trouver d'autres volontaires pour nous aider ?

— Capitaine Solo, ici le Sénateur Miatamia, dit une autre voix. Nous avons transmis votre avertissement à tous les vaisseaux alliés aux Diamalas, en leur demandant leur assistance.

— Super ! lança Yan. Je vous suggère d'inviter aussi les Ishoris à la fête. Nous aurons besoin de tous les navires que vous pourrez obtenir !

— Yan ? coupa la voix de Leia, soulagée et tendue en même temps. Tu vas bien ?

— Oui, chérie. Tu es toujours avec les Ishoris ?

— Oui. Le Capitaine n'est pas tout à fait sûr...

Elle s'interrompit.

— Leia ? aboya Yan.

— Je n'ai rien dit. Le Capitaine n'a plus le moindre doute, désormais...

Yan fronça les sourcils et fit pivoter le *Faucon* pour regarder derrière lui. Le Destroyer, devant l'échec de son stratagème, venait de se débarrasser de l'écran de camouflage.

Il n'était pas seul.

Ils étaient trois !

Yan inspira à fond.

— Parfait, dit-il. Ça, ce sera un vrai combat !

41

— Rapport du Commandement de la base, Amiral, dit l'officier des communications. Le Destroyer ennemi a endommagé deux autres générateurs de rayons tracteurs.

— Faites commencer les réparations, Lieutenant, ordonna Thrawn. Et dites au Commandant de la base d'envoyer trois autres rayons tracteurs sur la cible.

Debout à la gauche de Disra, au fond de la passerelle de commandement, Paloma D'asima marmonna quelque chose à voix basse à Karoly D'ulin.

— Vous avez une question ? demanda Disra.

Il s'approcha des deux Mistryls.

La plus âgée fit un signe de tête en direction de Thrawn.

— Je disais à Karoly que je n'aime pas ça, fit-elle, dégoûtée. Il joue au chat et à la souris avec eux. Pourquoi ne pas simplement les détruire et en finir une fois pour toutes ?

— Le Grand Amiral Thrawn est un homme d'une extrême subtilité, déclara Disra d'un ton hautain.

Il espérait ainsi empêcher la Mistryl de poser des questions auxquelles il ne savait que répondre.

En réalité, il ne comprenait pas non plus où Tierce voulait en venir. Mais le Major était toujours debout à côté de Thrawn, raide et silencieux. L'image même de l'assistant imperturbable !

Disra supposa que tout se déroulait suivant ses plans.

Thrawn avait entendu le commentaire, car il murmura quelque chose à Tierce, qui lui fit un petit signe approbateur.

Puis le Major rejoignit Disra et les deux Mistryls.

— L'Amiral Thrawn a entendu votre question, et il m'a demandé de vous expliquer son raisonnement, fit-il. (Il se plaça de manière à pouvoir suivre les efforts de Bel Iblis pour libérer son vaisseau.) Il n'est pas intéressé par la destruction du Général Bel Iblis. Au contraire, il souhaite qu'il se rende... (Il désigna les salves de turbolasers.) Mais comme vous le constatez, Bel Iblis est un homme fier et entêté. Il doit d'abord acquérir la certitude qu'il n'a aucune chance. L'Amiral Thrawn lui laisse donc une occasion de faire tout ce qu'il peut contre nous.

— Il lui démontre la futilité de la résistance, dit D'asima, pas franchement ravie, mais moins dégoûtée. Et il met du sel sur la plaie en augmentant le nombre de rayons tracteurs chaque fois que Bel Iblis élimine un générateur.

— Exactement, dit Tierce. L'Amiral Thrawn a toujours traité ses ennemis avec respect.

— Mais il traite ses alliés encore mieux, bien entendu, ajouta Disra.

Rappeler à D'asima la raison de sa présence ne ferait pas de mal.

— Amiral ? appela de nouveau l'officier des communications. Nous recevons une émission du coordinateur du périmètre de défense. Il demande votre aide pour s'occuper des Ailes-X qui ont pénétré dans ses lignes.

Disra jeta un coup d'œil étonné à Tierce.

— Des Ailes-X ?

— Je ne suis pas au courant, répondit Tierce.

Il fit mine de retourner près de Thrawn et se retint juste à temps quand Disra fronça les sourcils. Le Moff avait prévenu ses complices qu'il ne fallait pas que Tierce ait l'air trop important. L'imposteur était assez doué pour le rappeler auprès de lui en cas de besoin.

Pour le moment, leur Grand Amiral semblait contrôler la situation.

— Que sont ces Ailes-X, Lieutenant ? demanda-t-il, d'une voix calme où perçait néanmoins une certaine tension.

— Il dit avoir notifié l'arrivée des Ailes-X au Général Hestiv il y a dix minutes, répondit l'officier des communications, troublé. Apparemment, elles se sont faufilées derrière un de nos cargos.

— Un de nos cargos ? demanda Thrawn.

— Un cargo Impérial, Monsieur, corrigea hâtivement l'homme. Il livrait des fournitures, probablement. Le coordinateur indique qu'il lui a fourni les codes d'accès corrects.

— J'en suis sûr, dit Thrawn, sarcastique. Et le Général Hestiv a simplement oublié de nous transmettre l'information, c'est ça ?

Son regard balaya la pièce et s'arrêta sur Tierce.

— Major Tierce ?

— Oui, Monsieur ? Voulez-vous que je m'occupe de repérer ce cargo ?

— S'il vous plaît, acquiesça Thrawn, obéissant à l'indication donnée discrètement par Tierce.

Puis les yeux de Thrawn s'agrandirent de stupeur. Disra fronça les sourcils...

— Ne vous dérangez pas, Major, dit une voix familière derrière le Moff. Le cargo en question est en ce moment à quai dans le hangar numéro 7.

N'en croyant pas ses oreilles, Disra se retourna. C'était impossible !

Et pourtant. Il était là, en chair et en os, debout à l'entrée de la passerelle.

L'Amiral Pellaeon.

Une fois l'élément de surprise passé, la bataille fratricide tourna court bien plus tôt que les Impériaux ne l'avaient espéré. Leia aperçut par la baie d'observation les derniers tirs de laser, lâchés par les différents combattants tandis qu'ils prenaient conscience de la menace bien plus grande qui se présentait sur leurs flancs.

Malgré sa courte durée, la bataille avait coûté cher, constata Leia quand elle consulta l'écran tactique du *Prédominance*. Sur les quelque deux cents vaisseaux engagés dans le combat, moins de cent dix se préparaient à lutter contre les trois Destroyers Stellaires.

— Leur artillerie est supérieure à la nôtre, n'est-ce pas ? dit Gavrisom.

— J'en ai bien peur, répondit Leia. Et les vaisseaux encore en état de combattre ont quand même subi des dégâts. Ces trois Destroyers sont frais et dispos.

— Il est possible que tous nos vaisseaux ne restent pas à nos côtés quand ils calculeront leurs chances de succès, ajouta Gavrisom. Même avec la réquisition 45-2, il n'en reste pas moins que nous leur demandons de combattre pour Bothawui et son peuple.

— Et la moitié d'entre eux ne sont pas vraiment intéressés par cette cause.

— Leia ?

Elle activa son comlink.

— Je suis là, Yan. Tu vas bien ?

— Pas de problème. Il y a un moment qu'ils ont cessé de nous tirer dessus. Elegos a fait le décompte des vaisseaux dont vous disposez, et aucun de nous deux n'est ravi par le résultat...

— Nous non plus, dit Leia. Gavrisom a lancé un appel général à toutes les forces de la Nouvelle République présentes dans le secteur. Pour le moment, il n'y a pas de réponse.

— Ma foi, j'ai peut-être une idée. Sais-tu si Fey'lya est sur Bothawui en ce moment ?

Leia fronça les sourcils.

— Je crois, oui. Pourquoi ?

— Tu sais comment le joindre ?

— Sa fréquence privée est dans l'ordinateur du *Faucon*, classée sous son nom, répondit Leia. Pourquoi ?

— Je vais donner dans la diplomatie. Vois si vous pouvez retarder ces trois Destroyers.

Il coupa la communication.

— Parfait, fit Leia à voix basse. Les retarder un peu...

Gavrisom secoua sa crinière.

— Il y a une autre question importante, Leia. Cette flotte est composée d'êtres qui ne se font pas confiance. Il nous faut aux commandes quelqu'un qu'ils connaissent tous et acceptent comme chef.

— J'ai la solution, dit Leia. (Elle activa de nouveau son comlink.) Lando ?

— Oui, Leia ?

— Lando, à la demande du Président Gavrisom, j'aimerais que vous acceptiez votre réintégration dans l'armée de la Nouvelle République. Nous avons besoin de vous au poste de commandant de la force défensive.

Il y eut une courte pause.

— C'est une blague ?

— Pas le moins du monde, Général, assura Gavrisom. Héros de Taanab et d'Endor, vous êtes exactement la personne qu'il nous faut.

— Je protesterais si je pensais que ça servirait à quelque chose, dit Lando. D'accord, j'accepte. Toutefois, j'aurais apprécié avoir une flotte plus importante sous mon commandement.

— Pas de problème, mon pote, intervint la voix de Yan. Je me suis occupé de la question. Regarde derrière toi.

Leia se tourna vers le moniteur arrière et en resta bouche bée. Plus d'une centaine de vaisseaux les avaient rejoints. Et il en arrivait encore !

— Yan ! s'écria Leia. Comment as-tu fait ?

— Un peu de diplomatie, ça ne fait jamais de mal. Thrawn nous a dit que Fey'lya disposait d'une armée privée cachée quelque part. Ça m'a semblé intéressant. J'ai appelé notre petite boule de fourrure, et je lui ai fait remarquer que tout Bothan aidant à sauver Bothawui s'en mettrait plein les poches une fois l'affaire terminée.

— Fey'lya possède tous ces vaisseaux ?

— Pas exactement... Il semble qu'il y a eu des fuites dans mon système de communication — dues à la bataille, je suppose — et la moitié de la planète a entendu ce que je disais.

Leia saisit enfin.

— Et bien entendu, personne ne voulait que Fey'lya soit le seul à se couvrir de gloire. T'ai-je dit récemment que tu es génial ?

— Non, mais ça n'est pas grave, tu étais occupée... Sommes-nous prêts ?

— Nous le sommes. Général Calrissian, la flotte est à vos ordres.

Une longue minute, le silence régna sur la passerelle. Le Moff Disra resta pétrifié, l'incrédulité le laissant bouche bée. Une expression étrange sur le visage, le Major Tierce s'était arrêté à mi-chemin de la passerelle de commandement, les yeux rivés sur Pellaeon. Le Capitaine Dorja et les officiers regardaient aussi l'Amiral. Les hommes d'équipage du pont inférieur s'étaient aperçus que quelque chose n'allait pas et tous s'étaient tus.

— Amiral Pellaeon, dit Thrawn, rompant le silence, comme Pellaeon s'y était attendu. Bienvenue à bord de l'*Implacable*. Il semble que nous n'ayons pas été informés de votre arrivée.

— Comme je n'avais pas été averti de votre retour, répliqua Pellaeon. Un simple oubli, je suppose ?

— Mettez-vous en doute les décisions du Grand Amiral ? cria Disra.

— Au contraire, lui assura Pellaeon. J'ai toujours eu le plus profond respect pour le Grand Amiral Thrawn.

— Pourquoi vous être faufilé à bord de cette façon, dans ce cas ? demanda Tierce. Avez-vous quelque chose à cacher ? Ou quelque trahison en tête ?

Pellaeon regarda la Mistryl la plus proche de lui.

— J'ai peur que nous n'ayons pas été présentés, dit-il. Je suis l'Amiral Pellaeon, Suprême Commandeur des Forces Impériales.

— Vous ne l'êtes plus ! beugla Disra. Le Grand Amiral Thrawn est désormais le chef suprême !

— Vraiment ? Je n'ai pas été informé de ce changement. Un autre oubli malencontreux ?

— Prenez garde, Amiral, vous êtes sur un terrain particulièrement dangereux, grogna Tierce.

Pellaeon secoua la tête.

— Vous vous trompez, Major. Ce n'est pas moi qui mets les pieds dans un champ de mines, mais vous. (Il regarda Disra.) Et vous, Votre Excellence.

Puis il posa les yeux sur l'homme vêtu de l'uniforme blanc de Grand Amiral.

— Et vous encore... Flim.

Disra sursauta comme s'il avait touché un câble à haute tension.

— De quoi parlez-vous ? demanda-t-il d'une voix tremblante.

— Je parle d'un imitateur accompli, rétorqua Pellaeon. (Il éleva la voix pour que chacun l'entende sur la passerelle.) J'ai ici un document qui raconte l'histoire de sa vie. (Il sortit une datacarte de sa tunique.) J'ai aussi des hologrammes détaillés et un profil génétique complet. (Il regarda Flim.) Voulez-vous m'accompagner à la station médicale la plus proche pour y être examiné ?

— Nous avons vérifié son profil génétique, Monsieur, dit le Capitaine Dorja. Le Capitaine Nagol a prélevé un échantillon de peau et l'a comparé à celui du dossier officiel de Thrawn.

— Les dossiers peuvent être modifiés, Capitaine, lui rappela Pellaeon. Même les plus officiels, si les codes ont été piratés. Quand nous retournerons à Bastion, vous pourrez comparer les enregistrements génétiques avec ceux de cette datacarte.

— Les mensonges sont encore plus faciles à graver sur une datacarte, dit Tierce. Tout ça n'est qu'une pitoyable tentative pour miner l'autorité du Grand Amiral Thrawn. Pellaeon est jaloux et il craint de perdre son commandement. (Il se tourna vers le Capitaine.) Vous comprenez, Capitaine Dorja, n'est-ce pas ? Thrawn est venu vers vous plutôt que vers Pellaeon. C'est ce qu'il ne digère pas. Il vous a choisis, vous, Nagol et les autres, et pas lui.

Les yeux de Dorja rencontrèrent ceux de Pellaeon. Son expression reflétait sa confusion.

— Amiral, j'ai toujours eu confiance en vous et en votre jugement, dit-il, mal à l'aise. Mais dans ce cas...

— Il y a un autre fichier intéressant sur cette carte, remarqua Pellaeon. Il provient de la même source. Il s'agit du dossier d'un certain Major Impérial : Grodin Tierce.

Tierce se tourna lentement vers Pellaeon.

— Et que dit ce fichier ? demanda-t-il.

— Que le Major Tierce était l'un des meilleurs soldats de l'Empire, répondit Pellaeon. Ses succès l'ont propulsé dans la hiérarchie à une vitesse exceptionnelle, même pour les normes exigeantes des Soldats de Choc. A l'âge de vingt-quatre ans, il a été choisi pour servir l'Empereur dans la Garde Royale. Sa loyauté envers Palpatine et son Ordre Nouveau était inégalée... (Pellaeon fronça les sourcils.) Hélas, lors de la campagne de Thrawn contre Generis, il est tombé au champ d'honneur. Il y a dix ans de cela !

— Vous êtes un clone ! lâcha Disra d'une voix presque méconnaissable. Un simple clone !

Tierce foudroya le Moff du regard.

Puis il émit un rire torturé qui évoquait un aboiement.

— Un simple clone, répéta-t-il d'un ton ironique. C'est ce que vous avez dit, n'est-ce pas ? Un simple clone. Vous n'avez pas idée de ce que c'est.

Il regarda un à un ses détracteurs.

— Aucun de vous ne sait ce que c'est, reprit-il. Je n'étais pas un simple clone, mais quelque chose de très spécial. De spécial et de glorieux.

— Pourquoi ne pas nous apprendre de quoi il s'agissait ? dit Pellaeon.

Tierce lui fit de nouveau face.

— J'étais le premier-né d'une nouvelle race. Le prototype de ce qui serait devenu une caste de seigneurs de la guerre tels que la galaxie n'en a jamais connu. Des guerriers dotés des compétences des Soldats de Choc, et du génie tactique de

Thrawn. Nous aurions été des conquérants irrésistibles. Ne comprenez-vous pas ? Thrawn a cloné Tierce, mais il a investi une part de lui-même dans le processus. Il a ajouté son génie tactique à l'esprit de Tierce. Vous l'avez perçu, Disra. Que vous le sachiez ou non ! Je vous ai manipulé depuis le début. Le chef, c'était moi à partir de la minute où je me suis débrouillé pour devenir votre assistant. Les attaques de pirates, l'affaire des Oiseaux de Proie, c'était moi ! Rien que moi ! Vous ne vous en êtes jamais douté, mais c'était moi qui émettais les suggestions puis filtrais les données afin de vous forcer à faire ce que je voulais. Et vous vous en êtes tous aperçus ! cria-t-il. C'est moi qui ai déterminé la tactique, et pas Flim, cette marionnette aux yeux rouges. C'était toujours moi ! Et je suis doué pour ça ! C'est ce que Thrawn attendait de moi !

Ses yeux se posèrent de nouveau sur Disra.

— Vous parlez de la Main de Thrawn, son arme ultime, dit-il d'une voix presque plaintive. Je peux être la Main de Thrawn. Et Thrawn lui-même ! Je vaincrai la Nouvelle République. Je le sais.

— Major, dit Pellaeon. La guerre est finie.

Tierce le défia du regard.

— Non ! cracha-t-il. Elle n'est pas terminée ! Pas tant que nous n'aurons pas écrasé Coruscant ! Et que nous ne nous serons pas vengés des Rebelles.

Pellaeon le regarda, submergé par la pitié et le dégoût.

— Vous ne comprenez pas du tout, dit-il tristement. Thrawn ne s'est jamais intéressé à la vengeance. Son but était l'ordre, la stabilité et la force qui découlent de l'unité et d'un but commun.

— Comment pouvez-vous savoir ce que voulait Thrawn ? Avez-vous une partie de son esprit en vous, comme moi ?

Pellaeon soupira.

— Vous avez dit que vous étiez le premier d'une lignée de nouveaux seigneurs de la guerre. Savez-vous pourquoi il n'y en a pas eu d'autres ?

Les yeux de Tierce semblèrent se ternir.

— Il n'a pas eu assez de temps, dit-il. Il est mort à Bilbringi. *Vous* l'avez laissé mourir à Bilbringi !

— Non, répondit Pellaeon. Vous avez été créé deux mois avant sa mort. Il avait tout le temps nécessaire. Il n'existe pas d'autres clones comme vous parce que l'expérience était un échec.

— Impossible ! Je ne suis pas un échec. Regardez-moi ! Exactement ce qu'il voulait.

Pellaeon secoua la tête.

— Ce qu'il voulait, c'était un chef doué pour la tactique. Il a obtenu un *soldat* doué pour la tactique. Vous n'avez rien d'un meneur d'hommes, Major. De votre propre aveu, vous êtes un manipulateur. Vous n'avez aucune vision du futur, seulement une inextinguible soif de vengeance.

Tierce parcourut la passerelle des yeux comme s'il cherchait un soutien.

— Peu importe ! s'exclama-t-il. Ce qui compte, c'est que je peux faire le boulot. Je vaincrai les Rebelles. Laissez-moi seulement un peu plus de temps.

— Nous n'avons plus de temps... La guerre est finie. Capitaine Ardiff, veuillez appeler une équipe de sécurité sur la passerelle.

Il se détourna...

Tierce passa à l'action.

La jeune femme debout à côté de lui fut sa première victime. Elle se plia en deux quand il lui flanqua un coup de poing dans l'estomac et lui arracha le blaster qui avait surgi dans sa main.

Tierce fit volte-face et tira sur la seconde Mistryl, pendant que la plus jeune s'effondrait.

Il se retourna encore et visa Pellaeon.

Celui-ci aperçut une ombre du coin de l'œil...

Tierce cria de rage et de douleur quand sa main qui tenait l'arme reçut un coup phénoménal. Le rayon passa très loin de l'Amiral.

Le blaster échappa au Major et glissa sur la passerelle.

Sortant de sa cachette, derrière Pellaeon, une femme apparut.

Shada D'ukal.

Sans prendre la peine de retirer l'aiguille zinji laquée enfoncée dans le dos de sa main, Tierce chargea, les mains tendues en avant comme des serres.

Pellaeon fit un pas en arrière. Mais il n'avait pas de souci à se faire.

Shada était déjà sur le Major.

Tout fut terminé en quelques instants.

— Capitaine Dorja, appelez une équipe médicale sur la passerelle, ordonna Pellaeon quand Shada enjamba le corps brisé de Tierce et s'agenouilla près de son amie blessée. Puis dites à toutes les Forces Impériales de cesser immédiatement le feu.

— Oui, Monsieur. Toutefois...

Flim leva une main à la peau bleutée.

— Ce qu'il essaie de dire, Amiral, c'est que les troupes attendent cet ordre du Grand Amiral Thrawn, pas de lui.

Sa voix avait changé. Subtilement, mais assez pour qu'on le remarque. Pellaeon regarda autour de lui et vit que tout le monde avait compris la vérité.

— Si vous voulez bien me permettre ? ajouta Flim.

Pellaeon agita la main.

— Allez-y.

Flim se tourna vers l'officier des communications.

— Ici le Grand Amiral Thrawn, dit-il d'une voix redevenue celle de son modèle. A toutes les unités : cessez le feu. Je répète : cessez le feu. Général Bel Iblis, demandez à vos forces de ne plus combattre. L'Amiral Pellaeon va s'adresser à vous.

Il inspira profondément et expira lentement. L'aura d'autorité qui l'entourait disparut. Ce n'était plus qu'un homme ordinaire vêtu d'un uniforme blanc.

Le Grand Amiral Thrawn avait une fois de plus quitté la scène.

— Puis-je vous dire, Amiral, déclara Flim, à quel point je suis soulagé que vous soyez ici. Cette affaire a été un véritable cauchemar pour moi. Un cauchemar !

— Bien entendu, fit Pellaeon, imperturbable. Il nous faudra trouver un moment, plus tard, pour que vous me racontiez vos malheurs.

Flim esquissa une révérence.

— J'attendrai ce moment avec impatience, Monsieur.

— Oui, dit Pellaeon, avec un regard noir à l'adresse de Disra. Moi aussi.

42

Le gargouillis s'était transformé en un clapotis alors que l'eau continuait à monter. On n'entendait rien d'autre, sinon le bruit des fragments de rochers qui tombaient dans l'eau à mesure que Luke les découpait avec son sabre laser.

Il creusait un puits conique de plus en plus profond dans le sommet du dôme.

— Tu perds ton temps, dit Mara, quand un morceau particulièrement gros tomba à l'eau. (Le « plouf » se répercuta dans toute la salle.) Il n'y a rien au-dessus de nous, sinon de la roche.

— Je crains que tu n'aies raison, admit Luke.

Il la serra un peu plus fort dans ses bras.

Trempés tous les deux, ils frissonnaient dans l'air humide et frais.

— J'espérais nous frayer un chemin jusqu'au générateur. Mais si nous ne l'avons pas encore atteint, ça signifie que ce n'est pas le bon endroit.

— La zone du générateur est probablement vingt mètres derrière nous, dit Mara, qui claquait des dents. Nous n'arriverons jamais à percer la roche. Tes oreilles ne te font-elles pas mal ?

— Si, un peu, avoua Luke à regret.

Il désactiva son sabre laser et le fit revenir dans sa main.

Pratiquer une ouverture dans le plafond était la seule idée qu'il avait eue.

— L'air est comprimé. Ça signifie que la pression supplémentaire devrait ralentir un peu le débit de l'eau.

— Et nous faire sortir les yeux des orbites, ajouta Mara. (Elle montra le mur opposé.) Crois-tu qu'il y ait une possibilité que le sommet de la pièce soit au-dessus du niveau du lac ? Dans ce cas, nous pourrions nous avancer à l'horizontale.

— Si elle n'est pas au-dessus du niveau du lac, ça ne servira qu'à avancer l'heure de notre noyade, dit Luke. De toute façon, je doute que nous soyons assez haut.

— Je suis d'accord... (Mara se pencha pour regarder R2.) Dommage que nous ayons perdu le databloc. Nous aurions pu demander à R2 des relevés topographiques. Nous pourrions quand même le faire, bien sûr, mais nous ne comprendrions pas la réponse...

— Attends ! dit Luke. Et le passage par où nous sommes arrivés ? Nous pourrions envoyer R2 l'agrandir avec mon sabre laser !

— Inutile. (Mara secoua la tête ; des mèches humides caressèrent la joue de Luke.) La section entière est veinée de cortosis. J'ai vérifié à notre première visite.

Luke fit la moue.

— Ça paraissait trop facile...

— N'est-ce pas ? lança Mara, sarcastique malgré ses claquements de dents. Dommage que nous n'ayons pas sous la main un Jedi Sombre à tuer. Tu te souviens de l'explosion qui a eu lieu à la mort de C'baoth ?

— Oui, souffla Luke, les yeux perdus dans le vague.

Il se souvenait du clone Jedi Fou, Joruus C'baoth, recruté pour lutter contre la Nouvelle République par le Grand Amiral Thrawn.

Thrawn... Clone...

— Mara, tu m'as dit que la structure du cortosis n'était pas très stable. A quel point ?

— Il s'écaillait sous nos bottes quand nous avons traversé le passage. A part ça, je n'en ai pas la moindre idée. Pourquoi ?

Luke désigna la masse liquide, au-dessous d'eux.

— Il y a beaucoup d'eau, et elle n'est pas compressible comme l'air. Si nous pouvions produire un choc assez puissant, la vague de pression atteindrait le passage, car elle traverserait tout le tunnel. Si elle est suffisamment forte, il y a une chance que toute cette zone s'effondre.

— Ça me semble une excellente idée. Je ne vois qu'un problème : comment produire le choc dont tu parles ?

— Nous traversons la barrière de transparacier et nous inondons la chambre de clonage !

— Par les étoiles ! murmura Mara. (Luke sentit son appréhension et sa stupeur.) Luke, il y a dedans un générateur à fusion Braxxon-Fipps 590. Si tu mets de l'eau dessus, tu obtiendras un choc trop violent !

— Je sais que c'est dangereux, mais c'est notre seule chance.

Il lâcha sa compagne et se redressa avec une grimace : ses vêtements humides lui collaient désagréablement à la peau.

— Attends-moi. Je reviens dès que possible.

Elle soupira.

— Non... (Elle se leva et le retint par le bras.) Je vais m'en charger.

— Certainement pas ! C'est mon idée, et c'est moi qui la mettrai en application !

— D'accord... Explique-moi comment faire une entaille croisée Paparak.

Luke cligna des yeux.

— Une quoi ?

— Une entaille croisée Paparak. C'est une technique qui permet d'affaiblir un mur sous contrainte de manière à ce qu'il s'écroule environ une minute après qu'on s'est mis en sécurité. Palpatine me l'a apprise dans le cadre de mon entraînement au sabotage.

— D'accord, dit Luke. Dis-moi comment faire.

— Pourrais-tu former un Jedi en dix minutes ? répliqua Mara, ironique. Ce n'est pas si simple que ça !

— Mara...

— De plus, quand celui qui s'y collera remontera à la surface, l'autre devra le tirer sur le balcon pour l'écarter de la trajectoire de l'explosion. Je ne crois pas pouvoir te soulever aussi haut et assez vite. (Elle pinça les lèvres.) Pour parler franchement, je n'ai nulle envie de rester là et de ne pas réussir à te faire léviter.

Luke la foudroya du regard. Mais elle avait raison, ils le savaient tous les deux.

— C'est du chantage...

— C'est du bon sens ! corrigea-t-elle. La personne qu'il faut pour faire le boulot, tu te rappelles ? Ou veux-tu un autre sermon sur le sujet ?

— Inutile... (Luke caressa la joue de Mara du bout des doigts.) Oui, je te ferai léviter jusque là-bas. Sois prudente, d'accord ?

— Ne t'inquiète pas.

Elle sortit son sabre laser.

— Prête.

Soutenu par la Force, Luke la souleva au-dessus de la rambarde et lui fit traverser la salle jusqu'au mur de transparacier.

Leurs esprits s'effleurèrent. Il comprit qu'elle était prête et la fit descendre dans l'eau.

Mara respira à fond, puis elle plongea et disparut.

R2 bipa nerveusement.

— Tout va bien se passer, lui assura Luke.

Agrippé à la rambarde, il sondait anxieusement l'eau. Il sentait les pensées de Mara tandis qu'elle se déplaçait le long du mur et pratiquait avec son sabre laser des entailles qui suivaient un schéma précis.

Puisant plus profondément dans la Force, Luke sentit le changement du courant contre la peau de Mara quand l'eau commença à s'infiltrer par les crevasses.

Si le niveau d'eau s'élevait assez pour atteindre le générateur avant qu'elle ait terminé...

— Allez, Mara, ça suffit ! marmonna-t-il. Il faut revenir.

Il capta la pensée qu'elle émit en réponse : le mur n'était pas encore assez miné à son gré.

Luke contrôla son impatience et sa peur. Il revit mentalement les visages de Callista et de Gaeriel. A peine une semaine plus tôt, il s'était dit qu'il ne pouvait pas tomber amoureux de Mara. Un tel engagement, de sa part, la mettrait inévitablement en danger.

Voilà qu'il était revenu sur sa décision. Bien entendu, comme avec les autres, ses actes, ou sa passivité, l'avaient mise en danger de mort. Il sentit un mouvement ténu dans les émotions de la jeune femme, mêlé à l'angoisse qui montait inexorablement en lui...

Soudain, la tête de Mara jaillit à la surface.

— C'est fait...

Il la sortit de l'eau avant qu'elle ait fini sa phrase. Puis il la tira à lui aussi vite que possible.

Il lui fit passer la rambarde, l'allongea sur le ventre et se coucha sur elle.

— C'est pour quand ? demanda-t-il, avant d'essayer de générer avec la Force un bouclier temporaire qui leur fournirait un minimum de protection contre l'explosion.

— Pour bientôt, répondit Mara. Et rappelle-toi, à l'avenir, il te sera interdit de ne pas te laisser aller à tes sentiments par peur de blesser quelqu'un ! Tu m'as bien comprise ?

— Tu n'étais pas censée capter ça... marmonna Luke, embarrassé.

Il entendit un craquement, puis le rugissement de l'eau quand le mur de transparacier céda...

Avec un éclair si brillant qu'il le vit à travers ses paupières closes, le générateur explosa.

Le bruit de l'explosion fut presque étouffé. Mais le roulement de tonnerre de la vague qui déferla sur eux compensa largement cette absence.

L'eau les ballotta comme des fétus de paille entre le mur et la rambarde.

Luke s'agrippa de toutes ses forces à Mara et songea un peu tard qu'il aurait dû arrimer R2 quelque part.

Aussi soudainement qu'elle était arrivée, la vague reflua. Elle les laissa trempés et meurtris. Luke se redressa sur un coude et regarda autour de lui.

Il retint son souffle. Un seul panneau lumineux avait survécu à l'explosion, mais cet éclairage était suffisant pour voir que le niveau de l'eau diminuait rapidement.

— Mara, regarde ! Ça a marché !

— Par l'enfer ! Et maintenant ? Nous sautons à l'eau et nous suivons le courant ?

Luke se pencha pour voir le tunnel. S'il n'était plus saturé d'eau...

Mais il l'était.

— Ce ne sera pas tout à fait aussi simple. Le courant pourrait nous ramener dans la caverne, mais il reste le problème de traverser sous l'eau le tunnel et la caverne.

— Pourquoi ne pas attendre que le niveau de l'eau baisse suffisamment ?

— Impossible, dit Luke. Et j'ignore pourquoi.

— Une intuition de Jedi, comprit Mara. Dans ce cas, il faut avoir recours à une transe d'hibernation. Combien de temps te faudra-t-il pour m'y plonger ?

— Pas longtemps, assura Luke. Inspire profondément et dis-moi quelle phrase tu veux que j'utilise pour t'en faire sortir.

— Une phrase... (Un sentiment étrangement... prudent... naquit en Mara.) D'accord. Voyons si tu seras capable de dire celle-là...

591

Elle murmura quelque chose.

Luke sourit.

— D'accord...

Puis il invoqua la Force.

Une minute plus tard, la jeune femme était profondément endormie dans ses bras.

— Passe le premier, R2, dit Luke. Nous te suivons.

Il souleva le droïd avec la Force et le fit passer par-dessus la rambarde. R2 trilla nerveusement, puis s'en fut au fil du courant, son dôme émergeant des vagues qui l'emportaient vers le tunnel.

Mara dans les bras, Luke sauta à l'eau. Le courant les propulsa à la suite de R2 tandis que Luke faisait de son mieux pour maintenir leurs têtes hors de l'eau. La voûte du tunnel approchait rapidement. Avant qu'ils y parviennent, Luke inspira à fond et plongea.

La suite se passa à une vitesse étourdissante. Ballotté par le flot, projeté contre des murs et des parois de pierre, les yeux et les poumons en feu, Luke s'aperçut à peine qu'ils quittaient le tunnel et pénétraient dans la salle souterraine.

Il eut davantage conscience de l'instant où ils traversèrent la faille récemment agrandie et sa barrière de cortosis.

Le torrent les entraîna dans les cavernes et les tunnels où ils s'étaient péniblement frayé un chemin des jours plus tôt en compagnie d'Enfant des Vents et des Qom Jha.

A demi asphyxié, Luke se dit qu'ils avaient eu une bonne idée de couper autant de stalactites et de stalagmites que possible lors de leur voyage aller...

Il sortit de sa demi-transe, le corps immergé, la tête et les épaules sur un rocher glissant.

R2 pépiait frénétiquement à son oreille.

— D'accord, d'accord ! fit Luke.

Il secoua la tête pour s'éclaircir les idées.

Puis il se raidit. Mara n'était plus avec lui !

Après s'être relevé, il fouilla dans ses poches à la recherche de sa lampe-torche, les doigts presque insensibilisés par le froid. Il n'eut aucun mal à se redresser, car l'eau lui arrivait seulement à la taille.

Il parvint enfin à sortir la lampe-torche et l'alluma.

Il était dans une mare, près de la dernière rivière souterraine que Mara et lui avaient traversée lors de leur périple dans les cavernes. A cinq mètres sur sa gauche, le torrent qui les avait conduits là disparaissait pour laisser place aux eaux calmes de la rivière.

Et à deux mètres sur sa droite, Mara flottait, les yeux fermés, les bras et les jambes flasques comme ceux d'une poupée de chiffon.

Ou d'une morte.

La vision qu'il avait eue sur Tierfon.

Luke fut aux côtés de la jeune femme en un éclair. Il lui sortit la tête de l'eau et la regarda avec terreur. Si la transe ne l'avait pas gardée en vie, ou si elle avait heurté quelque chose assez violemment pour être tuée après qu'il eut lâché prise...

Derrière lui, R2 bipa d'impatience.

— D'accord, souffla Luke.

Pour la sortir de sa transe, il suffisait de dire à haute voix la phrase qu'elle avait choisie, et dont elle se demandait s'il pourrait la prononcer.

Comme si elle craignait qu'il n'en soit pas capable...

Il respira profondément.

— Je t'aime, Mara.

Elle cligna des yeux, puis les ouvrit.

— Salut ! Je vois que nous nous en sommes sortis !

— Oui, dit Luke, en la serrant dans ses bras avec force.

Sa tension et sa peur s'évanouirent pour laisser place à un profond sentiment de calme et de soulagement.

La vision du futur était passée et Mara avait survécu.

Ils étaient ensemble de nouveau. Pour l'éternité.

— Oui, murmura Mara. Pour l'éternité.

Ils s'écartèrent l'un de l'autre.

Debout dans l'eau froide, ils échangèrent leur premier baiser.

Enfin, Mara se dégagea avec douceur de l'étreinte de Luke.

— Ce n'est pas que je veuille jouer les rabat-joie, mais nous sommes trempés, nous grelottons, et nous sommes encore bien loin de chez nous. D'ailleurs, où sommes-nous ?

— Revenus près de notre rivière souterraine, dit Luke.

— Ah... Et qu'est-il advenu de notre inondation privée ?

— Elle semble avoir disparu. Soit nous avons vidé complètement le lac...

— Ce qui semble improbable.

— Soit elle a été arrêtée par quelque chose.

— La salle s'est peut-être écroulée, dit Mara. Ou le flot a été bloqué par les vestiges de l'équipement de clonage.

Luke acquiesça.

— Une bonne chose que nous n'ayons pas attendu plus longtemps pour quitter la scène !

— A coup sûr, dit Mara. Ces intuitions de Jedi sont rudement pratiques. Il faudra que tu m'apprennes.

— Nous y travaillerons, promit Luke. (Il pataugea vers le bord de la mare.) Les Qom Jha ont dit que cette rivière se terminait par une petite cascade...

— Parfait. Allons-y !

Une autre vague de vaisseaux s'attaquait au *Tyrannic*. Derrière, deux Croiseurs Ishori étaient entrés dans la zone de combat et tiraient des salves de turbolaser plus puissantes le long de l'arête longitudinale du navire.

— Deux nouveaux turbolasers tribord hors service, annonça l'officier tactique. L'arête longitudinale avant a été fendue. L'équipage est en train de sceller la brèche.

— Bien compris, grogna Nagol, tremblant de frustration et de fureur impuissante.

Il était impensable qu'une flotte de trois Destroyers Stellaires Impériaux soit acculée à se battre pour survivre face à un ennemi aussi pitoyable !

Pourtant, c'était exactement ce qui était en train de se passer. Les minables étaient trop nombreux pour qu'on puisse leur tenir tête.

Fier de son vaisseau, de son équipage et de son Empire, Nagol se montrait assez réaliste pour reconnaître une bataille sans espoir.

— Transmettez à l'*Obliterator* et au *Main de Fer* l'ordre de battre en retraite, dit-il entre ses dents serrées. Je répète : qu'ils battent en retraite.

— Quelle direction, Monsieur ? demanda le navigateur.

— Un saut hyperspatial court, pour nous sortir de cet enfer. Puis cap sur Bastion ! Le Grand Amiral Thrawn doit entendre parler de ça.

Et pour en entendre parler, se promit Nagol, il allait en entendre parler !

Sortir par la cascade fut moins facile que Luke ne l'avait escompté, sans doute parce que l'embouchure avait été agrandie par le flot torrentiel. Il n'y avait aucune prise pour les pieds et les mains, mais Mara, sous la faible lueur des étoiles, repéra une corniche qu'ils pourraient utiliser, à cinq mètres vers la gauche. Avec la Force, Luke fit traverser sa compagne, puis R2.

Puis Mara fit de même pour lui, mais avec moins d'assurance.

— Sais-tu de quel côté de la forteresse nous nous trouvons ? demanda-t-elle. Ou combien de temps il reste avant l'aube ?

— La réponse est non aux deux questions, répondit Luke.

Grâce à la Force, il sut qu'il n'y avait aucun danger immédiat.

— Nous sommes sans doute du côté le plus éloigné de la forteresse, dit-il, et je doute qu'il reste plus d'une heure ou deux avant l'aube.

— Nous devrions en profiter pour nous mettre à couvert. Etre à l'extérieur ne sera pas *confortable* quand Parck enverra ses équipes à notre recherche.

— J'espère qu'il ne trouvera pas le vaisseau que nous avons emprunté, dit Luke. Il pourrait ainsi retourner rapidement sur Bastion, et nous perdrions notre unique moyen de partir d'ici ensemble.

— S'il l'a trouvé, R2 et toi prendrez ton Aile-X et vous ramènerez de l'aide...

— Tu veux dire que R2 et toi partirez, dit Luke. Pas de discussion cette fois, Mara...

Jedi Sky Walker ?

Luke leva la tête. Une douzaine de formes sombres se posèrent sur un rocher au-dessus d'eux.

Le ton d'une des créatures sembla familier à Luke.

— Oui, dit-il. Est-ce vous, Chasseur de Vents ?

C'est moi, confirma le Qom Qae. *Mon fils, Enfant des Vents, a informé les nichées de vos actes de cette nuit. Nous avons tous attendu votre retour...*

— Merci. Nous apprécions vos efforts. Pouvez-vous nous conduire à un abri, pas trop loin d'ici ? Nous devons nous cacher jusqu'à ce que nous puissions retourner à notre vaisseau.

Chasseur de Vents secoua ses ailes.

Pas besoin d'abri, Jedi Sky Walker. Nous allons vous transporter jusqu'à votre machine volante, comme mon fils et ses amis l'ont fait plus tôt.

Luke fronça les sourcils. Après la façon cavalière dont Chasseur de Vents l'avait rejeté lors de son atterrissage, une telle magnanimité lui semblait étrange.

— Vous êtes très aimable, dit-il. Mais puis-je vous demander pourquoi vous êtes prêt à prendre de tels risques pour nous ?

J'en ai discuté avec le négociateur de cette nichée de Qom Jha. Mangeur de Flammes Vives est d'accord pour vous libérer de la promesse de nous aider à vaincre les Prédateurs, à condition que vous quittiez immédiatement notre monde.

Luke s'empourpra.

— En d'autres termes, notre présence est désormais un risque pour vous ?

Enfant des Vents dit que les Prédateurs ne nous feront pas de mal si nous ne les ennuyons plus, grogna Chasseur de Vents. *C'est pour cela que nous souhaitons votre départ.*

— Rien de tel qu'être apprécié ! marmonna Mara.

— Tout va bien, dit Luke.

Il lui prit la main et effleura son esprit pour la calmer. Puis il lui rappela que c'était ce qu'elle voulait. Parck et les Chiss resteraient seuls, sans être dérangés par les Qom Jha et les Qom Qae. Ils seraient libres de se concentrer sur les Régions Inconnues.

— Parfait, s'inclina la jeune femme. Mais votre fils ne s'appelle plus Enfant des Vents. Après ce qu'il a vécu, il mérite de recevoir un nom.

Vraiment, dit Chasseur de Vents. *Et quel nom suggérez-vous ?*

— Celui qu'il a gagné. Ami des Jedi !

Chasseur de Vents agita de nouveau ses ailes.

Je vais y réfléchir. Pour le moment, en route ! La nuit touche à sa fin et vous souhaitez sûrement être partis avant le lever du soleil.

Karrde apparut sur la passerelle de l'*Implacable*.

— Oui, disait Pellaeon, Moi aussi.

Il se tourna vers Karrde.

— Vous êtes en retard...

— Je surveillais l'ascenseur, expliqua Karrde. Je craignais que Flim et ses associés n'essaient d'appeler une escouade de Soldats de Choc à leur rescousse.

— C'était une possibilité, convint Pellaeon. Je vous remercie.

— Pas de problème, dit Karrde.

Il regarda autour de lui.

Le clone du Major Tierce gisait sur le sol. Shada était agenouillée auprès des deux autres Mistryls.

Flim, l'air soigneusement détaché, attendait au fond de la passerelle de commandement. Le Moff Disra se tenait à l'écart, aussi calme, digne et hautain que peut l'être un homme confronté à sa chute.

— De plus, ajouta Karrde, il semble que ma présence n'était pas nécessaire...

— Pas jusque-là, non, reconnut Pellaeon. Votre amie Shada est très impressionnante. Serait-elle intéressée par un emploi ?

— Elle cherche une grande cause à servir, répondit Karrde. Mais je doute que l'Empire fasse l'affaire.

Pellaeon hocha la tête.

— C'est à voir...

— Amiral Pellaeon ? dit une voix dans la fosse de l'équipage. J'ai le Général Bel Iblis pour vous.

— Merci. (Pellaeon se tourna vers Karrde.) Restez dans le coin, j'aurai à vous parler.

— D'accord...

L'Amiral se dirigea vers la console et dépassa Flim sans le regarder.

Après un dernier coup d'œil à Disra, Karrde rejoignit Shada et les Mistryls. Son amie et la plus jeune des deux femmes aidaient la plus âgée à s'asseoir.

— Comment va-t-elle ? demanda-t-il.

— Pas aussi mal que nous le redoutions, dit Shada. (Elle examina l'endroit où la tunique de la femme avait été brûlée.) Elle a presque réussi à se mettre hors de la trajectoire du coup.

— Des réflexes du tonnerre ! dit Karrde. Quand on est une Mistryl, on le reste à tout jamais.

La femme assise le regarda d'un œil torve.

— Vous en savez, des choses ! grogna-t-elle.

— Oui, et encore plus. Entre autres, je sais que Shada s'est attiré votre inimitié pour une raison qui m'échappe.

— Et vous pensez que ceci compense cela ? cracha la femme, méprisante.

— Pas vous ? Si elle n'avait pas arrêté Tierce, votre compagne et vous auriez été les premières à mourir. Vous étiez les menaces les plus immédiates pour lui.

La femme ricana.

— Je suis une Mistryl, Talon Karrde. Une Gardienne de l'Ombre disposée à donner sa vie pour son peuple.

— Ah oui... (Talon regarda la plus jeune femme.) Estimez-vous aussi qu'avoir la vie sauve ne vaut pas un peu de gratitude ?

— Laissez Karoly en dehors de ça ! Elle n'a rien à dire sur le sujet.

— Je comprends... Un bon petit soldat, sans voix et sans opinion. Remarquablement similaire à la philosophie des Impériaux.

— Karoly a laissé Shada s'échapper. Elle a de la chance de ne pas avoir été punie !

— Oui, fit Karrde. Je vois à quel point elle a été chanceuse...

Les yeux de la femme lancèrent des éclairs.

— Si vous avez terminé...

— Non ! Visiblement, vous ne considérez pas que la vie des Mistryls a une quelconque valeur. Mais qu'en est-il de la *réputation* des Mistryls ?

Les yeux de la femme s'étrécirent.

— Que voulez-vous dire ?

Karrde désigna Flim.

— Vous étiez sur le point de conclure une alliance avec ces gens. Vous avez failli vous faire avoir par des belles paroles et un imitateur de quatre sous. N'essayez pas de nier : un membre du Conseil des Onze ne quitte pas Emberlene pour prendre un peu d'exercice !

La femme détourna les yeux.

— La question était en cours de négociation, marmonna-t-elle.

— Je suis heureux de l'apprendre. Même si votre réputation vous importe peu, pensez à ce qu'auraient fait les Mistryls, une fois liées à un homme assoiffé de vengeance comme Disra. Combien de temps aurait-il fallu pour que vous deveniez ses Commandos de la Mort privés ?

— Ça ne serait jamais arrivé, protesta Karoly. Nous ne serions pas tombées si bas...

Shada intervint :

— Et que voulais-tu m'empêcher de faire sur le toit du Centre de Loisirs Resinem ?

— C'était différent, objecta Karoly.

Shada secoua la tête.

— Non. Entériner un meurtre revient à le commettre soi-même.

— Elle a raison, dit Karrde. Si vous aviez pris ce chemin, ça aurait impliqué la fin des Mistryls. Vous auriez perdu tous vos clients. Et quand la bulle de savon créée par Flim aurait éclaté, comme c'était inévitable, il ne vous serait plus rien resté. Et la fin des Mistryls aurait signé la fin d'Emberlene.

Il croisa les bras et attendit. Quelques secondes plus tard, la femme âgée reprit la parole :

— Que voulez-vous ?

— Que vous rappeliez les équipes de chasseurs lancées aux trousses de Shada ! Quel que soit le crime qu'elle est censée avoir commis, je veux qu'il soit pardonné et que la sentence de mort soit annulée.

La bouche de la femme se tordit de colère.

— Vous demandez beaucoup.

— Nous vous avons donné beaucoup, rappela Karrde. Alors ? Marché conclu ?

— Oui. Mais elle ne sera plus accueillie au sein des Mistryls. Ni maintenant, ni jamais. Et Emberlene lui est interdite pour toujours. Shada est désormais une femme sans foyer.

Karrde regarda son amie. Le visage tendu, les lèvres serrées, elle lui fit un petit signe de tête.

— Très bien, conclut Karrde. Nous nous occuperons de lui trouver un nouveau foyer.

— A vos côtés ? ricana la femme. Avec un contrebandier, un trafiquant de renseignements ? Ainsi, nous verrons jusqu'où une Mistryl peut s'abaisser !

Karrde n'aurait su que répondre à ça. Par bonheur, il n'en eut pas besoin, car l'équipe médicale arrivait.

Il s'écarta et observa l'équipe de la sécurité qui fouillait Flim et Disra pour s'assurer qu'ils n'avaient pas d'armes. Puis les agents leur mirent des menottes et les poussèrent vers le turbolift.

Un autre groupe emporta le cadavre de Tierce.

— Karrde ?

Talon se tourna et vit Pellaeon approcher de lui.

— Je dois me rendre sur l'*Aventurier Errant* pour parler au Général Bel Iblis, dit l'Amiral. Avant, je voulais connaître votre prix pour les informations sur Flim et sur Tierce que vous m'avez apportées.

Karrde haussa les épaules.

— Pour une fois, Amiral, je ne sais trop quoi dire. La data-carte m'a été remise à titre gracieux. Il semble un peu malhonnête de vous faire payer les informations qu'elle contient.

— Ah... fit Pellaeon. Un cadeau des inconnus dont le vaisseau a fait suer de peur mes officiers, à Bastion ?

— Un cadeau d'un de leurs associés, dit Karrde. Je n'ai pas le droit de révéler les détails.

— Je comprends. Toutefois, votre éthique mise à part — et je précise que je la trouve fort honorable —, j'aimerais trouver un moyen de vous remercier.

— Je verrai si une idée me vient, dit Karrde. (Il désigna le Destroyer de Booster.) En attendant, puis-je vous demander de quoi vous allez parler avec le Général Bel Iblis ?

Les yeux de Pellaeon s'étrécirent.

Puis il haussa les épaules.

— Pour le moment, c'est hautement confidentiel. Mais, vous connaissant, vous serez au courant avant peu ! Je vais lui proposer un traité de paix entre l'Empire et la Nouvelle République. Il est temps que cette guerre se termine.

Karrde hocha la tête.

— Il s'en est passé, des choses, pendant que j'étais perdu aux confins de l'espace connu ! dit-il avec philosophie, un rien amusé. Quoi qu'il en soit, Amiral, je suis de tout cœur avec vous. Et je vous souhaite bonne chance.

— Merci, dit Pellaeon. Vous êtes libre de partir quand vous le souhaitez, ou de faire profiter votre équipage des installations de l'*Implacable* si vous le désirez. Encore merci.

Il s'en fut. Karrde le regarda partir vers le turbolift, puis il se tourna vers Shada. L'équipe médicale avait fini son examen préliminaire et aidait la blessée à prendre place sur une civière.

A quelques pas de là, Shada regardait tristement la scène.

Comme quelqu'un qui voit le dernier membre de sa famille quitter sa maison.

Une idée naquit dans l'esprit de Karrde. Quelque chose de plus grand qu'elle, avait dit Shada à Car'das. Quelque chose en quoi elle puisse croire et qu'elle puisse servir. Quelque chose de plus honorable que la vie d'une contrebandière de la Frange.

Quelque chose qui fasse une différence...

— Amiral ? dit-il.

Pellaeon venait d'ouvrir la porte du turbolift.

— Oui ?

— Si vous n'y voyez pas d'inconvénient, j'aimerais vous accompagner à bord de l'*Aventurier Errant*. J'ai une proposition à vous faire...

La dernière angoisse de Luke était que les tours d'artillerie de la Main de Thrawn les repèrent quand ils décolleraient à bord de leur vaisseau d'emprunt et transforment leur départ de Nirauan en une course contre la mort.

Mais les Chiss étaient sans doute toujours en train de s'occuper des ruines du hangar.

Ils gagnèrent l'espace sans problème. Quand Mara effleura le levier d'hyperpropulsion, les étoiles se transformèrent en lignes blanches puis s'effacèrent dans les ténèbres de l'hyperespace.

Ils étaient sur le chemin du retour !

— Prochain arrêt, Coruscant ! dit Luke avec un soupir de lassitude.

— Prochain arrêt, la base la plus proche de la Nouvelle République ou un des avant-postes de Karrde ! corrigea Mara. Je ne sais pas en ce qui te concerne, mais j'ai besoin d'une douche, de vêtements propres et d'autre chose à manger que des rations !

— Excellente idée. Tu as toujours eu l'esprit pratique, pas vrai ?

— Et toi, tu es un idéaliste. C'est pour ça que nous formons une si bonne équipe. En parlant d'esprit pratique, te souviens-tu du moment, dans la chambre de clonage, où R2 a pépié d'excitation ?

— Avant l'arrivée des droïds sentinelles ?

— Oui. Nous n'avons jamais su pourquoi il était si enthousiaste.

— Demandons-le-lui, dit Luke.

Il se leva et gagna l'alcôve où ils avaient installé R2 et l'avaient connecté à l'ordinateur de bord.

— R2, tu as entendu ce qu'a dit la dame. Qu'est-ce qui t'a excité comme ça à propos des Régions Inconnues ?

R2 bipa. Des mots apparurent sur le moniteur de l'ordinateur.

— Il dit que ça n'avait rien à voir avec les Régions Inconnues, sur lesquelles il n'a pas obtenu grand-chose.

— Ça ne m'étonne pas, dit Mara. Il n'a pas été connecté à l'ordinateur assez longtemps pour tout télécharger.

— Nous n'allons pas y retourner pour ça, souffla Luke. R2 a trouvé autre chose par hasard dans un dossier...

Mara capta de la stupéfaction chez Luke.

— Qu'était-ce donc ? demanda-t-elle d'une voix presque coupante.

— Je n'arrive pas à y croire ! Mara, il l'a trouvé ! Il l'a trouvé !

— Merveilleux ! Trouvé quoi ?

— De quoi crois-tu que je parle ? Il a déniché l'exemplaire personnel de Thrawn du... Document de Caamas !

43

Quinze jours plus tard, le traité de paix entre l'Empire et la Nouvelle République fut signé à bord du Destroyer Impérial *Chimaera*, dans le poste de commandement auxiliaire.

— Je pense toujours que c'est toi qui aurais dû signer, grommela Yan tandis que Leia et lui regardaient Pellaeon et Gavrisom se serrer la main devant la foule des dignitaires. Tu en as fait plus que lui !

— Peu importe, Yan, dit Leia en écrasant discrètement la larme qui perlait au coin de son œil.

Après tout ce temps, tous ces sacrifices et tous ces morts, ils étaient en paix.

Enfin !

— Vraiment ? dit Yan, soupçonneux. Alors, pourquoi pleures-tu ?

— A cause des souvenirs. Simplement des souvenirs...

Yan lui prit la main et la serra.

— Alderaan ? demanda-t-il.

— Alderaan, les Etoiles Noires... (Elle lui rendit sa douce pression.) Toi.

— Chouette de savoir que je suis dans le peloton de tête ! jubila Yan. A propos du bon vieux temps, où est Lando ? Je pensais qu'il serait présent.

— Il a changé d'avis, dit Leia. Je suppose que Tendra n'a pas été ravie qu'il parte pour Bastion sans le lui dire. Pour se faire pardonner, il l'a emmenée acheter des œuvres d'art sur Celanon.

Yan eut un rire amusé.

— Les femmes de tête ! lança-t-il d'un ton faussement attristé. Il faut s'en méfier, sinon elles vous ont à tous les coups !

— Attention à ce que tu dis, l'avertit Leia en lui enfonçant son coude dans les côtes. D'ailleurs, tu as toujours apprécié les femmes de tête...

— Ma foi, pas toujours... D'accord, d'accord, j'apprécie les femmes de tête !

— Que signifie ce discours sur les femmes de tête ? demanda Karrde derrière Yan.

— Juste un vieux débat familial... assura Yan. Content de te revoir, Karrde. Comment se fait-il que tu ne sois pas avec les gros bonnets ?

— Sans doute pour la même raison que toi, répondit Karrde. Je ne m'entends pas très bien avec ce genre de gens.

— Ça changera bientôt, assura Leia. Surtout maintenant que vous êtes devenu respectable. Comment avez-vous persuadé Gavrisom et Bel Iblis de mettre sur pied avec l'Empire un service de Renseignements commun ?

— De la même façon que j'ai convaincu Pellaeon. Je leur ai fait remarquer que la clé d'une longue paix est que chaque camp sache que l'autre ne prépare pas un coup fourré. Bastion n'a pas confiance en votre réseau de Renseignements, et Coruscant... (Il haussa les épaules.) Ici intervient une tierce partie neutre — nous —, qui chapeaute les deux systèmes et qui est déjà équipée pour la collecte et le traitement des informations. Au lieu de les vendre à des clients privés, nous les fournirons désormais à vos deux gouvernements.

— Je suppose que ça peut marcher, dit Yan avec un peu d'hésitation. Le Bureau des Vaisseaux et des Services a fonctionné pendant des années sans verser dans la politique, que ce soit sous l'Empire ou sous la Nouvelle République. Tu devrais pouvoir t'en sortir.

— J'apprécie l'idée que nous recevrons les mêmes informations que Bastion, dit Leia. Cela complétera les données que nous transmettent nos Observateurs, et ça nous aidera à garder une trace de ce que font les différents systèmes et leurs gouvernements. Ainsi, nous devrions pouvoir repérer tout foyer d'incendie et l'éteindre avant qu'il soit dangereux.

— Oui, renchérit Yan. Que Luke et Mara aient rapporté le Document de Caamas a calmé les esprits, mais ça ne signifie pas que de nouvelles crises n'éclateront pas.

— Pourtant, s'apercevoir que leurs anciennes rivalités les avaient rendus faciles à manipuler par Disra et Flim a servi de leçon à bien des gens, fit remarquer Leia. On m'a parlé d'au moins huit conflits où les adversaires ont demandé la médiation de Coruscant.

— Tout dépendra de l'issue du procès, dit Karrde. J'ai été surpris de découvrir que nombre de Bothans impliqués dans la destruction de Caamas étaient encore en vie.

— Les Bothans ont une espérance de vie très longue, rappela Leia. Je suis sûre que ceux-là vont le regretter.

A l'autre bout de la pièce, elle vit Bel Iblis et Ghent parler avec Pellaeon.

Ghent avait l'air mal à l'aise d'être inclus dans un groupe de si hauts dignitaires. A quelques pas derrière eux, Chewbacca surveillait avec patience sa troupe de gamins — Jacen, Jaina et Anakin —, pendant que ceux-ci évoquaient avec Barkhimkh et deux autres Noghris les aventures qu'ils avaient vécues au cours de leur récent séjour sur Kashyyyk.

— Luke vous a-t-il dit où il a trouvé cette copie du Document ? demanda Karrde. Je n'ai rien pu tirer de Mara.

— Non, répondit Leia. Mara et lui ont été très discrets à ce sujet. Luke prétend que Mara et lui doivent y réfléchir avant de nous donner les détails. Cela a sans doute quelque chose à voir avec le vaisseau bizarre dans lequel ils sont revenus.

— J'imagine qu'il y a une histoire intéressante là-derrière, remarqua Karrde.

Leia hocha la tête.

— Je crois que nous l'entendrons un jour ou l'autre, dit-elle.

Yan se racla la gorge.

— En parlant de Luke, et de femmes de tête, ajouta-t-il avec un sourire pour Leia, comment ton organisation fonctionnera-t-elle sans Mara ?

— Nous aurons quelques problèmes. Elle se chargeait d'une bonne partie du travail. Mais nous nous y ferons.

— De plus, il a quelqu'un pour la remplacer, ajouta Leia. Shada s'est associée à Talon. Tu le savais, Yan ?

— Oui... Talon, tu te souviens que j'ai un jour voulu savoir ce qu'il faudrait pour t'inciter à rallier la Nouvelle République ? En réponse, tu m'as demandé ce qui m'y avait incité, moi.

— Je m'en souviens, éluda Karrde, l'air embarrassé. Je te prie de te souvenir à ton tour que je n'ai pas rallié la Nouvelle République. Et ma relation avec Shada n'est pas de cet ordre...

— Au début, la mienne avec Leia ne l'était pas non plus, dit Yan en passant un bras autour des épaules de sa femme. Tu verras, dans quelque temps...

— Il ne se passera rien du tout ! affirma Karrde.

— Tu as raison, railla Yan. Je suis bien placé pour le savoir !

Sur les plans du vaisseau, la salle avait pour nom « site de triangulation avant ». Elle était destinée à guider la visée si un ennemi parvenait à démolir la rangée principale de senseurs.

Ce soir-là, elle avait été transformée en galerie d'observation privée.

Adossée à la baie de transparacier, Mara observait les étoiles et se posait des questions sur les changements advenus.

— Tu sais qu'ils doivent tous se demander où nous sommes ? s'enquit Luke en revenant près d'elle avec leurs boissons.

— Qu'ils se le demandent, dit Mara.

Elle huma d'un air ravi la tasse qu'il lui avait apportée.

Les courtisans de Palpatine avaient toujours méprisé le chocolat chaud, une boisson jugée indigne de l'élite. Karrde et son équipage, en bons contrebandiers, faisaient grise mine devant tout liquide non alcoolisé.

Mais le chocolat convenait parfaitement au passé de garçon de ferme de Luke. Cela donnait à Mara une sensation de confort, de stabilité et de sécurité. Des choses simples, mais qui lui avaient manqué presque toute sa vie.

Elle but une gorgée. Et puis, elle adorait le goût du chocolat !

— Leia t'a-t-elle parlé du mariage ? demanda Luke.

— Pas encore, dit Mara. Je suppose qu'elle voudra une grande cérémonie de style haut alderaanien...

Luke sourit.

— Elle le souhaite certainement, mais je doute qu'elle espère l'obtenir.

— Parfait, dit Mara. Je préférerais quelque chose de calme, de privé et de digne. Surtout *digne* ! Enfin, aussi digne que possible. Avec les officiers de la Nouvelle République d'un côté et les contrebandiers de Karrde de l'autre, nous devrons fouiller les invités à l'entrée pour vérifier qu'ils ne sont pas armés.

— Nous trouverons une solution... souffla Luke.

Mara le regarda par-dessus sa tasse.

— En parlant de solutions, as-tu décidé ce que tu allais faire au sujet de l'Académie ?

Il tourna la tête pour regarder par la baie vitrée.

— Je ne peux pas abandonner les étudiants, c'est certain. Je pensais la transformer peu à peu en une sorte de... d'école de préparation. Un endroit où les débutants pourraient apprendre les bases et s'entraîner avec les étudiants plus âgés. Quand ils auront dépassé ce stade, toi, moi et d'autres instructeurs pourrons nous charger de leur formation. Peut-être sur une base plus personnelle — un étudiant pour un maître —, comme l'ont fait pour moi Obi-Wan et Maître Yoda. (Il jeta un coup d'œil à sa compagne.) En supposant que tu t'intéresses à la formation des élèves...

Mara haussa les épaules.

— Ce n'est pas une idée qui me ravit, reconnut-elle. Mais je suis une Jedi maintenant. Du moins, je le suppose. Jusqu'à ce que nous ayons davantage d'instructeurs, l'entraînement des élèves fera partie de mon boulot. (Elle réfléchit un instant.) Dès que j'aurai moi-même une meilleure formation.

— Une formation privée, bien entendu ?

— J'espère bien. Mais avant de commencer, j'ai besoin d'un peu de temps pour me dégager de mes obligations envers Karrde. Je dois transférer mes responsabilités à d'autres personnes. Pas question de les laisser tomber ! (Elle sourit.) La responsabilité et les engagements, tu sais ce que c'est...

Mara sentit un frémissement dans les émotions de Luke.

— Oui, murmura-t-il.

— Même quand je serai prête à enseigner, je n'aurai pas envie de rester sur Yavin, continua-t-elle, attentive aux réactions de Luke. Peut-être devrions-nous voyager entre les mondes de la Nouvelle République avec les étudiants les plus avancés et les former sur le tas. Ainsi, nous serions disponibles en cas de conflit, et pour toutes les autres choses que les Jedi sont censés faire. Et nos étudiants auraient un avant-goût de ce qui les attend quand ils auront mérité leur titre de Jedi.

— Ce serait une bonne chose, dit Luke. J'aurais tiré profit de ce type d'expérience, à mes débuts.

— Bien. (Elle le regarda pensivement.) Maintenant, parle-moi de ce qui te tracasse.

— Que veux-tu dire ? fit-il, méfiant.

— Voyons, Luke ! J'ai partagé ton esprit et ton cœur. Tu ne peux plus avoir de secrets pour moi. Quelque chose t'a choqué quand j'ai parlé de responsabilité et d'engagement, il y a une minute. Quoi ?

Il soupira ; elle sentit qu'il cédait.

— J'ai toujours quelques doutes sur tes raisons de m'épouser, dit-il. Moi, je sais pourquoi je t'aime. Il me semble que tu n'as pas autant à gagner que moi dans cette union.

— Je pourrais te faire remarquer que le mariage n'est pas un jeu où l'un gagne et l'autre perd. Mais ce serait éluder la question... (Elle inspira à fond.) La vérité, Luke, c'est que jusqu'à notre fusion mentale et émotionnelle, dans la salle de clonage de Thrawn, je ne savais pas moi-même ce que je voulais. Bien entendu, j'avais des amis et des collègues. Mais je m'étais tellement coupée des autres sur le plan affectif que je ne réalisais pas que je passais à côté de quelque chose de vital. (Elle secoua la tête.) La preuve : j'ai pleuré quand le *Feu de Jade* s'est écrasé. Un vaisseau... Un simple objet ! Qu'est-ce que cela révèle sur mes priorités ?

— Ce n'était pas seulement un objet, murmura Luke. Il symbolisait ta liberté.

— Bien sûr. Mais ça fait partie du problème. Il représentait la liberté de *fuir* les autres quand je décidais de ne pas m'impliquer. (Elle regarda les étoiles.) Je suis toujours fermée sur beaucoup de points. Toi, tu es si ouvert que ça me rend parfois cinglée. Mais c'est ce que j'ai besoin d'apprendre. Et tu es celui avec qui je veux l'apprendre.

Elle s'approcha et lui prit la main.

— Mais ça fait encore partie des profits et pertes, reprit-elle. La vraie réponse, c'est qu'il s'agit du bon chemin pour nous deux. Un peu comme le proverbe que Maître des Lianes a cité dans les cavernes. Celui qui dit que plusieurs lianes nouées ensemble sont plus solides que quand on les utilise séparément. Nous sommes complémentaires, Luke, à tous les points de vue. D'une certaine manière, nous sommes les deux moitiés d'un seul être.

— Je sais... Mais je n'étais pas sûr que tu l'aies senti aussi.

— Je sais désormais tout ce que tu sais, lui rappela Mara. Faughn avait raison : nous formons une très bonne équipe. Et nous nous améliorerons avec le temps. Dans quelques années, les ennemis de la Nouvelle République fuiront devant nous comme des lapins.

— Et il y aura des ennemis... prédit Luke, de nouveau tourné vers la baie vitrée pour regarder les étoiles. Notre avenir est là, Mara. Dans les Régions Inconnues ! Nos rêves et nos espoirs. Les promesses et les possibilités. Les dangers et les ennemis. Pour le moment, nous détenons la clé, toi et moi...

Mara s'approcha et lui passa un bras autour de la taille.

— Il faudra décider ce que nous ferons du plan que R2 a téléchargé. Peut-être devrions-nous envoyer des vaisseaux-sondes pour jeter un coup d'œil aux mondes que Thrawn avait répertoriés, histoire de voir à quoi ils ressemblent.

— Ça semble logique, convint Luke. Nous pourrions y aller de nous-mêmes ou sous l'aile de la Nouvelle République... Et nous devons également décider que faire au sujet de la Main de Thrawn et de ceux qui l'occupent.

— A mon avis, il vaudrait mieux les laisser tranquilles. S'ils ne veulent pas nous parler, je ne vois pas pourquoi nous les y obligerions.

— Et si Parck décide de se rapprocher de Bastion ? demanda Luke.

Mara secoua la tête.

— Je ne crois pas qu'il le fera. S'il n'a pas encore contacté l'Empire, c'est parce qu'il a appris que le retour de Thrawn était une machination. Je parie qu'il a décidé de garder profil bas pour le moment.

— Il peut aussi être en train de calculer comment se venger après ce que tu as fait subir à son hangar et à ses vaisseaux...

— Je ne m'inquiète pas à ce sujet. Il peut remplacer les vaisseaux, et il doit m'être reconnaissant de l'avoir empêché de donner la Main de Thrawn à Disra et à Flim. (Elle haussa les épaules.) De plus, Fel m'a dit de faire de mon mieux !

Luke sourit.

— Je doute qu'il ait eu cette idée à l'esprit...

— Je ne suis pas responsable des idées du Baron Fel, rappela Mara. S'ils font quelque chose, ce sera plutôt essayer une nouvelle fois de me recruter...

— Bien entendu... En prévision du retour de Thrawn.

Mara pensa au clone mort dans la cellule inondée.

— Ça risque de prendre un certain temps.

— C'est vrai. Mais si Parck en a assez d'attendre et qu'il décide de contacter Bastion, nous avons désormais un traité avec l'Empire. En fin de compte, nous partirons peut-être tous ensemble explorer les Régions Inconnues.

Mara hocha la tête.

— Quoi qu'il y ait là-bas, ça risque d'être intéressant !

Luke approuva d'un hochement de tête.

Quelques minutes durant, ils restèrent main dans la main à regarder les étoiles.

Une sorte de vision flotta devant les yeux de Mara.

Une vision de leur avenir — un avenir *commun* —, et de ce qu'ils auraient à affronter ensemble : les défis, les enfants, les amis, les ennemis, les alliés, les dangers, les joies et les peines.

Tout cela se fondit dans une mosaïque vivante, perdue dans le futur le plus lointain.

Une vision comme elle n'en avait jamais eu.

Mais elle n'était pas une Jedi, *avant*.

Il y aurait des défis passionnants à relever dans l'avenir.

— Dans l'avenir, acquiesça Luke. Pour l'instant, nous sommes dans le présent.

— Où le chef de l'Académie Jedi et le frère de Leia doit faire au moins une apparition à la cérémonie ? se moqua Mara.

Il lui coula un regard en coin.

— C'est précisément ce que j'allais dire. Je vois qu'il me faudra un certain temps pour m'habituer à tes petits dons de société...

— Tu as encore le droit de renoncer, dit Mara.

Luke lui donna un baiser passionné.

— Ça ne risque pas d'arriver ! A tout à l'heure.

Il se dirigea vers la porte.

— Attends un peu ! dit Mara.

Elle fit un pas vers lui, laissant derrière elle la vision du futur qu'elle venait d'avoir.

Comme l'avait dit Luke, ils étaient dans le présent.

L'avenir attendrait.

— Je viens avec toi ! déclara Mara.